# A clínica rebelde

Adam Shatz

# A clínica rebelde

## Uma biografia de Frantz Fanon

tradução
Érika Nogueira Vieira

**todavia**

*Este livro é dedicado à memória de três amigos que, de modos diferentes e em campos diferentes, levaram adiante o trabalho de Frantz Fanon:*

MARIE-JEANNE MANUELLAN,
assistente social, ativista e secretária francesa de Fanon
(1927-2019)

OKWUI ENWEZOR,
curador e crítico nigeriano-americano (1963-2019)

AMINA MEKAHLI,
poeta e romancista argelina (1967-2022)

Prólogo 9

Parte I: Filho nativo

1. Um lugar pequeno 25
2. Mentiras dos tempos de guerra 43
3. Homem negro, cidade branca 61
4. Rumo a um existencialismo negro 81
5. A recusa da máscara 109
6. A prática da desalienação 138

Parte II: O argelino

7. Um mundo cindido em dois 155
8. A explosão argelina 185

Parte III: O exílio

9. Vertigem em Túnis 231
10. Desalienar a psiquiatria 262
11. O "gravador" de Fanon 277
12. Argélia negra 311

Parte IV: O africano

13. África fantasma  349
14. "Criar o continente"  365

Parte V: O profeta

15. Caminhos para a liberdade  383
16. Voz dos condenados  405
17. No país dos linchadores  437

Epílogo: Espectros de Fanon  453

Uma nota sobre as fontes  509
Notas  513
Agradecimentos  553
Índice  557

# Prólogo

Em novembro de 1960, um viajante de origem imprecisa, de pele negra mas não africano, chegou ao Mali. Emitido em Túnis dois anos antes, seu passaporte o identificava como um médico nascido em 1925 na Tunísia, altura: 1,65 metros; cor do cabelo: preta; cor dos olhos: preta. As páginas estavam cobertas de carimbos da Nigéria, de Gana, da Libéria, da Guiné, da Itália. O nome no passaporte, um oferecimento do governo da Líbia, era Ibrahim Omar Fanon, um *nom de guerre*. O psiquiatra Frantz Fanon não era da Tunísia, mas da Martinica. Ele não tinha ido ao Mali exercer medicina: era integrante de uma unidade de comando.

Havia sido uma longa viagem de carro desde a capital da Libéria, Monróvia: mais de 1931 quilômetros em meio a floresta tropical, savana e deserto, e o grupo de oito homens ainda tinha muito a percorrer. A partir do diário que mantinha, fica claro que Fanon estava fascinado pela paisagem. "Essa parte do Saara não é nem um pouco monótona", escreve. "Mesmo o céu lá em cima muda constantemente. Há alguns dias assistimos a um pôr do sol em que o céu ficou violeta. Hoje é um vermelho muito forte que limita a visão."[1] Seus registros transitam livres entre expressões inflamadas de esperança e lembretes sombrios dos obstáculos que enfrentavam as lutas de libertação africanas. "Um continente está em marcha e a Europa está languidamente adormecida", escreve. "Há quinze anos era a Ásia que estava em comoção. Hoje 650 milhões de chineses, tranquilos detentores de um imenso segredo, constroem um mundo por conta própria. O parir de um mundo." E agora uma "África por vir" poderia muito bem emergir das convulsões da revolução anticolonial. No entanto, "o espectro do Ocidente", ele alerta, está "por toda parte presente e ativo". Seu amigo Félix-Roland Moumié, um revolucionário camaronês, acabara de ser envenenado pelo serviço secreto francês, e o próprio Fanon escapara por pouco, em uma visita a Roma, de um atentado que o tinha como alvo. Enquanto isso, uma nova superpotência, os Estados Unidos, "se lançara por toda parte, com dólares na vanguarda, com [Louis] Armstrong como arauto e diplomatas americanos negros, bolsas de estudos, os emissários da Voz da América".

Ainda assim, acreditava Fanon, mais cedo ou mais tarde o continente africano teria que levar em conta ameaças mais severas que o colonialismo. De um lado, a independência da África tinha chegado tarde demais: não seria fácil reconstruir e dar um sentido de direção a sociedades traumatizadas pelo domínio colonial — sociedades havia muito obrigadas a receber ordens de terceiros e a enxergar a si mesmas através dos olhos de seus senhores. De outro, a independência chegara cedo demais, empoderando as "classes médias nacionais" narcisistas do continente que "de uma hora para a outra desenvolvem grandes apetites". Ele escreve: "Quanto mais adentro os círculos culturais e políticos, mais certo fico de que o maior perigo para a África é a ausência de ideologia".

Fanon registrou essas impressões em um caderno escolar azul de professores do terceiro ano de Gana que comprou em Accra. Hoje ele está conservado no Instituto de Memórias da Publicação Contemporânea, uma biblioteca de pesquisa em um antigo monastério na Normandia que abrigou combatentes partisans durante a Segunda Guerra Mundial. Tê-lo nas mãos sessenta anos depois e folhear suas páginas é examinar os pensamentos de um homem à beira da morte: Fanon ainda não sabia que tinha leucemia, ou que sua vida terminaria em 1961 em um hospital em Maryland, no coração do império americano que ele tanto desprezava. Nas estradas da África Ocidental, ele estava aberto, reflexivo e intrigado pelo continente de onde seus ancestrais tinham sido levados em navios negreiros para a colônia francesa da Martinica.

No Mali ele se imaginou em casa, entre seus irmãos negros, no entanto não deixou de ser um estrangeiro. Havia chegado como agente secreto de um país vizinho do que ele chamava de "África Branca": a Argélia, então no sétimo ano de luta de libertação contra o domínio francês. O objetivo de sua missão de reconhecimento era fazer contato com as comunidades do deserto e abrir uma frente meridional na fronteira da Argélia com o Mali para que armas e munições pudessem ser transportadas de Bamako, capital do Mali, através do Saara para os rebeldes da Frente de Libertação Nacional (Front de Libération Nationale, FLN).

O líder da unidade de comando de Fanon era um major da ala militar da FLN, o Exército de Libertação Nacional (Armée de Libération Nationale, ALN). Era um "sujeito peculiar" que tinha por nome Chawki: "pequeno, esguio, com os olhos implacáveis de um velho combatente *maquis*".* Fanon ficou impressionado com a "inteligência e clareza de suas ideias" e com seu conhecimento do Saara, um "mundo em que Chawki

---

* A palavra *maquis* vem do termo francês (primeiro de origem corsa) para um movimento de resistência clandestino. Significa literalmente "matagal" e era usada para evocar o terreno denso e acidentado onde os combatentes da resistência francesa se escondiam durante a Segunda Guerra Mundial. O movimento nacionalista argelino retirou o termo do léxico da resistência da Segunda Guerra Mundial, no qual se inspirava. Quando jovens argelinos deixavam suas cidades e vilarejos para se juntar às unidades da ALN nas montanhas de Aurès, diziam que eles iam *prendre le maquis*, "ir para o *maquis*".

se desloca com a ousadia e a perspicácia de um grande estrategista". Chawki, ele nos conta, passou dois anos estudando na França mas voltou para a Argélia para se ocupar da terra de seu pai. Quando a guerra de libertação deflagrada pela FLN teve início, em 1º de novembro de 1954, ele "tirou sua espingarda de caça do gancho e se juntou aos irmãos".

Pouco depois, Fanon também se uniu "aos irmãos". De 1955 até sua expulsão da Argélia dois anos depois, ele deu refúgio a rebeldes no hospital psiquiátrico que administrava em Blida-Joinville, próximo a Argel. Ele lhes ofereceu cuidado médico e arriscou-se de todas as maneiras possíveis, a não ser se juntando aos *maquisards* nas montanhas — seu primeiro impulso quando a revolução estourou. Ninguém acreditava mais fervorosamente nos rebeldes do que o homem da Martinica. Depois se juntou à FLN no exílio em Túnis, identificando-se como argelino e pregando a causa da independência da Argélia pela África. Cada palavra que escreveu prestava homenagem à luta argelina. Mas ele nunca poderia tornar-se de fato um argelino; nem sequer falava árabe ou berbere (amazigh), as línguas dos povos autóctones da Argélia. Em seu trabalho como psiquiatra, muitas vezes dependia de intérpretes. A Argélia continuou permanentemente fora de alcance para ele, um objeto elusivo de amor, como era para tantos outros estrangeiros que haviam sido por ela seduzidos — em especial os colonos europeus que começaram a chegar na década de 1830. Ele seria, na melhor das hipóteses, um irmão adotivo, sonhando com uma fraternidade que transcenderia etnia, raça e nação: o tipo de arranjo que a França lhe prometera quando ele era jovem e que o levara a participar da guerra contra as potências do Eixo.

A França traiu sua promessa, mas Fanon, até quando se voltou violentamente contra a pátria colonial, permaneceu fiel aos ideais da Revolução Francesa, esperando que eles pudessem ser alcançados em outra parte, nas nações independentes do que era então conhecido como Terceiro Mundo. Ele era um "jacobino negro", como o marxista de Trinidade e Tobago C. L. R. James descreveu Toussaint L'Ouverture em sua história clássica da Revolução Haitiana.[2] Quase seis décadas depois de perder a Argélia, a França ainda não perdoou a "traição" de Fanon: uma proposta recente de dar seu nome a uma rua de Bordeaux foi derrubada. Pouco importa que Fanon tenha dado o sangue pela França quando moço, depois lutado pela independência argelina em defesa de princípios republicanos clássicos, ou que sua obra continue a dialogar com a crise de muitos jovens cidadãos franceses de ascendência negra ou árabe que se sentem estrangeiros em seu próprio país.

Em 1908, Georg Simmel, um sociólogo judeu alemão, publicou um ensaio chamado "O estrangeiro". O estrangeiro, escreve ele, "não é um errante, que pode chegar hoje e ir embora amanhã. Ele chega hoje — e fica".[3] Essa foi a experiência de Fanon ao longo de sua vida: como soldado no Exército francês, como estudante antilhano em Lyon, como francês negro, e como não muçulmano na resistência argelina contra a França. Simmel sugere que, ainda que o estrangeiro levante suspeitas, ele se beneficia de um privilégio epistemológico peculiar já que "lhe são oferecidas revelações, confissões de outro modo cuidadosamente ocultas de quaisquer pessoas inseridas de forma mais orgânica". Ouvir tais confissões era o trabalho de Fanon como psiquiatra, e foi fazendo isso que ele decidiu se lançar na luta pela independência, até se tornar um argelino, como se um comprometimento com o cuidado e a recuperação de seus pacientes exigisse um tipo ainda mais radical de solidariedade, uma união com o povo que ele passara a amar.

O século XX estava, é claro, cheio de revolucionários nascidos no exterior, forasteiros radicais atraídos a terras distantes sobre as quais projetavam suas esperanças e fantasias. Ainda assim Fanon era inusitado, muito mais do que um mero simpatizante compassivo. No fim ele se tornaria o embaixador itinerante da FLN na África — sua compleição um trunfo incontestável para um movimento norte-africano em busca de apoio dos primos subsaarianos — e ganharia a fama de "principal teórico" da FLN.

O que ele não foi. Teria sido bastante surpreendente se um movimento de tamanha força nacionalista tivesse escolhido um estrangeiro como seu teórico. A tarefa de Fanon era limitada sobretudo a comunicar objetivos e decisões que outros haviam formulado. Mas ele interpretou a luta de libertação argelina de um modo que ajudou a transformá-la em um símbolo mundial de resistência à dominação. E o fez na linguagem da profissão que exercia, e que ao mesmo tempo reimaginou radicalmente: a psiquiatria. Antes de ser revolucionário, Fanon era psiquiatra, e suas ideias sobre a sociedade tomaram forma dentro de espaços de confinamento: hospitais, hospícios, clínicas e o cárcere da raça, o qual — enquanto negro — ele experimentou ao longo de toda a vida.

Fanon não era um homem modesto. A alguns de seus contemporâneos ele dava a impressão de vaidade, arrogância, até irascibilidade. Mas com seus pacientes ele dificilmente poderia ter sido mais humilde.

Enxergava no rosto e nos sofrimentos físicos e psicológicos deles pessoas que haviam sido privadas de liberdade e alienadas à força de si mesmas, de sua habilidade de lidar com a realidade e de nela atuar de forma independente. Alguns deles tinham transtornos mentais (em francês, *aliénés*); outros eram trabalhadores imigrantes ou argelinos colonizados que passavam fome e tinham dificuldades com habitação precária e violência; outros ainda sofriam por executar o trabalho sujo da repressão colonial. (Fanon tratou soldados franceses que haviam torturado suspeitos argelinos, e escreveu sobre os traumas deles com lucidez e compaixão notáveis.) O que compartilhavam era uma angústia invisível e dilacerante gravada na psique, que imobilizava o corpo e a alma. Essa angústia, para Fanon, era uma espécie de conhecimento dissidente: uma contranarrativa para a história triunfante que o Ocidente contava sobre si mesmo.

Em um ensaio de 1945 sobre o livro de memórias de Richard Wright, *Black Boy*, Ralph Ellison observou que a opressão racial começa "à sombra da infância, onde o ambiente e a consciência estão tão umbrosamente entrelaçados que chegam a exigir as habilidades de um psicanalista para definir seu ponto de interseção".[4] Fanon era psiquiatra, não psicanalista, mas tinha uma leitura aprofundada da bibliografia psicanalítica. Seu primeiro livro, *Pele negra, máscaras brancas*, publicado em 1952, quando tinha 27 anos, foi uma tentativa de revelar a sombra que a opressão racial lança sobre a vida das pessoas negras. Em seus escritos posteriores sobre a Argélia e o Terceiro Mundo, ele evocou energicamente a vida onírica de sociedades desfiguradas pelo racismo e pela subjugação colonial.

"História", nas palavras do crítico literário marxista Fredric Jameson, "é o que dói, é o que rechaça o desejo e estabelece limites inexoráveis a práxis individuais bem como coletivas."[5] Fanon tinha um dom raro de expressar as dores que a história havia causado na vida de povos negros e colonizados, porque ele mesmo sentia essas dores com força quase insuportável. Poucos escritores captaram com tanto ardor a experiência vivida do racismo e da dominação colonial, a fúria que ela cria na mente dos oprimidos — ou a sensação de alienação e impotência que engendra. Ser negro em uma sociedade de maioria branca, escreve ele em uma de suas passagens mais desoladoras, era se sentir preso em uma "zona do não ser, uma região extraordinariamente estéril e árida, uma encosta perfeitamente nua, de onde pode brotar uma aparição autêntica".[6]

No entanto o próprio Fanon tinha uma crença fervorosa em novas possibilidades. Em sua escrita, assim como em seu trabalho como médico e revolucionário, ele permaneceu desafiadoramente esperançoso de que as vítimas colonizadas pelo Ocidente — os "condenados da terra", como os chamava — poderiam inaugurar uma nova era na qual ficariam livres não apenas do domínio estrangeiro mas da assimilação forçada aos valores e idiomas dos opressores. Só que primeiro eles tinham que estar dispostos a lutar por sua liberdade. Fanon queria dizer isso literalmente. Ele acreditava no potencial regenerativo da violência. Luta armada não era apenas uma resposta à violência do colonialismo; era, a seu ver, uma espécie de antídoto que reacendia uma sensação de poder e de autodomínio. Ao retaliar seus opressores, os colonizados superavam a passividade e a autoaversão induzidas pelo confinamento colonial, livravam-se das máscaras da obediência que haviam sido obrigados a usar, e renasciam, psicologicamente, como homens e mulheres livres. Mas, como ele sabia, é mais fácil colocar máscaras do que se livrar delas. Como qualquer luta para exorcizar os fantasmas da história e começar do zero, muitas vezes a de Fanon foi um confronto com a impossibilidade, com os limites de seus desejos visionários. Grande parte da força da sua escrita reside na tensão, que ele nunca resolveu de fato, entre seu trabalho como médico e suas obrigações como militante, entre seu comprometimento com a cura e sua crença na violência.

Fanon argumentou a favor da violência em seu último livro, *Os condenados da terra*, publicado pouco antes de sua morte em dezembro de 1961. A aura que ainda o cerca hoje deve-se em grande parte a essa obra, o ápice de seu pensamento sobre revolução anticolonial e um dos grandes manifestos da era moderna. No prefácio, Jean-Paul Sartre escreveu que "o Terceiro Mundo *se* descobre e *se* expressa por meio dessa voz".[7]

Um exagero, é certo, e inadvertidamente paternalista: a voz de Fanon era uma entre muitas no mundo colonizado, o qual não carecia de escritores e de representantes. No entanto é difícil sobrestimar o impacto arrebatador do livro de Fanon na imaginação de escritores, intelectuais e insurgentes no Terceiro Mundo. Alguns anos depois da morte de Fanon, Orlando Patterson — um jovem escritor radical jamaicano que mais tarde se tornaria um eminente sociólogo da escravidão — descreveu *Os condenados da terra* como "o corpo e a alma de um movimento, escrito, como só poderia ter sido escrito, por alguém que participou plenamente dele".[8]

*Os condenados da terra* era leitura obrigatória para revolucionários nos movimentos de libertação nacional dos anos 1960 e 1970. Foi bastante traduzido e citado com adoração pelos Panteras Negras, o Movimento de Consciência Negra na África do Sul, as guerrilhas na América Latina, a Organização para a Libertação da Palestina (OLP) e os revolucionários islâmicos do Irã. Da perspectiva de seus leitores de movimentos de libertação nacional, Fanon entendia não apenas a necessidade estratégica da violência mas sua necessidade *psicológica*. E ele a entendia porque era tanto psiquiatra quanto homem negro colonizado.

Alguns leitores no Ocidente expressaram horror à defesa da violência por parte de Fanon, acusando-o de ser um apologeta do terrorismo — e há muito de fato a se contestar. Ainda assim, os escritos dele sobre o assunto são facilmente mal interpretados e caricaturados. Como o próprio apontou reiteradas vezes, regimes coloniais, tal qual a Argélia dominada pela França, eram eles mesmos fundados sobre a violência: a conquista de populações indígenas; o roubo de suas terras; a difamação de suas culturas, línguas e religiões. A violência dos colonizados era uma *contraviolência*, adotada depois que outras formas de oposição mais pacíficas haviam se provado impotentes. Por mais terrível que às vezes fosse, ela nunca poderia se equiparar à violência dos exércitos coloniais, com suas bombas, centros de tortura e campos de "reinserção".

Leitores com uma experiência pessoal de opressão e crueldade costumam responder compassivamente à insistência de Fanon no valor psicológico da violência para os colonizados. Em um ensaio de 1969, o filósofo Jean Améry, veterano da resistência antifascista belga e sobrevivente do Holocausto, escreveu que Fanon retratou um mundo que ele conhecia muito bem de seu tempo em Auschwitz. O que Fanon entendia, afirmou Améry, era que a violência dos oprimidos é "uma afirmação de dignidade", que se abre para um "futuro histórico e humano".[9] O fato de Fanon, que nunca pertenceu a lugar algum na vida, ter sido reivindicado por tantos como um irmão revolucionário — aliás, como um profeta universal da libertação — é um feito que ele mesmo teria apreciado.

O mundo em que vivemos não é o de Fanon, no entanto ele se converteu ainda mais em ícone intelectual e cultural nos últimos anos. Em um mundo pós-colonial, a nostalgia pelas clarezas ostensivas da época da libertação nacional é, certamente, uma das razões para isso. Fanon escreveu algumas das frases mais memoráveis sobre a luta pela libertação e, além disso, viveu a vida de um revolucionário. Ele repercutiu a injustiça racial, a exploração do mundo pobre pelo mundo rico, a negação da dignidade humana, a persistência do nacionalismo branco. E sua insistência de que a libertação é um projeto psicológico bem como político tem eco em apelos contemporâneos à "descolonização da mente". Mas o que imbui a escrita de Fanon de força distintiva, poder de comover leitores nascidos muito depois da morte dele, é seu caráter de revolta, protesto e insubordinação.

Essas qualidades são visíveis no seu rosto. Nas poucas fotografias que existem, Fanon raramente parece estar à vontade.

(Ser negro no Ocidente, acreditava, era vivenciar um sentido permanente de estar deslocado, de ser visto através de um prisma tão distorcido de temores e fantasias a ponto de se tornar invisível como indivíduo.) Ele costumava ser descrito como um *écorché vif*, uma alma ultrassensível, alguém que foi "esfolado vivo". Mesmo à medida que Fanon assumia suas responsabilidades como militante profissional, que tomava os ares de um líder, que se tornava cada vez mais fervoroso em sua visão da libertação do Terceiro Mundo, sua escrita continuava a estremecer com a raiva e a paixão de um jovem à procura de seu lugar legítimo em um mundo construído para negar-lhe um. Esse é o espírito de Fanon, o veio intransigente de sua voz.

Ele não usava máquina de escrever ou caneta; ditava seus textos, andando de um lado para outro, o corpo sempre em movimento enquanto compunha. "Ó meu corpo, faz sempre de mim um homem que questiona!", exclama na "prece derradeira" de *Pele negra, máscaras brancas*.[10] Fanon era ateu; fazer uma prece para uma autoridade superior teria lhe parecido ridículo. E por que uma prece para o próprio corpo? Ele tinha alguma espécie de crença mística na carne? De certo modo. Estava pedindo ao corpo não para lhe mostrar o caminho da iluminação, mas para se rebelar contra qualquer inclinação à complacência ou à resignação. O corpo, para ele, é lugar de conhecimento inconsciente, de verdades sobre o eu que a mente se esquiva de proferir, um repositório de desejo e resistência. A relação de Fanon com a realidade é fundamentalmente de questionamento: "[…] aquele que buscar em meus olhos outra coisa além de um questionamento incessante deverá perder a visão; nem reconhecimento nem ódio".

No entanto o modo de questionamento de Fanon não era o de um cético. "O homem", escreve em *Pele negra, máscaras brancas*, não é um mero "não", mas "[…] um SIM que vibra com as harmonias cósmicas".[11] Sua obra é uma celebração da liberdade e do que ele chamava de "desalienação": o cuidadoso desmantelar de obstáculos psicológicos para uma experiência irrestrita de individualidade que se abre para um projeto mais amplo de bem-estar mental de comunidades oprimidas. Seu comprometimento com a desalienação é especialmente pungente em seus escritos psiquiátricos, que foram disponibilizados ao grande público apenas nos últimos anos. Neles vemos Fanon como o médico reformador, determinado a mitigar o sofrimento de seus pacientes e a acolhê-los na comunidade humana da qual haviam sido exilados. Mas Fanon passou a acreditar que reformar não era apenas inadequado como também falacioso — que, se não por uma transformação revolucionária, ele seria cúmplice, enquanto psiquiatra em exercício, da cultura de confinamento que sequestrava corpos e almas argelinos. Ele não estava errado. Contudo, as escolhas políticas que fez no mundo fora do hospital foram mais turbulentas, e às vezes exigiram uma negação do "homem que questiona" — uma rendição tática da liberdade que não lhe passava despercebida nem o deixava sem arrependimentos. Ser companheiro de jornada no movimento de independência argelino — o grande "SIM" de sua própria vida — fez com que fizesse parte de uma rebelião continental contra o colonialismo. Mas a experiência viva da luta argelina quase nunca foi harmoniosa, muito menos cósmica.

Além disso, no caso de Fanon, essa experiência gerou quase tantas ilusões quanto iluminações. Eu admiro Fanon — sua audácia intelectual, sua coragem física, suas ideias perspicazes sobre poder e resistência e, acima de tudo, seu comprometimento inabalável com uma ordem social arraigada na dignidade, na justiça e no reconhecimento mútuo —, mas, como você verá, minha admiração por ele não é incondicional, e sua memória não se serve bem de santificação.

Neste livro, explorarei as perguntas que Fanon fez, e as que ele deixou de fazer, porque ambas explicam muito, não a respeito do profeta, mas a respeito do homem. Uma vez ele disse que tudo o que queria era ser encarado como um homem. Não um homem negro. Não um homem que "calhava" de ser negro mas que podia passar por branco. Não um branco honorário. Ele tinha sido todos esses homens, aos olhos dos outros, mas nunca apenas um homem. Ele não estava pedindo muito, mas era como se estivesse pedindo o mundo — um mundo diferente.

"O negro não existe", escreveu Fanon. "Não mais que o branco."[12] O que ele queria dizer é que não se nasce branco ou negro, assim como não se nasce mulher: deve-se tornar-se uma, como Simone de Beauvoir afirmou. Estranhamente, a celebração de Fanon como profeta o fixa em uma essência com tanta firmeza quanto sua raça o faz. Trata-o como um homem de respostas, e não como um homem com perguntas, trancafiado em um projeto de ser, e não de tornar-se.

Por força das circunstâncias, Fanon passou a encarar sua obra e sua vida como inextricavelmente entrelaçadas à descolonização revolucionária. Mas ele também era impressionável, e a noção que tinha da própria identidade costumava ser bastante frágil. "'Um homem sem uma máscara' é de fato muito raro. [...] Todos em alguma medida usam uma máscara",[13] o psiquiatra R. D. Laing nos lembra. Ainda assim, é impressionante quantas máscaras Fanon assumiu em sua curta vida: francês, antilhano, negro, argelino, líbio, africano, para não mencionar soldado e médico, poeta e ideólogo, destruidor e criador de mitos. Algumas dessas máscaras foram impostas pelas circunstâncias, mas outras foram produto de sua própria imaginação, de sua busca apaixonada por pertencimento e, quem sabe, de sua esperança de se tornar o "novo homem" que ele vislumbrava para o futuro do mundo em desenvolvimento.

O poeta americano Amiri Baraka descreveu James Baldwin, que nasceu um ano antes de Fanon, como "a boca revolucionária negra de Deus". O que Baldwin foi para a América, Fanon foi para o mundo, sobretudo o Terceiro Mundo insurgente, aqueles subordinados aos impérios europeus a quem fora negado o que Edward Said chamou de a "permissão para narrar" suas próprias histórias. Mais que qualquer outro escritor, Fanon marca o momento em que os povos colonizados fazem sentir sua presença como homens e mulheres, em vez de "nativos", "subordinados" ou "minorias", tomando a Palavra para si, afirmando seu desejo de reconhecimento e sua reivindicação de poder, autoridade e independência.

Esse foi o começo de um novo mundo, o mundo em que estamos vivendo agora, no qual o colonialismo formal quase inteiramente ruiu mas onde a desigualdade, a violência e a injustiça, exacerbadas pela maior epidemia em um século, continuam sendo o regime de grande parte da população mundial, sobretudo entre as pessoas cujas condições preocupavam Fanon. "O velho morre e o novo não pode nascer: neste interregno, verificam-se os fenômenos patológicos mais variados", escreveu Antonio Gramsci.[14] Fanon, um médico, diagnosticava incisivamente esses sintomas. Ele via com muita clareza que era improvável que pessoas que sofriam de traumas provenientes de racismo, violência e dominação se reinventassem da noite para o dia — e que elas não tinham escolha a não ser seguir lutando, nem que fosse para que pudessem respirar. A luta pela liberdade humana e pela desalienação era uma batalha constante entre a ferida e a vontade. Fanon apostou na última, mas sua obra também é um reconhecimento devastador da primeira, ainda que o pessimismo fosse um luxo a que não pudesse se dar. Ele testemunhou tortura e morte; enlangueceu na zona do não ser. Mas sempre se colocou ao lado da vida, e da criação.

Parte I
# Filho nativo

# I.
# Um lugar pequeno

Há alguns anos, em *Soul of a Nation: Art in the Age of Black Power* [Alma de uma nação: Arte na era do poder negro], uma exposição organizada pela Tate Modern, me deparei com uma referência, em um texto de parede, a uma conferência cultural em Lagos de que Frantz Fanon supostamente participou em 1975 — um feito impressionante para um homem que havia morrido catorze anos antes. Mais uma vez, ser um profeta é flutuar livre das coordenadas de tempo e espaço que confinam o restante de nós. Uma busca no Google sobre Fanon vai encontrá-lo descrito de diversas formas: africano, antilhano, argelino e muçulmano. (Ele quase nunca é descrito como francês, embora legalmente o fosse.) O destino de Fanon tem sido ser lembrado como um embaixador itinerante dos condenados da terra, se não como um irmão de outro planeta. Mas ele veio de um lugar: a cidade de Fort-de-France, capital da Martinica.

A Martinica é uma das ilhas da cadeia das Pequenas Antilhas, que se estende de Granada às Ilhas Virgens. Uma das *vieilles colonies* da França, as "velhas colônias" obtidas sob o Ancien Régime, ela esteve sob domínio francês desde 1635, embora tenha passado brevemente para mãos britânicas em duas ocasiões no século XVIII. É um "lugar pequeno",[1] como Jamaica Kincaid escreveu sobre sua própria ilha, Antígua, onde "os senhores partiram, de certo modo", e "os escravizados foram libertos, de certo modo". A Martinica era uma colônia de escravizados baseada na produção de açúcar, até que a emancipação chegou em 1948 e o rum passou a ser o principal artigo de exportação.

Fort-de-France, onde Fanon cresceu, tornou-se o centro cultural e econômico da ilha em 1902, depois que a capital anterior, a cidade de Saint-Pierre, foi destruída por uma erupção do Monte Pelée que matou seus 30 mil habitantes em alguns minutos, enterrando-os em cinzas vulcânicas abrasadoras e incendiando o açúcar e o rum mantidos em navios no porto. Originalmente conhecida como Fort Royal ou "Foyal" — os moradores ainda se designam como *foyolais* —, Fort-de-France sempre foi uma prima pobre de Saint-Pierre. Ainda que sua população tenha crescido rápido no início do século XX, ela permaneceu uma cidade pacata, assolada por "lepra, consunção [...], medos", nas palavras do poeta Aimé Césaire.[2] Um jornalista americano enfureceu as elites da cidade quando a chamou de "pérola pestilenta", mas "ah, quão justificado" isso era, escreveu o irmão mais velho de Fanon, Joby, descrevendo Fort-de-France como uma "cidade falida [...] plana, espraiada, suja, com bueiros que não passavam de esgotos a céu aberto".[3]

Durante a infância de Fanon, a Martinica era uma colônia francesa, onde se ensinava às crianças que descendiam de africanos escravizados sobre seus "ancestrais, os gauleses". As três primeiras palavras que Frantz aprendeu a escrever foram "*Je suis français*", "eu sou francês". A administração era comandada por uma elite crioula de ascendência mestiça de franceses e africanos; apenas alguns poucos milhares de descendentes brancos da classe dos donos de plantations, os *békés*, continuavam na ilha. Em março de 1946, a Martinica se tornaria um departamento ultramarino da França metropolitana, representada por quatro deputados e dois senadores, depois de uma campanha liderada por Césaire, então prefeito de Fort-de-France, que defendia que os interesses de seu povo seriam melhor atendidos se ela permanecesse como parte da França em vez de buscar independência.

Ao longo de sua vida, Fanon expressaria frustração com o fato de o povo e os líderes da Martinica nunca terem tomado as rédeas de seu próprio destino. Os martinicanos, a seu ver, eram livres, mas — como escreveu Kincaid — apenas "de certo modo". Eles tinham rompido seus grilhões simplesmente para se submeter à dominação mais insidiosa de reflexos aprendidos durante a escravidão: hierarquias intricadas com base em tons de pele e veneração dos modos da *métropole*. Prisioneiros do olhar branco que haviam internalizado e tornado seu próprio, eles já não conseguiam enxergar a si mesmos. "Olhavam para a vida com pele negra e olhos azuis",[4] como o poeta de Santa Lúcia Derek Walcott, que nasceu cinco anos depois de Fanon, observou sobre as Antilhas da geração dos dois.

No entanto foi um golpe de sorte ter nascido na Martinica entre as duas guerras mundiais. A ilha alimentou o sentimento de revolta de Fanon e lhe deu o primeiro gosto pela luta. Seus escritores — sobretudo Césaire — o abasteceram com um vocabulário para refletir sobre o que significava ser negro e colonizado em um mundo dominado pelos brancos. A Martinica era um lugar pequeno, com todos os estreitamentos e provincialismo que isso implica. Mas era também um dos centros da revolução no pensamento negro conhecida como "Négritude". Embora Fanon tenha ao fim se distanciado da maioria das premissas intelectuais da Négritude, ele continuaria leal à sua aspiração mais fundamental, a emancipação da humanidade negra não só da dominação política e econômica mas também da tirania da assimilação dos valores brancos.

Fanon beneficiou-se de outra maneira de seus primeiros anos nesse império estagnado. As ilhas das Antilhas costumavam ser parodiadas como lugares de indolência langorosa, onde os que podiam se dar ao luxo de fazê-lo buscavam prazer em detrimento de reflexão enquanto os pobres afogavam as mágoas no rum. O próprio Fanon tendia a pensar na Martinica nesses termos: ele nunca a perdoou por não ser o Haiti, cujo povo derrubara a escravidão em uma revolução violenta, em vez de esperar que a emancipação fosse "oferecida" por seus opressores. Como a maioria de seus companheiros ilhéus, ele parecia não estar a par da revolta martinicana de escravizados de 1848, que precedeu imediatamente à emancipação, ou das esporádicas insurreições de escravizados que abalaram a ilha ao longo de sua história.

Mas lugares pequenos, em virtude do isolamento, podem criar em algumas pessoas uma fome insaciável por aprendizado e viagem. "O apetite por conhecimento que agita terras distantes que acabaram de ser trazidas à consciência de si mesmas é inimaginável",[5] o escritor martinicano Édouard Glissant observa em seu romance de 1958, *La Lézarde* [A fenda]. Glissant, que conhecia Fanon, descreveu a decisão de Fanon de se tornar argelino como o único verdadeiro "acontecimento" na história moderna das Antilhas francesas. A fome que o levaria à Argélia foi nutrida em Fort-de-France.

Fanon é amplamente celebrado como um tribuno dos oprimidos, mas ele teve, para os padrões martinicanos, uma infância privilegiada.

Félix Casimir Fanon, seu pai, era inspetor aduaneiro; sua mãe, Eléonore Félicia Médélice, comerciante que vendia ferragens e tecidos. Os Fanon não se misturavam com os *békés*, mas tinham credenciais impecáveis de classe média: empregados, aulas de piano para as filhas, até uma casa de fim de semana fora de Fort-de-France. Eles moravam ao lado de uma família de comerciantes italianos. Os ancestrais de Frantz por parte de pai eram pessoas livres com propriedades. Seu bisavô, filho de um escravizado, tinha começado como ferreiro, um bem respeitado *nègre à talents* (negro com habilidades), antes de comprar um lote de terra cultivável onde plantou cacau. Eléonore, a mãe de Fanon, possuía algo ainda mais precioso do que terra cultivável na Martinica colonial: ascendência branca. Os antepassados de sua mãe eram originários de Estrasburgo, na Alsácia, onde haviam se estabelecido no fim do século XVII, fugindo da perseguição religiosa na Áustria. O nome "Frantz" era uma provável homenagem às raízes alsacianas da mãe. Como muitos membros da pequena burguesia martinicana, os Fanon eram socialistas que se identificavam aguerridamente com a República que tinha acabado com a escravidão e permitido que a família prosperasse. Eles eram talvez até mais franceses que os franceses residentes das *vieilles colonies*, que ficavam apavorados com a ideia de serem confundidos com os *nègres* das colônias africanas que a França obtivera no século XIX.

Nascido em 20 de julho de 1925, Frantz era o quinto dos oito filhos do casal. Tem havido muita especulação sobre seus problemas na família. Um de seus primeiros biógrafos afirmou que ele era estigmatizado por ser o membro de pele mais escura, algo que Joby Fanon negou com veemência. Alice Cherki, psicanalista que fez residência com Fanon, especula que ele "não possuía aquela aura imperceptível, mas real, de serenidade típica dos filhos incondicionalmente amparados por uma mãe amorosa".[6] Contudo, em cartas enviadas para casa durante a guerra, Fanon expressava grande devoção pela mãe, e não fazia segredo sobre seu desdém pelo pai tantas vezes ausente, que trabalhava por muitas horas e parecia não se interessar muito pelos filhos. Os relatos que temos de sua vida em família, por mais superficiais que sejam, não apresentam evidências de nada incomum, muito menos traumático. Fanon mais tarde defenderia que, na medida em que os antilhanos colonizados sofriam de uma "neurose de abandono" — termo que ele tomou emprestado da psicanalista Germaine Guex —, ela derivava não de uma parentalidade disfuncional, mas da negligência de seus senhores coloniais, que haviam suplantado a autoridade parental apenas para "inferiorizar" as crianças do além-mar. Na obra de Fanon, o pai simbólico representado pela França contaria muito mais que pais biológicos, como Félix Casimir Fanon.

Fanon era algo como uma criança bravia — tão turbulento que Eléonore Fanon às vezes brincava que deviam ter trocado seu filho verdadeiro no hospital. Ele se metia em rixas e a certa altura cortou outro garoto com uma lâmina de barbear. Ainda assim, a maioria de suas aventuras era inofensiva. Em suas memórias sobre o irmão mais novo, Joby Fanon descreve como, depois que a noite caía, eles pulavam os portões do mercado de frutas e legumes e roubavam mangas, damascos e laranjas, "mais pela farra da coisa do que por fome".[7] Frantz era um jogador de futebol apaixonado, e no início da adolescência tornou-se um leitor ainda mais fervoroso, devorando obras clássicas da literatura francesa na biblioteca Schœlcher. Na lembrança de Joby: "Nós éramos realmente livres".

Frantz, por sua vez, não tinha saudades de sua infância.

Em seu perfil biográfico de Fanon, Alice Cherki escreve sobre uma conversa em que ele se lembrou de ficar perplexo — e depois furioso — quando seu professor lhe disse que ele devia sua liberdade a um finado homem branco. O homem branco em questão era o político francês Victor Schœlcher, que elaborou o decreto de 1848 que anunciava a abolição da escravatura em todas as *vieilles colonies* e que foi posteriormente eleito para a Assembleia Nacional como representante da Martinica e de Guadalupe.*

Filho de um abastado fabricante de porcelanas, Schœlcher desenvolveu uma aversão pela escravidão durante viagens comerciais para o Novo Mundo em 1829.[8] Viajando pelo México, pela Flórida, pela Louisiana e por Cuba, ele ficou especialmente horrorizado com o caráter racial da escravidão. Ao retornar à França, condenou a exploração de escravizados no artigo intitulado "Des Noirs" [Os negros], mas não chegou a exigir emancipação imediata, sugerindo, sim, um processo gradual de manumissão ao longo de quarenta a sessenta anos, aproximadamente. Foi só quando ficou sabendo que os proprietários das plantations se recusavam a oferecer educação a seus escravizados que ele se voltou contra o gradualismo e saiu em favor da "imediata abolição da escravatura" — subtítulo do relato de 1842 de sua viagem às Antilhas. Incansável em sua defesa da abolição, serviu como subsecretário para as colônias e presidente da Comissão sobre a Escravatura, e tornou-se, de fato, o arquiteto da ordem pós-escravidão nas Antilhas. O romancista Victor Hugo fez uma descrição reveladora da cerimônia em que Schœlcher anunciou a abolição definitiva da escravatura, ocorrida em Guadalupe em 19 de maio de

---

* O decreto foi anunciado em 1848, mesmo ano em que a França anexou a Argélia e a dividiu em três departamentos, decisão que Schœlcher, como outros defensores liberais do império, incluindo o diplomata e escritor Alexis de Tocqueville, apoiou com entusiasmo. Ele justificou seu apoio tanto à emancipação quanto à anexação da Argélia com o mesmo embasamento: assimilação à República. Victor Hugo, por sua vez, celebrou a colonização francesa da África como "um magnífico poema": "Ser ocupado pela França", escreveu ele em 1849 no jornal que editava, *L'Evénement*, "é começar a ser livre. [...] Ser queimado pela França é começar a ser iluminado". Apud William B. Cohen, *The French Encounter with Africans: White Response to Blacks, 1530-1880*. Bloomington: Indiana University Press, 1980, pp. 273-4.

1848: "Quando o governador proclamou a igualdade da raça branca, da raça mulata e da raça negra, havia apenas três homens na plataforma, representando, por assim dizer, as três raças: um branco, o governador; um mulato, que segurava uma sombrinha sobre ele, e um negro, que carregava seu chapéu".[9]

Não é de surpreender que a concepção de Schœlcher sobre a abolição revelava os limites da liberdade dos negros sob o capitalismo colonial. As velhas plantations não foram dissolvidas nem os ex-escravizados providos de terras. Mas os senhores receberam, sim, indenização pela perda de suas propriedades em escravizados, enquanto homens e mulheres libertos continuaram em suas terras, trabalhando em cultivos comerciais. A hostilidade dos colonos brancos à integração — eles temiam especialmente a perspectiva de ter que aceitar pessoas de ascendência racial mestiça como iguais — garantia a preservação da segregação informal na Martinica e em outras sociedades antilhanas. O próprio Schœlcher descobriu em 1881 que dos 138 oficiais do governo martinicano, 99 eram brancos, 38 não brancos (de raça mestiça), e apenas um era negro: um policial. Como o historiador Robin Blackburn escreveu: "Ainda que o humanitarismo e as boas intenções de Schœlcher nunca devam ser postos em dúvida, seu republicanismo social paternalista tornou-se o tegumento que ligava a população negra ao colonialismo francês".[10]

Fanon, que mais tarde caracterizaria o mundo colonial como um "mundo de estátuas [...] esmagando com suas pedras as costas esfoladas pelo chicote",[11] visitou o monumento a Schœlcher aos dez anos de idade, em uma excursão escolar. O monumento, construído em 1887, ficava no parque La Savane, uma praça gramada em que ele jogava futebol aos domingos, a qual em *Pele negra, máscaras brancas* ele descreveria amargamente como sendo "delimitado nas laterais por tamarindeiros carunchados", acrescentando: "Sim, essa cidade está lamentavelmente encalhada. Essa vida também".[12] O ponto central do monumento representava Schœlcher em um pedestal com um escravizado liberto que o admirava com gratidão. A inscrição o aclamava como um herói que libertou os escravizados de seus grilhões. La Savane também era onde ficava a Biblioteca Schœlcher, uma estrutura imponente com ares de pagode feita de ferro fundido e vidro, que fora primeiramente erguida no Jardim das Tulherias em Paris e depois despachada em partes para a Martinica, onde foi remontada; seu saguão de entrada adornado com os nomes de Rousseau, Voltaire e outros filósofos do Iluminismo francês.

Por que Schœlcher é um herói para nós? Fanon se lembrava de ter perguntado a seu professor. E por que ninguém nos contou sobre o que existia antes da escravidão? Qual, em outras palavras, é a *nossa* história?

Fanon eventualmente passaria a ver a história que tinham lhe ensinado como uma forma invasiva de colonização cultural. Ele escreve em *Pele negra, máscaras brancas*:

> Nas Antilhas, o jovem negro, que na escola repete incessantemente "nossos pais, os gauleses", identifica-se com o explorador, com o civilizador, com o branco que traz a verdade aos selvagens, uma verdade toda branca. Há identificação, ou seja, o jovem negro adota subjetivamente uma atitude de branco. [...] Pouco a pouco, vemos formarem-se e cristalizarem-se no jovem antilhano uma atitude e um hábito de pensar e de ver que são essencialmente brancos.
>
> [...] [Uma vez que cresce] O martinicano é um crucificado. O meio que o fez (mas que não foi feito por ele) o desmembrou terrivelmente.[13]

Ser negro e colonizado é herdar um mundo que seus antepassados não construíram, e ser condenado ao mimetismo. Um mimetismo impossível, porque usar uma máscara branca não o tornará branco, muito menos o libertará; pelo contrário, ela reforça a alienação e a autoaversão.

É difícil imaginar o Fanon de dez anos mostrando a língua para o Monumento Schœlcher: a máscara estava justa demais no rosto para atos de rebelião como esse. Mas pode-se facilmente imaginar o Fanon mais velho se lembrando, com horror e vergonha, de não tê-lo feito.

Em 1º de setembro de 1939, irrompeu a guerra na Europa. Nesse mesmo dia, o almirante Georges Robert zarpou de Brest no cruzador *Jeanne d'Arc* para assumir seu novo posto como alto-comissário das Antilhas francesas e comandante-chefe da Frota do Atlântico Ocidental. O destino da flotilha militar de Robert era Fort-de-France, a base do campo de operações do Atlântico Ocidental da França. Cavavam-se trincheiras em La Savane e fechavam-se escolas como preparativos para ataques aéreos, e o pânico de que a guerra alcançaria a ilha espalhava-se entre os martinicanos de classe média. A mãe de Fanon tinha uma preocupação mais urgente: Frantz e Joby perambulavam pelas ruas arrumando confusão, apesar de seus esforços desesperados cada vez maiores de impor disciplina. (Em uma de suas tentativas mais imaginativas, obrigou-os a usar vestidos das irmãs.) Em novembro, ela mandou os meninos para estudar em Le François, uma cidade na costa atlântica onde o tio dos dois, Édouard, lecionava francês. "Sejam irrepreensíveis", ela lhes disse.

Casimir Fanon ficou furioso pela mulher ter transferido os meninos sem sua aprovação, mas Frantz adorava o tio solteiro, e Édouard ficou impressionado com a aptidão para a escrita do sobrinho. Uma das primeiras tentativas literárias de Frantz foi um trabalho escolar inspirado em uma história que ele ouvira durante uma excursão à casa-grande de uma plantation.

De acordo com a guia do lugar, o proprietário, um *béké* abastado, escondera seu ouro no porão com a ajuda de um de seus escravizados e em seguida o assassinara, enterrando-o ao lado do ouro para que o fantasma protegesse seu tesouro de ladrões. O trabalho de Frantz era uma fábula pueril de tesouros escondidos, é claro. Mas também era um prenúncio impressionante da visão do Fanon maduro de que se o véu da opulência europeia fosse erguido, era provável que fossem encontrados "os cadáveres dos negros, dos árabes, dos índios e dos amarelos".[14]

Em junho de 1940, a França foi ocupada pelos alemães, e o almirante Robert declarou sua lealdade ao marechal Philippe Pétain. Um herói da Primeira Guerra Mundial de oitenta anos de idade, Pétain assinara um armistício abjeto com a Alemanha nazista, dividindo a França em uma zona setentrional ocupada e uma zona "livre" no sul, governada por um regime colaboracionista com base em Vichy. Fanon ficou sabendo do armistício logo depois de seu aniversário de quinze anos. Os Aliados, temendo que as trezentas toneladas de ouro levadas para a Martinica pelo Banco da França acabassem em mãos nazistas, traçaram planos para derrubar o governo de Robert, mas em maio de 1942 reconheceram sua autoridade em troca de uma promessa de neutralidade. Como resultado desse acordo, o *Béarn*, único porta-aviões da França, continuou atracado, e os navios no porto de Fort-de-France foram estacionados sob supervisão dos Estados Unidos, deixando milhares de efetivos da Marinha francesa em terra. De uma hora para a outra, os martinicanos já não podiam comer carne bovina, uma vez que todas as vacas passaram a ser reservadas aos soldados brancos que, nas palavras de Fanon, "afundaram" a ilha. "Nós produzíamos praticamente tudo para sobreviver — sabão, sal, óleo de coco e sapatos feitos de pneus velhos e tocos", lembrou Joby.[15]

Os opositores da "revolução nacional" de Vichy enfrentaram uma onda de terror estatal durante o Tan Robé — o

"Tempo de Robert" em crioulo. (Casimir Fanon tornou-se suspeito por ser membro da Maçonaria.)[16] "Liberdade, Igualdade e Fraternidade", o lema na fachada da Biblioteca Schœlcher, onde Fanon ia ler, foi trocado para "Trabalho, Família, Pátria", o catecismo de Vichy. Na cidade de La Trinité, na costa atlântica, a Rue Victor Hugo foi rebatizada de Boulevard Marechal Pétain. O racismo, é claro, não estava de modo algum ausente na Martinica antes do Tan Robé: uma consciência das distinções de cor de pele permeava a vida cotidiana. Como Fanon escreveu, quando uma mãe descrevia o filho como "o mais negro dos meus filhos",[17] ela queria dizer o menos branco; de fato, para muitos martinicanos, "salvação [...] consiste em se branquear magicamente". Dizia-se que os oficiais negros em camisas brancas pareciam "uma ameixa em uma tigela de leite".

Mas o racismo fora encoberto, ou pelo menos um tanto embotado, pelo fato de os negócios da ilha serem amplamente operados não pelos *békés* brancos, mas por crioulos de ascendência racial miscigenada. Quando criança, o próprio Fanon tivera poucos encontros com os *békés*, até o Tan Robé, quando eles organizaram uma ofensiva política com o apoio do regime de ocupação. Embora o regime não tenha chegado a um expurgo completo de prefeitos negros, a classe política se tornou cada vez mais branca. Membros da frota demonstravam flagrantemente seu desdém pela população local. Marinheiros abordavam mulheres nas ruas como se elas fossem prostitutas. Um marinheiro pegou no sono em um cinema e caiu em cima de vários negros na plateia.

Glissant descrevera a Martinica da década de 1940 como "uma terra que aprendia a nova violência do mundo, depois de tanta violência que fora esquecida".[18] Mas a violência da escravidão não foi tão esquecida quanto reprimida, e as lembranças dela rapidamente vieram à tona. Alguns martinicanos temiam que a escravidão fosse reinstaurada. Afinal de contas, Napoleão havia restaurado a peculiar instituição em 1802, oito anos depois que a Revolução Francesa a abolira, diante da exortação da imperadora Joséphine, filha de um colonizador martinicano que tinha trezentos escravizados.* Foram necessários mais 46 anos para a França abolir definitivamente a escravatura.

A linguagem da resistência ao regime de Robert ecoava com as metáforas da sociedade das plantations. Os negros que fugiam da ilha para Santa Lúcia ou para a Dominica durante o Tan Robé se designavam "mocamaus", escravizados fugidos. O historiador Julius S. Scott observou que, já no fim do século XVIII, a era das revoluções Francesa e Haitiana, havia uma "conexão simbólica estreita entre a experiência no mar e a liberdade"[19] nas Antilhas. Entregar-se ao mar significava tornar-se um rebelde sem senhor, um potencial importador de ideias subversivas sobre liberdade e soberania. Significava também correr o risco de se afogar e de se juntar aos milhões de africanos que haviam sido lançados ao mar durante a Passagem do Meio.

O entusiasmo dos *békés* pela revolução nacional de Pétain não chegava a surpreender: eles buscavam reestabelecer seu poder. Mas havia também martinicanos não brancos que ficaram do lado de Vichy. Um deles foi Lucette Céranus Combette, uma jovem notável de Fort-de-France que escreveu um romance autobiográfico sob o pseudônimo de Mayotte Capécia. Combette viera de uma família pobre; já aos treze anos trabalhava em uma fábrica de chocolate. Quando um tenente das forças do almirante Robert começou a cortejá-la, ela viu uma oportunidade de fugir de sua situação. Abraçou o círculo social de Vichy com otimismo calculado, frequentando suas galas junto do parceiro e esbanjando desprezo pelas unidades de

---

* A estátua de Joséphine em La Savane foi simbolicamente decapitada por um grupo de manifestantes em 1991.

infantaria negras que eventualmente ajudariam a derrubar o regime de Robert em julho de 1943 — "*nègres* da pior categoria",[20] ela os chamava. Em *Pele negra, máscaras brancas* Fanon escreveria condenando o romance de Capécia, *Je suis martiniquaise* [Sou martinicana], em um capítulo sobre mulheres negras que se envolvem com homens brancos na esperança de se "branquearem". A ridicularização de Capécia e outras "mulheres de cor frenéticas à procura do branco"[21] provocou por muito tempo acusações justificáveis de sexismo por parte de estudiosas do feminismo. Mas ele tinha razões além da misoginia para desprezar Capécia, um símbolo notório de "colaboração horizontal" na Martinica. A essa altura, ele era um veterano de guerra, e ela tinha dormido com o inimigo.

Alistair Horne, em seu relato clássico da descolonização da Argélia, *A Savage War of Peace* [Uma guerra selvagem pela paz], podia muito bem ter estado com Fanon em mente quando observou que "um dos apartes mais curiosos e menos facilmente explicados da Guerra Argelina era a presença em seus aspectos mais violentos, de ambos os lados, de tantas pessoas de uma profissão dedicada a salvar a vida humana". Mas Fanon se tornou soldado muito antes de pensar em uma carreira na medicina.

Foi no início de 1943, na noite do casamento de seu irmão Félix, que ele contou a Joby sobre sua decisão de integrar as Forças Francesas Livres. Cada vez mais rapazes — conhecidos em conjunto como a *Dissidence* — vinham fugindo da ilha à noite em barcos de pesca conduzidos por *passeurs* (contrabandistas), para seguir para as ilhas de território britânico de Dominica e Santa Lúcia, respectivamente ao norte e ao sul da Martinica. Mais de 4 mil martinicanos se lançaram ao mar para se juntar às Forças Francesas Livres sob o comando de Charles de Gaulle. Alguns nunca chegaram a seu destino: a distância da Martinica às duas outras ilhas era de pouco mais de 32 quilômetros, mas as águas eram excepcionalmente perigosas, sujeitas a ferozes correntes atlânticas e cheias de tubarões.

Ciente dos riscos envolvidos, e "menos arrebatado por declarações patrióticas",[22] Joby tentou dissuadi-lo, mas sem sucesso. "Eu não consegui fazer Frantz ter bom senso", escreveu ele. De acordo com Joby, Frantz acreditava que os oficiais de Vichy nas ilhas eram "falsos franceses, na verdade alemães camuflados". No raciocínio de Frantz da época, os representantes de um país dedicado à liberdade, à igualdade e à fraternidade não poderiam ser racistas: a ideologia oficial da França era universalista e portanto intrinsecamente antirracista. Joseph Henri, um professor negro de filosofia que deu aulas tanto para Frantz quanto para Joby, discordava com veemência. Quando Henri, um pacifista radical, descobriu que alguns de seus alunos estavam se preparando para se juntar às Forças Francesas Livres na Dominica, ele alertou Joby e seus colegas de classe para não se envolverem em uma guerra do homem branco. "O fogo queima e a guerra mata", disse ele.[23] "As esposas de heróis mortos se casam com homens que estão vivos e bem. O que está acontecendo na Europa não nos diz respeito. Quando os brancos estão atirando uns nos outros, é uma bênção para os negros." Joby repassou os alertas de Henri ao irmão, mas conta-se que Frantz teria respondido que quando a liberdade está em jogo, isso diz respeito a todo mundo, independente de cor. Ou a lenda teria dito, e a lenda é, por mais frustrante que seja, muitas vezes tudo o que temos com que seguir em frente. Essa nobre resposta, que dá a impressão de ter sido escrita para o palco, foi citada como prova do universalismo humanista de Fanon. O que, sem dúvida, era. Fanon reconheceu que o nazismo era inimigo da decência humana e que tinha que ser derrotado. Mas o que também chama a atenção é a impaciência — ou a impassividade — de Fanon com o fato de seu professor recorrer à solidariedade racial.

Fanon ainda não se enxergava exatamente como negro. Como a maioria dos martinicanos de classe média não brancos, ele tinha crescido concebendo a si mesmo como um antilhano francês. Quando assistiu a *Tarzan*, ele se identificou com o Rei da Selva, não com os africanos — os verdadeiros *nègres*.[24] Quando sua mãe criticava seu comportamento, ela dizia, em crioulo, "*Ja nègre*" — "Você está virando um negro". Como todas as crianças francesas, ele tinha sido criado com as histórias dos *tirailleurs sénégalais* (fuzileiros senegaleses) — a infantaria colonial da África.[25] "Sabíamos a respeito deles", escreveu, "aquilo que contavam os veteranos de 1914: 'Eles atacam com baionetas e, se isso não dá certo, avançam de machete em punho debaixo da saraivada de metralhadoras... Decepam cabeças e colecionam orelhas'."[26] Ele teve o primeiro vislumbre dos fuzileiros senegaleses pouco antes da guerra, quando um grupo de *tirailleurs*, estacionado na Guiana Francesa, passou por Fort-de-France. Ele enxergava esses soldados africanos muito como as crianças francesas brancas o faziam: como bravos e selvagens, fascinantes, e um tanto assustadores. "Avidamente procurávamos nas ruas por seu uniforme", escreveu ele, "do qual nos haviam falado: fez e cinturão vermelhos." Casimir Fanon convidou dois dos soldados da infantaria para jantar, para grande alegria de seu filho impressionado. Como admitiria em *Pele negra, máscaras brancas*, seu autoentendimento racial não era tão diferente do de Mayotte Capécia, que "tem a impressão de ser um anjo e de alçar voo 'toda rosa e branca'". Na Martinica colonial, essa ilusão era considerada normal.

Ao contrário de Capécia, é claro, Fanon se juntou à resistência ao fascismo, em vez de colaborar com o regime de Robert. Mas sua identificação com a França era igualmente forte.

Ele só se voltava para uma França diferente — a "verdadeira" França da Revolução e da Declaração dos Direitos do Homem e do Cidadão, não a França de Vichy. Sua posterior rejeição à pátria mãe seria a de um filho decepcionado.

Durante a guerra, Fanon atuaria segundo sua crença na "verdadeira" França não uma vez, mas duas. Da primeira vez foi à Dominica para se alistar nas Forças Francesas Livres e pagou a passagem vendendo um rolo de tecido que tinha roubado do pai,[27] com o qual este planejara fazer um terno sob medida. Partiu da praia próxima a Le Morne-Rouge, uma cidade nas encostas sudeste do Monte Pelée; Joby o acompanhou até Saint-Pierre, ainda tentando fazer o irmão mudar de ideia.[28] Frantz esperava ir, como outros membros da Dissidence, da Dominica para Trinidad, e então para a Grã-Bretanha, onde se juntaria às Forças Francesas Livres. Mas sua viagem acabou por se mostrar tão curta quanto perigosa.

Enquanto Fanon começava a fazer o treinamento básico na Dominica, houve uma insurreição na Martinica. Um grupo de militares franceses estacionados nas cercanias de Fort-de-France, muitos deles soldados da infantaria colonial, deram início a uma rebelião contra o almirante Robert. Eles eram liderados por Henri Tourtet, um oficial pró-gaullistas. Associados a uma organização de resistência local, o Comitê de Libertação Martinicano, os homens de Tourtet derrubaram o exército de Robert e o forçaram a fugir da ilha, a qual em seguida passou para o controle das Forças Francesas Livres. O Tan Robé tinha chegado ao fim.

Algumas semanas depois, Fanon voltou para casa em meio a coros de "Vida longa a De Gaulle" nas ruas. Mas ele não se contentou em ficar feliz com uma vitória local. Assim que o Quinto Batalhão Antilhano foi formado sob liderança do tenente-coronel Tourtet, Fanon voltou a se alistar. Joby atribuiu a decisão do irmão a "uma lógica de teimosia e de perseverança mórbida".[29] Mas Fanon acreditava que estava lutando também pela liberdade de seu próprio povo. Nas palavras de Glissant, lutar em um exército colonial era "o último recurso de um povo cuja dominação pelo Outro foi ocultada".[30]

Na noite de 12 de março de 1944, Fanon e seu colega de escola Marcel Manville embarcaram para o Norte da África com mil outros soldados das Antilhas no *Oregon*, sob o comando de Tourtet. Fanon disse a Manville que eles deviam hastear a bandeira negra, já que não havia nem um único *béké* a bordo — apenas homens negros colonizados indo libertar seus colonizadores do nazismo. "Hitler, vamos te arrancar do alto do seu morro", eles cantavam em crioulo enquanto partiam.[31]

## 2.
# Mentiras dos tempos de guerra

Em abril de 1945, Fanon escreveu da França para a família. Em uma batalha dois meses antes, ele tinha sido gravemente ferido no peito, atingido por estilhaços de um projétil de morteiro. O clima na Alsácia, onde estava estacionado, era tão frio que ele achou que fosse morrer. "Eu tinha vinte anos", o romancista francês Paul Nizan escreveu em seu livro clássico de memórias de rebelião juvenil de 1931, *Áden, Arábia*. "Não me venham dizer que é a mais bela idade da vida." Fanon, que estava prestes a completar vinte anos, teria concordado. Um ano se passara desde que ele havia zarpado no *Oregon*, tempo suficiente para a desilusão. "Duvido de tudo", disse ele a sua família, "até de mim mesmo."[1] Continuou:

> Se eu não voltar, se forem informados de minha morte nas mãos do inimigo, consolem-se, mas nunca digam "ele morreu por uma causa justa". Digam: "Deus o chamou para o nosso lado". Porque não devemos mais enxergar esta falsa ideologia, atrás da qual se escondem secularistas e políticos idiotas, como nosso farol. Eu estava errado!

Ele então acrescentou: "Nada aqui justifica aquela decisão súbita que tomei de fazer de mim mesmo o defensor" de pessoas que "não podiam se importar menos" com os esforços para libertá-las da ocupação alemã.

A carta de Fanon provocou uma grande discussão na família. "Frantz precisa crescer", disse seu pai. Mas o desencanto juvenil do filho não era um sinal de imaturidade. Ele também não era o único com o sentimento de que tinha sido traído. Lutando para libertar a França do fascismo, Fanon descobriu que a França não era como ele a imaginara. Isso foi difícil o suficiente para um jovem que pensava em si mesmo como integrante de um exército de libertação. O que tornava a coisa ainda mais difícil era a percepção de que a França não o via como o compatriota francês que ele imaginava ser.

Fanon sofreria prejuízos na guerra, físicos e mentais. Ela fez dele um homem diferente, como o fez com milhões de outros soldados. Costuma-se dizer que as guerras acabam com as ilusões — quanto à natureza humana, quanto aos limites da crueldade. Mas elas também dão à luz novas perspectivas nos que sobrevivem. A Segunda Guerra Mundial não foi apenas um matadouro, mas também uma fábrica de sonhos políticos para homens não brancos que lutaram contra o fascismo nos exércitos de países que lhes negavam direitos de cidadania e os tratavam como inferiores — até quando estavam de uniforme. Depois da guerra, eles promoveram revoluções e revoltas, voltando seus protestos — e às vezes suas armas — contra os países que tinham ajudado a libertar. Fanon foi um deles.

A educação não sentimental de Fanon começou durante seu treinamento básico em El Hajeb, um campo próximo a Meknes, no Marrocos. Ele era um em meio a 15 mil soldados. Entre eles havia franceses, colonos europeus da Argélia,[2] árabes, africanos ocidentais e membros da Dissidence — antilhanos como ele mesmo. As Forças Francesas Livres estavam lutando contra o fascismo, no entanto elas mesmas eram divididas e compartimentadas em fileiras raciais distintas, que refletiam seus lugares na hierarquia imperial. Martinicanos e guadalupenses dormiam em uma caserna separada dos *tirailleurs sénégalais* e recebiam comida diferente. Os membros da infantaria africana usavam fez e cinturões de flanela vermelhos, e os antilhanos vestiam uniformes europeus porque eram tomados como mais *évolués* — "evoluídos", ou assimilados aos valores ocidentais. Os brancos — cidadãos franceses da *métropole* e da Argélia — ficavam no topo dessa hierarquia racial.

Fanon e seu amigo Marcel eram considerados *toubabs* — europeus, ou pelo menos semieuropeus. Esse não era um privilégio que Fanon apreciava; ele violava a ideia de fraternidade que tinha aprendido a acreditar se tratar de um dos valores mais caros da República. Ele tinha se juntado ao exército para destruir um regime fundamentado na supremacia branca, não para defender outro.

Seu incômodo ficou mais nítido quando sua unidade seguiu para o leste rumo à Argélia, onde, como parte da Operação Dragão, eles se prepariam para invadir o sul da França em setembro de 1944. Fanon não tinha como saber que nove anos depois ele voltaria àquele país como médico, muito menos que se uniria aos rebeldes argelinos contra a França. Mas a experiência o deixou com uma imagem perturbadora da Argélia francesa. Enquanto esperava para desembarcar em Orã, a cidade litorânea no oeste da Argélia onde Albert Camus ambientaria seu romance de 1947, *A peste*, Fanon viu um grupo de crianças árabes famintas brigando com "fúria e ira"[3] por migalhas de comida que seus companheiros soldados lançavam na direção delas, como se alimentassem galinhas. (Qualquer colônia europeia, ele mais tarde escreveu, parecia "um imenso galinheiro, um imenso campo de concentração onde a única lei é a lei da faca".) Essa era a França em sua colônia mais estimada, tão cobiçada que fora anexada e dividida em três departamentos da *métropole*.

Não que Fanon sentisse uma afinidade instintiva com os árabes norte-africanos. Escreveu mais tarde o que ele e outro soldado negro sentiam: "Ficamos surpresos ao constatar que os norte-africanos detestavam os homens de cor. Era-nos impossível entrar em contato com os nativos. Deixamos a África com destino à França, sem entender a razão dessa animosidade. No entanto, alguns fatos nos levaram a refletir. O francês não gosta do judeu, que não gosta do árabe, que não gosta do negro...".[4] Ele estava tomando ciência do que o escritor judeu tunisiano Albert Memmi, em seu livro de 1957, *Retrato do colonizado precedido pelo retrato do colonizador*, chamou de a "pirâmide dos tiranetes" do colonialismo, na qual os próprios membros de cada grupo estimam a si mesmos em relação à distância que os separa do grupo dominante e desprezam qualquer um abaixo na estrutura.

Fanon não foi o único soldado negro a notar o racismo colonial da França na Argélia. Dois anos antes, Harold Cruse, um soldado negro de Nova York, tinha chegado em Orã durante os desembarques anglo-americanos. Foi, ele mais tarde escreveu, o "início de minha verdadeira educação sobre a realidade de ser negro".[5] Entre os franceses, segundo ele, o preconceito contra os árabes "era tão intenso quanto o preconceito americano contra os negros". Os soldados americanos negros atraíam olhares hostis dos franceses quando tentavam puxar conversa com muçulmanos argelinos. Tendo passado mais de um ano no Norte da África, ele voltou para casa "um animal político transformado". Duas décadas depois, publicou seu estudo clássico, *The Crisis of the Negro Intellectual*.

A experiência de Cruse o levou a ver que os negros americanos sofriam em um sistema de dominação que não era diferente da colonização. Ela ampliou sua perspectiva sobre o funcionamento do racismo. A reação inicial de Fanon foi diferente porque ele era francês — ou pelo menos achava que era.

Também era terrivelmente sensível — um *écorché vif* — como sua mãe bem sabia. Não foi à toa que ela pediu para seu amigo Marcel Manville tomar conta dele. Fanon foi ficando cada vez mais desmoralizado na Argélia. O chefe de sua unidade o descreveu como "um discípulo inteligente mas de personalidade difícil e de espírito militar duvidoso", com uma tendência a "tornar suas opiniões conhecidas".[6]

Em 10 de setembro de 1944, um mês depois da invasão aliada no sul da França, Fanon zarpou de Argel para as costas de Saint-Tropez em um navio cargueiro de bandeira americana. Os *tirailleurs sénégalais* do 6º Regimento, parte da 9ª Divisão da Infantaria Colonial, tinham lutado bravamente contra as Wehrmacht e libertaram a cidade portuária de Toulon, o principal porto da Marinha francesa. Chegaram a Toulon, Fanon, Manville, e seus outros companheiros soldados antilhanos em um dos três regimentos *tirailleur*. A 9ª Divisão tomou Aix-en-Provence e então seguiu para o norte ao longo do vale do Ródano em direção a Grenoble. Fanon viu neve pela primeira vez, e enquanto a temperatura caía a zero, ele dormia em barracas para duas pessoas de cerca de noventa centímetros de altura apenas.

Ele lutava ao lado de soldados africanos que tinham em comum a mesma cor de pele, contra o defensor da civilização "ariana", no entanto o calor de suas batalhas compartilhadas não era suficiente para derreter as hierarquias raciais do exército, uma vez que os antilhanos como ele mesmo eram considerados *toubabs* honorários: europeus, não africanos. No fim de outubro, à medida que o clima esfriava, o Alto Comando começou a deslocar os *tirailleurs* de volta a áreas mais amenas, sob a alegação de que não estavam acostumados com as baixíssimas temperaturas, e a substituí-los por soldados europeus — uma decisão descrita em documentos oficiais como um *blanchiment* (branqueamento) da divisão, agora uma unidade oficialmente europeia. Alguns dos soldados africanos consideraram que a decisão havia sido tomada para privar seus regimentos da glória de atravessar o Reno e chegar à Alemanha. As diferenças no tratamento do exército em relação aos soldados africanos e antilhanos em um mesmo regimento não passaram batidas por Fanon. Uma vez, ele relembraria em *Pele negra, máscaras brancas*, "a meta era dar cabo de um ninho de metralhadoras", e os fuzileiros senegaleses tiveram ordem de atacar sozinhos três vezes, só para serem forçados a voltar em cada uma das ocasiões. Quando um homem perguntou "por que os *toubabs* não entravam em ação", Fanon já não sabia quem ele era, "*toubab* ou nativo".[7] Para muitos antilhanos, no entanto, essa situação absurda parecia "algo perfeitamente normal. Só faltava essa, equiparar-nos a negros!". Os soldados europeus "desprezam os fuzileiros e o antilhano reina sobre toda essa negrada como senhor inconteste".

Mas Fanon não tinha entrado para o exército para se tornar senhor de ninguém. Ele queria lutar e — ao contrário do relatório do chefe de sua unidade — sobressaía na batalha. Em 15 de novembro, fogo de morteiro inimigo caiu em todo o vale do Doubs, perto de Besançon, e os companheiros soldados de Fanon se colocaram na defensiva. Ele foi ferido depois de se voluntariar para a tarefa perigosa de reabastecer sua unidade. Por isso, recebeu a Croix de Guerre com uma estrela de bronze. O general que prendeu a cruz em sua lapela foi Raoul Salan, que mais tarde despontaria como um defensor implacável da Argélia francesa.

Enquanto se recuperava em um hospital na cidade de Nantua, à beira de um lago, no Jura, Fanon escreveu para sua mãe que estava ávido por um prato de "arroz, frango, lentilhas vermelhas, mangas", e prometeu "voltar, para nunca mais ir embora".[8] A seu irmão Joby, enviou uma carta mais sombria. "Sou mais velho do que você agora", lhe disse e, passando para o crioulo, acrescentou, "cometi um erro e estou pagando por isso. Não venha para a França antes do fim da guerra. Estou enojado... Eu poderia lhe contar certas coisas mas sou um soldado e você irá descobri-las mais tarde." Ainda assim, ele estava impaciente para voltar ao front, e reingressou em sua unidade em janeiro de 1945. Na carta que escreveu para seus pais em abril sugerindo que poderia não voltar a vê-los, também observou que estava se voluntariando para uma missão perigosa. Mas três semanas depois, em 7 de maio, os alemães se renderam.

Terminada a guerra, Fanon e dois outros martinicanos de sua unidade, Marcel Manville e Charles Cézette, passaram um mês espairecendo em um château em Rouen como convidados de um empresário local que fora membro da Resistance. Cézette conheceu sua esposa em Rouen e nunca foi embora. Manville discutia seus planos de se tornar advogado, um caminho profissional que Fanon contemplou brevemente. Fanon nunca falou em detalhes sobre o que testemunhara durante a guerra, mas confidenciou a Joby que tinha visto atrocidades, aludindo a corpos de crianças massacradas por soldados alemães. Também disse que muitos dos "lavradores" que conheceu — ele provavelmente se referia a pequenos proprietários de terra, em vez de trabalhadores rurais pobres — pareciam indiferentes à luta que era travada em seu nome. No entanto, o incidente que parece tê-lo magoado mais foi retornar a Toulon, durante as comemorações que marcavam a libertação da França, e descobrir que nenhuma francesa estava disposta a dançar com ele. As francesas brancas preferiam a companhia dos soldados americanos e recuavam ao serem abordadas por seus libertadores antilhanos, que descobriram a verdade amarga de sua cidadania de segunda classe.

A maioria dos soldados do exército de De Gaulle vinha das colônias: a República foi salva pelos subalternos do vasto império ultramarino da França. O próprio De Gaulle não tinha dúvidas quanto à dívida da República para com os soldados das colônias, que haviam se mobilizado ao seu chamado em junho de 1940. "A França não está sozinha", ele declarou em seu primeiro apelo à nação. "Ela tem um imenso império por trás de si." Mas durante a libertação de Paris, De Gaulle cedeu a exigências americanas de excluir os soldados negros coloniais da marcha triunfal até a capital, substituindo-os por exilados republicanos espanhóis num processo de *blanchiment*.\* De acordo com Joby, a rejeição que Fanon sofreu na França no fim da guerra o deixou "machucado até o âmago de seu ser".[9] Isso também o envelheceu e alimentou seu sentimento de revolta. Manville pensava parecido. "Havíamos lutado a guerra pela igualdade das raças e pela fraternidade humana", escreveu em suas memórias, apenas para sofrer "solidão e desdém".[10]

O principal alvo da raiva de Fanon não era a França, no entanto. Era seu pai, Casimir, com quem nunca se dera bem e que ainda se queixava à esposa de que "o filho dela" havia roubado seu terno. Na mesma carta para a família em que expressava sua desilusão, Fanon repreendeu duramente Casimir: "Você por vezes foi muito inferior em seu dever como pai. Se eu me permito julgá-lo de tal modo, é porque já não sou desta terra. Esta é a repreensão de um habitante do mundo externo".[11] Que mundo era esse? O mundo onde a vida e a morte entram em contato tão próximo que os sobreviventes nunca voltam a ter certeza se ainda estão vivos — a zona dos sobreviventes de guerra.

Se os filhos Fanon tinham se tornado algo, ele acrescentou para se certificar, "a glória pertence apenas a *maman*". De acordo com o irmão de Fanon, Joby, Casimir se retraiu. "Ele

---

\* Como o historiador Tyler Stovall observou acidamente em um estudo comparativo das histórias americana e francesa, a libertação de Paris foi encenada como uma "libertação branca". Tyler Stovall, *White Freedom: The Racial History of an Idea*. Princeton: Princeton University Press, 2021, p. 235.

nos diz que estava errado ao correr em socorro da França", disse Casimir.[12] "Mas sua visão dos papéis de cada um de nós na família não é mais lúcida." Voltando-se para a esposa, disse: "Eléonore, de agora em diante você veste as calças e eu ponho um vestido". Dois anos depois, Casimir estaria morto, deixando Frantz em busca de outros pais.

Fanon voltou para casa depois da guerra e se matriculou no prestigioso Lycée Schœlcher em Fort-de-France para se preparar para as provas orais do bacharelado em filosofia. Estudou com M. Joseph Henri, o mesmo professor que o desencorajara a lutar em uma guerra do homem branco, observação que deve ter deixado um gosto amargo em Fanon depois de suas experiências no Norte da África e no interior francês. Joseph Henri também alertara Fanon: "Quando ouvir falar mal dos judeus, fique atento, estão falando de você".[13]

Essa fala costuma ser atribuída a Aimé Césaire, que também lecionava no Lycée Schœlcher. Mas Césaire, ao contrário da lenda, nunca deu aulas para Fanon. Depois da guerra Césaire perseguiu ambições mais grandiosas, tornando-se prefeito de Fort-de-France e o primeiro deputado da Martinica na Assembleia Nacional Francesa. (Em uma ocasião, Fanon estava no auditório para um dos discursos de Césaire e viu uma mulher desmaiar sob o feitiço de sua oratória.) Graças em grande parte a uma campanha liderada por Césaire, as quatro *vieilles colonies* — Guiana Francesa, Guadalupe, La Réunion e Martinica — se tornaram departamentos franceses em 1946. A "departamentalização", como era conhecida, foi um caminho alternativo à descolonização no qual as ilhas ultramarinas das Antilhas francesas obtiveram um estatuto idêntico ao das províncias da França propriamente dita. No papel, pelo menos, não havia diferença entre um habitante de Fort-de-France e um residente de Paris ou Bordeaux.

Fanon mais tarde rechaçaria a departamentalização como uma forma de neocolonialismo e defenderia a independência territorial para as Antilhas, mas na época ele era um partidário entusiasta de Césaire. Fez campanha para ele durante as eleições e o adotou como modelo intelectual, falando de seus próprios sonhos para o futuro da Martinica em um tipo de poesia altiva. "Meu brado", disse Fanon, "será aquele que o soldado escuta no campo de batalha; meu brado será aquele que o marinheiro perdido na bruma da noite ouve das profundezas do mar." Essa foi uma imitação fraca de Césaire, que praticamente patenteara o "brado" ou "grito" em sua poesia. Ainda assim, dá uma ideia da impressão que a escrita de Césaire exercia, e sempre exerceria, na imaginação de Fanon. O "habitante do mundo externo" tinha voltado a sua terra natal e encontrado um mentor no poeta, político e teórico da Négritude que revolucionara o verso francês. Césaire foi o primeiro pai intelectual adotivo de Fanon, e devemos fazer uma breve digressão para entender por quê.

Aimé Césaire nasceu em 1913 em uma plantation onde seu pai trabalhava como intendente, em Basse-Pointe, no norte da Martinica. A plantation era cultivada por trabalhadores tâmeis de Puducherry que tinham se estabelecido na Martinica em meados do século XIX e ajudado a configurar o que Césaire chamou de "a civilização *métis*"* da ilha. Os Césaire moravam perto do Monte Pelée, o vulcão que arrasara Saint-Pierre em 1902. Césaire costumava se caracterizar como *peléen*: vulcânico, explosivo, caprichoso e violento[14] — as qualidades que definem sua poesia alucinante, eruptiva. Aos nove anos, mudou-se com a família para Fort-de-France, onde estudou latim, grego e literatura francesa no Lycée Schœlcher. Ele se

---

* A palavra *métis* refere-se a alguém de origem mestiça ou híbrida.

destacava na classe como o menino de Basse-Pointe com dons intelectuais precoces e uma compleição muito escura. Sufocado pelo provincialismo e a mesquinhez da ilha, suas hierarquias racial e de classe, passou a considerar durante a adolescência — como Fanon o faria uma década mais tarde — que a "Martinica é uma merda".

Em 1931, Césaire partiu para Paris para frequentar o Lycée Louis-le-Grand, uma escola pública altamente seletiva fundada por jesuítas no século XVI, no coração do Quartier Latin. Uma das primeiras pessoas que conheceu foi um jovem africano apoiado na porta de um dormitório estudantil vestindo jaqueta cinza e um cinto de cadarço prendendo as calças. Léopold Sédar Senghor, um aluno da Sorbonne de uma abastada família católica do Senegal, sete anos mais velho que Césaire, estava escrevendo sua tese sobre motivos "exóticos" na poesia de Baudelaire. Césaire e Senghor deram início a uma exploração profunda da poesia francesa; Husserl e Kierkegaard; e, sobretudo, *Ursprung der afrikanischen Kultur* [A história da cultura africana], um livro de 1898 do etnólogo alemão Leo Frobenius a que Senghor atribuía o crédito de restaurar a dignidade e a identidade da África. (Frobenius também alegava ter descoberto uma Atlântida perdida no Norte da África.) Pouco tempo depois Léon-Gontran Damas se uniu a eles, um escritor da Guiana Francesa que Césaire conhecera no Lycée Schœlcher. Damas tinha estudado brevemente direito e etnologia em Paris mas estava agora vivendo uma vida destituída trabalhando em Les Halles, lavando pratos e entregando jornais.

Césaire, Senghor e Damas eram todos membros da elite "evoluída", mas tirando isso não podiam ser mais diferentes. Césaire, o mais novo do grupo, era atraído pelo comunismo, pelo surrealismo e por outras formas de revolta política e estética. Sua poesia era febrilmente encantatória, uma insurreição permanente contra o colonialismo e as formalidades do francês literário. Senghor, que mais tarde se tornou presidente do Senegal, já se comportava como se fosse um homem de Estado para quem o protesto era uma memória distante: sereno, equilibrado, sua sensibilidade uma mistura do misticismo católico e do espiritualismo africano. "Não diga que não amo a França", escreveu ele em um poema sobre os *tirailleurs sénégalais*, no qual louvava os franceses com um "povo de fogo" nobre e amante da liberdade; o dele foi um amor que sobreviveu à decepção.*[15] Damas era ao mesmo tempo o mais parisiense dos integrantes do grupo — um iconoclasta boêmio e frequentador de clubes de jazz e *boîtes de nuit* — e o menos apaixonado pela França. Um solitário temperamental que a Césaire dava a impressão de um "homem muito bizarro", ele tinha como especialidade poemas diretos, crus e muitas vezes amargos, o tipo de verso que Céline teria escrito se fosse imigrante negro da classe trabalhadora em Paris. Em sua coletânea de 1937, *Pigmentos*, a primeira obra publicada por um poeta do movimento da Négritude, Damas prometia "esfregar seu nariz [...] em todas aquelas merdas em maiúscula/ Colonização/ Civilização/ Assimilação/ e o resto",[16] e atacou seus colonizadores com suas "máscaras de giz vivo".[17] (O governo francês respondeu proibindo *Pigmentos* na França metropolitana e em algumas das colônias africanas.) Fanon admirava enormemente o modernismo e o desafio político da obra de Damas, e na sua voz madura haveria mais que uma sugestão da irreverência e sarcasmo ferozes de Damas.

---

* E à discriminação que ele sofreu com o uniforme francês; Senghor foi alistado no 3º Regimento de Infantaria Colonial do Exército francês em 1939, com a insultante patente de soldado raso, apesar de sua formação. Capturado durante a invasão nazista da França, ele passou os dois anos seguintes em campos de prisioneiros de guerra alemães — e ao ser solto imediatamente se juntou à Resistance.

Apesar de todas as diferenças que tinham, os fundadores da Négritude compartilhavam o que Césaire chamava de "uma recusa obstinada de nos alienar, de perder nosso vínculo com nossos países, nossos povos, nossas línguas".[18] Eles estavam cada vez mais convencidos de que existia, nas palavras de Césaire, uma "negritude fundamental" e de que o futuro dos negros residia em uma adoção irredutível desse fato — e na reapropriação da palavra *nègre*, de modo que um "insulto" pudesse ser transformado em um "brado identitário". Fanon foi um entre os muitos jovens antilhanos e africanos que aderiram às ideias de Césaire.

A palavra *Négritude* foi invocada pela primeira vez no poema de Césaire *Diário de um retorno ao país natal*,[19] publicado na *Volontés*, uma revista criada pelo escritor vanguardista Raymond Queneau e o romancista e tradutor Georges Pelorson, em agosto de 1939. Césaire escrevera o poema alguns anos antes durante as férias na Croácia, na casa de seu amigo Petar Guberina, que estudava linguística. A paisagem e o mar da Croácia o lembraram da Martinica. Ele reparou da janela em uma ilha e perguntou a Guberina seu nome. Martinska, ele respondeu. "É a Martinica!", pensou Césaire.[20] "Eu havia chegado em um país que não era o meu, e seu nome, todos eles me dizem, é Martinica." Ele pediu a Guberina para lhe passar uma folha de papel — e começou a escrever a obra que revolucionaria a poesia francesa e batizaria um novo movimento:

*minha negritude não é uma torre nem uma catedral*
*ela mergulha na carne rubra do solo*
*ela mergulha na carne ardente do céu*[21]

Os versos de Césaire, mitopoéticos e encantatórios, são animados pelo desejo de não mimeografar versões da negritude, mas de inventar e multiplicar seus possíveis significados. Isso é, acima de tudo, o que Fanon levaria consigo ao deixar a Négritude para trás. Mesmo na sequência do despertar de seu olhar crítico, ele continuaria a homenagear a influência de Césaire.

Ao enfatizar a negritude como invenção, Césaire marcou seu distanciamento da Négritude de seu cofundador Senghor, que acreditava que ela consistia em se voltar para a antiga sabedoria da África, como um sol eterno cuja luz elevaria os negros de sua infernal "zona do não ser". Para Senghor, como para Frobenius, a negritude originara-se dos "valores e acima de tudo do espírito da civilização africana negra". Ele descrevia o *nègre* como o quintessencial "homem de natureza", um "sensualista", vivendo "tradicionalmente da terra e com a terra, com e pelo cosmo [...]. O negro não é destituído de razão, como alguns gostariam que eu dissesse. Mas sua razão não é discursiva; é sintética".[22] A razão europeia, acreditava Senghor, era analítica, semelhante a uma ferramenta, ao passo que a "razão negra" era "intuitiva" e participativa. Nenhum teórico racial europeu poderia ter expressado melhor: na escrita de Senghor, o negro é produto da natureza mais do que da história.*

Césaire, por outro lado, ressaltava a "consciência [histórica] de ser negro", com o que ele queria dizer "um assumir o controle do próprio destino como homem negro, da própria história e cultura". A Négritude era, para ele, uma força dinâmica, uma questão de consciência viva, forjada em uma recuperação imaginativa do passado negro, sobretudo dos horrores da Passagem do Meio e da escravidão nas plantations. "Quanto sangue em minha memória!", declarou Césaire, e seu poema mais conhecido foi escrito em sangue da memória. Como C. L. R. James, que publicou sua história da Revolução Haitiana, *Os jacobinos negros*, em 1938, um ano antes do *Diário*, Césaire

---

* O escritor nigeriano Wole Soyinka mais tarde zombaria da Négritude de Senghor ao observar: "Um tigre não proclama sua tigritude, ele ataca".

considerava as plantations com escravizados um motor da modernidade capitalista. E à medida que lemos seu épico, nos damos conta de que seu "retorno" é tanto uma jornada pela memória histórica quanto pela geografia, e que o país natal do título refere-se não simplesmente à Martinica mas a cada país onde o povo negro enfrentou escravidão e exploração.

O poema rechaça o consolo das "forças vitais" sobrenaturais que Senghor acreditava ser obrigação da arte africana evocar; em vez disso, o projeto é alinhar as energias da negritude e da revolução, e promover a destruição da velha ordem. Césaire diz que "A única coisa no mundo que vale a pena começar:/ O Fim do mundo ora essa". Em uma das passagens mais conhecidas do poema, ele escreve: "[...] a obra do homem apenas começou/ [...] e nenhuma raça possui o monopólio da beleza, da inteligência, da força/ e há lugar para todos no encontro marcado da conquista [*rendez-vous de la conquête*]". Fanon quase não exagerou quando escreveu que "antes de Césaire, a literatura antilhana é uma literatura de europeus".[23]

Césaire não era o único escritor de sua família. Sua esposa, Suzanne (*née* Roussi) — uma *métisse* de uma cidade no sul da Martinica que eventualmente receberia o apelido de "a Pantera Negra" — era ainda mais militante em sua assertividade sobre a negritude e tinha um sentimento mais incisivo sobre o que o racismo havia feito com as mentes negras em seu país natal. De acordo com a filha dos dois, ela "lia Tchékhov com o café que tomava de manhã" e "acreditava mais em luta do que em lágrimas".[24] O casamento de Césaire era uma parceria entre iguais. Quando Vichy chegou ao poder nas Antilhas, os Césaire decidiram que era hora de "passar das palavras para a ação", e criaram uma revista literária da Négritude, a *Tropiques*. Durante seus quatro anos de atividade, o periódico publicaria ensaios, críticas e poesia de algumas das principais figuras das letras antilhanas.

Fanon nunca citou a *Tropiques*, e não está claro se chegou a ver a revista, já que durante sua curta existência, ele esteve a maior parte do tempo na Europa. Mas Fanon conhecera Césaire através de amigos da escola antes de ir para a guerra e fora enfeitiçado por ele; quando a guerra chegou ao fim, ele logo se familiarizou com os principais colaboradores da revista.

"O círculo de sombra se estreita, entre os gritos dos homens e os uivos das bestas selvagens", Aimé Césaire anunciou na primeira edição.[25] "No entanto, estamos entre aqueles que dizem *não* para a sombra. Sabemos que a salvação do mundo depende também de nós." A postura anti-Vichy da *Tropiques* era apenas um pouco camuflada: a estratégia, nas palavras de Romuald Fonkoua, biógrafo de Aimé Césaire, era de uma "obscuridade na qual, paradoxalmente, tudo era afirmado com clareza".[26] Além do próprio Aimé, nenhum dos colaboradores da revista trimestral expressou sua opinião com mais ousadia e força que Suzanne. Quando a *Tropiques* foi acusada pelas autoridades de Vichy de incitamento ao racismo, ela respondeu que o periódico era, de fato, culpado de racismo — "o racismo de Toussaint L'Ouverture, Claude McKay e Langston Hughes".[27]

Os Césaire eram o Sartre e a Beauvoir da Négritude: dois escritores brilhantes vivendo, pensando e incitando em dupla. Mas, como Beauvoir, Suzanne Césaire deixou o palco principal para o famoso parceiro. Rechaçava a sombra do fascismo, mas a sombra do marido era outra história. Hoje, no entanto, é Suzanne que parece mais nossa contemporânea. Ela publicou apenas sete ensaios na *Tropiques*, de 1941 a 1945, mas ao lê--los, vemos a Négritude evoluindo para uma crítica mais coerente da dominação Ocidental e de seu impacto na consciência do colonizado — temas a que Fanon se dedicaria na década de 1950. Em um ensaio intitulado "Mal-estar de uma civilização", ela lançou mão do idioma da psicanálise, como ele faria, para defender que "depois da libertação do povo de cor", uma "consciência popular" dos antilhanos fora contaminada por uma fé errônea na "superioridade [cultural] dos colonizadores".[28] O martinicano tinha passado a acreditar que "libertação igual assimilação" e estava agora tão perito em "imitação" que "ele não SABE verdadeiramente que imita. *Ignora* sua verdadeira natureza, que existe de fato. Do mesmo modo o *histérico* ignora que apenas *imita* uma doença, mas o médico sabe disso, o médico que o trata [...]". Precedendo Fanon em mais de uma década, ela reservou um desprezo particular pela "flor da baixeza humana, o burguês de cor". Para ela, os membros dessa classe social não podiam nem "aceitar sua negritude" nem "embranquecer-se".

Esses ensaios fizeram um inventário crucial do custo da assimilação para a vida interior dos habitantes da ilha. "A análise", escreveu Suzanne, "revela-nos que o esforço de adaptação a um estilo estrangeiro exigido do martinicano" produz "um estado de pseudocivilização que se pode qualificar de *anormal*, de *monstruoso*."[29] Aquele estado também era insustentável, e em última análise explosivo. "Milhões de mãos negras, através dos céus raivosos da guerra mundial, vão conter seu pavor", escreveu ela em "1943: O surrealismo e nós", publicado no mesmo ano em que Fanon decidiu lutar na Europa.[30] "Libertado de um longo entorpecimento, o mais desderdado de todos os povos se levantará nas planícies de cinza. [...] Tratar-se-á de transcender enfim as sórdidas antinomias atuais; brancos-negros, europeus-africanos, civilizados-selvagens; [...] Purificadas na chama azul das soldas autógenas, as tolices coloniais. Recuperado nosso valor intrínseco, nosso gume de aço, nossas comunhões insólitas."

Fanon citaria muitos dos escritores cujas obras figuraram na *Tropiques*, mas Suzanne Césaire não estaria entre eles. Ele se concentrava demais, como no caso de Beauvoir, no seu parceiro mais ilustre para reconhecer a influência dela. Mas a crítica psicanalítica da imitação colonial por parte de Suzane, sua ridicularização do "burguês de cor", sua visão apocalíptica de um mundo recriado, e redimido, na violência encontram ecos inequívocos na escrita e Fanon. Se ele era "filho" de Aimé, também era de Suzanne.

Fanon divergia dos Césaire em um aspecto fundamental: ainda estava com o olhar voltado para a *métropole*. Suas defrontações com o racismo na França não o dissuadiram de retornar para lá. No fim das contas, a França lhe devia uma educação: como soldado desmobilizado que acabara de passar no *baccalauréat*, ele tinha direito a uma bolsa do governo que subsidiaria seus estudos. Ainda estava incerto em relação a seus planos acadêmicos: havia descartado o direito e agora considerava odontologia. Depois de receber a bolsa de estudos, em 1946 zarpou com a irmã Gabrielle em uma jornada de doze dias atravessando o Atlântico. Desembarcaram em Le Havre, onde se separaram. Fanon seguiu para Paris. Sua estadia na capital durou apenas alguns dias.[31] Édouard Glissant, que o conheceu em Paris, disse que ele parecia estar seguindo de perto os desdobramentos políticos de seu país, mas Fanon deu a impressão geral de querer se distanciar dos compatriotas martinicanos. "Há *nègres* demais em Paris", brincou ele.[32] "*Moins man wè yo pli man bien*" — "Quanto menos eu os vejo, melhor eu me sinto." Em busca de algum lugar mais "leitoso", fez as malas e seguiu para Lyon, onde se matriculou como aluno na faculdade de medicina.

## 3.
# Homem negro, cidade branca

Por que Fanon era tão avesso a Paris, com sua vibrante comunidade negra? Por que escolheu Lyon, uma cidade conhecida por sua desconfiança com relação a pessoas de fora?

É possível, claro, que Fanon se mantivesse afastado de outras pessoas negras; que, como veterano de guerra, ele agora encarasse que havia completado um "ciclo" de vida exaltado, como escreveria zombeteiramente sobre os antilhanos que voltavam para casa depois dos estudos na França. Mas se esse tivesse sido o caso, Paris teria feito mais sentido, já que a capital francesa teria lhe oferecido a oportunidade de se exibir para outros expatriados das ilhas — de tomar parte naquele jogo tão competitivo e às vezes cruel de comparação que ele mais tarde diagnosticaria como uma provação peculiarmente antilhana. Mas Fanon não queria ser parte de um grupo, nem sequer (ou sobretudo não) do único grupo na França que o teria acolhido como um dos seus — o da diáspora antilhana. Ele queria se inventar, e ser conhecido antes de tudo como alguém que se fez por si só: uma ilusão, de fato, mas uma ilusão comum. Ele também adorava um desafio, e Lyon era um desafio para qualquer pessoa de fora. Ele teria que se provar para os franceses, e ver como reagiam quando confrontados com compatriotas negros como ele, sem o santuário, ou a perspectiva de repouso, que uma comunidade antilhana poderia ter oferecido. Ele ainda não tinha desistido da França, e queria fazer valer seu direito ao país que defendera, e ser plenamente reconhecido por ele. A guerra tinha acabado, mas o espírito combativo de Fanon estava intacto. Sempre estaria, mesmo se o alvo mudasse.

Lyon era uma cidade solitária e bastante desolada, ainda se recuperando dos efeitos da guerra. Havia escassez de moradia, e Fanon teve de se alojar em um antigo prostíbulo que o Ministério da Educação havia requisitado. A população negra era diminuta, mas havia alguns poucos milhares de trabalhadores argelinos, a maioria homens solteiros, morando uma dúzia por quarto no bairro de Guillotière, na margem leste do Rhône. Pouco depois de sua chegada, a polícia tomou Fanon por argelino e o deteve. Ele pôde seguir seu caminho quando os policiais se deram conta do erro. "Sabemos perfeitamente bem que um martinicano é diferente de um árabe", teriam se desculpado.[1] (Na verdade, a maioria dos que eram tomados por árabes em Lyon era de fato berbere cabila, que havia conseguido trabalho nas fábricas da cidade por causa da grave crise econômica na região de Cabília, no norte da Argélia.) Foi a primeira de muitas confrontações do tipo com a polícia em Lyon.

Fanon não ficou mais consolado por não ser árabe do que ficara por não ser africano; aonde quer que fosse ele sentia que estava sendo vigiado. Sua aparência era suficiente para chamar atenção indesejada de um jeito ou de outro. Na faculdade de medicina, ele era um dos poucos estudantes negros em uma classe de quatrocentos alunos. A primeira pergunta que seus professores lhe faziam invariavelmente era de onde ele era. Quando lhes dizia, a resposta costumava ser uma expressão de louvor paternalista a sua bela ilha, às vezes seguido por um elogio relacionado a sua maestria do francês, como se não se tratasse de sua língua materna. Um de seus professores, ele mais tarde contaria a Sartre e Beauvoir, lhe deu "um cinco valendo dez quando ele merecia um nove" em sua prova. Mas, ele acrescentou triunfante, o professor por fim se dirigiu a ele com um pronome formal de segunda pessoa, *vous*, em vez do familiar *tu*. Michel Colin, um dos professores de Fanon em Lyon, se lembrava dele como "comovente e cheio de curiosidade, extremamente romântico, mas também bastante distante, às vezes até desconfiado". Ainda que por óbvio brilhante, Fanon carecia de precisão científica e "não tinha habilidade na prática de autópsias".

Fanon era conhecido por alguns de seus colegas como "Blanchette" — "Branquelo". Quando outro professor observou, durante uma aula de anatomia, que o cadáver sendo dissecado tinha uma "cabeça de negro", um de seus colegas de classe gritou de longe para ele: "Ouviu isso, Branquelo?".[2] A sala caiu na risada; Fanon agarrou um bisturi e investiu entre as carteiras que separavam os dois; ninguém o incomodou depois disso.* Alguns deles começaram a examinar o racismo inconsciente transmitido em frases que, ao longo de séculos, haviam se tornado expressões idiomáticas em francês. "Trabalhamos mesmo como *nè...*", um de seus colegas disse, detendo-se. Mas Fanon rogou que ele terminasse sua fala. "Diga!", ele gritou. "Como *nègres*."[3]

Os elogios que ele recebia de estudantes brancos o perturbavam quase tanto quanto o racismo casual com que se deparava. Ele não era negro *de verdade*, diziam, porque falava francês muito bem. "Você é mesmo um de nós", disseram, já que "pensa como um europeu." Em *Pele negra, máscaras brancas*, ele descreveria sua fúria com relação a reafirmações de que "não há diferença entre nós".[4] O negro, explicava ele, não apenas "*sabe* que há uma diferença" entre si mesmo e o branco, "ele a *deseja*. Ele gostaria que o branco lhe dissesse de

---

\* Fanon decidiu que nunca poderia ser cirurgião porque tinha repulsa a dissecação; o incidente da "cabeça de negro" pode muito bem ter contribuído para sua decisão.

repente, 'negro imundo' [...]. O ex-escravo exige ter sua humanidade contestada, ele deseja uma luta, uma briga. Mas é tarde demais: o negro francês está condenado a se morder e a morder". Fanon invejava o esclarecimento da luta dos negros americanos contra a segregação, na qual nada "se trata de dádivas" e na qual os negros não tinham opção além de lutar por sua liberdade.

O que incomodava Fanon mais que qualquer outra coisa não era tanto que zombassem dele, ou até que estivesse sujeito a elogios condescendentes, mas simplesmente o fato de ser *notado* por sua cor: ser visto (como um membro de um coletivo racializado), e ao mesmo tempo não visto absolutamente (como indivíduo). Entre estranhos ele queria ser um homem invisível. O que quer que fizesse — dar um passeio, dissecar um cadáver, fazer amor, falar francês — ele fazia *enquanto negro*. Parecia uma maldição, ou uma bomba-relógio em sua cabeça. Os romancistas que para ele tiveram mais forte eco durante seus anos em Lyon foram os escritores negros americanos Richard Wright e Chester Himes, cujas obras ele descobriu traduzidas na *Les Temps Modernes*. Wright e Himes captavam o que ele chamou de "sentimento de inexistência" e a fúria violenta que ganha ímpeto nas mentes daqueles que são relegados à "zona do não ser". Fanon era fascinado por Bigger Thomas,[5] o protagonista do romance de 1940 de Wright, *Filho nativo*, um homem negro, pobre e alienado de uma favela de Chicago que por acidente mata a filha de seu patrão e então assassina sua própria namorada negra. Ao assumir a responsabilidade pelas mortes, Thomas experimenta um novo sentimento de liberdade e individualidade. Fanon era estudante de medicina de uma família de classe média, e ainda assim estava começando a se identificar com a fúria de um personagem da Zona Sul de Chicago e o desejo libertador de reconhecer a própria violência.

Como estudante negro na França, Fanon era um notável usuário do sistema de transporte público, de que lançava mão quase todo dia. Ele sabia o que era ser encarado ou significativamente ignorado. Mas em um dia congelante no inverno,[6] ele tomou o trem e ficou estupefato ao se ver objeto de fascínio — e terror — de um menino no mesmo vagão. "Mamãe", disse a criança, "um negro!" A força total de sua alteridade o atingiu como um golpe, e ele nunca se recuperou totalmente. Em seu ensaio "Um estranho na aldeia", James Baldwin escreve sobre uma experiência parecida alguns anos depois na Suíça, onde se deparou com crianças gritando "*Neger! Neger!*" enquanto ele passava na rua.[7] Em relação a sua aparência, ele se deu conta, "aqui eram nada menos do que milagrosas — ou infernais — para as pessoas da aldeia [...] eu era apenas uma maravilha viva". Essa sensação de maravilhamento, sentida por crianças que "não têm como saber dos ecos que este som desperta em mim", apenas confirmou para Baldwin que ele era "um estranho aqui". Em casa, onde não era um estranho, "a mesma sílaba, quando lançada no ar americano, é uma expressão da guerra que minha presença ocasiona na alma americana".

Em "A experiência vivida do negro", o capítulo central de *Pele negra, máscaras brancas*, Fanon descreve o incidente no trem em termos muito diferentes. Ele explicou que a experiência "fixou-me, como se fixa um corante com um estabilizador".[8] Lembra que tentou e não conseguiu rir. (Baldwin, por sua vez, chegara a dar um sorriso.) Sob o peso insuportável do olhar do menino, ele se tornou consciente do próprio corpo como objeto fóbico de outra pessoa, que lhe fora devolvido "desmembrado, desmantelado, arrebentado, todo enlutado naquele dia branco de inverno".

A agonia de Fanon residia no fato de que ele "queria ser humano, nada além de humano", apenas para descobrir que uma aspiração tão modesta estava fora de alcance devido a sua aparência, e que não se devia fazer "nenhuma besteira, em hipótese alguma!". Ele continuou: "O médico negro jamais saberá a que ponto sua posição beira o descrédito. Eu lhes digo, já estive emparedado: nem minhas atitudes civilizadas, nem meus conhecimentos literários, nem minha compreensão da teoria quântica eram vistos com bons olhos. [...] Estava diante de algo irracional". No fim, sua angústia se transformou em fúria quando a mãe do menino tranquilizou o filho: "Olhe como é bonito esse negro...".

"O negro bonito quer que a senhora se foda, madame!", ele respondeu. Por um momento sentiu-se livre: "Finalmente eu me libertava da minha ruminação. [...] identificava meus inimigos e causava escândalo. Satisfação plena. Podíamos afinal nos divertir."[9]

Essa é a cena primordial no entendimento de Fanon de como a negritude é construída na imaginação branca, ou no "olhar"* branco — um termo que ele tomou emprestado de Sartre. Pouco importa se de fato aconteceu: ela cristaliza seu senso de ser apartado da pátria mãe francesa, e sua recusa de ser o *nègre* de quem quer que fosse. Ser rechaçado em um salão de dança por moças interioranas que o tomaram por africano era uma coisa. Ser proclamado negro por uma criança, ser o pesadelo ambulante de um menino, era outra. Essa cena gerou uma pequena biblioteca de comentários, ainda assim, por mais estranho que seja, raramente se questionou por que Fanon teria ficado tão abalado com a reação de uma criança.

A criança, em sua inocência, personifica precisamente as hipocrisias de uma república que alega não ter olhos para raça e que, no entanto, instila "expertise" racial em seus cidadãos mais jovens. (Baldwin escreveu sobre a autoimagem

---

* Sartre usa o termo *le regard*, "o olhar", para evocar o peso opressivo de ser visto, e portanto definido, por outra pessoa (o dito outro).

glorificada dos Estados Unidos: "É a inocência que constitui o crime.")[10] Em uma passagem que lembra uma das cantigas infantis de Gertrude Stein, Fanon imagina uma cadeia de associações com violência, terror e canibalismo passando pela cabeça do menino enquanto ele olha para Fanon (e enquanto Fanon olha ansiosamente para si mesmo, como se fosse outra pessoa, um outro racial temeroso): "O negro é uma besta, o negro é mau, [...] o negro treme, o negro treme porque sente frio, o negro treme de frio, aquele frio de torcer os ossos, o belo menino treme porque acha que o negro treme de raiva, o menino branco corre para os braços da mãe: mamãe, o negro vai me comer". Nesse dia de frio enregelante, Fanon diz: "Toda essa brancura que me calcina...". Calcinado pela brancura, ele decide se afirmar como "NEGRO [*Noir*]" e se fazer conhecer. A sugestão de neve na cidade — é um "dia branco de inverno" — compõe sua impressão de queimaduras de frio se alastrando, com sua dor ardente nas extremidades do corpo produzindo uma raiva compensatória da vontade enquanto a dormência se assenta. "Explodi", escreve ele. "Eis aqui os estilhaços recolhidos por um outro eu."

Em Lyon, o eu reconfigurado de Fanon nunca deixou os brancos se esquecerem de que ele era negro. Ele recitava de cor poemas de Césaire, e devorava as edições da *Présence Africaine*, a revista carro-chefe do movimento da Négritude, lançada em 1947. Ele se envolveu com ativismo anticolonial na órbita do Partido Comunista; apanhou de cacetete da polícia durante uma manifestação em apoio a Paul Vergès, um líder comunista da Ilha da Reunião que fora preso sob acusação de assassinato. E com os poucos estudantes antilhanos e africanos da universidade, por um breve período Fanon publicou uma revista chamada *Tam-Tam* (da qual nenhum exemplar sobreviveu). Mas ele também estava ávido por um tipo mais místico de negritude. Não surpreende que o tenha encontrado nos escritos de Senghor. "E essa raça", imaginou Fanon, "cambaleava sob o peso de um elemento fundamental. Qual era ele? O *ritmo*! Ouçam Senghor, nosso bardo." Em *Pele negra, máscaras brancas*, Fanon reconsideraria com frieza sua paixão por Senghor.

Fanon nunca escreveu explicitamente sobre seus anos em Lyon, e pouco se sabe sobre sua época na cidade, ou as amizades que ele travou. Mas se seu ensaio sobre o encontro com o menino no trem servir de indicativo, tratou-se de um período de isolamento intenso e doloroso, combinado com um sentimento de perda pessoal. Na primeira semana de fevereiro de 1947, pouco tempo depois de sua chegada, ele recebeu um telegrama informando que o pai, Casimir Fanon, morrera de repente no fim de janeiro, aos 56 anos. Ele tomou o trem noturno até Rouen para consolar sua irmã Gabrielle, e para dissuadi-la de sua decisão de se mudar de volta para a Martinica para amparar a mãe. Não ajudaria ninguém que ela abandonasse os estudos de farmácia, ele disse; seguindo seu conselho, a irmã continuou em Rouen até terminar a graduação. Fanon nunca fora próximo do pai, mas em uma carta para a mãe, ele se perguntou o que Casimir tinha pensado dele e especulou que saber a opinião do pai poderia ajudá-lo a se concentrar em suas tarefas diárias. Em Lyon, ele escreveu para um amigo: "Acostumei-me a me desligar, a detestar tudo, a odiar tudo". Ao optar pela psiquiatria, ele resolvera por uma carreira que lhe renderia uma vida de classe média em sua terra, mas tinha pavor do que chamava "daquela vida larval, maçante, obsoleta que me espera uma vez que terminar meus estudos. Não quero 'casamento', filhos, uma casa, a mesa da família".[11] Quando ele trocou o dormitório estudantil por seu próprio apartamento na Rue Tupin, 29, Joby o encontrou vivendo em uma sordidez boêmia com livros "empilhados por todo lado, até no chão [...], e uma pequena montanha de roupas no canto".[12]

Uma das respostas de Fanon a seus sentimentos de deriva e enfado foi escrever uma série de peças, apresentando protagonistas jovens em guerra com seus entornos, em busca de amor e transcendência. As obras teatrais de Fanon evocam um sentimento esmagador de opressão sem nomear suas origens; nelas, a raça nunca é explicitamente mencionada. Ele vinha lendo *O nascimento da tragédia*, de Nietzsche, e há mais do que uma sugestão em suas peças da retórica altiva do filósofo alemão sobre a vontade e a ação individuais, a destruição criativa de valores herdados. A primeira, *O olho se afoga*, era sobre dois irmãos em guerra um com o outro por uma mulher; a segunda, *Mãos paralelas*, era uma história de parricídio ambientada na ficcional Lébos, uma ilha grega tragada pela escuridão. (A terceira peça, *A conspiração*, desapareceu.)[13]

Fanon mandou uma de suas peças para o diretor Jean-Louis Barrault, cujas produções em Lyon ele admirava. Nunca recebeu resposta. Fanon ficou magoado, mas a falta de interesse de Barrault não era de surpreender. Suas peças, tão estéreis quanto grandiosas, poderiam ter sido escritas por muitos dos jovens melancólicos das letras francesas. O próprio Fanon pode ter desconfiado disso; ele mais tarde pediria a Joby para queimar seus manuscritos (pedido que Joby ignorou). Nenhum dos personagens é identificado pela raça. Mas um dos irmãos em *O olho se afoga*, de nome François (o equivalente francês de Frantz), é agredido em uma "cama branca" por um grupo de homens que invadem seu quarto. Ginette, a mulher de que ele e o irmão estão atrás, lhe diz que o corpo dele "tem a audácia do coqueiro e a brutalidade muda de um tam-tam negro". Como François Maspero, que se tornou editor de Fanon no fim da década de 1950, apontou, suas peças eram obras de "exorcismo pessoal", que refletiam seus embates com o pai e, ainda mais, as dificuldades de seus primeiros relacionamentos em Lyon.

James Baldwin uma vez observou que "o amor tira as máscaras sem as quais tememos não poder viver e com as quais sabemos não poder viver".[14] As experiências de Fanon com mulheres brancas em Lyon o deixaram mais cauteloso e talvez menos otimista do que Baldwin. Seu primeiro grande caso de amor foi com uma mulher chamada Michèle Weyer, uma colega estudante de psiquiatria vinda de uma família de imigrantes judeus russos. Em 1948, ela engravidou dele e Fanon a pediu em casamento.[15] Mas a família foi contra a união, e o relacionamento logo caiu por terra. Ele reconheceu a paternidade, mas evitava ver a filha, Mireille. (Seu irmão Joby sempre achou que "a posição dele como pai ausente o consumia".)[16]

Um ano depois, reparou em uma moça na fila na porta de um cinema; logo que comprou o ingresso, ele a seguiu até o interior e sentou ao lado dela. Marie-Josèphe "Josie" Dublé, a mulher com quem ele se casaria em 1952, tinha dezenove anos na época e estava terminando o liceu. Uma *gamine* de cabelos escuros e espessos e grandes olhos castanhos, ela era de ascendência cigana e corsa e tinha um "jeito de falar sussurrando" que "evocava mistério e sexo",[17] de acordo com a ativista americana Elaine Klein Mokhtefi, que faria amizade com o casal perto do fim da vida de Fanon. Josie era uma leitora apaixonada de literatura, esquerdista na política e com uma pitada de melancolia. Os pais dela acolheram Fanon na família. Eles eram sindicalistas convictos que haviam dado à filha uma educação política radical; não houve objeção quanto a ela se casar com um homem negro. Mas quando o galanteio começou, Frantz e Josie foram levados a uma delegacia sob suspeita de que, como casal inter-racial, poderiam estar ligados a tráfico sexual ou escravidão branca.

A obra de Fanon para o teatro se mostrou pouco mais do que um ensaio para sua vida como escritor, ainda que tenha sido um desvio necessário. Seu futuro literário não residia em triângulos amorosos filosóficos, muito menos no reino de Lébos, mas no mundo dos condenados, entre os doentes mentais, os marginais e os colonizados. A psiquiatria apontaria o caminho a seguir.

Não está claro precisamente quando, ou como, ele escolheu a especialidade. Em sua biografia de 2000 de Fanon, David Macey especula que ele se decidiu pelo campo em algum momento no fim dos anos 1940 porque lhe permitia explorar suas ideias sobre sociedade (notavelmente sobre suas próprias experiências como homem negro na França) de "modos que não teriam sido possíveis em outras áreas da medicina".[18] Mas a relevância da psiquiatria para o mundo intelectual mais amplo — e ainda menos a saúde mental dos oprimidos por conta da raça — não era algo que Fanon poderia ter estudado na conservadora Universidade de Lyon, um "deserto psiquiátrico",[19] de acordo com um de seus colegas.

Seu supervisor na faculdade de medicina foi Jean Dechaume, um neuropsiquiatra estólido que perdera um braço na Primeira Guerra Mundial e dirigia com o coto seu assistente durante cirurgias. Dechaume acreditava que cada condição psiquiátrica tinha uma causa orgânica e podia ser tratada com uma combinação de drogas, confinamento e terapia eletroconvulsiva, da qual ele era um praticante comprometido (e, ao que parece, indiscriminado). Fanon tolerava Dechaume pelo bem de sua graduação, mas já estava sendo guiado para uma direção diferente e mais heterodoxa pela literatura psiquiátrica e psicanalítica que começara a ler no tempo livre — e por suas primeiras experiências como clínico geral.

Em 1948, Nicole Guillet, colega de Fanon na faculdade e amiga de Michèle Weyer, o levou para jantar na casa do psiquiatra Paul Balvet, onde ela estava morando na época. O pai de Guillet era o tesoureiro do Hospital Psiquiátrico de Saint-Alban, um centro de psiquiatria radical que Balvet tinha ajudado a fundar. Situado em Lozère, uma região rica em agricultura do sudoeste da França, Saint-Alban adquirira fama por seus métodos inovadores de terapia em grupo e seu histórico de resistência na época da guerra. Fanon afeiçoou-se de imediato a Balvet, que estava trabalhando no Hospital Vinatier em Lyon, a uma breve caminhada da universidade, e passou a visitá-lo com frequência para conversar sobre psiquiatria e surrealismo, outro interesse que tinham em comum. Balvet publicara havia pouco um artigo intitulado "La Valeur humaine de la folie" [O valor humano da loucura][20] na *Esprit*, uma revista da esquerda católica que Fanon começava a ler com atenção. Descrevendo a loucura como uma "mina extraordinária", talvez até "um novo modo de conhecimento", Balvet a comparava tanto à conversão mística quanto à experiência de se apaixonar. Como o êxtase religioso e a paixão romântica, argumentava ele, a loucura era "um florescer, um novo nascimento" cujo *Erlebnis* — termo filosófico alemão para "experiência vivida" — tinha de ser entendido a partir do interior e reconstruído fenomenologicamente. O psiquiatra que reside "externamente à loucura" é como "o crítico de arte que pode facilmente nos dizer a data de uma pintura e nos contar sobre suas vicissitudes, mas que nunca nos devolve as cores". Se a loucura era o "ressurgimento monstruoso e perturbador" de toda a vida de um paciente, ela "deve ser sentida" — sobretudo, em seu "momento de cristalização", quando "a neurose transforma-se em psicose". A loucura, para Balvet, era indissociável da condição humana. "A loucura está dentro de nós", escreveu ele, "e nos revela."

*Erlebnis* se tornaria um dos conceitos centrais de Fanon. E embora ele permanecesse cético quanto à descrição um tanto romântica que Balvet fazia da loucura, partilhava de sua perspectiva de que a doença mental tem muito a nos dizer sobre as sociedades em que vem à tona, e que sem um entendimento da experiência vivida do paciente, um diagnóstico completo é impossível. Aliás, Fanon parece ter compreendido isso muito antes de sua formação psiquiátrica ter sequer começado, graças ao trabalho que vinha fazendo entre os operários norte-africanos em Lyon — homens cujos rostos lhe eram familiares de suas experiências nos tempos de guerra.

Como jovem médico, ele costumava se ver atendendo a chamados de emergência domiciliares na vizinhança argelina nos arredores da Rue Moncey e no bairro de Guillotère, próximo ao centro histórico da cidade, na margem leste do Rhône. Fanon mais tarde evocaria a atmosfera soturna de seu trabalho nessa vizinhança: "São duas horas da manhã. O quarto está sujo, o doente também. Seus pais estão sujos. Todo mundo chora. Todo mundo grita. Há uma estranha impressão de que a morte não está longe".[21] A maioria dos pacientes que ele tratou durante esses chamados domiciliares eram muçulmanos argelinos com cidadania francesa — a designação oficial deles era *Français musulmans d'Algérie* —, mas eles votavam em sua terra em um colégio eleitoral separado dos argelinos de origem europeia; um único voto europeu na Argélia tinha o mesmo peso de aproximadamente nove votos muçulmanos. Eles sofriam com a pobreza, moradia inadequada e racismo. Também estavam sob vigilância intensiva, graças aos temores do Estado francês em relação à força crescente do nacionalismo argelino.

A luta da Argélia por independência surgiu em grande parte na diáspora francesa, entre expatriados que costumavam se identificar mais fortemente com uma região, uma localidade, um povo ou uma etnia (árabe, cabila, chaoui etc.) do que com uma nação argelina unificada. Uma vez na França, eles passavam a pensar em si mesmos como argelinos, e nos anos 1920 a ideia de uma Argélia independente começou a ganhar terreno nas cidades industriais da *métropole*. Em 1951, sob ordem do Ministério do Interior, a polícia de Paris começou a elaborar relatórios de todos os estabelecimentos de comida e bebida gerenciados "por muçulmanos nativos do Norte da África".

Fanon observou que a maioria de seus colegas falava com norte-africanos em uma linguagem infantilizadora que ele conhecia muito bem: o francês pidgin chamado *le petit nègre*. (*Le petit nègre*, escreveu Fanon, queria dizer apenas uma coisa: "fique onde está".)[22] Eles o faziam sem pensar, como se estivessem falando com uma criança; também se dirigiam a eles com o pronome informal de segunda pessoa *tu*. Fanon estava determinado a rejeitar "qualquer complacência paternalista",[23] mas ele mesmo cometia um "deslize" às vezes, tendo sido um *toubab* honorário no exército colonial. Repetidamente, testemunhava cenas de mal-entendidos e fiascos: a comunicação tinha quase toda caído por terra entre médicos franceses e seus pacientes norte-africanos. Um norte-africano que claramente sentia estar com doenças terminais parecia estar "tomado pela incerteza", incapaz de identificar o local físico da dor. Na falta de um componente "lesional" — um sintoma físico identificável sobre o qual tanto o paciente quanto o médico concordassem — "a dor do norte-africano" era "considerada inconsistente, irreal". Ela era vista, sim, como uma forma de histeria, a angústia imaginária de um "doente imaginário", tal qual na peça de Molière — ou apenas uma desculpa para não trabalhar.

Os médicos franceses, Fanon passou a acreditar, eram formados para encarar "todo árabe" como "um doente imaginário". Ele explicou: "O jovem médico ou estudante que nunca viu um árabe doente *sabe* [...] que 'esses tipos são uns farsantes'". Quando um norte-africano entrava em um consultório, ele não era abordado como um caso individual, já que "carrega consigo o peso morto de todos os seus compatriotas". Em vez de enxergar sua dor inexplicável como um desafio, os médicos a tomavam como prova do caráter essencialmente desonesto e preguiçoso dos norte-africanos; ele era considerado "um simulador, um vagabundo, um indolente, um preguiçoso, um ladrão". Em vez de procurar desvelar as causas da doença do paciente, eles a descreviam como um caso de "síndrome norte-africana" e lavavam as mãos. Esse era considerado um diagnóstico "objetivo" pelo corpo médico.

Na edição de fevereiro de 1952 da *Esprit*, Fanon publicou "A síndrome norte-africana", uma crítica feroz desse conceito — e de sua profissão e sociedade. Ele admitia que não era fácil tratar de norte-africanos que sofriam de dores sem lesões. Quando um de seus pacientes dizia estar com dor de estômago mas apontava para o fígado, era fácil dispensá-lo como alguém que sofria da síndrome norte-africana e deixar as coisas assim. Mas Fanon se recusava a aceitar esse diagnóstico; ele o encarava como uma barreira racista para a compreensão, uma fuga complacente da ética humanista. "Quem são eles?", escreve, "essas criaturas famintas de humanidade que se apoiam contra as fronteiras impalpáveis [...] do reconhecimento integral? Quem são, na verdade, essas criaturas que se dissimulam, que são dissimuladas pela verdade social sob os atributos de 'cabrito', '*bounioules*', 'árabe', 'ratinho', '*sidi*', '*mon z'ami*'?"*[24]

Em sua descrição da vida de um norte-africano na França, Fanon invocou uma paixão, uma eloquência e um lirismo incomuns; ao se vincular ao real, ao "concreto", ele alcançou efeitos poderosos que lhe haviam escapado como dramaturgo. Os norte-africanos, escreve ele, estão "sozinhos": são pessoas isoladas que foram privadas dos benefícios da sociedade e "nos

---

* Epítetos racistas para muçulmanos norte-africanos, sobretudo argelinos, a maioria dos quais se originou nas colônias e cruzou o Mediterrâneo para a *métropole*.

parecem absurdos". E mal eram visíveis para os franceses: "De vez em quando os percebemos trabalhando num prédio, mas não os *vemos*, nós apenas os percebemos, os vislumbramos. Círculo íntimo? Relações? Não há contatos, apenas choques. Sabe-se que a palavra 'contato' encerra o que é gentil e educado!". Fanon era um francês de classe média negro, vários níveis acima desses homens na pirâmide colonial de privilégio. Mas ele se identificava com a solidão que sentiam, seu sentimento de marginalidade, sua invisibilidade.

Eles vivem em "perpétua insegurança", explorados por patrões e senhorios, ridicularizados como primitivos, acusados de recorrer a prostitutas (com frequência as únicas mulheres que lhes estavam disponíveis). Ao mesmo tempo, eram menosprezados por não saber seus direitos enquanto cidadãos franceses. Ele continua:

> Direitos, Deveres, Cidadania, Igualdade, que coisas bonitas! O norte-africano no seio da nação francesa — que é, como nos dizem, a sua própria [...]. Que relação tem isso com o norte-africano no ambiente hospitalar? Justamente, há uma relação. [...] Ameaçado em sua afetividade, ameaçado em sua atividade social, ameaçado em sua cidadania, o norte-africano reúne todas as condições que fazem um homem adoecer.

Ao viver em uma sociedade que falhava em reconhecê-lo como homem, explica Fanon, o norte-africano "vai sentir-se esgotado, sem vida, num corpo a corpo com a morte".

Não é por acaso, sugere Fanon, que o norte-africano não consiga identificar uma lesão em particular: a dor que experimenta costuma ser difusa por todo seu corpo; ele se agarra a ela com "loquacidade", quase como um ponto de honra. O norte-africano "expõe *sua dor*", não porque a está inventando mas porque ela é a única coisa que ele possui em seu estado de expropriação generalizada. Sua dor simboliza o protesto de seu corpo contra uma vida que é uma "morte cotidiana", uma humilhação sem fim.

Mesmo que se tenha negado aos norte-africanos o direito de autodeterminação — "qualquer coisa pela qual, não faz muito tempo, você estava pronto a abandonar tudo, até a vida", Fanon mordazmente lembrou os leitores franceses — "lhes foi dito que eles eram franceses. Eles o aprenderam na escola. Na rua. Nas casernas [...]. Nos campos de batalha. Em cada parte de seus corpos e almas [...] a França lhes foi introduzida. Agora nós lhes repetimos em todos os tons que eles estão entre 'nós', na 'nossa' terra. Que, se não estiverem contentes, só lhes resta voltar para a sua *kasbah*". A França, escreve, não seria digna do amor dele até que tratasse os norte-africanos como "mais que apenas um corpo, mais que um Mohammed". Ao identificar a si mesmo como francês, Fanon argumentava que a síndrome norte-africana dizia mais sobre a França e sua desumanização dos norte-africanos do que sobre a histeria que ela pretendia diagnosticar.

A desumanização de pacientes, em especial dos que sofriam de doenças mentais, era um problema difundido nos hospitais franceses, onde eles estavam sujeitos ao que Michel Foucault, em sua história de 1963, *O nascimento da clínica*, chamaria de "discurso redutor do médico".[25] Mas o que Fanon observou com os trabalhadores norte-africanos e seus médicos era um problema mais específico: o modo como o olhar colonial obstruía diagnósticos cautelosos e cuidados médicos adequados. Ele também indicou como era fácil ceder ao processo; sentia-se tentado, admitiu, a jogar tudo para o alto quando confrontado por alguns de seus pacientes. O colonialismo, ele estava começando a se dar conta, era um sistema de relações patológicas que se passavam por normalidade. Era baseado em concepções racistas dos colonizados e da capacidade limitada deles de igualdade, soberania e autogovernança — uma "identidade" incompleta, como diríamos hoje. Essas concepções eram arraigadas não apenas em relações de poder hierárquicas, mas também na pesquisa acadêmica de médicos e antropólogos que se fiavam em sua expertise para explicar por que os colonizados eram inferiores e, portanto, predispostos a serem colonizados. Há boas razões para acreditar que a decisão de Fanon de se tornar psiquiatra originou-se diretamente de seus encontros com os argelinos na Rue Moncey.

Fanon estava contribuindo para uma vasta reavaliação da profissão por parte de psiquiatras de esquerda, muitos deles veteranos da Resistance. Nas palavras de Lucien Bonnafé, um psiquiatra comunista do Hospital Psiquiátrico de Saint-Alban, "a loucura nunca era uma questão pessoal". Ela tinha, sim, de ser entendida como um "fenômeno histórico e dialético", à luz do "fato histórico total": uma alusão ao que o etnólogo Marcel Mauss chamava de "fato social total", a teia intrincada de relações, instituições e crenças que constitui a realidade social. Para psiquiatras radicais como Bonnafé, o sofrimento de seus pacientes fazia alusão a crenças e conflitos não resolvidos na sociedade como um todo. Em seu estudo de 1943, "Ensaio sobre alguns problemas relativos ao normal e ao patológico", o historiador da ciência Georges Canguilhem, que se refugiou em Saint-Alban enquanto servia à Resistance, defendeu que a distinção traçada entre normalidade e patologia é em si uma construção social, não uma realidade médica. Críticos da neuropsiquiatria "orgânica" e psiquiatras marxistas que leram Canguilhem chegaram a conclusões radicais a partir dessas ideias. Eles imaginaram uma microssociedade nova e mais democrática surgindo dentro do hospital psiquiátrico, um tipo de psicoutopia descentralizada em que se confundiam os limites entre os que cuidavam e os que recebiam cuidados. Uma geração de psiquiatras radicais — com destaque para o iconoclasta britânico R. D. Laing — chegaram a celebrar a loucura como um modo de percepção visionário, como a inspiração artística. O imensamente influente psicanalista francês Jacques Lacan ficou intrigado com o surrealismo e sua insinuação de que a insanidade falava um tipo de verdade.

Fanon compartilhava a crença de Lacan de que a doença mental não podia ser reduzida a distúrbios neurológicos no cérebro; mesmo quando suas causas subjacentes eram orgânicas, as formas que ela assumia eram moldadas pelas relações sociais e familiares dos pacientes. Ele admirava a tese de 1932 de Lacan sobre a paranoia, que defendia que como a loucura não tinha uma origem única, ela deveria ser examinada à luz da sociologia e da psicanálise, bem como da neuropsiquiatria e da medicina. Em sua tese de doutorado de 1951 sobre a ataxia de Friedreich, uma doença hereditária neurodegenerativa que costuma ser acompanhada de sintomas psiquiátricos, Fanon chamou Lacan de "lógico da loucura".[26] Mas essa caracterização também era sutilmente zombeteira, e insinuava que Lacan fornecera uma racionalidade para o irracional.

Fanon nunca conseguiu chegar a endossar a fantasia surrealista da loucura como — na famosa expressão de Rimbaud — o "desregramento de *todos os sentidos*". A doença mental, argumentava ele, não era o limite extremo da liberdade, mas sim uma "patologia da liberdade". Essa alienação pulverizante do eu, Fanon acreditava, apresentava um obstáculo quase intransponível às relações normais com outros. A solidão forçada dos loucos, prisioneiros de seus delírios, não era romanceada por Fanon. O fato de ele repudiar a defesa lacaniana da loucura — o fato de enfatizar a vulnerabilidade, o sofrimento e a perda de liberdade experimentada pelos pacientes psiquiátricos, em vez da natureza "visionária" de sua percepção, ou o êxtase da alucinação — é um lembrete do valor que sempre atribuiu à autodeterminação. Ter um transtorno mental era abdicar de todo o controle sobre a própria mente e, portanto, do próprio corpo e destino. Para um descendente de escravizados de uma antiga colônia açucareira, era impossível confundir a condição de desintegração mental e física com emancipação de uma ordem social opressiva.*

---

* Fanon também jamais endossaria a crítica abrangente da "razão" como um instrumento de dominação ocidental: a razão também era a arma que os fracos podiam voltar contra seus opressores.

# 4.
# Rumo a um existencialismo negro

Durante seus anos em Lyon, a cidade fantasma de Fanon era Paris, o coração da vida intelectual do país, onde as conversas sobre liberdade e superação da alienação estavam no ar. Ele passou a ler pequenas revistas na vanguarda do pensamento crítico do pós-guerra e ia a peças de Sartre e Camus no teatro mais inovador de Lyon, Les Célestins, onde antes fora um convento e uma igreja celestinos. No existencialismo, Fanon encontrou uma nova e sedutora linguagem que prometia suceder a da Négritude. A questão era onde, ou se, elas se intersectavam, e como podiam enriquecer seu pensamento sobre psiquiatria e sobre sua própria experiência como homem negro.

O existencialismo, com sua convicção fundamental de que a "existência precede a essência", contrapunha-se ao essencialismo da versão de Senghor da Négritude, com sua evocação de um espírito africano eterno e imutável. (A versão de Césaire era bem mais acessível para os existencialistas.) Ela propunha que não somos determinados pelo destino biológico ou cultural: os sujeitos humanos criam a si mesmos por meio das decisões que tomam, ao assumir o fardo de sua liberdade. "Uma rebelião genuína de intelectuais", escreveu Hannah Arendt em 1946, "cuja docilidade com relação à sociedade moderna era um dos aspectos mais tristes do triste espetáculo da Europa do entreguerras",[1] o existencialismo encontrou adeptos apaixonados entre jovens que tinham passado pela guerra e estavam ansiosos para recriar seu mundo depois da devastação.

O movimento floresceu fora das universidades: seu núcleo era o Café de Flore no Boulevard Saint-Germain de Paris, onde Sartre, o líder não oficial mas incontestado do existencialismo, era o centro das atenções com Beauvoir. Ambos haviam sido relativamente "dóceis" durante a ocupação alemã, mas tinham saído dela como defensores, e ícones, da Resistance.

Quando Fanon chegou a Lyon, a aliança do casal com Albert Camus, cuja fama de romancista e filósofo quase se equiparava à deles, estava se tornando uma baixa da Guerra Fria. Camus, um membro do Partido Comunista quando jovem na Argélia e *résistant* heroico, repudiava o comunismo como uma forma nova e brutal de tirania, defendendo em vez disso o ideal da revolta individual em uma sociedade absurda. Sartre e Beauvoir, por sua vez, buscavam promover uma política socialista radical independente tanto do Partido Comunista Francês, cujos intelectuais atacavam o existencialismo como uma doutrina niilista reacionária, quanto do Ocidente capitalista. Nenhum deles se afiliou ao partido, mas no início da década de 1950 eles se tornaram simpatizantes da União Soviética, que em seu juízo ainda era um Estado "revolucionário", independente de seus defeitos.* Em outubro de 1951, quando Camus publicou *O homem revoltado*, uma crítica das buscas revolucionárias por "justiça absoluta", as tensões com Sartre e Beauvoir escalaram para um rompimento oficial. Ainda assim, apesar de todas as suas discussões intensas (e por mais que Camus rechaçasse o rótulo), os existencialistas estavam unidos em sua crença na contingência da existência, sua recusa a aceitar o mundo como ele é, e sua insistência na liberdade, mesmo

---

* Sartre, que romperia com a União Soviética devido à invasão da Hungria em 1956, defendia publicamente seu silêncio com relação aos horrores comunistas dizendo: *"Il ne faut pas déspérer Billancourt"* ("Não se deve desesperar Billancourt"), uma alusão aos trabalhadores em Boulogne-Billancourt, um subúrbio do "cinturão vermelho" de Paris.

nas circunstâncias mais horrendas ("situações extremas", na terminologia de Sartre). Em seu âmago, o existencialismo era uma disposição sombria, muitas vezes trágica, de recusa: a continuação filosófica da ética da Resistance dos tempos de guerra.

A revista do movimento era a *Les Temps Modernes*, editada por Sartre e Beauvoir. Em suas páginas, Fanon — que finalmente os conheceria em 1961 — descobriu um modelo aventureiro de prática intelectual que incentivava o pensamento especulativo e rejeitava a especialização. O existencialismo nunca foi um movimento apenas filosófico; Sartre, Beauvoir e Camus estavam à vontade com a arte, a ficção e o teatro: em seus romances e peças abundava filosofia, suas obras filosóficas eram bastante literárias. Os existencialistas também tinham um interesse vivo pelos Estados Unidos, sobretudo suas "relações raciais", o eufemismo da época. Na *Les Temps Modernes*, Fanon leu o ensaio de Bernard Wolfe sobre espetáculos raciais de menestréis e tomou conhecimento de Richard Wright[2] e Chester Himes, os exilados americanos negros em Paris cujos romances eram defendidos por Sartre. Maurice Merleau-Ponty, que acabara de publicar sua obra-prima, *Fenomenologia da percepção*, era o filósofo mais inovador do movimento e uma figura imensamente influente na *Les Temps Modernes*.

Fanon frequentou as palestras de Merleau-Ponty em Lyon mas nunca falou com ele; mais tarde disse a Sartre e Beauvoir que ficara intimidado demais para se apresentar. Mas as ideias de Merleau-Ponty são centrais para o desenvolvimento de Fanon como psiquiatra e escritor. "Estamos no mundo por nosso corpo, enquanto percebemos o mundo com nosso corpo",[3] escreveu Merleau-Ponty em *Fenomenologia da percepção*. Ele não queria dizer o corpo físico e objetivo, mas sim nossa experiência (e percepção psicológica) do corpo que habitamos, o qual chamou de "corpo fenomenal".[4] Ilustrou esse conceito com o exemplo de um membro fantasma, que intrigou Fanon.

"Um ferido de guerra ainda sente em seu braço fantasma os estilhaços de obus que laceraram seu braço real",[5] escreveu Merleau-Ponty. O amputado não está alucinando; está tendo uma experiência por meio de seu corpo fenomenal, o qual, apesar da perda, continua sendo sua orientação para o mundo. Para Merleau-Ponty, o mundo não é algo que pode ser entendido por um indivíduo. "O mundo fenomenológico não é o ser puro", escreveu ele, "mas o sentido que transparece na interseção de minhas experiências, e na intersecção de minhas experiências com aquelas do outro, pela engrenagem de umas nas outras." Crucialmente, essas experiências devem ser *vividas* no corpo: não existe algo como uma apreensão desincorporada do mundo. Como Sartre colocou, Merleau-Ponty não tinha paciência com pensadores que negligenciavam a experiência e o conhecimento do corpo, e "cuja filosofia elevava-se sobre a terra, esquecendo-se de que estamos afundados nela desde que nascemos".[6]

Fanon não perdera um membro na guerra, mas sabia perfeitamente bem devido a seu ferimento dos estilhaços a diferença entre o corpo físico e o corpo fenomenal. Ele também havia crescido em uma ilha cuja economia fora baseada em trabalho escravo, onde a brutalização de corpos negros era a regra, e a amputação estava entre as punições por roubo e resistência. Fanon poderia ter tido uma "memória carnal" dessa violência.[7] Em seu primeiro livro, *Pele negra, máscaras brancas*, ele insinuaria isso, ao comparar sua experiência de racismo à ameaça de perda de um membro, e ao declarar: "recuso com todo o meu ser essa amputação".[8] (A palavra "amputação" se repete em toda a sua obra.) Essa recusa, como a insistência do membro fantasma, era a rebelião do corpo fenomenal contra a violência que fora infligida sobre o corpo objetivo.

Fanon também era atraído pela ênfase de Merleau-Ponty no *vécu* (vivido) — tradução francesa de *Erlebnis*, termo que ele descobrira no ensaio de Paul Balvet sobre a loucura — e por sua noção de um "esquema corporal".[9] Ali estava uma filosofia transbordando de aplicações psicológicas potenciais. Mas à medida que Fanon começou a escrever a sério sobre o que ele chamava de "a experiência vivida do negro" em uma sociedade branca, com a ideia de fazer dele o tema de sua tese em medicina, descobriu que não podia aceitar os argumentos de Merleau-Ponty ao pé da letra;[10] os negros, ele estava convencido, não tinham algo que Merleau-Ponty considerava essencial para a liberdade humana: anonimato físico. Os brancos conseguiam passar sem serem notados nas ruas ou no transporte público porque seus corpos não estavam marcados. Já os negros estavam marcados e não podiam deixar de ser vistos mesmo se sua aspiração mais profunda, como Fanon escreveria em *Pele negra, máscaras brancas*, fosse "ao anonimato, ao esquecimento". Sob o olhar branco, eles eram ao mesmo tempo hipervisíveis (como membros de um coletivo estigmatizado) e invisíveis (como indivíduos).

Fanon chegou a acreditar que, por meio de um processo em grande parte inconsciente, os negros "epidermializavam" o olhar branco, absorviam-no em seus corpos e o sentiam como um fardo, outro obstáculo à sua liberdade. O "esquema corporal" deles — o modo como apreendiam seus corpos em espaços públicos — era diferente do dos brancos porque sob ele jaz "um esquema histórico-racial".[11] Como resultado, uma "dialética genuína" entre o corpo do negro e o mundo era impedida. É por isso que Fanon se descrevia como estando "encerrado nessa objetividade esmagadora" pelo olhar do menino branco em Lyon. Em uma sociedade racista, os negros estão sempre de guarda, porque "ao redor do corpo, reina uma atmosfera de clara incerteza". Nessa medida, Merleau-Ponty ainda se comprometia com o pensamento "altivo" que ele menosprezava: o tipo de universalismo filosófico daltônico que implicitamente pressupunha o sujeito humano como branco. Essa foi parte da razão por que Fanon se voltou para Sartre, que parecia atender de forma mais direta suas questões sobre racismo do que Merleau-Ponty.

Nas suas obras filosóficas iniciais, em especial *O ser e o nada*, o marco referencial de Sartre era a consciência individual. Nessa obra, o "outro" — um dos conceitos centrais de Sartre — é qualquer um que não seja o eu. Mas depois da guerra — subjugado, talvez, pelo Holocausto e pela culpa por seu nada heroico histórico de resistência nos tempos de guerra —, Sartre começou a refletir sobre as experiências específicas dos "outros" marginalizados, como judeus, negros, árabes e gays. Em Sartre, sua influência mais importante depois de Césaire, Fanon encontrou não apenas um aliado político mas também um pensador de sensibilidade extraordinária. Sartre, cujas raízes eram incontestavelmente burguesas, não apenas homenageava as lutas dos oprimidos; as incorporava em sua obra e usava para ampliar e até remodelar seu projeto filosófico. Ele não abandonou o universalismo, mas se deu conta de que a universalidade era uma aspiração do pensamento crítico, e não sua premissa; ela representava um futuro pelo qual lutar, não que deveria ser dada como estanque, porque a experiência humana era inerentemente plural, desigual e dividia. Dificilmente se esperaria que pessoas que tinham sido perseguidas ou oprimidas pelo Ocidente se reconhecessem em, e muito menos exaltassem, uma tradição filosófica que depreciava e com frequência negava sua humanidade. Muito antes da chegada de Jacques Derrida, o fundador da "desconstrução", Sartre lutou com a questão da "diferença" e o que ela significava para a filosofia ocidental, especialmente o que Derrida chamaria de "mitologia branca".[12]

Em 1946, ano em que Fanon começou seus estudos em Lyon, Sartre publicou um livro curto intitulado *Réflexions sur la question juive* (*A questão judaica*, publicado em inglês dois anos depois como *Anti-Semite and Jew*),[13] que examinava a psicologia do antissemita e o modo como esse chegar ao "corpo pela mente" não apenas afetava o objeto de sua fobia, o judeu, mas também, de certo modo, criava o judeu como um estereótipo e bode expiatório.[14] As consequências do antissemitismo tinham sido expostas durante a guerra, em especial na França, onde as autoridades de Vichy haviam deportado 76 mil judeus para campos de concentração, apenas 3% dos quais sobreviveram à guerra. No entanto Sartre mal discutia essa história. Ele queria, sim, mostrar como o antissemitismo limitava a liberdade física e mental dos judeus *depois* da derrota do fascismo, quando seus direitos tinham sido restaurados. O judeu, argumenta ele, está "sobredeterminado" pela projeção fóbica do antissemita: "*marcado* como judeu" e portanto marcado com um estigma que, tanto para o judeu quanto para o antissemita, "chega ao plano fisiológico, como ocorre na histeria". Carregando esse estigma como se fosse uma segunda pele, ele se sujeita a "questionar-se sem cessar", desenvolvendo "uma personagem ilusiva, desconhecida e familiar, inacessível e demasiado próxima, que o obceca e que não é outra coisa senão ele mesmo, tal como surge para os outros".

Em uma passagem que lembra o encontro de Fanon com o menino no trem (e que Fanon citaria em uma nota de rodapé em *Pele negra, máscaras brancas*), Sartre escreve que eventualmente todas as crianças judias experimentam o estigma que é sua herança cruel:

> [...] um dia acabam descobrindo a verdade — às vezes pelos sorrisos das pessoas que os cercam, outras vezes por um zum-zum ou um insulto. Quanto mais tardia a descoberta, mais violento o abalo: de repente, percebem que os outros sabiam sobre eles uma coisa que desconheciam,

que se aplicava a si próprios esse qualificativo equívoco e inquietante que não se usa em sua casa. Sentem-se separados, excluídos da sociedade das crianças normais que correm e brincam tranquilamente ao redor e que não têm *nome especial*.[15]

O intelectual negro americano W. E. B. Du Bois descreveu um complexo similar em seu livro de 1903, *As almas do povo negro*: "É uma sensação peculiar essa consciência dual, essa experiência de sempre enxergar a si mesmo pelos olhos dos outros, de medir a própria alma pela régua de um mundo que se diverte ao encará-lo com desprezo e pena".[16] Fanon nunca leu Du Bois, mas encontrou em Sartre um relato vívido e muitíssimo conhecido da personalidade fantasma, ou "consciência dual", criada pelo racismo. As páginas de Sartre sobre a experiência vivida do antissemitismo, ele escreveria mais tarde, estavam entre "as mais belas que já lemos. Das mais belas porque o problema que expressam nos agarra pelas entranhas".[17]

No entanto o racismo contra negros não era vivido exatamente da mesma forma que o antissemitismo. Os judeus costumavam conseguir passar despercebidos porque eram brancos, o que tornava mais fácil para os cristãos franceses ignorar seus históricos de perseguição antissemita, aquelas "querelas em família", como Fanon as chamou. A visibilidade do negro tornava esse esquecimento impossível: "Não sou escravo da 'ideia' que os outros fazem de mim, mas da minha aparência".[18] Os negros, além do mais, eram atacados em seu ser físico por sua "potência sexual alucinante": "Imaginem só, com toda a liberdade de que desfrutam no meio do mato! Ao que parece, fazem sexo não importa o lugar nem a hora. São genitais. Eles têm tantos filhos que até perdem a conta. Precisamos ser cautelosos, pois acabarão nos inundando de pequenos mestiços". Aos antissemitas, ele prossegue, "não ocorreria [...] a ideia de castrar um judeu. Ou ele é morto ou esterilizado. Mas o negro é castrado. [...] O negro representa o perigo biológico. O judeu, o perigo intelectual".[19]

Ainda assim, Fanon foi inspirado pela análise do antissemitismo de Sartre e pela sugestão de que ela poderia se aplicar a outros grupos minorizados racializados. (Ele havia levado a sério o alerta de seu professor do liceu de que "um antissemita é necessariamente um negrófobo".)[20] Na conclusão de *A questão judaica*, Sartre apelava a um "liberalismo concreto" no qual os direitos se baseariam não na "natureza humana", mas sim na "participação ativa na vida social".[21] Os árabes franceses e os negros, bem como os judeus, escreveu ele, "têm direito de intervir na empreitada nacional porque também são responsáveis por ela. Mas têm tal direito enquanto judeus, negros ou árabes, isto é, enquanto pessoas concretas". Fanon não tinha desejo de assimilar se isso significasse renunciar à sua identidade, e graças à Négritude, ele já estava se afirmando como uma "pessoa concreta", como um negro. Agora ele parecia ter também a sanção de Sartre.

Todavia, não era simples, como ele descobriu ao ler o ensaio de Sartre de 1948 "Orfeu negro", um belo e incendiário tributo aos poetas que Fanon também adorava: Senghor, Damas e, sobretudo, Césaire. O ensaio de Sartre foi publicado como prefácio a uma antologia de poesia africana e antilhana que Senghor editara, *Anthologie de la nouvelle poésie nègre et malgache de langue française* [Antologia da nova poesia negra e malgaxe em língua francesa]. "A poesia negra de língua francesa", declarou Sartre, "é, em nossos dias, a única grande poesia revolucionária."

Ele não fora o primeiro francês branco a escrever em louvor à Négritude. O escritor surrealista André Breton aclamara Césaire como um "grande poeta negro" — expressão que incomodou Fanon — em seu prefácio a *Diário de um retorno ao país natal*. Mas Sartre acreditava que a Négritude anunciava uma revolução cujas implicações iam muito além da poesia, e além das questões de qualquer "raça" específica. Ela encarnava um desafio histórico-mundial de autocompreensão, e os valores do Ocidente. Seu objetivo supremo, ele defendia, não era abrir espaço para a negritude na catedral da cultura branca ocidental, mas demolir completamente a catedral.

"Orfeu negro" começa com uma passagem notável em que Sartre imagina o espanto de seus leitores franceses brancos ao se depararem pela primeira vez com a poesia da Négritude:

> O que esperáveis que acontecesse, quando tirastes a mordaça que tapava as bocas negras? Que vos entoariam louvores? [...] Ei-los em pé, homens que nos olham e faço votos para que sintais como eu a comoção de ser visto. Pois o branco desfrutou durante 3 mil anos o privilégio de ver sem que o vissem [...]. Hoje, esses homens pretos nos miram e nosso olhar reentra em nossos olhos; tochas negras, ao seu redor, iluminam o mundo, e nossas cabeças brancas não passam de pequenas luminárias balouçadas pelo vento.[22]

A direção do olhar fora invertida: os novos poetas negros eram indiferentes às reações dos leitores brancos, já que era "aos negros [...] que estes negros se dirigem, e para falar-lhes de negros", encorajados por uma "consciência mais aguda de diferença e do orgulho raciais". Ao serem estigmatizados como *nègres*, Sartre defendia, os poetas negros não tinham opção a não ser abraçar sua identidade, cerrar as fileiras entre eles mesmos: "Esse racismo antirracista é o único caminho que levará à abolição das diferenças raciais".[23] Por "racismo antirracista" — termo que semearia considerável confusão — Sartre não queria dizer preconceito contra brancos; era, sim, um prenúncio precoce de políticas identitárias, com foco no que distingue membros de um grupo oprimido de outros. No caso da poesia da Négritude, isso significava um retorno ao eu negro e à cultura negra. Mas onde eles poderiam ser encontrados? Graças a séculos de dominação racial, o escritor negro — sobretudo todos os escritores negros nas Antilhas, desenraizados da África — tinha "se tornado cindido". Seu desejo de "revelar a si mesmo" como negro era em si uma indicação de que ele "já estava exilado de si mesmo", já assombrado por uma "personalidade fantasma" branca. Para recuperar sua negritude, ele tem de realizar um "mergulho incansável em si mesmo", tal qual Orfeu ao descer ao Hades para resgatar sua esposa, Eurídice — daí o título de Sartre.

Tal qual Fanon, Sartre foi seduzido pela interpretação da Négritude feita por Césaire, que privilegiava uma autoinvenção existencial em detrimento do retorno romântico de Senghor a um eu dentro de um "conjunto objetivo de tradições negras africanas". O modus operandi da poética de Césaire, é claro, lembrava as subversões do surrealismo, mas ali não se tratava "de uma questão de jogo gratuito", e sim de uma questão do poeta "descobrir e tornar-se o que ele é". Ao mesmo tempo, a poesia de Césaire, defendia Sartre, continha as sementes de uma nova universalidade na qual "a raça é transmutada em historicidade", e a negritude "já não é um estado, nem mesmo uma atitude existencial, mas sim um 'Tornar-se'".

"Orfeu negro" era mais do que um exercício de crítica literária compassiva: era uma homenagem, na cabeça de Sartre, à força revolucionária da negritude. Ele se tornaria um dos documentos distintivos do movimento da Négritude — certamente seu manifesto mais importante por parte de um escritor branco europeu. Diversos de seus temas reapareceriam na obra de Fanon: a resistência negra ao olhar branco, a centralidade da linguagem no funcionamento da opressão social, o modo como a autoafirmação cultural ou étnica serve de preparação para a luta coletiva.

Ainda assim, como Fanon explicaria em *Pele negra, máscaras brancas*, sua resposta inicial ao ensaio de Sartre foi se sentir esnobado, até traído. Em cada ato de louvor aos poetas da Négritude, Sartre puxara o tapete de debaixo de seus pés ao sugerir que o papel do movimento era catalisar uma revolução mais "universal" conduzida pelo proletariado, e uma vez que ela estivesse em curso, aceitar sua própria dissolução em um todo maior. Um "meio e não um fim", a negritude da Négritude era, nas palavras de Sartre, uma "fase de progressão dialética", a antítese da supremacia branca. "Mas esse momento negativo não é suficiente por si mesmo" uma vez que exige uma nova tese, que apenas o socialismo oferece. A negritude, declara Sartre com seu olhar agudo para o paradoxo, era "um absoluto que sabe que é transitório". Essa, para ele, era a "beleza trágica" da Négritude. Ela poderia "colorir o mar para o qual corre", mas no fim, decidira, ela "não importa".

Fanon ficou exasperado.[24] Sartre aclamara a vitalidade da Négritude apenas para declará-la uma paixão trágica, destinada a morrer uma vez que renunciasse ao particularismo étnico — "racismo antirracista" — em nome da emancipação universal. Ao inscrever a Négritude na dialética hegeliana, Sartre a desconsiderara, como se ela fosse um interlúdio bruxuleante e subalterno em um processo histórico mais amplo. O que havia acontecido com o anseio de Sartre por um "liberalismo concreto" no qual judeus, negros e árabes seriam acolhidos como pessoas "concretas" em vez de indivíduos sem raça? Pelo menos Sartre era consistente, independente da perspectiva de que se olhasse. Em *A questão judaica* ele criticara o nacionalismo judaico, mesmo argumentando que os judeus eram obrigados a se identificar como judeus quando eram atacados como judeus. O particularismo étnico não tinha espaço na "universalidade" do futuro socialista que ele imaginava.

Mas, para Fanon, não havia consolo na justeza de Sartre. Ele estava convencido de que "Orfeu negro" privara a Négritude de sua "negritude fundamental". A Négritude, escrevera Sartre, "parece racial" mas "é na verdade um hino de todos para todos". Por que ela não podia ser tanto negra quanto universal? E por que a negritude era uma condição que o negro precisava transcender? Fanon havia pouco começara a proclamar sua negritude na cidade branca de Lyon apenas para vê-la menosprezada por um filósofo que ele reverenciava. Tomou o ensaio como um ataque a seu próprio corpo fenomenal: "Meus ombros escorregaram da estrutura do mundo, meus pés deixaram de sentir a carícia do chão. Sem um passado negro e sem um futuro negro, foi-me impossibilitado existir a minha negraria [*nègrerie*]. Sem que me tivesse tornado branco, já não era mais propriamente negro, eu era um condenado".[25]

A desavença entre Fanon e Sartre poderia ser entendida como o narcisismo de pequenas diferenças ou um ato de rebelião edipiana: o filho aceita de má vontade a sabedoria do pai mas ainda assim tem de matá-lo. E Fanon costumava exagerar suas diferenças com seus mentores, como se esse fosse o único modo de se afirmar. Contudo, ele tinha boas razões para discordar do universalismo de Sartre. Este, ele escreveu, "esqueceu que o negro sofre em seu corpo de forma diversa do branco".[26] O que distinguia os negros dos brancos, para Fanon, não era seu espírito africano (como em Senghor) nem sua negritude fundamental (como em Césaire), mas sua experiência vivida de ser negro: sobretudo sua experiência do que Merleau-Ponty chamou de corpo fenomenal. Fanon atribuía grande valor a essa experiência, por mais agonizante que ela tivesse sido para ele na França: apesar de toda sua crença no "homem", ele não estava preparado para repudiar sua negritude como uma paixão trágica. Enquanto a supremacia branca persistisse, o absoluto negro — a consciência de habitar um corpo negro em um mundo branco — seria uma arma necessária. Ouvir a Négritude descrita como um rito de passagem coletivo era como levar um sermão de um velho: "Você vai mudar, meu rapaz; quando eu era jovem, eu também... Você vai ver, tudo passa...".[27]

Em uma nota de rodapé impetuosa em *Pele negra, máscaras brancas*, Fanon sugeriu que toda a estrutura de Sartre para entender a alienação "se mostra inválida" quando aplicada à consciência negra, "o branco não é apenas o Outro, mas também o senhor, real ou imaginário".[28] Contudo, ainda que Fanon tenha se ressentido de Sartre na época, o ensaio claramente o deixou inquieto. Sempre que escrevesse sobre a Négritude, ouviria a voz de Sartre.

Hoje, Fanon costuma ser visto como um defensor da negritude. Mas ao longo de suas reflexões sobre o racismo, a Négritude acabou por se mostrar uma fase passageira. Ele sairia dela como seu mais eloquente, e muitas vezes mordaz, detrator.

Na edição de maio de 1951 da *Esprit*, Fanon publicou um extenso ensaio intitulado "O lamento do negro: A experiência vivida do negro", que incluía suas reflexões sobre Sartre e raça. Em uma mistura ousada de memórias, filosofia, psicanálise e crítica literária, ele escreveu de maneira assombrosa sobre seu sofrimento psicológico na Lyon branca. A verdadeira batalha de ser negro em um mundo branco, sugeriu, é uma luta não tanto contra um "sentimento de inferioridade" quanto contra um "sentimento de inexistência", composto de culpa e medo. Foi o ensaio mais autobiográfico que já escreveu.

Era necessário mais que um pouco de audácia para um desconhecido de 26 anos, que viera do outro lado do oceano e estudava medicina em uma cidade provinciana, desafiar abertamente o filósofo mais celebrado do país. Mas Fanon parece não ter tido medo, ou ao menos ter estado determinado a superar seus temores ao opor-se ao establishment intelectual. (Esse seria um padrão ao longo de toda a sua vida.) É significativo que ele tenha escolhido publicar tanto seu primeiro ensaio quanto "A 'síndrome norte-africana'" na *Esprit*, uma revista fundada por católicos de esquerda conhecidos por seu anticolonialismo feroz, e não na tribuna da Négritude, a *Présence Africaine*. Ele tinha contato com um dos editores da *Esprit*, Jean-Marie Domenach, por meio do cunhado deste, Michel Colin, um dos professores de Fanon na faculdade de medicina em Lyon. Mais objetivamente, ele pode ou ter considerado a *Présence Africaine* complacente demais com relação à França ou ter desejado sinalizar seu afastamento de Césaire e Senghor.

"O lamento do negro" se tornaria o quinto capítulo de *Pele negra, máscaras brancas*. A obra nasceu das experiências de Fanon como médico em Lyon, embora não seja nem um livro de memórias nem um estudo clínico, mas uma mistura incomum de gêneros e registros discursivos: analítico e poético, desesperador e esperançoso, solene e sarcástico. Ele parece tê-lo concebido originalmente como sua tese de doutorado em psiquiatria. Aqui, também, Fanon exibiu uma audácia que beirava a autossabotagem, uma vez que devia saber que Dechaume, seu mentor conservador que ele em particular desprezava, nunca aprovaria sua tese oficial como um ensaio que confunde gêneros e é muitas vezes polêmico sobre racismo, coroado com citações de Sartre e Césaire. Mas Fanon parece ter precisado desesperadamente escrever o livro, não apenas para transmitir a experiência vivida de raça para os negros mas também para expor a cegueira do establishment médico na França, que tratava essa experiência — *sua* experiência — como irrelevante para a psiquiatria.

Ele havia começado a colher material para o livro no fim da década de 1940 em Lyon, e finalizou o manuscrito em 1951, muito provavelmente durante sua residência no hospital Saint-Ylié em Dôle, duas horas ao norte de Lyon, no Jura. Sua supervisora em Dôle, Madeleine Humbert, se queixaria anos depois que seu residente martinicano era "o mais desagradável possível" e que se comportava com as enfermeiras "como um colonialista" — uma acusação provocadora a se fazer contra um anticolonialista negro de uma ex-colônia francesa. O que não lhe agradava em Fanon, no entanto, pode ter sido seu orgulho, sua formalidade, sua recusa em sorrir e expressar gratidão por ser aceito, como um *noir évolué* bem treinado. Ela ficava particularmente ressentida por ele não fazer anotações durante suas consultas com os pacientes, tomando isso como desleixo. Na verdade, Fanon considerava fazer anotações durante as consultas algo intrusivo e inquisitório. Os pacientes, para ele, deviam ser abordados com respeito e compaixão. Demasiados deles eram tratados como espécimes, sobretudo se fossem negros ou árabes.

Fora do horário de expediente, no entanto, Fanon tomava notas copiosas, mas elas refletiam interesses sociais e políticos bem distantes daqueles da psiquiatria convencional. Um dos casos que chamou sua atenção em particular envolvia uma paciente de dezenove anos que sofria de alucinações de negros "selvagens e canibais", dançando ao redor de um caldeirão e se preparando para cozinhar um homem branco de meia-idade; como se veio a saber, seu pai era um veterano do exército colonial na África Ocidental, e os temores dela podiam ser remontados a lembranças do pai ouvindo programas de rádio de "música negra". Outra paciente, uma prostituta, disse a Fanon que a mera ideia de fazer sexo com um negro a fazia chegar ao orgasmo, ainda que sua experiência sexual com negros "não [tivesse sido] nada de extraordinário em relação aos brancos". O que a excitava era pensar em "tudo" que um negro poderia fazer com ela. Mitos sobre a sexualidade masculina do negro eram tão disseminados, descobriu Fanon, que um estudante negro de ginecologia que ele conhecia se recusava a fazer exames vaginais. Além disso, esses mitos eram refratários à refutação lógica. "A superioridade do negro é real?", escreve Fanon em *Pele negra, máscaras brancas*.²⁹ "Todo mundo *sabe* que não. Mas essa não é a questão. O pensamento pré-lógico do fóbico decidiu que assim fosse."

Um psiquiatra de disposição mais conservadora poderia ter dispensado o *conteúdo* particular dessas fobias como secundário a sua *essência*, mas não Fanon, um negro antilhano cujas ilusões sobre o daltonismo dos franceses foram destruídas na guerra e nas ruas de Lyon. O racismo, para ele, não era meramente a expressão incidental de uma patologia; *era* uma patologia, nascida da escravidão e da colonização. Seu interesse na estrutura da fantasia e do medo racial o levou a conduzir testes de associação livre com um grupo de cerca de trezentos franceses brancos, a quem ele oferecia questionários em que a palavra "negro" estava inserida entre dezenas de outras.\* Quase 60% dos participantes associaram a palavra "negro" com palavras como "biológico, sexo, forte, atlético, potente, boxeador, Joe Louis, Jesse Owens, fuzileiros senegaleses, selvagem, animal, diabo, pecado". Quando colegas brancos fizeram as mesmas perguntas a pacientes brancos, a porcentagem de respostas do tipo foi ainda maior.

A "negrofobia", considerava ele, também era difundida entre seus pacientes antilhanos. Eles haviam absorvido um sentimento de inferioridade em sua pele, "por interiorização, ou melhor, por epidermização"; a luta para superá-lo era quase indistinguível de um desejo de não ser negro. "É normal que o antilhano seja negrófobo", escreveria Fanon em *Pele negra, máscaras brancas*. "Pela via do inconsciente coletivo, o antilhano assumiu como seus todos os arquétipos do europeu." Nos pesadelos deles de estupro ou agressão sexual, as mulheres crioulas,

---

\* Não está claro se ele ofereceu esses questionários no contexto de uma pesquisa formal, ou como uma iniciativa individual, durante consultas.

as "justabrancas", invariavelmente imaginavam um senegalês ou "alguém inferior (considerado como tal)". Era sempre "em referência à essência do branco" que os antilhanos percebiam a cor da pele uns dos outros, ou até seu caráter. Fanon também era surpreendido com fantasias de violência, dominação e vingança que o racismo parecia inspirar em suas vidas negras. Ele entrevistou um estudante de medicina negro que se alistara no Exército como médico auxiliar depois de ser convencido de que seus pacientes europeus nunca o aceitariam. Mas o estudante recusou-se a se juntar a uma unidade na qual trataria de soldados das colônias. Ele queria tratar brancos, e fazer com que "tivessem para com ele uma atitude de negros", de modo que eles passassem pelas indignidades que ele sofrera, e "vingava-se da imago que sempre o obcecara: o negro assustado, acanhado, humilhado na presença do senhor branco".

À medida que Fanon mapeava a paisagem psíquica produzida pelo racismo, com foco no que agora chamamos de "preconceito implícito", ele passou a acreditar que homens negros como ele mesmo tinham uma "função" no Ocidente branco, e em sociedades coloniais conscientes da cor como a Martinica: "representar os sentimentos inferiores, as más índoles, o lado obscuro da alma", sobretudo o lado "biológico" ou sexual. (James Baldwin mais tarde faria uma observação parecida: "Os temores e desejos que o homem branco se recusa a admitir — e aparentemente considera inconfessáveis — são descarregados sobre o Negro".)[30]

"A análise do real é delicada", escreveria Fanon em *Pele negra, máscaras brancas*.[31] Os cientistas não podiam se limitar a uma descrição, especialmente quando "em suas pesquisas, nunca se trata deles mesmos, mas dos outros". Ele lembrou de terem lhe dito para fingir que estava dissecando um gato durante "algumas sessões nauseantes" de autópsia. Mas aqui ele se deparava com uma questão que não podia lhe dizer respeito mais diretamente: "pode o branco se comportar de forma sadia em relação ao negro, pode o negro se comportar de forma sadia em relação ao branco?". Fanon não negava as bases neurológicas da doença mental: seu argumento não era de que o racismo sozinho enlouquecia as pessoas. Mas ele acreditava que o racismo "patológico" de seus pacientes oferecia uma janela para as sociedades francesa e martinicana "normais", e que seus sintomas eram versões exageradas de fantasias e crenças engendradas pelo racismo e pelo colonialismo, profundamente arraigadas na sociedade como um todo.

Fanon estava longe de ser o único em sua preocupação com a psicologia da raça e do colonialismo. Em 1950, enquanto ele trabalhava em *Pele negra, máscaras brancas*, o psicanalista Octave Mannoni publicou um estudo influente intitulado *Psicologia da colonização*. Ele provocou uma onda de ataques de opositores do colonialismo, entre eles Fanon.

Mannoni, cujo pai administrava uma unidade correcional para jovens infratores na França, passou duas décadas trabalhando como funcionário público na administração colonial de Madagascar antes de voltar à França para estudar com Lacan. Anticolonialista liberal, ele condenava o racismo e a violência dos colonos, e expressou apoio à revolta nacionalista de 1947, na qual milhares de malgaxes foram mortos por soldados franceses — muitos deles fuzileiros senegaleses. Os colonos em Madagascar exigiram sua expulsão. Ele não era um alvo óbvio da ira anticolonial.

Em seu livro, Mannoni defendeu que os colonos franceses em Madagascar sofriam de um complexo de inferioridade em relação à *métropole*, e projetavam seus temores de inadequação sobre os malgaxes — ideia que encontraria ampla expressão na literatura do anticolonialismo. Mas ele também sugeriu, mais controversamente, que os malgaxes os encontravam no meio do caminho, com seu próprio "complexo de dependência".

Na descrição de Mannoni, a colonização parecia um relacionamento abusivo em que ambas as partes tinham entrado voluntariamente. Fanon ficou furioso. O livro de Mannoni, ele escreveria em *Pele negra, máscaras brancas*, o levou a se perguntar "se os inspetores de ensino e os chefes de posto têm consciência do papel que desempenham nas colônias. Por vinte anos se dedicam com seus programas a fazer do negro um branco. Ao fim, eles o liberam e lhe dizem: indubitavelmente, você tem um complexo de dependência diante do branco".[32]

Fanon defendeu que "o que Mannoni esqueceu foi que o malgaxe não existe mais; esqueceu que o malgaxe existe com o europeu". O malgaxe era, em outras palavras, uma criação do sistema colonial, assim como o judeu era uma criação do antissemita, e o negro uma criação dos brancos: "Tenhamos coragem de dizer: é o racista que cria o inferiorizado".[33] Se o malgaxe "foi levado a se perguntar se era ou não um homem, é porque [os colonizadores] lhe questionavam essa realidade de homem". Quaisquer que fossem as ideias de Mannoni sobre as relações cotidianas e fantasias recíprocas de colonizador e colonizado, ele havia ignorado totalmente o "fato social total" que as produzira.

Aquele fato social total incluía a sanguinária repressão da revolta malgaxe dois anos antes da publicação do livro de Mannoni — um guia necessário, na perspectiva de Fanon, para o inconsciente coletivo malgaxe. Muitos dos pacientes de Mannoni relataram ter sonhos em que viam imagens escuras e assustadoras: sombras, touros e bois pretos, mas também soldados senegaleses convocados pelos franceses para reprimir a rebelião. Mannoni encarava essas imagens como representações do falo. Mas Fanon defendia que um pesadelo malgaxe sobre um soldado da infantaria senegalês tinha de ser situado "em seu tempo, e esse tempo é o período em que 80 mil nativos foram mortos, isto é, um a cada cinquenta habitantes; e em seu lugar, e esse lugar é uma ilha de 4 milhões de habitantes, onde nenhuma relação genuína pode ser instaurada, onde as desavenças brotam por toda parte, onde a mentira e a demagogia são as senhoras incontestes da situação".[34] Para entender por que os malgaxes tinham pesadelos com soldados senegaleses, saber que um deles era um infame torturador da delegacia era mais importante do que "as descobertas de Freud", escreveu Fanon, que "não têm nenhuma utilidade para nós". A arma do soldado nesses sonhos "não é um pênis, mas realmente um fuzil Lebel 1916". Longe de serem deslocamentos psíquicos, as imagens nesses sonhos são "realmente a irrupção, durante o sono" da realidade brutal para a qual a pessoa que dormia acorda a cada manhã.

Fanon — que mais tarde conheceria Mannoni no escritório da Seuil, a editora que tinham em comum — não foi o único escritor a atacá-lo por "jogar a culpa na vítima".* Nem surpreende que ele se opusesse à ideia de uma convergência, ou cumplicidade, entre um complexo de inferioridade europeu e um complexo de dependência nativa, que sugeria que o colonialismo era uma relação consensual — e que as pessoas só podiam ser colonizadas se já fossem "colonizáveis". Mas, talvez a partir da mesma necessidade que o levou a amplificar suas diferenças com Sartre, Fanon negligenciou as repercussões anticoloniais do argumento de Mannoni, que se baseava na sugestão implicitamente subversiva de que era o colonizador europeu, não o colonizado não europeu, que sofria de um complexo de inferioridade.[35] Para Mannoni, o protótipo do colonizador não era um *conquistador* como Cristóvão Colombo, mas sim um náufrago, como Robinson Crusoe, que se encontrava cercado por homens e mulheres "selvagens". Acometido por um senso de

---

\* Em sua resenha para a *Esprit*, Alioune Diop, editor da *Présence Africaine*, frisou o mesmo ponto.

inferioridade, ameaçado por uma ansiedade de castração, ele busca estabelecer sua superioridade por meio de um ato de projeção psíquica, retratando o colonizado como seu oposto fraco, efeminado e inferior, de modo que pudesse voltar a se sentir um homem. Ao apresentar esse argumento, Mannoni se apoiava não em Freud mas em Alfred Adler, um membro dissidente do Círculo de Viena que defendia que o principal impulso entre os europeus não é a libido, mas a necessidade de superar um complexo de inferioridade enraizado nos medos da infância de vulnerabilidade física. Essa necessidade, sugeriu ele, resultou em uma afirmação compulsiva de superioridade, e uma perigosa vontade de poder. A dominação colonial, afirmava, oferecia aos colonizadores europeus perpetuamente inseguros um tipo de terapia coletiva, um meio de exorcizar seus medos de inferioridade e castração. Nativos desregrados pagavam o preço, nos atos de "fabuloso sadismo" por meio dos quais os europeus os lembravam de seu poder total.

Apesar de toda a sua hostilidade com relação a Mannoni, Fanon compartilhava seu interesse por Adler. Em *Pele negra, máscaras brancas*, ele aplicaria as ideias de Adler sobre o complexo de inferioridade ao homem antilhano, que, escreve ele, é *comparaison* — "comparação", em crioulo. "A todo momento, eles se preocupam com a autovalorização e o ideal do ego", explicou Fanon;[36] o homem antilhano não tem sentimento de valor próprio e deve constantemente provar sua superioridade em relação aos outros: "É sobre as ruínas daqueles que me são próximos que edifico minha virilidade". O impulso do antilhano de superar seu complexo de inferioridade é dirigido não ao francês, ou mesmo aos *békés*, mas a seus próprios companheiros negros que ele procura dominar, um lembrete desolador de como a opressão colonial é internalizada e reproduzida, depois do fim formal do colonialismo. Os temas adlerianos em Mannoni — os temores de inferioridade do colonizador, o prazer psíquico da dominação, a repressão colonial como exibicionismo narcisista e espetacular — encontrariam depois expressão ainda mais potente em *Os condenados da terra*. Mas Fanon historicizou as patologias da psicologia colonial ao situar suas formações nas estruturas de dominação racial e econômica, e não nas relações de pais e filhos.

Havia certa rudeza — e, possivelmente, certa evasiva — na dispensa de Fanon da psiquiatria freudiana clássica. Não lhe ocorreu que os rifles nos sonhos malgaxes poderiam ter sido tanto rifles reais *quanto* símbolos fálicos. Em *Pele negra, máscaras brancas*, ele alegaria que "97%" das famílias antilhanas eram incapazes de produzir um complexo edipiano — "incapacidade digna de todo o nosso louvor", acrescentou com orgulho.*[37] Era, para dizer o mínimo, uma observação curiosa vinda de um homem que adorava a mãe e costumava expressar desdém pelo pai. "Receio que o caribenho seja o cenário menos promissor para tentar se provar a ausência do drama edipiano", escreveu o teórico britânico nascido na Jamaica Stuart Hall em um ensaio sobre Fanon.[38]

> Com suas mães obcecadas pelos filhos e seus filhos obcecados pelas mães, suas paternidades complexas comuns a todas as sociedades escravizadas de pais negros "verdadeiros" e pais brancos "simbólicos" juntamente com suas masculinidades negras profundamente problemáticas e assertivamente heterossexuais e muitas vezes homofóbicas, o caribenho "encena" a perda de poder social ao substituir uma "masculinidade negra" agressivamente falocêntrica.

---

* Ele também alegou que não existia homossexualidade nas Antilhas; ao notar a presença de homens martinicanos de gênero fluido que usavam saias e vestidos, ele insistia que "levam uma vida sexual normal [isto é, heteronormativa]".

É notável que um homem tão perspicaz quanto Fanon, com formação em psiquiatria e leitor de Lacan, não enxergasse — ou optasse por não enxergar — as dinâmicas afetivas complexas de famílias martinicanas como a sua própria. Mas num sentido visceral, ele pode ter acreditado que pais como Casimir Fanon haviam sido tão emasculados pelo colonialismo que eram incapazes de representar seu papel simbólico, o qual era assumido em vez disso pelo pai branco ausente ou pelo senhor. Uma cegueira parcial, de qualquer modo, costuma ser o preço pago por ideias, e Fanon estava apresentando um argumento poderoso para o que ele chamaria de "sociogenia", a ideia de que algumas formas de sofrimento psicológico têm suas raízes não em uma constituição psíquica individual mas em relações sociais opressivas.

Para a filósofa antilhana Sylvia Wynter, a sociogenia foi a descoberta mais revolucionária de Fanon. Mas não era de modo algum uma mudança radical com relação à posição de Lucien Bonnafé quanto às doenças mentais, e apesar de ele não estar ciente disso na época, Fanon estava agora alinhado a um movimento internacional de psiquiatras e pensadores influenciados pela psicanálise que se dedicavam ao problema do racismo.

Um dos escritores que Fanon mais admirava tinha chegado a conclusões parecidas com as suas sobre a relação entre racismo e transtornos mentais. Richard Wright costumava ser caracterizado simplesmente como um escritor de protesto, mas ele também era um dos romancistas de psicologia mais penetrante das letras americanas. "Estou convencido de que a próxima grande arena de descoberta no negro será a paisagem escura de sua própria mente, o que viver na América fez com ele", escreveu Wright em seu diário.[39] Seu interesse em psicologia foi despertado ao estudar o impacto convulsivo da Grande Migração de negros sulistas para as cidades do Norte. Nativo do Mississipi que fugira do Sul sob Jim Crow e se mudara para Chicago no fim da adolescência, Wright escreveu em seu livro de memórias de 1945, *Black Boy*, que o intrigava "a frequência de doenças mentais, o preço trágico que o ambiente urbano cobrava do negro camponês".[40] Ele chegou a acreditar que o medo era "a emoção fundamental que guiava a personalidade e o comportamento negros", ainda que às vezes aparecesse no "disfarce que chamam de risada do negro". Se os negros "descarregavam violência física e psicológica uns nos outros", era porque eram "incapazes de retaliar" seus opressores brancos. Ele descreveu seu romance *Filho nativo*, publicado cinco anos antes, como um livro que oferecia "o ponto de vista psicanalítico" sobre as relações raciais.

Fanon certamente concordava. Em *Pele negra, máscaras brancas*, ele recorreria à tragédia de Bigger Thomas, o protagonista de *Filho nativo*, como se fosse um de seus estudos de caso. "Bigger Thomas — que tem medo, um medo terrível. Ele tem medo, mas tem medo de quê? De si mesmo", escreve. "Não se sabe ainda quem ele é, mas ele sabe que o medo habitará o mundo quando o mundo souber."[41]

Porém, Wright não foi apenas um autor de ficção psicológica; foi um defensor precoce — sem o conhecimento de Fanon — da psiquiatria antirracista. Nisso, seu principal aliado foi o psiquiatra esquerdista Fredric Wertham, um refugiado judeu alemão que publicara um ensaio investigativo sobre *Filho nativo*. Em 1946, os dois uniram forças para criar a Clínica de Saúde Mental Lafargue no Harlem. Foi o primeiro *day hospital* de saúde mental em uma comunidade onde 400 mil negros viviam em um espaço projetado para 75 mil;[42] ele recebeu o nome do socialista franco-cubano Paul Lafargue, genro de Karl Marx e autor do manifesto de 1880 *O direito à preguiça*. O reverendo Shelton Hale Bishop, que abrigou a clínica no subsolo da igreja de sua paróquia, já havia pedido ao Departamento Hospitalar de Nova York que criasse um centro de saúde mental no Harlem, apenas para ouvir que "os negros não precisam de psiquiatria; precisam apenas de pão".[43] Como disse Wertham: "Aos negros não é permitido o luxo das neuroses", uma vez que "a perspectiva oficial é de que eles estão apenas infelizes, ou que precisam de moradia, ou que se sentem espezinhados". A premissa implícita desse ponto de vista era que a miséria social era o estado natural deles. Mas Wertham, como Wright, via no estado de seus pacientes o trauma coletivo da migração forçada do Sul, e do racismo e da opressão no Norte. Ele se referia a seus pacientes como as "pessoas deslocadas" da América, expressão que evocaria os judeus que acabaram em campos de pessoas desalojadas depois da guerra.

A Clínica Lafargue esteve a serviço dos residentes do Harlem por vinte anos. Ela buscava não apenas aliviar as feridas do racismo mas também desafiar as inclinações racistas da psiquiatria americana. Como Wright observou, os relatórios psiquiátricos judiciais costumavam caracterizar pessoas negras como "'amantes de prazeres', 'preguiçosas', 'indolentes', naturalmente inclinadas ao crime, de compreensão lenta e irresponsáveis" — a versão americana da síndrome norte-africana. O próprio Wright fora recusado pelo serviço militar com base em sua suposta "psiconeurose". Assim, é ainda mais notável que ele tenha chegado a adotar a psiquiatria social como uma arma para libertar os oprimidos. Em um ensaio de 1946, "Psychiatry Comes to Harlem" [A psiquiatria chega ao Harlem], ele aclamou a "ampliação do próprio conceito de psiquiatria a um novo domínio, a aplicação da psiquiatria às massas, a inversão de Freud". Seu amigo Ralph Ellison visitou a clínica e a homenageou em seu ensaio de 1948, "Harlem Is Nowhere" [O Harlem não está em lugar nenhum], em que vinculava a experiência dos *aliénés* do Harlem aos apuros deles em outras partes da América. "Os americanos negros estão em uma busca desesperada por uma identidade", escreveu ele.[44] "Ao rejeitar o status de segunda classe que lhes é atribuído, eles se sentem alienados e toda a sua vida se torna uma busca por respostas às perguntas: Quem sou eu, O que eu sou, Por que eu sou, e Onde?"

Quando a obra-prima picaresca de Ellison, *Homem invisível*, com seu narrador cerebral e sua trama absurda, foi publicada em 1952, ela costumava ser contrastada com a ambientação proletária soturna e o herói inarticulado de *Filho nativo* de Wright. Mas Ellison também era sensível aos efeitos psicológicos do racismo — ao que Fanon chamou de sociogenia em *Pele negra, máscaras brancas*, livro que foi lançado no mesmo ano. Na famosa passagem de abertura do romance, Ellison evoca o medo de "não existir" aos olhos dos brancos, captado tão poderosamente por Fanon:

> Sou invisível — compreende? — simplesmente porque as pessoas se recusam a me ver. [...] Quando se aproximam de mim, só enxergam o que me circunda, a si próprios ou o que imaginam ver — na verdade, tudo, menos eu.
>
> Nem é minha invisibilidade exatamente uma questão de acidente bioquímico para minha epiderme. A invisibilidade a que me refiro decorre de uma disposição peculiar dos olhos daqueles com quem entro em contato. Uma questão de construção de sua visão *interior*, aqueles olhos com os quais olham a realidade através dos olhos físicos.[45]

Aquela mesma visão interior que mantinha Fanon prisioneiro, substituindo seu "esquema corporal" por um "esquema epidérmico racial",[46] e que o faz se sentir amaldiçoado, explodido em uma pilha de "estilhaços recolhidos por outro eu". Para o menino no trem, ele é um canibal, um escravo, um "*Y a bon Banania*" todo sorrisos — uma alusão ao *petit nègre* falado pelo sorridente *tirailleur sénégalais* em anúncios do Banania, um achocolatado para crianças. "Para um homem que só tem a razão como arma", escreve Fanon, "não há nada mais neurótico que o contato com o irracional"; ele sente brotarem nele "lâminas afiadas".* O narrador de *Homem invisível* é tomado por um impulso parecido quando um branco na rua o insulta com "um palavrão".⁴⁷ Ele está prestes a cortar sua garganta mas é detido por uma tomada de consciência. "Me ocorreu que aquele homem não me *vira*, na verdade; que ele, tanto quanto era de meu conhecimento, estava caminhando no meio de um pesadelo! [...] Ele estava, digamos assim, perdido num mundo de sonhos. Mas *ele* não controlou aquele mundo de sonhos, que, ai de mim, é, no mínimo, real! E *ele* não me excluiu dele?"

Quando Ellison escreveu seu romance no Harlem, Fanon estava em Lyon estudando o mundo onírico da raça, ilusório mas, "no mínimo, real", e a violência que fervilhava nele e que às vezes transbordava para o mundo físico. Os dois nunca se conheceram, mas seus livros conversavam um com o outro através daquilo que o crítico Paul Gilroy chamou de "Atlântico negro", em uma espécie de *rendez-vous manqué*. Ambas as obras exploram as relações entre o absurdo do racismo, as paixões violentas e fantasmagóricas que ele desperta (sobretudo em mulheres brancas que desejam tanto quanto temem homens negros), e a agonia incapacitante e a insegurança que ele induz em suas vítimas. Cada livro conta uma história agridoce de desilusão com ideologias do nacionalismo racial, o romance do que Ellison chama de "negrume do negrume". Para o homem invisível, isso está encarnado na Irmandade, uma organização inspirada no movimento de retorno à África de Marcus Garvey. Para Fanon, é a "grande miragem negra" da Négritude.⁴⁸

---

* "O indivíduo que foi libertado pela razão", escreve Hannah Arendt em seu estudo do *salonnière* judeu alemão do século XIX Rahel Varnhagen, "está sempre correndo de frente para um mundo, uma sociedade, cujo passado na forma de 'preconceitos' tem imenso poder; ele é obrigado a aprender que a realidade passada também é uma realidade."

# 5.
# A recusa da máscara

Ainda se recuperando de seu encontro com o menino no trem, Fanon começou a ditar o manuscrito de *Pele negra, máscaras brancas* para a noiva, Josie Dublé. Nunca teve a chance de apresentá-lo como sua tese: ele mostrou o trabalho em andamento para o professor, Jean Dechaume, que deixou claro que Fanon teria de encontrar um tema mais adequado. (Lambendo suas feridas, Fanon alegou que não submetera o livro como sua tese porque "a dialética exigiu que assumíssemos posições ainda mais resolutas".) A tese de 75 páginas[1] que em última instância entregou sobre ataxia de Friedreich foi escrita em um registro completamente diferente: em tom discreto, até cauteloso, sempre respeitoso quanto aos mais experientes.

Ainda assim, ao lermos as entrelinhas, encontramos Fanon incidindo sobre as suposições compartimentalizadoras de sua profissão: a "indiferença sistemática" dos neurologistas em relação ao "sintoma psiquiátrico", a oposição calcificada da mente e do corpo, do físico e do mental. Mesmo que não chegue a reclamar uma psiquiatria politizada, a influência da escola de Saint-Alban pode ser sentida em sua insistência em enxergar o paciente como "um todo, uma unidade indissolúvel",[2] e na necessidade de investigar o "fator social total" de Marcel Mauss. A tese, dedicada a sua mãe e à memória do pai, foi aceita em novembro de 1951. Na cópia que deu a seu irmão Joby, ele escreveu: "A grandeza de um homem não é encontrada em seus atos mas em seu estilo [...]. Não concordo com aqueles que acham possível viver a vida em um ritmo tranquilo. Não é o que quero. Acho que você também não quer".

Enquanto isso, graças a Jean-Marie Domenach, o editor adjunto da *Esprit*, a tese não publicada de Fanon sobre racismo chegou às mãos de um jovem editor da Éditions du Seuil, uma prestigiosa editora de Paris com fortes vínculos com a esquerda católica. Três anos mais velho que Fanon, Francis Jeanson era um filósofo próximo tanto da *Esprit* quanto da *Les Temps Modernes*, a revista que Fanon lia com mais avidez. Ainda que Jeanson fosse um homem branco de família pequeno-burguesa de Bordeaux, ele e Fanon tinham muito em comum, e a vida dos dois se intersectaria de maneiras surpreendentes ao longo da década seguinte. Como Fanon, Jeanson era um existencialista radical impelido sobretudo por um senso de obrigação ética, um pensador que priorizava o comprometimento à contemplação. Esguio e bonito, com cabelo ondulado e olhos escuros e penetrantes, ele tinha uma avidez permanente por ação, e um histórico de resistência que rivalizava com o de Fanon. Em 1943, aos vinte anos, Jeanson fugira para a Espanha para escapar de seu *service du travail obligatoire* — trabalho forçado na Alemanha, um programa conjunto administrado pelos nazistas e o governo de Vichy. Capturado pelo exército de Francisco Franco, ele passou seis meses na prisão, depois dos quais se juntou às Forças Francesas Livres no Norte da África, mais tarde participando da libertação da Alsácia. Um quadro de tuberculose não permitiu que concluísse seus estudos em filosofia, mas ele conseguiu impressionar Sartre,[3] que o tornou editor na *Les Temps Modernes*. Quando Sartre e Camus se desentenderam quanto à relação da esquerda com a União Soviética, foi Jeanson que rebaixou Camus em nome de Sartre, em um artigo intitulado "A alma revoltada", uma alusão escarnecedora ao livro de Camus *O homem revoltado*.

Jeanson não era um membro do Partido Comunista, mas, como Sartre, considerava o anticomunismo uma ameaça maior do que o stalinismo para o destino da esquerda francesa. Os crimes que o obcecavam não eram os do comunismo na Rússia, mas os de seu próprio governo na Argélia. Em 1948, passara várias semanas no país, de férias com a esposa, Colette, e despontou como um feroz oponente do que então era eufemisticamente chamado de "presença francesa". A Argélia parecia estar "conquistada e pacífica", ele escreveu na *Esprit*, mas apenas graças a um "regime de repressão, por vezes até de terror".[4] Tendo a igualdade de cidadania negada por conta de racismo e pobreza, um sistema eleitoral manipulado e violência estatal, os argelinos se organizavam em partidos nacionalistas de várias perspectivas ideológicas, do incendiário populismo islâmico de Messali Hadj, passando pelo republicanismo liberal de Ferhat Abbas, ao conservadorismo religioso da Associação dos Ulemás Muçulmanos Argelinos.

Segundo Jeanson, a Argélia estava testemunhando o nascimento de um movimento autêntico de independência nacional, e era uma ilusão pensar — como o Partido Comunista insistia em fazer — que suas demandas seriam abrandadas por reformas políticas e econômicas. O problema "decisivo" era a "alienação racial" dos colonizados, que estavam ávidos por soberania nacional e liberdade, não apenas por pão e educação — muito menos, "assimilação" —, sob dominação francesa. Se os *français d'Algérie* (colonos francófonos que consideravam a Argélia sua casa) esperavam continuar ali, teriam de se tornar *algériens français* (argelinos francófonos) em um país descolonizado e independente com governo de maioria autóctone. Como disse Jeanson, 9 milhões de homens e mulheres argelinos lutavam para se tornar parte do "mundo democrático dos Direitos do Homem" — um mundo "que era nosso sem eles, e que a partir de então não seria mais nosso *a não ser com eles*". A própria sobrevivência da França como uma república democrática dependia da emancipação da Argélia do domínio francês.

Fanon, que tinha se tornado cada vez mais ciente do "problema argelino" em seus encontros com pacientes norte-africanos, era um dos leitores de Jeanson.[5] Além de Sartre, poucos intelectuais brancos na França eram tão sensíveis ao racismo e à violência colonial como Jeanson, para quem a luta pela independência argelina logo se tornaria uma causa urgente, como o seria para Fanon. Ambos se inspiraram na obra de Sartre, e se Fanon era um psiquiatra cativado pela filosofia, Jeanson era um filósofo atraído pela psiquiatria. Quando leu o manuscrito de *Pele negra, máscaras brancas*, Jeanson ficou impactado (como escreveu em seu prefácio de 23 páginas para a primeira edição) pelo retrato que Fanon fazia de "um negro imerso em um mundo branco", a "obstinação" e a "veemência" de sua linguagem, e sua evocação de uma "densidade problemática da experiência".[6] Não apenas Fanon descrevera a negritude como uma "experiência limite" que só poderia ser apreendida numa verdadeira descida ao inferno — uma alusão ao prefácio de Sartre a "Orfeu negro" — como reproduzira "magicamente" para o leitor a experiência explosiva de ser "atingido pelo absurdo" na forma de injúria racista.

"De fato", Jeanson observou alguns anos depois, "Sartre, Freud e Marx o ajudaram", mas esses pensadores "não tiveram de superar um passado definido pela escravidão ou pela cor de sua pele". E enquanto a "filosofia branca parecia pouco ávida por recompor o mundo", Fanon escreveu como se "as únicas verdades que tivessem graça a seus olhos fossem as que passaram por seu corpo e calcinaram sua carne". Lendo Fanon, Jeanson se lembrava do transgressor romancista e dramaturgo gay Jean Genet, outro "escritor pária que teve que reinventar uma ética para responder ao desprezo racista de nosso moralismo e que disse que só poderia aceitar uma ideia que já o tivesse atravessado da cabeça aos pés".[7]

Em sua primeira reunião no escritório da Seuil no número 27 da Rue Jacob, no Sexto Arrondissement de Paris, Jeanson disse a Fanon como admirava seu manuscrito, cujo título provisório era *A desalienação do negro*. O que Jeanson realmente queria dizer, respondeu Fanon, era que "para um negro, não era tão ruim". Os dois nunca foram amigos. Mas Fanon passou a respeitar Jeanson e concordou que sua sugestão para o título — *Pele negra, máscaras brancas* — era melhor do que o seu próprio. Eles trabalharam juntos muito de perto para transformar o manuscrito em um livro. A certa altura, Jeanson pediu a Fanon para esclarecer uma passagem particularmente obscura. Fanon admitiu que a passagem era difícil de analisar mas disse que queria tocar os leitores "irracionalmente, quase sensualmente".[8] Citando Aimé Césaire, ele comparava a experiência de escrever com a "desconcertante lava de palavras de cor da carne trêmula". Na mesma carta, ele disse a Jeanson que acreditava, apesar de seu próprio racionalismo, na "magia das palavras". Essa resposta é reveladora. Fanon tinha passado a desdenhar Senghor por dizer que a emoção era africana, e a razão, grega — observação que cristalizava o tipo de essencialismo racial que ele abominava, e que entregava de mão beijada a milagrosa arma da razão para os opressores dos negros.\* No entanto, ele permanecia apegado a uma tradição poética antilhana, que — como o surrealismo, que tentara anexá-la — recorria a modos de expressão sublimes ou extáticos que pareciam estar em desacordo com a razão. A figura que melhor

---

\* Derek Walcott, em seu ensaio de 1970 "O que diz o crepúsculo", observaria sobre os escritores da Négritude: "A escuridão romântica que eles celebram é portanto outra traição, desta vez perpetrada pelo intelectual. O resultado não é algo próprio de alguém em si, mas outro espetáculo de menestréis".

encarnou essa tradição foi, é claro, Césaire, cujos verso e prosa são citados ao longo de *Pele negra, máscaras brancas*.

Publicado pela Seuil em abril de 1952, *Pele negra, máscaras brancas* foi o primeiro e último livro em que Fanon se identificou plenamente como francês. Prestes a completar 27 anos, ele era o próprio modelo da assimilação: pronto para uma carreira de êxito na medicina e noivo de uma francesa. (Ele e Josie se casariam alguns meses depois.) Seu sentimento de pertencimento nacional havia sido ferido por seus confrontos com o racismo, mas ele ainda não estava inteiramente desiludido. "O que é essa história de povo negro, de nacionalidade negra?", perguntou em uma alusão cética à Négritude.

> Sou francês. Estou interessado na cultura francesa, na civilização francesa, no povo francês. Nós nos recusamos a ser considerados "à margem", estamos plenamente envolvidos no drama francês. [...] Tenho interesse pessoal no destino francês, nos valores franceses, na nação francesa. O que tenho eu a ver com um Império Negro?[9]

Mas se *Pele negra, máscaras brancas* era um protesto em nome da inclusão, e não uma defesa do separatismo negro, seu autor não o defendia nos velhos termos assimilacionistas que exigiam que os negros minimizassem, escondessem ou até renunciassem suas identidades. Os negros, ele insistia, devem ser reconhecidos não apenas como cidadãos mas como cidadãos *negros* de um país que pertence a todos os seus cidadãos. A universalidade, para Fanon, começa com o reconhecimento da diferença na base do que Sartre chamou de liberalismo concreto, e não abstrato.

A diferença, no entanto, era precisamente o que o rígido autoentendimento da República francesa — e sua crença fervorosa no universalismo de seu modelo — não podia tolerar. Na França, cidadãos negros como Fanon eram, ao que parecia, nada diferentes de outros cidadãos em status e direitos: acreditava-se amplamente que sua aparência como pessoas de clara ascendência africana, descendentes de escravizados e sujeitos colonizados, não tinha importância de fato e que poderia muito bem ter sido invisível. "A igualdade agora os proclama irmãos", dizia a letra de "La Liberté des *nègres*", uma velha canção abolicionista. "A cor desaparece, e o homem continua." *Pele negra, máscaras brancas* derrubou o mito do daltonismo francês com feroz precisão, na linguagem da psiquiatria. Ao lançar mão de seus estudos clínicos, Fanon revelou que os brancos continuavam enxergando seus concidadãos negros como outros racializados, enquanto os antilhanos franceses eram condenados a imitar os brancos, tendo absorvido a ideia de que, apesar da cor de sua pele, eles *eram*, para todos os efeitos, brancos. A "máscara branca" do título de Fanon não é uma questão de mudança de código ou até de passagem do crioulo para o francês; a máscara branca foi concebida e assumida nas profundezas da psique coletiva negra, e formou o prisma — ou prisão — através do qual os antilhanos erroneamente se veem e se reconhecem.

Obra com menos de 190 páginas no original em francês, *Pele negra, máscaras brancas* é organizada em sete capítulos: "O negro e a linguagem", "A mulher de cor e o branco", "O homem de cor e a branca", "Sobre o suposto complexo de dependência do colonizado" (a resposta de Fanon a Mannoni), "A experiência vivida do negro", "O negro e a psicopatologia" e "O negro e o reconhecimento". Walter Benjamin escreveu que "todas as grandes obras literárias ou inauguram um gênero ou o ultrapassam".[10] O primeiro livro de Fanon faz as duas coisas, transformando o gênero da análise psiquiátrica em uma arma de crítica política radical e entrelaçando observações clínicas com passagens de humor cáustico com interlúdios declamatórios em que ele se dirige diretamente ao leitor. É uma combinação estranha, às vezes desorientadora, mas sempre envolvente de observação fria e distanciada apresentada em um jargão psiquiátrico bastante especializado e um monólogo visceral e expressionista. Não é um "grito negro", mas com certeza o grito de fúria de um homem negro.

Muitos leitores, tanto negros quanto brancos, admite Fanon, "não se reconhecerão" em seus estudos de caso de pacientes com doenças mentais, mas acrescenta ele, "o fato de me sentir alheio ao mundo do esquizofrênico ou do impotente sexual em nada altera a sua realidade".[11] Os casos lhe forneciam expressões extremas das patologias raciais que transcorrem pela sociedade francesa. Mas muitos dos outros exemplos de Fanon são de romances, filmes de Hollywood, folclore, histórias em quadrinhos e anedotas pessoais. Em sua gama eclética de referência e seu talento para decodificar representações de raça na cultura popular, *Pele negra, máscaras brancas* antecipa a coletânea de 1957 de colunas de jornal de Roland Barthes, *Mythologies* — e, aliás, o campo acadêmico que ficaria conhecido como estudos culturais. No entanto, essa é a obra de um psiquiatra, não de um crítico cultural. Como Freud, Fanon é um cientista visionário da alma moderna, sem medo de generalizar com base em observações clínicas. *Pele negra, máscaras brancas* é um estudo de uma civilização racista — a variedade francesa em particular — e de seu mal-estar. "A explosão não ocorrerá hoje", ele declara na frase de abertura do livro, logo abaixo de uma citação sobre humilhação colonial do *Discurso sobre o colonialismo* de Césaire. "É muito cedo... ou tarde demais." Que tipo de explosão? Ele não diz, mas a passagem de Césaire deixa pouco espaço para a imaginação, e ao longo de seu primeiro livro, Fanon parece tomado por um sentimento de crise iminente que provocará nada menos do que "o Fim do mundo"[12] — expressão tirada, desta vez sem atribuição, do *Diário de um retorno ao país natal*, de Césaire.

*Pele negra, máscaras brancas* foi parte de uma onda antirracista que varreu a vida intelectual francesa no início da década de 1950, provocada pela vasta destruição acometida na Europa pela Alemanha de Hitler, com sua doutrina da supremacia ariana — e pela comoção de movimentos de independência nas colônias após a guerra. Em "Raça e cultura", um artigo de 1951 encomendado pela Unesco, o escritor e etnógrafo francês Michel Leiris alertou contra a tentação de imaginar, depois da derrota da Alemanha nazista, que o "racismo estava morto".[13] A maioria dos brancos ainda estava convencida de sua "superioridade congênita" — incluindo, ele acrescentou, aqueles que não se consideravam racistas. Essa crença tinha sido sustentada por duas forças poderosas. Uma era o legado do pensamento do Iluminismo sobre raça, que incentivara a noção de que a humanidade podia ser "subdividida" em grupos "raciais" "equivalentes a 'variedades' botânicas", e que esses grupos podiam por sua vez ser diferenciados com base em inteligência, beleza física, moralidade e capacidade de autogovernança. A outra força era o imperialismo ocidental, que usara a ideia de raça, e de culturas "civilizadas" e "primitivas", para "justificar a violência e a opressão ao decretar a inferioridade dos que haviam escravizado ou roubado de sua própria terra, e negar o título de homens aos povos enganados".

O antropólogo Claude Lévi-Strauss, em seu próprio artigo de 1952 para a Unesco, "Raça e história", foi mais longe, despejando seu desdém sobre o "etnocentrismo" e o "falso evolucionismo"[14] de um Ocidente arrogante, que enxergava outras sociedades como versões atrasadas de si mesmo, destinadas ou a nos alcançar e se tornar mais como "nós" ou a enfrentar subjugação, se não extinção. Um antirracismo digno do nome teria de ir além da "tolerância" e adotar a "diversidade das culturas humanas", ou como James Baldwin colocou um ano depois, "um mundo que nunca foi e nunca será branco".[15] Isso teria consequências profundas para a distribuição mundial de poder, bem como nas ideias sobre cultura e identidade, estética, conhecimento e valores. Não apenas o branco não governaria mais o mundo; ele não teria mais a autoridade exclusiva de descrevê-lo e defini-lo.

*Pele negra, máscaras brancas* se encaixa confortavelmente nessa crítica do racismo e do eurocentrismo. No entanto, também parecia diferente — sobretudo porque seu autor era um psiquiatra negro de inclinação decididamente filosófica, armado com um conhecimento íntimo do tema. O livro com que sem dúvida ele se assemelhava mais em forma e sensibilidade era o estudo de 1949 de Simone de Beauvoir sobre a condição da mulher, *O segundo sexo*. Como Fanon, Beauvoir escreveu não apenas sobre a experiência vivida de um grupo oprimido mas também da perspectiva daquele grupo, explorando os modos como a construção social da "mulher" impedia as mulheres de experimentar uma liberdade autêntica — e os modos como as mulheres internalizaram a ideologia patriarcal e se tornaram cúmplices em sua própria opressão. Ela compartilhava a admiração de Fanon pelos escritos de Maurice Merleau-Ponty sobre a natureza corporal da percepção. Sua famosa frase "Ninguém nasce mulher: torna-se mulher"[16] — ou seja, só se torna uma mulher sob a força da convenção e da opressão social — se adequaria a vários grupos cuja identidade havia passado a se parecer com uma camisa de forças.

Há pouca dúvida de que Fanon leu Beauvoir. Em seu ensaio "O gênero da raça: Fanon, leitor de Beauvoir", o acadêmico francês Matthieu Renault mostrou que uma citação de Nietzsche em *Pele negra, máscaras brancas*, que estudiosos de Fanon não haviam conseguido localizar — "A infelicidade do homem é ter sido criança" —, é na verdade uma frase de Descartes, e que é quase certo que Fanon tenha se deparado com uma paráfrase dela no tratado de 1947 de Beauvoir *Por uma moral da ambiguidade*. No entanto, diz Renault, Fanon "apagou qualquer vestígio de Beauvoir"[17] de sua obra, mesmo quando escreveu sobre seu parceiro, Sartre. Ao fazer isso, ele efetivamente se apresentou como o interlocutor de um "grande homem", relegando a parceira deste homem ao esquecimento. Hoje, os paralelos entre Fanon e Beauvoir parecem óbvios, mas poucos de seus contemporâneos repararam neles, um triste tributo à desconsideração do trabalho de Beauvoir entre seus colegas homens, mesmo na *Les Temps Modernes*.

Césaire era outro "grande homem" a quem Fanon reverenciou extensivamente em *Pele negra, máscaras brancas* — enquanto desconsiderava sua talentosa esposa. A relação de Fanon com seus companheiros martinicanos era mais íntima, e portanto mais complicada, do que sua relação com Sartre, que ele só conheceria muitos anos depois. Em 1952, Césaire já não era um jovem poeta revoltado; era deputado martinicano na Assembleia Nacional da França, após ter feito uma campanha de êxito para que a ilha se tornasse um departamento da França metropolitana seis anos antes. Fanon apoiara a campanha, porém mais tarde reconsiderou sua posição: como veio a encarar, o status da Martinica como departamento ultramarino francês perpetuava a dominação colonial por parte dos *békés* e de seus aliados criolos, mesmo que o deputado que representava a Martinica na Assembleia Nacional fosse negro.

Ainda assim, Césaire continuou um herói para Fanon,[18] não apenas por sua poesia, que possibilitara a uma geração de intelectuais antilhanos abraçar sua negritude, mas também por seus ataques sem reservas contra o colonialismo. Ele se filiara ao Partido Comunista Francês e rompera seus laços com o periódico *Présence Africaine*, desconfiando do anticomunismo de seu editor, Alioune Diop. Em 1950, publicou seu *Discurso sobre o colonialismo*, um ataque fulminante ao imperialismo ocidental que chocou muitos leitores com a alegação de que a colonização transformava os colonizadores em brutos, ainda que eles afirmassem estar espalhando os benefícios da civilização para sociedades "primitivas". (Era um eco surpreendente de Mannoni.) A colonização, argumentava Césaire, "trabalha para descivilizar o colonizador, para embrutecê-lo no sentido literal da palavra, para degradá-lo, para despertar seus recônditos instintos em prol da cobiça, a violência, o ódio racial, o relativismo moral".[19] Antecipando em um ano *Origens do totalitarismo* de Hannah Arendt, ele afirmava que a violência colonial estabelecia as bases necessárias para o racismo, a perseguição e o assassinato em massa que o nazismo infligira no continente europeu. Um "mui cristão burguês do século XX", escreveu ele, "que leva consigo um Hitler", e "se o vitupera, é por falta de lógica".[20] Ele continuou:

> O que não é perdoável em Hitler não é o crime em si, o crime contra o homem, não é a humilhação do homem em si, senão o crime contra o homem branco, é a humilhação do homem branco, e haver aplicado na Europa, procedimentos colonialistas que até agora só concerniam aos árabes da Argélia, aos *coolies* da Índia e aos negros da África.\*

---

\* Césaire não foi o único escritor a apresentar esse argumento antes de o livro de Arendt ser publicado. Em seu livro de 1947, *The World and Africa*, W. E. B. Du Bois escreveu que "não houve atrocidade nazista — campos de concentração, mutilação e assassinato em massa, profanação de mulheres ou blasfêmias sinistras da infância — que a civilização cristã europeia não viesse há muito praticando contra pessoas de cor por todo o globo em nome e em defesa de uma Raça Superior nascida para governar o mundo".

Muitas das ideias e figuras retóricas de *Discurso sobre o colonialismo* são apresentadas em *Pele negra, máscaras brancas*: a fúria em relação à ideia de que os colonizados negros deveriam ser gratos à França; o impacto degradante do sistema colonial tanto nos perpetradores quanto nas vítimas (tema que Fanon mais tarde expandiria em *Os condenados da terra*); as histórias sobrepostas do colonialismo e do nazismo, e do racismo contra negros e o antissemitismo. Também podemos ouvir a voz de Césaire nos lampejos de prosa poética que aparecem em diversos pontos de *Pele negra, máscaras brancas*, quando Fanon busca afetar seus leitores de uma forma mais "sensual".

Mas o objetivo final de Fanon, ao contrário do de Césaire em *Discurso*, não era condenar o colonialismo, cuja barbárie ele simplesmente tomava como certa. Em uma vaga alusão a revolução política, Fanon observa que uma "desalienação genuína"[21] ocorrerá apenas uma vez que "as coisas, no sentido mais materialista possível, tiverem voltado ao seu lugar". Só que em *Pele negra, máscaras brancas* ele não oferece receitas para essa desalienação; se limita, sim, a *diagnosticar* os sintomas patológicos do racismo na vida cotidiana. Sua pesquisa como profissional da medicina, ele nos diz no início, o levou a concluir que os negros e os brancos interagem "em função de uma linha mestra neurótica" um com o outro: "O branco está encerrado em sua brancura. O negro, em sua negrura". De fato, é em parte por causa desses padrões de comportamento neurótico, sugere ele, que a raça é reproduzida e se torna naturalizada. A raça, para Fanon, é um produto do que a historiadora Barbara Fields chama de *"racecraft"*:[22] ela existe em nossas mentes e nos forma como indivíduos racializados, não porque seja real, mas porque nós agimos como se fosse.

Mas por que então nós agimos como se a raça fosse real — como se os termos "negro" e "branco" tivessem qualquer outro valor além de serem descrições vagas e imprecisas de compleição e fisionomia nas pessoas de ascendência africana e europeia? De acordo com Fanon, é em parte porque esses valores estão tão completamente incrustados na linguagem, o tema do primeiro capítulo do livro. Ele não se refere apenas a conotações de "negro" (mau, pecado, malícia, sujeira, feiura, escravatura) e "branco" (beleza, inocência, pureza, luz, honestidade, inteligência, liberdade), mas à forma como a linguagem é empregada para impor a hierarquia em interações sociais cotidianas. "Sim, é preciso que eu me policie em minha elocução", escreve ele, "pois é em parte por ela que serei julgado [pelos franceses] [...]. Com grande desdém, dirão de mim: nem sequer sabe falar francês."[23] O antilhano que domina o francês é, por sua vez, temido por seus companheiros antilhanos como quase branco. "Na França se diz: falar como um livro", explica Fanon. "Na Martinica: falar como um branco." E "tão mais branco será o negro antilhano, quer dizer, tão mais próximo estará do homem verdadeiro, quanto mais tiver incorporado a língua francesa".

Um dos principais exemplos que Fanon dá do racismo na França é o uso, por parte dos franceses brancos (e de alguns antilhanos assimilados como ele próprio), do *petit nègre* ao se dirigir a negros e árabes.* O efeito do *petit nègre*, escreve ele, é ao mesmo tempo de "trancafiar" os negros e infestá-los com "corpos estranhos extremamente tóxicos".[24] O *petit nègre* era, é claro, uma criação do regime colonial na África. E era comum que escritores liberais franceses como Octave Mannoni defendessem que o racismo era essencialmente um problema colonial, de modo algum constitutivo da sociedade francesa

---

* Apesar de diversas referências ao racismo contra árabes, *Pele negra, máscaras brancas* costuma ser discutido como se tivesse foco exclusivo no racismo contra negros.

na *métropole*. Fanon, no entanto, rejeita o argumento de que a França republicana era "menos racista" do que suas colônias, as quais nunca poderiam ter existido sem ela: nenhuma Linha Maginot havia impedido que o racismo colonial penetrasse na República. Mannoni, ele afirmava, contribuíra para um mito complacente de regimes separados que absolvia a República de seus pecados ao sugerir que o racismo era encenado "lá" na paixão violenta de colonos inseguros vivendo a milhares de quilômetros no além-mar. "Sim, a civilização europeia e seus representantes mais qualificados são responsáveis pelo racismo colonial", escreve Fanon. "Toda vez que vemos árabes com o semblante de quem está sendo perseguido, desconfiados, evasivos, envoltos em suas compridas vestes rasgadas, que parecem feitas sob medida, pensamos: Mannoni estava enganado."[25] O racismo colonial, insistia, "não se diferencia de outros racismos". Em seu cerne, cada versão do racismo era um ataque à noção de uma humanidade comum.

No entanto, admitia Fanon, cada forma de racismo tem seus traços característicos, suas preocupações definidoras. A obsessão desmedida do racismo antinegro, asseverava ele, era o corpo negro. E ainda que ele não procurasse defender sua tese citando a literatura histórica, tinha bons precedentes para esse argumento. Nos primeiros tempos da conquista colonial, o historiador William B. Cohen observa em seu estudo clássico, *The French Encounter with Africans*, que os escritores franceses que falavam de raça estavam preocupados com a questão da pigmentação da pele.[26] Muitos afirmavam que a negritude era uma forma de degeneração física, provocada por condições ambientais não naturais. Especulações pseudocientíficas desse tipo logo começaram a subscrever a noção de que os africanos eram movidos pelo instinto, incapazes de racionalidade. Essas ideias — que receberam uma chancela pseudobiológica com o advento do racismo científico no século XIX — serviam a um propósito óbvio nas sociedades das plantations das Antilhas, oferecendo uma justificativa para a escravização permanente e a exploração de cativos africanos e seus descendentes.

As teorias "científicas" de inferioridade negra foram abraçadas por muitos pensadores do Iluminismo, inclusive Kant, que descrevia o negro como "indolente, mole e desocupado", e alegava que "todos os negros fedem" por causa da "transpiração de ácidos fosfóricos" em sua epiderme. Os filósofos franceses Voltaire, Diderot e Montesquieu, por sua vez, tentaram reconciliar sua antinegritude com sua crença na igualdade e na humanidade universal ao defender que os africanos não eram inerentemente inferiores; eram apenas selvagens. Assim, a *mission civilisatrice*, ou "missão civilizatória",[27] nas colônias ultramarinas da França estava preparando as gerações futuras de sujeitos escravizados ou colonizados para deixarem a "selvageria" e eventualmente aceder à cidadania. A ideia da selvageria africana, na explicação de Cohen, oferecia aos franceses "uma tela em que projetar seus próprios temores sobre si mesmos e seu mundo".[28] Na explicação de Fanon, o negro passou a encarnar "pulsões mais imorais, os desejos menos confessáveis"[29] que os europeus abominavam em si mesmos. Enquanto o Ocidente se definia como um bastião de "progresso, civilização, liberalismo, educação, luz, refinamento", os negros eram uma "força brutal, opositiva" — uma categoria "biológica" de pessoas que ainda precisavam ser dominadas e assimiladas.

Como Fanon descobriu em seu trabalho como psiquiatra, as mesmas ideias circulavam mais de um século depois do fim da escravidão. "Para a maioria dos brancos", escreve ele, "o negro representa o instinto sexual (não educado). O negro encarna a potência genital acima da moral e das proibições."[30] Para a mulher branca que ele tratou em Lyon, o negro era "um objeto fóbico", ao mesmo tempo repulsivo e excitante, com poderes sexuais que "outros (maridos, amantes episódicos) não possuíam". É quase certo que ele tenha se deparado com esses mitos em sua própria vida. Seu primeiro grande caso de amor na França, que levou ao nascimento de sua primeira filha, fora destruído pelos pais de Michèle Weyer, que se opunham ao casamento dela com um homem negro, e ele agora estava noivo de outra mulher branca, Josie Dublé. Dois dos capítulos iniciais de *Pele negra, máscaras brancas* exploram os efeitos desfigurantes de fantasias raciais em relacionamentos inter-raciais.

Fanon nunca discute seus próprios relacionamentos. Ainda assim, é notável que, no capítulo intitulado "O homem de cor e a branca", ele escolha se concentrar em negros que desejam não apenas ser amados pelas parceiras brancas mas ser amados do mesmo modo que seriam se fossem brancos. Ele recorre a um romance de 1947 do escritor martinicano René Maran, *Un Homme pareil aux autres* [Um homem igual aos outros]. O personagem principal, Jean Veneuse, é um antilhano que mora com uma amante branca em Bordeaux. Um dos amigos brancos de Veneuse lhe garante que ele só parece ser negro: "Você pensa como um europeu. É por isso que é natural que você ame como o europeu".[31] (Fanon ouvira coisas parecidas de amigos brancos na faculdade de medicina.) Mas as ansiedades de Veneuse não são mitigadas, e ele fica obcecado por se provar, nem tanto para os outros como para si mesmo. Invocando a análise da psicanalista suíça Germaine Guex em seu estudo de 1950, *La Nevrose d'abandon* [A neurose de abandono], Fanon interpreta a condição como a de um "abandônico". É uma consequência não do abandono por parte de sua mãe, mas da pátria mãe colonial. Veneuse se recusa a acreditar que sua amante branca o ama *de verdade*; é apenas ao fazê--la sofrer, e por fim ao abandoná-la, que ele consegue satisfazer sua "necessidade de vingança".

A fuga desesperada da negritude impede que Veneuse forje um relacionamento amoroso, assim como envia a mulher crioula Mayotte Capécia — tema do capítulo "A mulher de cor e o branco" de Fanon — para os braços de um branco na esperança de que isso a torne branca. Fanon é mordaz quanto a essa imitação da branquitude, ainda que a retrate como uma reação compreensível ao fato de ser negro em uma sociedade em que todos os valores concebíveis foram codificados como brancos. E ser uma imitação, claro, é estar em uma relação de alienação com seu próprio eu. É isso que Fanon quer dizer quando observa que o destino do francês negro é se tornar branco: é seu único meio de ser reconhecido como homem. Mas é um trabalho de Sísifo que o deixará frustrado — a branquitude continua eternamente fora de alcance. "Outra solução é possível", Fanon insinua, mas a solução para uma patologia coletiva não pode ser individual; "Ela implica uma reestruturação do mundo".

No capítulo "O negro e a psicopatologia", Fanon procura explicar por que a branquitude continua a ter tamanho poder nas sociedades majoritariamente negras das Antilhas. A resposta, sugere ele, está no trauma intergeracional, alojado na psique coletiva dos antilhanos — sua sociogenia. A autoridade que ele cita aqui é o poeta marxista martinicano René Ménil,[32] que, em um ensaio sobre a situação da poesia no Caribe, publicado em 1944 na *Tropiques*, afirmou que o "espírito reprimido" de escravizados africanos fora substituído por "uma instância representativa do senhor, instância instituída no âmago da coletividade e que a deve vigiar como uma guarnição na cidade conquistada". Para Ménil — membro fundador de um círculo de revolucionários surrealistas antilhanos conhecido como Légitime Défense —, o símbolo internalizado do senhor explicava a persistência de "certo masoquismo entre o povo caribenho". Fanon vai mais longe, argumentando que a falta de revolta contra o senhor durante a era da escravidão das plantations condenara as sociedades das *vieilles colonies* — Guiana Francesa, Guadalupe, Ilha da Reunião e Martinica — a um presente "neurótico". Como a escravidão acabara sem uma luta, os antilhanos continuavam subordinados a seus antigos opressores, cativos de escravidão mental, se não física.

A descrição que Fanon faz da história de sua ilha não é exatamente precisa: aconteceram diversas revoltas de escravizados na Martinica, a primeira delas em 1678. Os escravizados nas Antilhas, registrou um antigo missionário, estavam "prontos para se rebelar, para fazer qualquer coisa e cometer os mais terríveis crimes para conquistar sua liberdade".[33] Os acusados de desobediência eram brutalmente castigados, e às vezes mortos, mas os ancestrais de Fanon não eram passivos ante sua opressão, e muito menos cúmplices dela.

Ainda assim, ele não consegue perdoar seus compatriotas antilhanos por não terem derrubado a escravidão, como fizeram os haitianos, pela força das armas. Na Martinica, ele enxerga apenas uma miragem enganosa de liberdade, não redimida pela cultura da Négritude — um substituto fraco da luta política — nem mesmo pela emergência, depois da guerra, de líderes como Césaire na Assembleia Nacional francesa. Ele reconhece que a Martinica já não é escravizada, nem formalmente colonizada, mas ela também não é independente. Nas Antilhas, escreve Fanon, "o negro foi instigado [...]. Ele passou de um modo de vida a outro, mas não de uma vida a outra".[34] Essa observação aparece em uma seção intitulada "O negro e Hegel", que é inspirada pela análise do "senhor e do escravo" na *Fenomenologia do espírito* do filósofo. Na explicação de Hegel, os papéis do *Herr* (senhor) e do *Knecht* (servo) são atribuídos em meio a uma batalha de vida ou morte. O homem disposto a arriscar a vida se torna senhor; já o que escolhe a vida em detrimento da morte se submete e se torna o servo. Apenas através do trabalho, e por um ato de autocontrole, o cativo pode obter autoconsciência e enxergar que já não precisa de um senhor.

Alguns filósofos entenderam a dialética do mestre e do escravo como uma dramatização da luta entre sujeitos individuais por reconhecimento; outros, como a luta no interior de um mesmo indivíduo. Transposta para grandes grupos de pessoas, ou, aliás, sociedades, ela adquire uma significância política, até revolucionária. Foi essa leitura ampla que o emigrado russo Alexandre Kojève apresentou em uma série de palestras com grande audiência sobre *Fenomenologia do espírito* em Paris na década de 1930. O senhor e o escravo de Kojève eram a burguesia e o proletariado sob o capitalismo industrial; a dialética do senhor e do escravo era o motor da história, na qual grupos subalternos lutam pelo reconhecimento por parte de seus opressores ao empreender uma luta revolucionária violenta cujo desfecho é um mundo sem senhores ou escravos.

Muito antes de serem publicadas em um único volume em 1947, as palestras de Kojève sobre Hegel já eram lendárias, e conquistaram a admiração de Sartre, Merleau-Ponty e Lacan. Mas a aplicação mais criativa de Kojève foi feita por Beauvoir em *O segundo sexo*. "A mulher [...] dá *a* Vida", escreveu ela, "e não arrisca *sua* vida; entre ela e o macho nunca houve combate."[35] Em vez de combater sua subordinação, ou sequer estabelecer valores e instituições separados, defendeu Beauvoir, as mulheres haviam buscado reconhecimento por parte de seus opressores homens e como consequência não conseguiram alcançar autoconsciência.

Fanon defende um argumento notavelmente parecido sobre os antilhanos. Em Hegel, ele sugere, "o escravo se aparta do senhor e se volta para o objeto", mas nas Antilhas "o escravo se volta para o senhor e abandona o objeto". O que Fanon quer dizer com essa formulação obscura é que o escravizado nas Antilhas francesas nunca participou das batalhas de vida ou morte que teriam lhe permitido tomar sua liberdade — "o objeto" — com as próprias mãos. Ele recebera, sim, a liberdade como um presente, com o decreto de abolição em 1848, quando "O branco na condição de senhor disse ao negro: 'De agora em diante você é livre'". A implicação aqui, como em Beauvoir, é que os antilhanos continuam aprisionados porque nunca tiveram um devido confronto com seus opressores. Os descendentes de escravizados continuam a buscar reconhecimento com base nos valores dos senhores, em vez de criar os seus próprios. Fanon aponta "o imponente número de estátuas disseminadas na França e nas colônias representando uma França branca a acariciar a cabeleira crespa desse bravo negro que acaba de ter seus grilhões rompidos". Sem dúvida pensando em sua própria experiência nos campos de batalha da França, ele escreve que "de tempos em tempos" o antilhano "luta pela Liberdade e pela Justiça, no entanto se trata sempre de liberdade branca e de justiça branca".[36] Essa é a liberdade superficial oferecida por Victor Schœlcher, e não a liberdade conquistada a duras penas de Toussaint L'Ouverture.

A relação desigual entre a *métropole* francesa e seus departamentos ultramarinos nas Antilhas continua, para Fanon, sendo inescapavelmente uma relação colonial, projetada para fazer os negros antilhanos se esquecerem de quem são: descendentes de africanos escravizados, com línguas e culturas próprias, não descendentes dos gauleses (como lhes diziam na escola) que apenas calhavam de ter a pele negra. Não é por acaso que, na cultura popular e até em livros escolares, "o Lobo, o Diabo [...] e o Selvagem são sempre representados por um negro ou um índio".[37] As crianças antilhanas, afirmava ele, ainda são incentivadas a direcionar sua agressividade para os mesmos objetos demonizados que seus equivalentes na França. Como resultado, "o antilhano não se considera negro; ele se considera antilhano. O negro vive na África". De fato, é só quando o antilhano vai para a França e é sujeitado à força do "olhar branco" que ele "sente o peso da sua melanina".

Fanon, que cresceu se identificando com Tarzan e temendo os fuzileiros senegaleses, poderia estar falando de si mesmo. E ele é mordazmente engraçado quanto aos esforços de seus compatriotas antilhanos de emular os modos da *métropole*, retratados em cenas de imitação colonial que lembram a ficção inicial de V. S. Naipaul. "O negro que ingressa na França", escreve ele, "muda porque, para ele, a metrópole representa o tabernáculo; [...] aquele que partirá dentro de uma semana com destino à metrópole cria em torno de si um círculo mágico no qual as palavras Paris, Marselha, Sorbonne, Pigalle representam pedras angulares."[38] Uma vez que volta para casa, ele fala sobre a Ópera de Paris, "que ele possivelmente só avistou de longe"; ele "só responde em francês", fingindo não entender o crioulo, sua língua materna. Fanon ilustra essa parte citando um conto do folclore sobre um jovem camponês que retorna depois de vários meses na França e, ao ver um arado, pergunta ao pai o nome daquilo. "Como única resposta", escreve ele, "seu pai lhe larga a ferramenta em cima dos pés, e a amnésia desaparece. Uma terapêutica singular."\*

De fato, o efeito da ação do pai é lembrar o filho que ele não é francês e despi-lo de sua máscara branca. Mas isso é um conto do folclore, e no mundo real, Fanon argumenta, não é tão fácil remover a máscara, a desalienação não é alcançada com tanta eficácia. Ele entendeu não apenas a força coercitiva da máscara, mas seu apelo consensual, já que também ele ansiara nada mais do que ser aceito como outro mero francês, mesmo depois das promessas não cumpridas da guerra e das confrontações com o racismo em Lyon.

---

\* Esse talvez seja o único exemplo do endosso de Fanon à sabedoria de um pai antilhano com relação ao filho.

Fanon se debatia (não pela última vez) com uma pergunta que muitos de seus contemporâneos do mundo colonial eram obrigados a fazer: O que, se é que alguma coisa, jaz sob a máscara? Existe uma cultura coletiva, uma história, uma identidade estável não contaminada pelo colonialismo, esperando para tomar seu lugar? A resposta inicial que ele dá, de acordo com sua leitura de Senghor, é buscar afirmação e pertencimento na veneração da negritude. "Do lado de lá do mundo branco", escreve, lembrando-se do efeito de Senghor sobre ele, "uma feérica cultura negra me saudava. Escultura negra! Comecei a enrubescer de orgulho. Estava ali a salvação? Eu havia racionalizado o mundo e o mundo me havia rejeitado em nome do preconceito de cor. [...] fui feito do irracional; estou atolado no irracional. Irracional até o pescoço."[39] Ele imagina a si próprio como possuidor de uma "força poética", com uma relação mais próxima e sensual com o mundo, que o branco pode apenas "escravizar".

A decisão de Fanon de se perder "plenamente na negritude" pareceria uma reação lógica à antinegritude que ele havia experienciado e, de certo modo, epidermializado. (Muitas de suas formulações, lidas fora de contexto, poderiam ser interpretadas em prol dessa conclusão, o que explica em parte por que Fanon ainda costuma ser lido como um expoente da Négritude.) Mas a Négritude acaba por se mostrar a antítese da tese da branquitude, em vez de um destino final. Apesar de toda a proteção que ela lhe oferece contra um mundo branco hostil, a autoconsciência negra é um componente necessário da liberdade, e não um fim em si mesma. "Falaremos de gênio negro", ele escreve, apenas "quando o ser humano tiver encontrado seu verdadeiro lugar."[40] E ainda que Fanon claramente se sinta mais próximo da visão de Césaire de autoinvenção negra do que do espírito africano primordial de Senghor, ele não está convencido de que uma unidade negra possa oferecer uma base duradoura para uma política de libertação. Um "médico de origem guadalupense", observa ele, não enfrenta o mesmo conjunto de problemas que um "negro que trabalha na construção do porto de Abidjan". A "alienação intelectual" do médico, afinal, é uma "criação da sociedade burguesa". Por outro lado, ele escreve, "os poucos companheiros que tive a oportunidade de conhecer em Paris nunca levantaram a questão da descoberta de um passado negro. Eles sabiam que eram negros, mas, como me disseram, isso não muda nada de nada. No que estavam cobertos de razão".

Nas últimas páginas, Fanon esboça uma visão do que entende pelo termo "desalienação". Ele é dirigido não apenas ao negro que continua "preso em seu corpo" mas também ao branco que "é ao mesmo tempo mistificador e mistificado". A derrubada da casa-grande é, como parece, uma tarefa para todos — ex-escravizados e ex-senhores. "Toda vez que um ser humano fez aflorar a dignidade do espírito, toda vez que um ser humano disse não a uma tentativa de escravizar o seu semelhante, eu me solidarizei com o seu ato",[41] escreve Fanon. Mas celebrar uma herança racial-cultural não irá resgatar as pessoas do que ele chama de a "Torre Substancializada do Passado". E mais uma vez ele mira na Négritude, agora tendo como referência o Vietnã, onde os rebeldes de Ho Chi Minh lutavam pela independência de seu país em uma campanha de guerrilha contra as tropas francesas: "Não foi por ter descoberto uma cultura própria que o indochinês se revoltou. Foi 'simplesmente' porque, sob vários aspectos, respirar havia se tornado impossível para ele".* Fanon menciona um colega soldado que tinha ido lutar no Vietnã e que se surpreendera com o que tomou por fanatismo dos rebeldes — prova, para muitos na França, de uma indiferença asiática à morte. "Não faz

---

* A segunda frase é citada com frequência, mas quase nunca a primeira.

muito tempo", ele nos lembra, "que essa mesma serenidade asiática era evidenciada por conta própria pelos 'bandidos' do Vercors e pelos 'terroristas' da Resistência."

Fanon encontraria em breve essa "serenidade" em combatentes da libertação nacional argelina que encaravam a morte, mas a noção já o comove de um jeito que a solidariedade racial por si só não o faz. "Não é o mundo negro que dita a minha conduta. Minha pele negra não é depositária de valores específicos", escreve ele, e então proclama:

> Sou um ser humano e é todo o passado do mundo que tenho a resgatar. [...] De modo algum devo extrair minha vocação primordial do passado dos povos de cor. De modo algum devo me aferrar em reavivar uma civilização negra injustamente preterida. Eu não me torno o homem de nenhum passado.

De repente, já não estamos lendo a obra de um psiquiatra; estamos lendo a de um orador, um rebelde. "A objetividade científica estava proibida para mim", disse ele, "pois o alienado, o neurótico, era meu irmão, era minha irmã, era meu pai."

Mais surpreendente, talvez, seja sua relutância a fazer exigências aos outros. Pelo contrário, ele diz não ter direito algum de "aspirar à cristalização, no branco, de uma culpa em relação ao passado da minha raça", de procurar "meios que me permitirão pisotear o orgulho do antigo senhor", de "bradar o meu ódio ao branco", ou de "exigir reparação pelos meus antepassados cativos".*[42] Ele não está nem sequer certo de seu "direito de ser um negro", ainda que diga que, "se um branco

---

* A recusa de reparações é especialmente notável à luz das sensibilidades antirracistas contemporâneas. A relação de Fanon com essas sensibilidades será explorada no fim deste livro.

questiona a minha humanidade", terá de lhe dizer em termos inequívocos "que não sou esse '*Y a bon Banania*' que ele insiste em imaginar". Ele diz que seu único dever é não renunciar à sua liberdade através de suas escolhas. A autoinvenção, mais uma vez, tem prioridade sobre qualquer sentimento de pertencimento conjurado do passado: "No mundo para onde estou indo, eu me crio incessantemente. [...] Não sou escravo da Escravidão que desumanizou meus pais. [...] A densidade da História não determina nenhum dos meus atos. Eu sou o meu próprio fundamento".

Esse desejo ardente de se libertar da história — uma expressão destilada do éthos existencialista da era — é surpreendente para sensibilidades do século XXI, mas tem menos a ver com a oposição de Fanon à compensação financeira por danos passados do que com sua desconfiança do foco imaginativo por parte do movimento da Négritude em crimes do passado. Para ele, o triunfo da desalienação — sobre complexos raciais dos quais tanto negros quanto brancos sofrem assimetricamente — depende do futuro, não do velho universalismo, no qual a liberdade é branca e a branquitude é liberdade. Ele também não depende, aliás, de uma fantasia de supremacia negra. O desafio é criar um novo universalismo, no qual o negro e o branco coexistam com base em igualdade, reconhecimento e solidariedade. "No campo de batalha", escreve ele, "delimitado nos quatro cantos por dúzias de negros pendurados pelos testículos, pouco a pouco se ergue um monumento que promete ser grandioso. E, no ápice desse monumento, já vislumbro um branco e um negro que se dão as mãos." Para o Fanon de *Pele negra, máscaras brancas*, os negros e os brancos na França estão — como Martin Luther King Jr. diria em sua "Carta da prisão de Birmingham", de 1963 — "presos em uma inescapável teia de mutualidade, ligados no tecido único de destino".

É difícil conciliar a grande aspiração de Fanon — e seu otimismo em relação à superação das injustiças e dos absurdos da raça — com a anatomia do racismo que ele apresenta no restante do livro. Não surpreende que sua rejeição sumária à justiça retroativa raramente seja discutida por fanonianos contemporâneos, que preferem sua análise da opressão antinegros e suas políticas pan-africanas. No entanto, em sua afirmação de independência, ela é uma das expressões mais eloquentes do impulso de liberdade que corre pela obra de Fanon, ao mesclar a poética da Négritude com a ênfase do existencialismo na autocriação.

Conforme escreveu na *Esprit*, o fenomenologista Maxime Chastaing esperava que *Pele negra, máscaras brancas* sacudiria "a boa consciência colonial"[43] dos leitores franceses que se consolavam com a ideia de que, graças à França, os antilhanos havia muito desfrutavam da liberdade que os negros americanos ainda estavam lutando para alcançar. Mas Georges Balandier, um renomado sociólogo da África que era admirado por Fanon, levantou críticas substanciais. Em sua resenha para a *L'Année Sociologique*, Balandier louvou o "raro valor emotivo" do capítulo de Fanon sobre a experiência vivida do negro, mas o criticou por ignorar a "ligação sempre presente entre inferioridade racial, exploração econômica e escravidão". Ele acrescentou que a ênfase na "relação do Eu e do Outro" e a "dependência de Hegel e da bibliografia psicanalítica" tinham "levado monsieur Fanon a perder de vista as características específicas da condição negra". Era um ponto justo: por que se concentrar nos danos psicológicos do racismo se, como o próprio Fanon indicou, o racismo em si só podia ser desmantelado pela mudança social e política? Quer ele concordasse ou não com a crítica de Balandier, Fanon gradualmente perderia interesse nos dilemas psicológicos de pessoas de cor de classe média como ele próprio. Também nunca mais seria acusado de perder de vista os fatos brutos da opressão colonial.

Os três maiores periódicos franceses — *Le Monde*, *Le Figaro* e *L'Humanité*, jornal do Partido Comunista francês — ignoraram *Pele negra, máscaras brancas*. A maior parte da cobertura da imprensa popular foi desdenhosa, se não hostil. "O sr. Fanon está doente por ser negro do modo como outras pessoas têm sarampo", queixou-se um escritor de direita.[44] "Ele é irascível e tem sangue quente [...]. Sua neurose é certamente uma neurose bastante ruim. Médico, cure-se a si mesmo!" Uma das poucas resenhas do livro em sua terra natal o acusou de ser um ingrato por atacar a colonização "sem jamais levar em conta o que a França dos Direitos do Homem e do Cidadão — a França republicana e secular — fez para o país de onde ele veio: as Antilhas Francesas, pois Fanon é um martinicano".[45] Mas a principal razão para o livro não ter atraído um amplo público leitor foi seu uso de jargão psiquiátrico e sua linguagem elusiva, até críptica — décadas depois, uma fonte de fascínio para seus exegetas acadêmicos.

Os círculos de ativistas negros na França consideraram o livro desconcertante, uma vez que não se tratava nem de um panfleto marxista nem de um chamado às armas panafricanista (ou nacionalista). Grande parte dele era composta de uma linguagem psicanalítica obscura, e apesar de todas as acusações a racistas brancos, tampouco refletia bem sobre os negros. Era particularmente resoluto na anatomia da Martinica de Fanon: suas obsessões masoquistas com a cor, a classe e o status. A romancista guadalupense Maryse Condé era estudante na Sorbonne quando um excerto de *Pele negra, máscaras brancas* foi publicado na *Esprit*. Ela disparou uma carta de protesto para os editores. "O trecho nos chocou e revoltou", ela lembrou em suas memórias.[46] "Consideramos que Frantz Fanon não apenas não havia entendido nossas sociedades, mas que as insultava maliciosamente." (Anos depois, no entanto, ela passaria a se considerar uma "fanoniana".) Como o próprio Fanon admitiu em sua introdução, ninguém pedira o livro, e ninguém parecia muito entusiasmado por ele — em especial todos os antilhanos franceses a quem ele era dedicado. Se não fosse por sua notoriedade posterior como revolucionário anticolonial, e pelo sucesso internacional de *Os condenados da terra*, o primeiro livro de Fanon poderia ter permanecido uma curiosidade. Hoje, *Pele negra, máscaras brancas* é bastante reconhecido como uma reflexão essencial — indiscutivelmente único — sobre a condição do negro na França. Mas na época de sua publicação foi um texto insurrecionário em busca de uma insurreição que ele se mostrava incapaz de provocar. A primeira edição de *Pele negra, máscaras brancas* vendeu apenas alguns milhares de cópias na França.* Ainda assim sua autoanálise implacável e impiedosa libertaria o homem que o escreveu.

---

\* *Pele negra, máscaras brancas* tornou-se um best-seller mundial apenas depois de sua tradução americana, em 1967, seis anos após a morte de Fanon.

# 6.
# A prática da desalienação

Em sua escrita, Fanon já tinha desembarcado em um de seus maiores temas, até mesmo seu projeto de vida: a desalienação dos racialmente oprimidos e destituídos. No entanto, apesar de todo seu interesse nas *ideias* da psiquiatria progressista, ele tivera pouca oportunidade de aplicá-las com seus pacientes. Sua própria formação não poderia ter sido mais tradicional, e suas primeiras experiências como médico foram em sua maioria infelizes. Sua primeira residência foi em um hospital miserável no leste da França, onde ele era o único psiquiatra para atender 150 pacientes. Então, em fevereiro de 1952, em uma visita à Martinica com seu irmão Joby para passar o Carnaval, ele montou uma clínica na cidade litorânea de Le Vauclin, a pouco mais de trinta quilômetros a sudoeste de Fort-de-France. Alugou uma casa de propriedade de um amigo de sua mãe e atendeu por cerca de dois meses — tempo o bastante para testemunhar o que Joby chamou de "o cinismo e a rapacidade da elite local".[1] O filho nativo era agora um retornado um tanto suspeito. Ele recebeu o apelido de "o feiticeiro" porque realizava autópsias. E aprendeu coisas sobre a Martinica que talvez preferisse não saber: sobretudo a onipresença da violência doméstica. Ele contou a Joby a respeito de uma mulher cuja caixa torácica fora esmagada, o baço rompido pelos golpes da parte chata de um machete. O trabalho do feiticeiro levou à prisão de alguns homens pelo assassinato das esposas.

Apesar de todas as observações mordazes sobre a Martinica em seu primeiro livro, Fanon descobriu que estar em casa tinha lá seus prazeres: nadar no mar; jogar futebol com o irmão; ver a mãe, agora viúva, pelo que seria a última vez. Mas nunca fora sua intenção ficar; ele estava apenas ganhando algum dinheiro enquanto visitava a família. O *Diário de um retorno ao país natal* de Césaire, inspirado por uma viagem aos Bálcãs, levara o poeta a voltar para casa e servir seu povo. *Pele negra, máscaras brancas* acabaria por se mostrar uma despedida.

No fim de março, poucas semanas antes de seu livro ser publicado, Fanon voltou para a França; exercer psiquiatria na Martinica, ele disse a um amigo, estava "fora de questão".[2] (Ele não elaborou o porquê, mas é possível que temesse se tornar um dos retornados envaidecidos e culturalmente alienados que descreveu em *Pele negra, máscaras brancas*: "O negro que conhece a metrópole é um semideus. [...] O negro que por algum tempo viveu na França retorna radicalmente transformado. Falando em termos genéticos, diríamos que seu fenótipo sofre uma metamorfose definitiva, absoluta".)[3] No mês seguinte, ele e sua noiva, Josie, chegaram em Saint-Alban-sur--Limagnole, uma cidade no departamento de Lozère, no sul da França. Ele passaria o próximo um ano e meio no Hospital Psiquiátrico de Saint-Alban absorvendo os métodos da nova "psiquiatria institucional", uma abordagem coletiva de cuidados que mesclava as ideias de Freud e Marx, derrubando as hierarquias que separavam pacientes e equipe médica, dando às pessoas com transtornos mentais um novo sentido de poder sobre suas vidas.

Abrigado em um castelo feudal nos montes, Saint-Alban era um manicômio desde 1821. Quase foi destruído por um incêndio em 1914 e assolado pelo tifo duas décadas depois. Quando Paul Balvet tornou-se diretor em 1936, dedicou-se a melhorar a higiene e a infraestrutura deploráveis do hospital.

Sob a direção de Balvet, com cujas obras Fanon ainda não tinha se deparado na *Esprit*, o hospital se tornaria um centro de atividade de resistência e de psiquiatria progressista durante a ocupação alemã. Católico praticante de temperamento conservador, Balvet inicialmente recebera bem o regime de Vichy. Mas quando suas afinidades se voltaram para a Resistance, sua reputação como pétainista lhe permitiu oferecer uma proteção discreta para médicos que trabalhavam com o *maquis* — e para outros sob o risco de perseguição por parte das autoridades da ocupação. Ao longo da guerra, nas palavras de um historiador, "a política ia para a cama com a loucura" em Saint-Alban. Judeus, *maquisards* e escritores dissidentes — incluindo o autor dadaísta Tristan Tzara, o poeta surrealista Paul Éluard e Georges Canguilhem —, todos encontraram refúgio no local.

Graças à ingenuidade e à determinação de Balvet e seus colegas, Saint-Alban escapou do destino de outros hospitais psiquiátricos durante a guerra: a chamada *extermination douce*, ou "extermínio suave". Entre 40 mil e 45 mil pacientes psiquiátricos — por volta de metade de todos os da França — morreram de fome, má nutrição, frio e outros males. As condições eram tão desesperadoras que alguns pacientes comiam capim, insetos, até as próprias mãos. Nem o governo de Vichy nem os ocupantes nazistas tentaram salvá-los; os que padeciam de doenças mentais eram considerados sub-humanos, como os judeus. (O panorama dos hospícios durante a guerra na França muitas vezes foi relacionado ao *univers concentrationnaire* dos campos.) Ao amealhar comida, treinar os pacientes para apanhar cogumelos comestíveis nas florestas próximas e por meio de intervenções astuciosas no mercado clandestino, os médicos de Saint-Alban transformaram o que com certeza se tornaria um necrotério em um símbolo de desafio e sobrevivência.

Saint-Alban também se tornou um laboratório de psiquiatria radical,[4] dando à luz novas políticas, até uma nova poética, de cuidado. A revolução que se desenrolou em Saint-Alban tinha a liberdade imaginativa e o gosto pela espontaneidade do surrealismo, mas estava sempre enraizada no trabalho nada glamoroso, e em grande parte extenuante, de tratar pessoas que sofriam de condições extremas, muitas vezes irremediáveis — de restaurar uma sensação de significado e propósito para vidas que tinham sido despojadas de ambos. Uma combinação de sonhos utópicos e pragmatismo reformista. E o lugar provou-se durante o teste mais difícil de todos — a guerra e ocupação: quase nenhum dos pacientes de Saint-Alban morreu de causas não naturais, e nem uma única pessoa foi denunciada aos alemães. Depois da guerra, uma aura quase angelical cercou o castelo nos montes áridos de Lozère.

Fanon ouvira falar pela primeira vez sobre a resistência psiquiátrica em Lozère em um de seus jantares com Balvet em Lyon, mas no fim das contas ele foi atraído a Saint-Alban por outra figura, François Tosquelles, colega de Balvet, que chegara ao hospital em janeiro de 1940 depois de passar vários meses em um campo de refugiados provenientes da Espanha.

Tosquelles nasceu em 1912 em Reus, junto de Barcelona. Filho de lojistas de classe média baixa com inclinações intelectuais, leu Marx ainda bem novo e desenvolveu uma simpatia duradoura pelo nacionalismo catalão. Contador de histórias insaciável com uma queda por hipérboles, Tosquelles alegava que aos dez anos de idade já sabia o que queria fazer: "levar Marx para o hospital psiquiátrico". Aos quinze anos deu início a seus estudos em psiquiatria em Barcelona, onde tornou-se um protegido de Sándor Eiminder, um psicanalista húngaro judeu exilado que fizera parte do círculo de Freud em Viena e que havia feito análise com Sándor Ferenczi, um dos primeiros psicanalistas a estudar os efeitos traumáticos da guerra. O outro mentor de Tosquelles, Emilio Mira y López, o apresentou à tese de Jacques Lacan de 1932 sobre a paranoia e inflamou sua mente com histórias sobre "geopsiquiatria", uma prática de cuidados que acontecia do lado de fora dos muros do hospital, nas casas dos pacientes psiquiátricos.

Com vinte e poucos anos, Tosquelles atuou como psiquiatra no Instituto Pere Mata em Reus e formou um grupo clandestino chamado Bloque Obrero y Campesino (Bloco Operário e Camponês), que promovia um tipo de marxismo descentralizado e libertário, em oposição a Moscou. Catalão orgulhoso, Tosquelles suspeitava de fórmulas universais, desconfiando da mão de uma autoridade tirânica e arrogante. Antistalinista com uma veia pronunciada de anarquismo, ele rechaçava o que chamava de *tout-pouvoir*, o "poder total".

Em 1935, Tosquelles participou da criação do Partido Obrero de Unificatión Marxista (Partido Operário de Unificação Marxista, Poum). Quando a guerra civil irrompeu um ano depois, ele se juntou às milícias do Poum no front de Aragón e criou seus serviços psiquiátricos. A guerra radicalizou sua concepção de medicina. Ele percebeu que as pessoas menos acostumadas à "normalidade", muitas vezes eram as mais preparadas para confrontar seu colapso. Achou fácil treinar prostitutas para se tornarem enfermeiras; algumas "se convertiam" e nunca mais voltavam para o antigo ramo. Membros de sua própria profissão tinham mais dificuldade de se ajustar às exigências da guerra porque eram aferrados demais às convenções sociais. Um dos desafios de Tosquelles durante a guerra foi ajudar seus colegas médicos a superar não apenas o medo mas também "algo ainda mais importante do que o medo": o senso de serem "todo-poderosos" e o apego à "ideologia burguesa, individualista". Anos depois ele observaria que "um bom cidadão é incapaz de fazer psiquiatria".

Condenado à morte por Franco, Tosquelles fugiu da Espanha em abril de 1939. Depois de atravessar os Pirineus a pé, ele foi detido no *camp de judes* na cidade de Septfonds, ao norte de Toulouse, um dos campos de internamento em que aproximadamente 450 mil refugiados espanhóis foram mantidos em seguida ao êxodo conhecido como Retirada. (Alguns anos mais tarde, os judeus seriam detidos em Septfonds, antes de serem mandados para campos de extermínio.) As condições eram ainda mais duras do que no front de Aragón: o campo era cercado por arame farpado e monitorado por postos de vigia; os internos dormiam no frio em palheiros. Mas Tosquelles floresceu em Septfonds, oferecendo cuidado psiquiátrico "na lama",[5] em suas palavras, para "militantes, pintores e tocadores de violão".

Quando Balvet ouviu falar do psiquiatra catalão de 27 anos em Septfonds, contatou as autoridades, providenciou sua soltura e o recrutou para trabalhar em Saint-Alban. Mas se Balvet imaginava que Tosquelles seria um refugiado grato e tímido, estava prestes a ser surpreendido. Um psiquiatra, Tosquelles acreditava, "deve ser estrangeiro ou *parecer* estrangeiro".[6] Ele nunca perdeu o sotaque catalão, que deixava seu francês quase inescrutável, mas não se envergonhava dele e ainda acreditava que tinha vantagens clínicas: "Para entender o que digo, o paciente — ou qualquer um — precisa fazer um esforço. Assim, eles são obrigados a *traduzir* e adotam uma postura ativa em relação a mim", disse ele.[7]

Tosquelles tinha um lado divertido e subversivo; com seus óculos de armação de metal, bigode com as pontas torcidas para o alto e sorriso travesso, ele parecia um pouco um palhaço. Mas também era um reformador institucional visionário e diligente. Quando chegou em Saint-Alban-sur-Limagnole, tinha dois livros em mãos: seu velho exemplar da tese de Lacan e o estudo de 1929 do psiquiatra alemão Hermann

Simon sobre o Hospital Psiquiátrico de Gütersloh. Simon, que era terapeuta ocupacional, insistia que "deve-se antes de tudo cuidar do hospital para cuidar dos pacientes". Tosquelles compartilhava sua convicção, descrevendo o hospital como um *collectif soignant*, um "coletivo de cura", no qual os médicos não eram mais importantes do que qualquer outro membro da equipe. Sua crítica às hierarquias médicas não era simplesmente política; era psicanalítica. De fato, ele reinterpretou — e coletivizou — o conceito psicanalítico de "transferência", o vínculo inconsciente que o paciente desenvolve com o analista. Freud acreditava que a transferência era a chave para entender os outros relacionamentos do paciente, mas ele aplicava o conceito estritamente aos que sofriam de neuroses como ansiedade, melancolia e histeria. Na perspectiva de Tosquelles, os pacientes psicóticos que sofriam de alucinações e delírios — rompimentos radicais com a realidade — também forjavam relações de transferência, mas com todos os membros do coletivo de cura, não apenas com o médico; ele chamava essa rede de *transfert éclaté*, ou "transferência estalada".

Para ilustrar como a transferência estalada funcionava, Tosquelles gostava de contar a história de um paciente esquizofrênico que chega ao hospital e começa a conversar com o porteiro. "Eu não sou psiquiatra", o porteiro responde, interrompendo seu monólogo. "Vou levá-lo para falar com a enfermeira." O paciente fica tão afeito à enfermeira que se confidencia com ela em ainda mais detalhes, até que ela lhe diz: "Você precisa mesmo conversar com o psiquiatra". Mas assim que bota os olhos no psiquiatra, ele decide: "Não vou com a cara desse sujeito. Não vou lhe dizer nada". E, assim, pela próxima hora ele fica na sala do médico, calado e desafiador. "Se o psiquiatra se acha o centro do mundo só porque é médico", concluía Tosquelles, "sofre de um delírio megalomaníaco." Médicos, enfermeiras, vigias e outros membros da equipe tinham, sim, que trabalhar juntos de forma quase artesanal, discutindo suas impressões sobre o paciente, criando uma rede de transferência. E os pacientes também teriam de se envolver na criação de um microcosmo, aproximando suas vidas fora do hospital, tomando parte em atividades como plantar, escrever, fazer arte, teatro e dança. Eles podem não ser curados de suas patologias, muito menos transformados em "normais" (algo que Tosquelles nunca valorizou muito, de qualquer modo), mas mesmo o mais delirante dos pacientes ainda poderia participar da vida produtiva e criativa de sua instituição. Se continuavam alienados de si mesmos, não precisavam ser alienados do coletivo de cura de que faziam parte — ou privados do respeito e do reconhecimento que mereciam como seres humanos. O indivíduo, Tosquelles insistia, não existe sozinho; portanto, a loucura nunca é apenas uma "questão pessoal". Aqui estava a base do que Tosquelles chamaria de "terapia institucional" e do que Fanon mais tarde chamaria de "socioterapia".

Tosquelles deu início a suas reformas assim que chegou. As portas da frente foram abertas; as grades que cercavam as celas dos pacientes, removidas. Já não fisicamente confinados, os *aliénés* podiam por fim se deslocar de um espaço para outro. "O primeiro direito humano", acreditava Tosquelles, "é o direito à vagabundagem." Mas seu projeto foi vastamente acelerado, como na Espanha, pela guerra. Em junho de 1940, a França foi tomada pelos alemães. Dissidentes e combatentes da Resistance logo começaram a chegar ao hospital, em busca de um tipo diferente de serviço psiquiátrico. Um dos primeiros foi o psiquiatra Lucien Bonnafé, que deixou seu cargo em Paris para poder continuar suas atividades no *maquis*, e que eventualmente substituiria Balvet como diretor do hospital. Na Espanha, Bonnafé e Tosquelles teriam sido rivais, se não inimigos mortais: Bonnafé era comunista, membro de um partido stalinista que liquidara o partido de Tosquelles, o Poum. Mas os dois se tornaram aliados dos mais próximos em Saint-Alban, unidos pelo comprometimento com a psiquiatria, o ódio pelo fascismo e a paixão pela poesia surrealista. Bonnafé escreveu: "Quando a poesia foi convocada à Resistance, escolheu dividir sua vida com um hospital psiquiátrico onde o amor pelas diferenças e a denúncia de uma ordem absurda se encontravam".[8] Em 1943, Paul Éluard, amigo e companheiro *résistant* de Bonnafé, encontrou refúgio no hospital, havia se tornado um alvo depois de ter publicado um poema que louvava a liberdade, intitulado "Liberté".*

Sob a liderança de Tosquelles e Bonnafé, uma casa de confinamento se transformou em um local de acolhimento e hospitalidade, onde os que padeciam de doenças mentais podiam se tornar participantes ativos de sua recuperação, e onde, à sombra da ocupação nazista e do racionamento dos tempos de guerra, eles podiam viver para ver um novo dia. Quando Fanon ficou sabendo da história da psiquiatria da Resistance em Saint-Alban, começou a sonhar em trabalhar com Tosquelles.

Tosquelles foi arredio quando Fanon entrou pela primeira vez em sua sala na primavera de 1952. "Fanon vinha de Lyon [...] da faculdade de medicina", lembrou ele, ridicularizando a faculdade como "caricatura [...] do cartesianismo analítico, florão da sua eficácia sobre o objeto anatomofisiopatológico".[9] Em Lyon, disse ele, o "tratamento pode ser resumido em uma única linha. O que estou dizendo? Nem em uma linha. Uma única palavra é suficiente. [...] Aqui está, em letras maiúsculas: TRATAMENTO: INTERNAÇÃO. Nem mais nem menos".

---

\* Éluard reverenciou Saint-Alban em uma série de poemas de 1945, *Souvenirs de la maison des fous* [Lembranças da casa dos loucos].

Fanon, em outras palavras, fora formado pelo inimigo, pelo sistema psiquiátrico que Tosquelles desprezava.* Ainda assim, estava curioso quanto a Fanon. "Notei", escreveu ele, "a diferença radical entre a cor de sua pele e a da maioria dos homens com quem eu estava acostumado a trabalhar."[10] Perguntou a Fanon o que podia fazer por ele. Fanon respondeu que ouvira boatos em Lyon de que, em Saint-Alban, os médicos tinham inventado uma psiquiatria "atenta sobretudo à complexidade da diferença — mantida e às vezes tragicamente reforçada — que liga os homens sob nosso cuidado".

Tosquelles confirmou os boatos mas ressaltou que "certas similaridades" aplicavam-se a todos os seus pacientes. Quando Fanon lhe entregou um exemplar de *Pele negra, máscaras brancas* e compartilhou algumas de suas histórias do racismo que confrontara em Lyon, Tosquelles voltou a recuar, bufando que "independente da cor de nosso rosto ou pele, todos seguimos mascarados ao encontrar os outros". Curiosamente, Tosquelles, o nacionalista catalão, o autoproclamado nativo de "país ocupado", acusava Fanon de asseverar um particularismo étnico estreito. Fanon não era nada estranho a reações defensivas; ainda assim, o sermão deve tê-lo irritado.

O próprio Tosquelles admitiu: "O caráter abstrato dessas primeiras trocas não enganou nenhum de nós. A referência discreta ao contraste na cor de nossas peles estava no centro de nossas entrevistas". A velha rivalidade masculina era outra entrelinha provável. Fanon tinha 27 anos, a mesma idade que Tosquelles quando este se exilou na França. Ele também era um forasteiro, do ultramar. Como crítico do racismo francês, ele pareceu a Tosquelles um representante pretenso de sua raça — "o embaixador da singularidade de

---

* Não que Fanon teria discordado.

sua história". Como Tosquelles, Fanon insistia em ser reconhecido em seus próprios termos. Ainda assim, Fanon, um homem negro assimilado cujo francês dificilmente poderia ser mais elegante, estava de certa forma mais inserido na cultura do que o exilado teimosamente não assimilado que, com uma jocosa falta de tato, equiparava sua própria fala ao *petit nègre*.

Os dois homens travaram um diálogo de surdos, medindo um ao outro. Nicole Guillet, que os apresentara, entreouviu a conversa e disse que soava como uma tourada. Depois dos conflitos iniciais, no entanto, Tosquelles ficou tão próximo de Fanon quanto fora de Bonnafé, que havia deixado Saint-Alban nos anos iniciais da guerra. Ele admirava a graça física de Fanon, seu fervor polêmico, e — talvez acima de tudo — sua falta do que Tosquelles chamou de "dita virtude da paciência". Em outras palavras, ele reconheceu em Fanon um rebelde semelhante que compartilhava seu desdém pela etiqueta burguesa. Ainda que o gosto de Fanon por poesia estava mais para Césaire e Damas do que para Breton e Éluard, ele também tinha uma imaginação literária poderosa que costumava se infiltrar em seu trabalho. A certa altura, durante uma reunião com pacientes e seus familiares, ele se lançou em uma palestra improvisada sobre teatro clássico, ressaltando as dimensões trágicas da psiquiatria.

Fanon mergulhou na vida de Saint-Alban, organizando sessões de filmes e noites de música, impressionando pacientes com sua compaixão e senso de humor (em uma soirée ele ajudou a mudar um piano de lugar usando um delicado par de luvas brancas, gesticulando como um ator de filme mudo). Ele escreveu ensaios curtos e filosóficos para a revista literária interna, *Trait d'Union*, em um registro vagamente existencial, sobre o "papel terapêutico do engajamento", a necessidade de "inventar um novo modo de vida", e a criatividade que pode surgir do cotidiano.[11] E de Tosquelles — um veterano de guerra e revolucionário que abordava a psiquiatria como se ela fosse uma extensão da política por outros meios — ele aprendeu um conjunto de ideias e práticas que aplicaria, e remodelaria, na Argélia e na Tunísia.

Em 1953, Fanon e Tosquelles foram coautores de uma série de artigos[12] sobre o método Bini de terapia eletroconvulsiva (ECT), batizada em nome do médico italiano Lucio Bini. (Ao longo de sua carreira, Fanon permaneceria um convicto ferrenho das virtudes da ECT.) Os participantes de suas pesquisas eram indivíduos profundamente perturbados, cujos estados eram causados pelas, ou entrelaçados às, histórias de guerra e colonialismo. Um deles era uma mulher de 28 anos que tinha sido tomada por delírios, tornando-se violenta e suicida, depois de testemunhar a morte da mãe e do pai por um bombardeio aéreo em 1944. Outra era uma freira de 45 anos que desenvolvera esquizofrenia após o suicídio do irmão. Ela passava os dias andando no jardim, recusando-se a falar com os outros pacientes e fulminando os nativos "nus" e "sujos" do Gabão, colônia francesa em que fora missionária.

Em seu artigo, Fanon e Tosquelles relataram que a freira fora capaz de retornar à sua comunidade depois de uma hospitalização de três meses, graças a dezessete eletrochoques e quarenta sessões de insulinoterapia. Suas conclusões são expressas em tom neutro e pragmático; eles não comentam, muito menos julgam, o conteúdo racista dos desvarios da freira sobre os negros do Gabão. Mas isso não poderia deixar de impressionar Fanon, depois de toda a sua pesquisa sobre psicoses racistas. Em seu primeiro artigo para a *Trait d'Union*, ele citou um filósofo anônimo: "Se você quiser se aprofundar na estrutura de determinado país, é preciso visitar seus hospitais psiquiátricos".[13]

Depois de sete anos explorando os ódios e fobias que jaziam por trás do verniz universalista daltônico da República francesa, o problema do racismo continuava manifesto na mente dele. Em 6 de janeiro de 1953, Fanon escreveu uma carta para Richard Wright, declarando sua intenção de embarcar em um estudo sobre as "dimensões humanas" da obra do romancista. (Alioune Diop, editor da *Présence Africaine*, lhe dera o endereço de Wright em Paris.) "Meu nome deve lhe ser desconhecido", escreveu ele.[14] "Escrevi um ensaio, *Pele negra, máscaras brancas*, em que pretendo mostrar as sistemáticas concepções errôneas que existem entre brancos e negros." Teria sido uma troca fascinante entre um jovem antilhano crítico das alegações de antirracismo da França e um americano negro expatriado mais velho para quem a França estava o mais próximo do paraíso a que ele já chegara. Mas Wright, que disse que desfrutava de mais liberdade em um único quarteirão de Paris do que em todos os Estados Unidos, parece nunca ter respondido, e o livro nunca foi escrito.

Em setembro de 1953, Fanon deixou Saint-Alban para se tornar chefe interino de um sanatório em Pontorson, uma cidadezinha próxima à costa atlântica no noroeste da França. Os médicos, ficou claro, tinham medo de seus pacientes, e ele provocou escândalo ao propor uma saída para ir às compras com um grupo de 29 pacientes — aplicando na prática os métodos que aprendera com Tosquelles. Quando o diretor administrativo se recusou a aprovar a excursão, os pacientes entraram em greve. Fanon começou a procurar outros empregos, escrevendo para Senghor a respeito de trabalhos no Senegal; Senghor, de cuja obra ele zombara em *Pele negra, máscaras brancas*, nunca respondeu. Ele também se candidatou para trabalhar em Guadalupe, tendo descartado a Martinica. Enquanto esperava um emprego, sentia-se como "o menininho indígena do filme de Buñuel *Os esquecidos*, que espera o pai o dia inteiro apesar de todas as evidências de que seu pai o esquecera deliberadamente".

Mais tarde naquele ano, ele foi contratado como diretor do Hospital Psiquiátrico de Blida-Joinville na Argélia — a terra natal de muitos dos trabalhadores que atendera em Lyon, os homens cuja angústia estranha e aparentemente inexplicável lhe forneceram o tema de seu ensaio memorável sobre a síndrome norte-africana. Fanon tinha colocado os pés lá pela última vez como soldado da França e visto a miséria das crianças argelinas brigando por restos de comida. "Estou indo para a Argélia", escreveu para seu irmão Joby. "Você entende: os franceses têm psiquiatras o suficiente para cuidar de seus loucos. Prefiro ir para um país onde precisam de mim." Sentimentos admiráveis. Mas a verdade é que Fanon estava preocupado com suas perspectivas na França metropolitana. Ele passara no *médicat des hôpitaux psychiatriques*, a prova competitiva para tornar-se um *médecin-chef*, mas ficara em 13º lugar em um grupo de 54. (Josie, sua esposa, se saíra muito melhor em sua prova em filologia latina.) Ele também criara uma fama de ser difícil.

Devido à extraordinária reviravolta por que sua vida passaria na Argélia, a decisão de Fanon de ir para o país costuma ser retratada como um ato político, até uma prefiguração do destino. Em seu posfácio de 1965 para *Pele negra, máscaras brancas*, Francis Jeanson escreve:

Sustento, porém, que em 1952 Fanon era um espírito autenticamente revolucionário, e que continuou a sê-lo nos períodos seguintes. O Fanon argelino manteve as promessas do Fanon antilhano; *Os condenados da terra* é a confirmação de *Pele negra, máscaras brancas*, como se recebesse deste sua iluminação mais certeira.

Talvez. Fanon era sem dúvida um *écorché vif*, como observou Édouard Glissant, sempre em guarda, pronto para a batalha.

Mas ele ainda não tinha encontrado uma revolução a que quisesse se juntar, e — com exceção de Jeanson — poucas pessoas na França imaginavam na época que uma guerra de libertação nacional era iminente na Argélia. Até onde ele sabia, esperando do outro lado do Mediterrâneo, no domínio colonial mais estimado da França, estavam um bom trabalho e a chance de começar uma família: as coisas que levavam outros franceses a se estabelecerem lá. O futuro guerreiro anticolonial chegou à Argélia como um improvável beneficiário de privilégio colonial e um representante da autoridade colonial.

# Parte II
# O argelino

# 7.
## Um mundo cindido em dois

Em maio de 1954, Joby Fanon, que estava em Paris estudando para seu exame de admissão na Escola Nacional de Administração, tomou um avião para Argel para visitar o irmão. Frantz o esperava no aeroporto com o farmacêutico do hospital, o dr. Sourdoire, que os levou de carro para Blida, cidade cerca de quarenta quilômetros a sudoeste de Argel, onde Frantz se estabelecera para seu novo cargo. Depois do jantar, Frantz levou Joby à garagem, acendeu a luz e revelou um Simca Aronde novo em folha. Provocando o irmão mais novo, Joby disse que tinha entendido por que Frantz não o buscara em seu próprio carro. Frantz admitiu que queria surpreendê-lo, mas ele também estava se exibindo um pouco. "Ainda tenho uma grande dívida para saldar",[1] admitiu ele, como se constrangido pela própria boa sorte.

Aos 28 anos de idade, Fanon já era um *fonctionnaire*, um funcionário público encarregado de uma instituição importante. Um ano depois, ele e a esposa, Josie, teriam um filho, Olivier, seu único menino. A ideia de um antilhano negro administrando um hospital em uma colônia de domínio francês de maioria muçulmana pode parecer peculiar aos leitores contemporâneos. Mas a França tinha uma tradição de mandar cidadãos assimilados das antigas colônias nas Antilhas para servir como administradores nas novas colônias no Norte da África e na África subsaariana, onde deveriam servir de exemplo das glórias da civilização francesa. O romancista e poeta martinicano René Maran, natural de Fort-de-France, cidade natal de Fanon, trabalhou por quase uma década como oficial francês em Ubangi-Shari (hoje a República Centro-Africana) onde publicou seu romance de 1921, *Batouala*. Promovido, oximoricamente, como um "verdadeiro romance negro", *Batouala* venceu o Goncourt, o prêmio literário de mais prestígio da França, mas Maran provocou clamor com seu prefácio, que denunciava amargamente o sistema colonial como um "reino [construído] sobre cadáveres" e "atolado em mentiras".[2] Fanon, que discutiu o romance de Maran *Un Homme pareil aux autres* em *Pele negra, máscaras brancas*, iria muito mais longe, e não apenas na escrita.

A vida de Fanon na Argélia ocupada pela França o transformaria. Mas em seu primeiro ano em Blida, a "capital da loucura" da Argélia, as ambições dele ficaram confinadas à ala psiquiátrica. O Hospital de Blida-Joinville pertencia à dita segunda linha de alas psiquiátricas, recebendo pacientes que não haviam sido curados de suas doenças no Hospital Mustapha Pacha em Argel. Muitos eram homens muçulmanos, não barbeados, vestindo o uniforme homogeneizante do hospital, vagando indiferentes pelo hospício como prisioneiros — e tratados da mesma forma. Fanon encontrou alguns deles amarrados a suas camas, outros a árvores na propriedade. Os pacientes que sofriam tanto de esquizofrenia quanto de tuberculose estavam acorrentados nus a argolas de ferro em celas isoladas com piso coberto de palha. Havia 1500 pacientes e metade do número de leitos. Aqui estava o *univers concentrationnaire* que caracterizara as alas psiquiátricas francesas sob Vichy, com a notável exceção de Saint-Alban.

No dia seguinte à chegada de Joby, Fanon lhe mostrou o hospital, começando pela seção para pacientes considerados perigosos. Ao perceber a expressão de horror no rosto do irmão, Frantz lhe garantiu que "tudo isso terá um fim".

Determinado a aplicar os métodos de desalienação de Tosquelles, ele já criara um pátio e um campo de futebol no terreno do hospital, e as pacientes mulheres estavam montando peças de teatro. Mas Blida estava longe de Saint-Alban, e Frantz ficaria cada vez mais circunspecto sobre suas chances de diminuir esse afastamento.

Quando Fanon partiu para a Argélia em dezembro de 1953, ele não estava deixando a França; estava apenas atravessando um oceano. A Argélia fora conquistada em 1830 e administrada como parte integrante da França desde 1848, quando foi dividida em três departamentos: Argel no centro, Orã no oeste, e Constantina no leste. (O Saara era regido por um governo militar.) A Tunísia e o Marrocos, que se tornaram protetorados governados pela França em 1881 e 1912, respectivamente, tinham pequenas populações de colonos. Na Argélia mais de 1 milhão de colonos europeus viviam como cidadãos franceses. Estavam *chez eux*, "em casa": segundo um ditado popular, o Mediterrâneo, que separa a França da Argélia, era como o Sena em Paris, que dividia a margem esquerda da margem direita. Se o Estado de Israel moderno tem Theodor Herzl, a *Algérie française* (Argélia francesa) tinha o ideólogo Louis Bertrand, que, depois de ver as ruínas romanas em Tipaza, desenvolveu a hipótese de que a Argélia era uma província latina perdida, agora legitimamente restituída à França. "Para mim, a África latina aparece no trompe l'oeil da decoração islâmica moderna", escreveu Bertrand em um prefácio de 1939 a uma nova edição de seu romance de 1920, *Le Sang des races* [O sangue das raças]. "A África do Arco do Triunfo e das basílicas assoma diante de mim: a África de Apuleio e Santo Agostinho. Essa é a verdadeira África." Os muçulmanos da Argélia eram apenas "sombras contemporâneas daqueles edifícios"; os colonos franceses eram, por definição, os verdadeiros nativos.

Há ecos dessa perversidade até em um escritor escrupuloso como Albert Camus, que rejeitou os aspectos explicitamente chauvinistas da "África latina". ("O único nacionalismo em questão aqui é o nacionalismo da luz do sol", disse ele.) No entanto, também Camus enfatizou a ascendência latina e mediterrânea da Argélia, quase excluindo sua herança muçulmana. Seus escritos davam a impressão de que a história da Argélia começara com a chegada dos colonizadores da Europa, que povoaram suas cidades vazias e as encheram de memórias revigorantes do Velho Mundo. Em sua ficção, "o árabe" aparece como uma presença espectral, com frequência ameaçadora, às margens da sociedade europeia. Em *A peste*, árabes e berberes estão quase todos ausentes; em seu jornalismo, eles são objeto de pena e compaixão, e não protagonistas com uma história própria identificável.

O fato de a Argélia ser, e permanecer, francesa era aceito até pelos mais liberais de seus cidadãos. Fanon escreveria que o "colonialismo se impõe na perspectiva da eternidade".[3] Os longos períodos de paz que seguiram as guerras de conquista do século XIX levaram os franceses a imaginar que tinham ganhado o coração e a mente dos nativos e sido acolhidos, e que os muçulmanos queriam continuar parte da Argélia francesa. E até a explosão da guerra de independência em 1954, a maioria dos líderes muçulmanos trabalhara para reformar o sistema existente, não derrubá-lo. Mas, como o ativista político e historiador argelino Mohammed Harbi escreveu em suas memórias, os muçulmanos viam esses hóspedes não convidados como "estrangeiros com quem a história nos força a coexistir, mas que iriam embora um dia".[4] Durante o período em que os franceses estiveram na Argélia, os muçulmanos se referiam com frequência a eles como *roum* (bizantinos ou romanos) ou *ennasara* (seguidores de Jesus de Nazaré). "O colono continua sendo um estrangeiro", Fanon escreveu.[5] "Não são nem as fábricas, nem as propriedades, nem a conta bancária que primeiro caracterizam a 'classe dirigente'. A espécie dirigente é antes de tudo aquela que vem de fora, aquela que não se parece com os autóctones, 'os outros'."*

Os "outros" desembarcaram pela primeira vez na Argélia como uma represália de um monarca impopular por uma descortesia diplomática. Em 1827, Hussein Dey, o governante otomano de Argel, disse ao cônsul francês que esperava ser reembolsado por empréstimos feitos para o governo francês durante as Guerras Napoleônicas. Quando o cônsul-geral recusou, o dei o golpeou com um mata-moscas, chamando-o de "velhaco iníquo, infiel e idólatra". Em 14 de junho de 1830, o rei Charles X enviou 37 mil soldados para a praia de Sidi-Ferruch, a oeste de Argel. Ele alegou estar restaurando a ordem em um "ninho de piratas", mas a comunidade comercial de Marselha há muito tinha os olhos na Argélia, que sempre fora sujeita a ocupações estrangeiras (romana, vândala, bizantina, árabe, turca). Desde as invasões árabe e muçulmana, alegava-se, o país caíra em uma anarquia tribal. Isso era discutível. Alexis de Tocqueville, um forte apoiador da conquista, observou em seu relato de 1847 sobre a Argélia: "Tornamos a sociedade muçulmana muito mais miserável, mais desordenada, mais ignorante e bárbara do que era antes de a termos encontrado".[6]

Os franceses, que ingressaram em Argel em 5 de julho, conquistaram a Argélia em três semanas, com apenas quatrocentas baixas entre seus soldados. Mas seriam necessárias outras quatro décadas para "pacificar" o território. O primeiro desafio para o domínio francês veio em 1832 por

---

* A última frase é provavelmente uma glosa astuta e anticolonial da famosa frase de Sartre *"L'enfer, c'est les autres"* (O inferno são os outros).

parte do emir Abdalcáder, um árabe de 25 anos de uma família que descendia do profeta Maomé. "Assolar o país" foi o conselho de Tocqueville ao exército, que extinguiu a jihad de Abdalcáder destruindo colheitas, prendendo famílias e arrasando vilarejos inteiros até sua rendição quinze anos depois. Uma das táticas usadas pelo exército foi fazer fogueiras na entrada de cavernas onde famílias argelinas haviam encontrado refúgio, asfixiando todos no interior — as ditas *enfumades*. Depois de uma *enfumade*, um coronel francês reparou que "voltando da expedição, diversos de nossos cavaleiros levavam cabeças na ponta de suas lanças, e um deles servia, dizem, um terrível banquete".[7] Fanon escreveria mais tarde: "O colono é um exibicionista. Sua preocupação com a segurança o faz lembrar em voz alta ao colonizado que 'o senhor aqui sou eu'".[8] Em 1871, outra revolta massiva irrompeu, esta liderada por um berbere cabila chamado Cheikh El-Mokrani. Os franceses responderam confiscando toda a terra fértil da Cabília,[9] reduzindo os berberes à penúria.

Em seu esforço de "pacificar" a Argélia, um terreno montanhoso de quatro vezes o tamanho da França, o governo francês foi por fim obrigado a povoá-lo com imigrantes da Itália, da Córsega, da Espanha e de Malta, uma vez que poucos cidadãos franceses estavam dispostos a se mudar para lá. ("Nós espoliamos, perseguimos e caçamos os árabes para povoar a Argélia com italianos e espanhóis", observou Anatole France.) Os *français d'Algérie*, muitos dos quais nunca haviam botado o pé na *métropole*, passaram a pensar na Argélia como sua casa e em si mesmos como argelinos. Uma minoria dos colonos era de *grands colons* que viviam em grandes propriedades nas planícies costeiras e no oeste, em terras que haviam sido violentamente tomadas, muitas vezes dos mesmos muçulmanos que eles empregavam como mão de obra barata. Os *grands colons* produziam milho, alfafa e, acima de tudo, vinho, uma bebida que, como notou Roland Barthes, simbolizava a expropriação colonial, uma vez que os apanhadores de uva muçulmanos eram proibidos de bebê-lo. No entanto, mesmo os mais pobres dos europeus — os chamados *petits blancs*, ou "brancos estropiados" — desfrutavam de vantagens consideráveis em virtude de sua cidadania francesa. Para se tornar cidadãos franceses plenos, os muçulmanos argelinos tinham de renunciar a serem regidos por tribunais islâmicos em questões de caráter pessoal (casamento, divórcio, herança) e se sujeitarem ao Código Civil francês. Para a maioria dos muçulmanos durante a era colonial, um ato desse tipo significava apartar-se simbolicamente da comunidade muçulmana, renunciando de fato à sua identidade como muçulmanos, e era considerado equivalente à apostasia: argelinos naturalizados eram vilipendiados como *m'tournis*, "vira-casacas" que tinham desertado para o lado dos ocupantes. Apenas alguns milhares se tornaram cidadãos antes de 1946,[10] quando a cidadania foi oferecida a todos os habitantes das colônias ultramarinas francesas. A resistência à "integração" reforçava a negação de direitos aos muçulmanos como uma consequência involuntária do Código Civil, mas não era indesejada do ponto de vista privilegiado da maioria dos europeus.

De acordo com Mohammed Harbi, que cresceu em uma próspera família árabe em Skikda (antiga Philippeville) nos anos 1930 e 1940, a Argélia colonial "não era o gueto de Varsóvia, nem um apartheid".[11] Em suas relações cotidianas, europeus e muçulmanos de classe média costumavam tratar uns aos outros com respeito e até exibiam, nas palavras de Harbi, uma "certa cordialidade mediterrânea". Ainda assim, os muçulmanos e os europeus habitavam um "espaço desigual e, sobretudo, colonial". As placas nas praias de Argel e Orã diziam

"Proibido cães e árabes".* O desprezo racista pelos argelinos — com frequência por meio de insultos como *bougnoule*, *bicot* e *sale raton* [rato sujo][12] — era profundo entre os europeus. Casamentos entre homens muçulmanos e mulheres europeias eram raros (e invariavelmente celebrados na *métropole*); casamentos entre homens europeus e mulheres muçulmanas quase não existiam. Crianças europeias e muçulmanas eram na grande maioria educadas em escolas diferentes — quando estas eram sequer educadas: mais de um século depois do início da *mission civilisatrice* da França, apenas um em cada dez meninos muçulmanos frequentava a escola, e uma em cada dezesseis meninas; mais de 90% dos argelinos permaneciam não alfabetizados em francês. Nem árabe nem berbere eram ensinados nas escolas francesas, uma vez que ambas eram línguas "estrangeiras"; o escritor Kateb Yacine comparou sua educação francesa a um "segundo corte do cordão umbilical".[13]

Houve esforços de integrar os muçulmanos à República, mas a resistência dos colonos afundou cada um deles, independente de quão modestos eram. Em 1936, o Projeto Blum-Viollette, que teria concedido cidadania e direitos de voto a 21 mil membros da elite muçulmana, foi derrotado. A eleição organizada na Argélia pelos franceses em 1948 — na qual um voto europeu equivalia a nove votos argelinos sob o colégio eleitoral duplo — foi fraudada para privar os nacionalistas argelinos de sua vitória. Numa demonstração de miopia, em última análise autodestrutiva, nenhum governo francês estava suficientemente desejoso ou era capaz de desafiar os colonos, um bloco eleitoral poderoso na França. "Argel não é Paris", insistiam os colonos. Fanon ouviria com frequência que tais

---

* Meursault, o protagonista de Camus em *O estrangeiro*, encontrar um árabe caminhando em uma praia onde árabes eram praticamente proibidos é um dos muitos elementos implausíveis do romance.

sentimentos de orgulho ecoavam entre médicos franco-argelinos ao justificarem os maus-tratos de seus pacientes muçulmanos. Mas, como os colonos sabiam muito bem, a *Algérie française* não poderia ter sobrevivido sem proteção militar francesa. A contínua asfixia da reforma — e a interminável capitulação de Paris frente a Argel — convenceria por fim a maioria dos argelinos de que sua única esperança estava na independência.

O primeiro líder argelino a exigir explicitamente independência foi Messali Hadj, filho de um sapateiro de Tlemcen, próximo à fronteira com o Marrocos. Um veterano da Primeira Guerra Mundial, Messali, como ele era conhecido, tinha barba comprida, usava uma djelaba e um fez vermelho, e para alguns lembrava um Rasputin muçulmano. A princípio ele atraiu seguidores entre os trabalhadores argelinos na França no fim dos anos 1920, quando criou a Étoile Nord-Africaine (Estrela Norte-Africana), uma organização anticolonial ligada ao Partido Comunista Francês. Mas rompeu com a tutelagem do partido na década de 1930 para formar o seu próprio, o Partido do Povo Argelino, posteriormente rebatizado de Movimento pelo Triunfo das Liberdades Democráticas (Mouvement pour le Triomphe des Libertés Démocratiques, MTLD). Entrelaçando habilmente slogans com uma adoção nostálgica da cultura e da tradição argelinas, Messali criou uma síntese apaixonada e flexível do populismo islâmico, do socialismo e do jacobinismo; em seu cerne estava uma insistência na dignidade e *nif*, "honra", argelinas. Para muitos de seus seguidores, ele era uma figura semelhante a um messias, mas quando Fanon chegou a Blida, alguns dos jovens messalistas estavam ficando frustrados com seu culto da personalidade — e cada vez mais ansiosos para iniciar uma insurreição armada.

A razão para sua impaciência poderia ser resumida em uma única palavra: Sétif. Em 8 de maio de 1945, os argelinos hastearam a bandeira proibida do MTLD nas comemorações do Dia da Vitória na Europa em Sétif, uma cidade no leste. Enquanto os gendarmes abriam caminho em meio à multidão, confiscando bandeiras, confrontos irromperam, e um argelino de vinte anos foi morto. Os manifestantes atacaram espectadores europeus, matando dezenas, inclusive o prefeito socialista da cidade. Alguns recitaram cânticos de guerra santa, como se estivessem retomando a batalha liderada, um século antes, pelo emir Abdalcáder. Uma revolta parecida explodiu na vizinha Guelma. Mais de cem europeus foram mortos, alguns deles desmembrados — peitos talhados, gargantas cortadas, genitais enfiados nas bocas das vítimas. Era um tipo de violência chocante de tão íntima: os assassinos e suas vítimas muitas vezes eram vizinhos.

Ao longo das semanas seguintes, o exército e as milícias de colonos presidiram uma campanha de terror que mexeu com as memórias coletivas da conquista original. Em Guelma, um quarto da população muçulmana adulta entre as idades de 25 e 45 anos foi morta. Algo como 15 mil muçulmanos — nunca se saberá o número preciso — jaziam mortos no fim de maio. Alguns dos soldados que reprimiram a revolta eram fuzileiros senegaleses com quem os muçulmanos — e Fanon — tinham lutado para libertar a Europa do nazismo. "Eu lhes dei paz por dez anos", disse o general Raymond Duval.[14] "Mas se a França ficar parada, tudo irá recomeçar para o pior e provavelmente de modo terminal." Ele errou sua previsão por um ano, mas ela era precisa em todos os outros aspectos.

"Nós ouvimos falar muito pouco sobre o que acontecera em Sétif", lembrou Simone de Beauvoir.[15] Até o Partido Comunista — que denunciara a revolta como "hitleriana" — aceitou o número oficial de que apenas aproximadamente algumas centenas de argelinos tinham sido mortos. Mas os muçulmanos da Argélia sabiam que não era bem assim. O líder nacionalista liberal Ferhat Abbas, um farmacêutico de Sétif, disse que o massacre havia "nos levado de volta para o tempo dos cruzados". Kateb Yacine, que tinha dezesseis anos na época, foi preso e torturado em Sétif; sua mãe sofreu um colapso e precisou ser internada em uma instituição psiquiátrica. "Eu nunca esqueci o choque que senti diante da carnificina impiedosa que causou a morte de milhares de muçulmanos", lembrou Yacine. "A partir daquele momento meu nacionalismo tomou forma definitiva." Dois anos depois, um grupo de jovens militantes do MTLD formaram a Organisation Spéciale, o primeiro grupo de independência armado e precursor da Frente de Libertação Nacional (Front de Libération Nationale, FLN), à qual Fanon se juntaria mais tarde.

Para os rebentos radicais de Messali, a reforma estava morta e as tentativas de empreendê-la logo seriam consideradas traição, assim como qualquer forma de resistência política externa à autoridade da FLN. A hora da revolução tinha chegado. Argelinos mais jovens e educados como Harbi, que tinham aprendido francês e assimilado as ideias de republicanismo e liberdade — e cujos pais tinham remendado um modus vivendi com seus hóspedes franceses não convidados — se exasperavam cada vez mais por serem ocupados por estrangeiros. Depois dos sacrifícios que haviam feito para libertar a França da ocupação alemã — e do sangue que tinham derramado por levantar a bandeira argelina em Sétif — eles não aceitariam nada menos do que total independência. Em seu espírito de intransigência e revolta, em sua rebelião contra os pais que os criaram e a pátria colonial que alegava os estar civilizando, Fanon veria um reflexo de si mesmo.

Blida, onde Fanon chegou em 1953, foi fundada no século XVI por Sidi Ahmed el Kebir, um marabuto do Saara Ocidental, com um grupo de refugiados muçulmanos da Espanha. O nome vem de *boulayda*, "cidade pequena" em árabe clássico.

El Kabir preferia chamá-la de *Ourida*, "pequena rosa", e o apelido pegou. Mas Blida não era uma cidade muito pitoresca. Era uma guarnição originalmente ocupada em 1839 por tropas francesas. Eles construíram sua primeira base militar ali, acrescentando depois uma base aérea, um centro de comunicações e destacamento, e um hospital militar. No início dos anos 1950, um quarto da população europeia da cidade era ligada às forças armadas. Fora isso, Blida era conhecida por pouco mais além das ricas terras cultiváveis da planície de Mitidja, que os franceses haviam criado a partir de brejos palúdicos, e sua fonte abundante do que Oscar Wilde, devaneador, descreveu como "rapazes árabes tão bonitos quanto estátuas de bronze".[16]

Em Blida, Fanon encontrou o que mais tarde descreveria como o mundo do colonialismo "compartimentado", um "mundo cindido em dois",[17] onde a fronteira entre as zonas dos colonos e dos nativos era indicada "pelas casernas e postos policiais" e estátuas de conquistadores do século XIX da Argélia ofereciam um lembrete constante para a população originária de que "Estamos aqui pela força das baionetas".[18] Era uma cidade mista de 60 mil habitantes: havia colonos abastados e *petits blancs*, e muçulmanos tanto pobres quanto de classe média. Havia também uma pequena mas significativa população de judeus — antigos *indigènes* (autóctones) que receberam cidadania francesa por meio do Decreto de Crémieux de 1870, e cuja ligação com a República e gratidão para com ela ficara mais ferrenha graças ao trauma de terem perdido a cidadania por dois anos sob o governo de Vichy. Aparentemente, Blida dava a impressão de ser menos segregada do que Argel. Mas isso era uma falácia. Os internatos de Blida acolhiam tanto europeus quanto muçulmanos, porém as crianças eram abrigadas em dormitórios separados. Na praça de armas, no centro europeu da cidade, as pessoas bebiam em cafés nas ruas ladeadas por limoeiros, enquanto na casbá, 100 mil muçulmanos viviam apinhados em uma área de um quilômetro quadrado chamada *le village nègre* — "a cidade negra".

Os médicos tinham estado presentes na criação desse mundo compartimentado: a força expedicionária em Sidi-Ferruch incluía 167 cirurgiões e outros profissionais médicos. A psiquiatria, especialidade de Fanon, tivera um papel importante, não apenas em oferecer tratamento mas também em explicar e diagnosticar o funcionamento misterioso e muitas vezes frustrante da mente nativa — pelo menos como era vista por seus governantes. A figura mais influente do campo no Norte da África foi Antoine Porot, que criou a primeira ala psiquiátrica moderna na Tunísia em 1912, quatro anos antes de ser nomeado chefe da psiquiatria no Hospital Mustapha Pacha em Argel. Ainda que apenas um dos colegas de Fanon tivesse estudado com Porot, o Hospital Psiquiátrico de Blida-Joinville, fundado em 1938, havia sido construído sob sua direção e moldado por seu trabalho. Porot era um reformador que enfatizava a importância de "entender" a sociedade nativa; era também um expoente fervoroso das ideias de Arthur de Gobineau, um teórico aristocrata da supremacia branca e do racismo "científico". O muçulmano argelino, na descrição de Porot, era histérico, predisposto à criminalidade e intelectualmente inferior: "um ser primitivo"[19] movido pelo instinto e incapaz de pensamentos racionais.

Fanon estava bem ciente do trabalho de Porot, e do fio que ligava suas visões dos muçulmanos argelinos ao racismo antinegros: "no plano psicofisiológico, o negro africano se assemelha muito ao norte-africano — os africanos formam uma unidade".[20] O trabalho de Fanon com seus pacientes muçulmanos em Blida seria uma luta diária contra o legado de Porot. Mas em seus artigos de pesquisa ele era cauteloso em não provocar Porot pelo nome. Seu único ataque publicado contra ele, na revista anticolonial *Consciences Maghrébines* [Consciência magrebina], foi anônimo.

O espaço médico em que Fanon trabalhava em Blida era um tributo desalentador ao legado de Porot. A unidade pela qual ele era pessoalmente responsável era dividida em pavilhões separados para 220 homens muçulmanos e 165 mulheres europeias. O próprio Porot tinha idealizado a segregação dos pacientes do hospital baseada na ideia de que "em mentes transtornadas, diferenças de concepção moral ou social, ou tendências impulsivas latentes, podem perturbar a calma necessária a qualquer dado momento, podem alimentar desilusões e provocar ou criar reações perigosas em um meio eminentemente inflamável". O raciocínio era racista, mas o argumento continha um pingo de verdade: como Fanon logo descobriria, as relações entre europeus e argelinos *eram* potencialmente inflamáveis.

Em *A Fortunate Man* [Um homem de sorte], seu perfil de 1967 de um médico que atendia pobres na Inglaterra rural, John Berger escreve:

> Um paciente infeliz vai até um médico para lhe oferecer uma doença — na esperança de que essa parte dele (a doença) pelo menos possa ser reconhecível. Ele acredita que seu próprio eu é incognoscível. À luz do mundo ele não é ninguém; às suas próprias luzes o mundo não é nada. Claramente, a tarefa do médico — a menos que ele apenas aceite a doença em seu valor nominal e incidentalmente garanta para si mesmo um paciente "difícil" — é reconhecer o homem. Se o homem começar a se sentir reconhecido — e tal reconhecimento pode muito bem incluir aspectos de sua personalidade que ele ainda não havia reconhecido em si mesmo —, a natureza irremediável de sua infelicidade terá mudado: ele pode até ter a chance de ser feliz.[21]

Essa foi a tarefa — humilde, nas na verdade bastante formidável — que Fanon definiu para si mesmo em Blida. Ele era um homem negro, de uma antiga colônia nas Antilhas, mas também era francês e portanto europeu aos olhos de seus pacientes muçulmanos. E como não falava nem árabe nem berbere, costumava depender de intérpretes — enfermeiros e enfermeiras argelinos, na maior parte do tempo — para se comunicar com seus pacientes. (Ele começou a fazer aulas de árabe apenas em 1956.) Seu trabalho com os argelinos era um trabalho de constante tradução.

O aliado mais próximo dele em Blida era seu residente Jacques Azoulay, por quem desenvolveu grande afeição. Dois anos mais novo que Fanon, Azoulay era filho de um alfaiate judeu de Argel cujos três filhos se tornaram médicos. Um homem de esquerda, próximo do Partido Comunista, ele compartilhava da paixão de Fanon por filosofia e de sua sensibilidade aguda em relação ao racismo e ao antissemitismo. Eles começaram a organizar reuniões em que a equipe inteira podia discutir os eventos do dia, com o objetivo de tornar Blida mais receptiva às necessidades de seus pacientes.

Outro residente, Charles Geronimi, um argelino europeu de origem corsa que chegara um tanto depois, lembrou que sob a liderança de Fanon, "o debate era permanente". Toda e qualquer coisa estava aberta à discussão — até a qualidade da comida servida no hospital. Fanon escreveu para sua equipe:

> Comer não é menos importante do que pensar. A pessoa que se preocupa com o que come, que pede que os pratos [...] sejam melhor preparados, que aponta que a comida está sendo servida fria, que o peixe está sempre coberto de molho, que o vinagrete muitas vezes é puro vinagre, que reclama que a sobremesa é tão rara, que percebe que

alguns pratos são repugnantes [...] está [...] desenvolvendo um gosto pelas nuances.[22]

O próprio Geronimi foi entrevistado por Fanon em um dos estabelecimentos mais finos de Blida, e sentiu que estava sendo testado quanto a seu paladar gastronômico.

As ideias estranhas do novo chefe martinicano não o tornaram benquisto entre todos os seus colegas; nem o entusiasmo com o qual ele as perseguia. Mesmo antes de Geronimi chegar a Blida, já ouvira boatos em Argel sobre "esse novo diretor que está nos enchendo com a nova psiquiatria". Os rumores muitas vezes racistas sobre ele entre psiquiatras de Argel — um dos protegidos de Porot o chamou de "idiota pretensioso e complexado de Martinica" —[23] podem explicar por que Fanon desenvolveu uma aversão, até uma desconfiança, com relação à capital. Em Argel ele havia procurado psiquiatras especialistas em cultura árabe apenas para descobrir que aqueles que falavam árabe costumavam ser os mais racistas com os argelinos. Argel lhe pareceu provinciana e chauvinista, uma fortaleza da Argélia francesa.

Alguns dos colegas de Fanon em Blida o ridicularizavam como um "amante de árabes" ingênuo, mas o ressentimento deles originava-se tanto da complacência e da resignação quanto do racismo. (Como ele mais tarde refletiria: "Nem sequer o funcionário público transferido por dois anos para um território colonial deixa de se sentir psicologicamente transformado em determinados aspectos".)[24] Para os médicos que tinham se acostumado às sestas e ao ritmo pachorrento da vida colonial, sua energia deve ter sido uma provocação, se não uma humilhação. Ele sempre chegava ao trabalho antes de seus residentes, vestindo camisas impecáveis com abotoaduras, e às vezes trocava a gravata duas vezes por dia. Depois do jantar, costumava se reunir com a equipe para discutir os estudos clínicos de Freud ou os últimos progressos das pesquisas em psiquiatria. Em uma carta para um amigo escrita alguns meses depois da sua chegada, Fanon queixou-se: "Aqui, tem-se a impressão de que cada médico tenta formar uma célula, um bloco, um absoluto. [...] No início das reuniões todos já estão cansados como se qualquer diálogo fosse simplesmente em vão. Parece se tratar de algo especificamente norte-africano e que eu também estarei exaurido em pouco tempo".[25] Os outros médicos, acrescentou, "não se mexem e lançam um olhar lânguido para minha agitação". Ele ouvia médicos comparando seus pacientes a animais; via outros injetarem água destilada nos pacientes, alegando se tratar de penicilina ou vitamina B. Nenhum dos médicos era muçulmano; apenas três dos muçulmanos da equipe tinham cargos de autoridade, trabalhando ou como chefes de enfermagem ou assistentes de chefes de enfermagem.

Mas Fanon logo descobriu que podia confiar em seus enfermeiros e residentes, e eles, por sua vez, passaram a admirá-lo, mesmo que os pressionasse quase tanto quanto pressionava a si mesmo. Os enfermeiros faziam parte da Confederação Geral do Trabalho (Confédération Générale du Travail, CGT), uma federação sindical ligada ao Partido Comunista Francês, que era aberta tanto a europeus quanto a muçulmanos. Alguns dos colegas mais novos de Fanon eram ativos no Partido Comunista, enquanto outros apoiavam a organização nacionalista de Messali, o MTLD. Seus comprometimentos políticos do lado de fora do hospital refletiam o tratamento que ofereciam dentro dele, funcionando como um *collectif soignant* militante, bastante como o de Tosquelles em Saint-Alban. Quando a guerra de independência irrompeu, vários dos colegas de Fanon se juntariam a ele na resistência. Alguns pagariam pelo envolvimento com a vida.

Uma das primeiras inovações de Fanon em Blida foi estabelecer um boletim informativo com base na *Trait d'Union* de Tosquelles. Ele decidiu chamá-lo de *Journal de Bord* (Livro de bordo ou Diário de bordo), explicando:

> Em um navio, é lugar-comum dizer que se está entre o céu e a água; que se está apartado do mundo; que se está sozinho. Este diário, precisamente, serve para lutar contra a possibilidade de se abandonar, contra a solidão. A cada dia sai uma folha de informes, em geral mal impressa, sem fotos e insossa. Mas a cada dia, a folha de informes trabalha para animar o barco [...]. O barco, ainda que isolado, mantém contato com o exterior, a dizer, com o mundo. Por quê? Porque em dois ou três dias, os passageiros se encontrarão mais uma vez com seus pacientes e amigos, e voltarão para casa.[26]

A própria escrita proporcionava um meio de superar o isolamento, de avançar no entendimento mútuo: "Escrever é certamente a descoberta mais bonita, uma vez que permite ao homem se lembrar, apresentar coisas que aconteceram em ordem e acima de tudo se comunicar com os outros, mesmo quando estão ausentes".[27]

No fim, contudo, o boletim informativo foi chamado de *Notre Journal*. Dedicando-se a suas páginas, Fanon enfatizava seus temas favoritos: a necessidade de vigilância entre a equipe, e o objetivo da desalienação. O herói, escreveu ele, não é alguém que "realiza um feito espetacular e vai para a cama achando que o que fez basta".[28] É, sim, alguém "que conclui sua tarefa com retidão e amor", e nunca sucumbe à ilusão de que "o trabalho desenvolvido, se for abandonado por um momento sequer, continua intacto". O pior erro na terapia, defendia em outro artigo, é "adotar uma atitude de castigo",[29] e não de entendimento. "Se não se tomar cuidado",[30] alertava ele, um hospital pode se degenerar para "um quartel em que crianças-internas estremecem diante de pais-disciplinadores." Todos os esforços deveriam ser feitos para "manter intactos os vínculos que ligam o paciente ao mundo exterior", uma vez que "o paciente não deve enfrentar a hospitalização como um tipo de encarceramento".

Em um comentário marcante de abril de 1954, ele questionou o isolamento espacial do hospital psiquiátrico moderno, antecipando o livro de 1961 de Michel Foucault *História da loucura na idade clássica*:

> Gerações futuras se perguntarão com interesse o que nos levou a construir hospitais psiquiátricos longe do centro. Diversos pacientes já me perguntaram: Doutor, vamos ouvir os sinos da Páscoa? [...] Seja qual for nossa religião, a vida cotidiana é ritmada por uma série de sons e os sinos da igreja representam um elemento importante nessa sinfonia. [...] A Páscoa chega, e os sinos se calarão sem ter renascido, uma vez que nunca existiram no Hospital Psiquiátrico de Blida. O Hospital Psiquiátrico de Blida continuará a viver em silêncio. Um silêncio sem sinos.[31]

Restaurar a ordem sinfônica da vida cotidiana era o objetivo da socioterapia, e Fanon o perseguiu com sua vigilância de costume, introduzindo cestaria, um teatro, um cineclube, um grupo de colecionadores de discos, jogos de bola e outras atividades. Esse experimento foi um grande sucesso com as mulheres europeias, mas um completo fracasso com os homens muçulmanos, que se afastavam e iam se deitar, afirmando estarem cansados, enquanto os enfermeiros ficavam cada vez mais "irritados com a falta de vontade deles". As conversas entre Fanon, Azoulay e os pacientes muçulmanos do gênero masculino — para quem filmes e teatro significavam tão pouco quanto o som dos sinos da igreja — costumavam chegar a um fim repentino, uma vez que eles não tinham pontos de referência comuns, nem mesmo a língua: "Como disse Merleau-Ponty, 'falar uma língua é suportar o peso de uma cultura'". Independente de suas simpatias políticas, Fanon e Azoulay representavam a França para seus pacientes muçulmanos, e "fomos obrigados a reconhecer nossa derrota".

Os médicos europeus mais velhos pareciam sentir satisfação com o fracasso do "médico árabe".[32] "Quando tiver passado quinze anos em um hospital como nós, vai entender", diziam. Mas Fanon se recusava a "entender". Ele desconfiava que parte do fracasso residia em seu uso de "métodos importados" — práticas ocidentais de recreação e cultura — e que poderia alcançar resultados diferentes se conseguisse proporcionar aos pacientes muçulmanos formas de sociabilidade que se assemelhassem às que eles conheciam em suas vidas fora do hospital. Trabalhando com uma equipe de enfermeiros muçulmanos, ele criou um *café maure*, um café mourisco tradicional onde os homens tomavam café e jogavam baralho, e mais tarde um "salão oriental" para o pequeno grupo de pacientes muçulmanas do hospital. Músicos e contadores de histórias muçulmanos iam se apresentar; festivais muçulmanos eram celebrados; e, pela primeira vez na história do hospital, o mufti de Blida fez uma visita durante a quebra do jejum do Ramadã. Desta vez os resultados foram notavelmente distintos. Depois de alguns meses, era como se os pacientes muçulmanos do hospital tivessem despertado de uma longa letargia. (De acordo com Azoulay, houve também uma óbvia diminuição do número de agressões contra os cuidadores.)

Mais tarde, quando Geronimi pediu a Fanon — autor, afinal de contas, de "A 'síndrome norte-africana'" — para especular sobre seu fracasso inicial, ele respondeu que "a gente só compreende com as tripas".[33] Acrescentou que se recusava a simplesmente seguir "métodos externos mais ou menos adaptados à 'mentalidade originária'" — uma alusão à escola de Porot, sem dúvida. Seu propósito era demonstrar que "a cultura argelina tinha valores além da cultura colonial", uma legitimidade própria, e que "esses valores estruturais deveriam ser abraçados sem complexo por aqueles que são seus portadores: cuidadores argelinos ou aqueles que recebiam cuidado".

Em um artigo conjunto sobre o experimento, "A socioterapia numa ala de homens muçulmanos",[34] Fanon e Azoulay atribuíram as deficiências iniciais a uma "política da assimilação", cuja premissa era a de que "o autóctone não tem necessidade de ser compreendido em sua originalidade cultural. O esforço tem de ser feito pelo 'autóctone', que tem todo o interesse em se assemelhar ao tipo de homem que lhe é proposto". A abordagem da França em relação à assimilação, argumentavam eles, "não implica reciprocidade de perspectivas. Há toda uma cultura que deve desaparecer em benefício de outra. [...] uma postura revolucionária era indispensável, pois era preciso passar de uma posição em que a supremacia da cultura ocidental era evidente a um relativismo cultural". A psiquiatria em uma sociedade colonial tinha de recorrer à experiência vivida e aos valores dos colonizados; não podia impor uma cultura estrangeira como universal. Fanon estava começando a suspeitar que a incidência de doenças mentais entre seus pacientes muçulmanos estava diretamente relacionada a suas experiências de desumanização sob o colonialismo.

Como muitos dos pacientes muçulmanos tinham sido trabalhadores rurais, ele os incentivou a cultivar seus próprios legumes, e lhes deu pás e enxadas para plantar uma horta em um segundo campo de futebol. Isso foi parte de seu esforço para inseri-los em um mundo parecido com o que conheciam fora do hospital, e não teria despertado objeções em Saint-Alban.

Mas em Blida ainda havia memórias da violência contra os europeus em Sétif, e Fanon se viu acusado de fornecer potenciais armas aos muçulmanos. Um administrador mais antigo que o considerava "mais louco do que os loucos" chamou a gendarmaria, e uma cerca de arame farpado foi erguida em torno do campo até que Fanon os obrigou a derrubá-la.

Mas, de certo modo, Fanon *estava* oferecendo a seus pacientes uma nova arma poderosa, um sentido crescente de individualidade e dignidade, e eles ficaram cada vez mais assertivos em relação a seus direitos. Um paciente, Ahmed Noui, diagnosticado com paranoia, perguntou por que os homens não haviam sido convidados para atuar em uma produção exclusivamente de mulheres da peça de Molière *Le Bourgeois gentilhomme* [O burguês fidalgo]. "Por que [...] tornar as coisas anormais através de uma separação desse tipo", perguntou ele, não insensatamente, "enquanto muitos pacientes são repreendidos por não serem sociáveis?"[35] No *Notre Journal*, Fanon louvou a pergunta de Noui sobre a separação de gêneros mas insistiu que "a questão aqui não é de desconfiança. A verdade é que não temos um espaço cênico comum no hospital que possa reunir todos os pacientes". Ele então prometeu: "No dia em que esse teatro existir, não haverá dificuldade [...]. Não diga que a sociedade de que falamos é apenas um sonho; pelo contrário, ela é bastante real, mas requer ser construída com calma, prudência e cálculo".

Apesar de toda a conversa sobre adotar uma postura revolucionária, Fanon continuava um reformador meticuloso e diligente em sua prática diária como diretor de um hospital psiquiátrico. Suas inovações não tomaram o lugar de tratamentos mais convencionais, como a ECT e a insulinoterapia. (Ele estava aparentemente convencido das "virtudes mágicas" da ECT, e se gabava de ter aplicado eletrochoque dez vezes em um único dia em uma de suas pacientes de Saint-Alban.) Fanon reconhecia que muitos de seus pacientes eram casos difíceis, cujas chances de reintegração à vida normal eram remotas. Mas ele nunca mostrou nenhum vestígio de condescendência com relação a eles.

Grande parte do trabalho que realizava em Blida ele tinha aprendido com Tosquelles. Mas estava adaptando as teorias de psiquiatria institucional e desalienação do mentor a um cenário colonial, e infundindo-as com uma consciência de identidade e cultura que absorvera da Négritude. Ele se deu conta de que um método universalista baseado na cultura francesa não era um antídoto à etnopsiquiatria racista de Porot: os argelinos não eram biologicamente diferentes dos europeus, mas não compartilhavam do mesmo histórico que seus pacientes europeus. Se era para serem desalienados enquanto homens, teriam de ser desalienados enquanto os indivíduos "concretos" que eram: muçulmanos argelinos com suas próprias tradições.

Quando o psiquiatra francês Albert Gambs[36] foi a Blida-Joinville para uma inspeção no fim de 1954, ficou impressionado com o uso da terapia institucional por parte de Fanon, em especial com o café mourisco — "um terreno excelente para reaprender gestos do mundo exterior", escreveu ele em uma descrição admirada de sua visita. Obviamente orgulhoso da impressão que passara, Fanon reproduziu a carta de Gambs no *Notre Journal* e respondeu com meditações existencialistas próprias:

> *Reaprender.* Considero essa expressão muito bonita. [...] É uma questão de possibilitar ao interno retomar, começar de novo ao ajudar ele ou ela a entender melhor, compreender melhor as coisas, a saber, a compreender a si próprio melhor mais uma vez [...] a *redescobrir* o que existiu. É necessário induzir o interno a redescobrir o significado de liberdade, que é o primeiro marco no caminho para a responsabilidade.

A curiosidade de Fanon em relação a "o que existiu" — sobre a Argélia que a França tentara "pacificar" — o levou muito além dos portões do hospital. Ele fez diversas viagens às montanhas da Cabília, o caldeirão da insurreição de El-Mokrani em 1871, acompanhado ou por Jacques Azoulay ou por François Sanchez, outro residente.[37] (Azoulay admitiu que antes dessas expedições, quase nunca lhe ocorrera que os muçulmanos argelinos *tinham* uma cultura própria, uma indicação da impressionante ignorância da comunidade europeia quanto à vida dos muçulmanos argelinos, mesmo entre seus membros mais progressistas.) Não está claro como Fanon era recebido pelas pessoas nos *douars*, os vilarejos onde a maioria dos camponeses argelinos vivia, mas ele estava ciente de estar botando os pés em um mundo muito diferente da cidade heterogênea de Blida, um lugar onde, como ele escreveu, "o forasteiro é [...] também o Outro, o que vem de fora, o que viveu sob outros céus. É por isso que a presença do viajante [...] engendra uma sensação de mal-estar: ele representa o desconhecido, o mistério".[38]

Fanon e seus colegas psiquiatras visitaram comunidades[39] em que marabutos praticavam exorcismos baseados na crença em djims, gênios que, acreditava-se, dominavam a personalidade das pessoas com transtornos mentais. No *bled* (interior) profundo, eles frequentaram cerimônias tarde da noite em que pessoas que sofriam de histeria eram curadas em "crises catárticas" durante danças em que djims eram recebidos de modo que os possuídos pudessem ser separados, e libertados, dos espíritos que os assediavam. Nessas cerimônias Fanon descobriu uma atitude mais compassiva em relação às pessoas com transtornos mentais: os argelinos não colocavam a culpa da loucura no sofrimento, mas na possessão por parte de djims. Uma mãe argelina que fora violentamente atacada pelo filho "jamais vai ousar acusá-lo de desrespeito ou de desejos homicidas", porque ela sabia que o se o filho estivesse livre dos djims ele "não seria capaz de desejar deliberadamente seu mal". Longe de ser um sinal de atraso, ele defendia, as atitudes dos argelinos em relação à doença mental[40] representavam uma alternativa admirável à medicina ocidental, e não apenas à psiquiatria racista da escola de Argel. A pessoa com transtorno mental, acreditavam os argelinos, tinha de ser "protegida, alimentada e mantida pelos seus, na medida do possível", escreveu Fanon acrescentando, "não é a loucura que suscita respeito, paciência e indulgência — é a pessoa acometida pela loucura, pelos gênios; é a pessoa como tal".

Em seus escritos sobre essa prática, Fanon nunca usou a palavra "superstição". Pois descrever "certas condutas" como "primitivas", escreveu ele, "é meramente um juízo de valor [...] que nos impede de progredir no conhecimento do homem muçulmano argelino. [...] *Na Argélia, é normal acreditar em gênios*". Um médico, pensava, dificilmente poderia exercer medicina entre muçulmanos argelinos sem saber o que a medicina significava para eles — sem, de fato, saber o que eles entendiam por ser "normal". No entanto, mesmo ao insistir na integridade da cultura norte-africana, Fanon tinha cuidado de evitar o essencialismo da escola de Argel. Ele queria atravessar a superfície congelada, aparentemente natural da realidade. "Essa sociedade, que se diz rígida, fermenta pela base."

O "fermentar" da sociedade rural argelina foi tema de grande interesse de etnógrafos franceses, como Germaine Tillion,[41] que nos anos 1930 passou três anos entre os berberes chaoui na Aurès, a cadeia de montanhas mais alta da Argélia, e Pierre Bourdieu, que fez seu trabalho de campo sobre os berberes cabilas no fim da década de 1950. A princípio Bourdieu chegou como conscrito e depois ficou para examinar os conflitos entre as tradições dos camponeses da Argélia, os felás, e a economia capitalista imposta pelos franceses — tema de seu primeiro livro, *Sociologie de l'Algérie*. Enquanto estudo sobre a Argélia rural, os relatos de Fanon do interior, uma mistura de especulação psicanalítica inspirada e observação antropológica, carecem da riqueza, da densidade e da precisão dessa obra. Ainda assim, em suas incursões ao *bled* ele estava empreendendo um estudo cuidadoso da sociedade argelina, tomando notas a respeito de gênero e poder, divisões étnicas entre berberes cabilas que viviam nas montanhas e árabes que viviam nas planícies e cidades, e sobre as transformações disruptivas que a colonização forjara na posse de terras. Estava se instruindo quanto às pessoas a cuja libertação ele logo se dedicaria.

Fanon ficou especialmente intrigado com o papel desempenhado pelas mulheres argelinas nos vilarejos que visitou. À primeira vista, observou em um artigo escrito com Azoulay e Sanchez, elas pareciam prisioneiras de um patriarcado rural implacável, integrantes de uma "sociedade fechada que se mantém à sombra da dos homens, os únicos a participar de uma sociedade verdadeiramente pública".[42] No entanto, ele se deu conta de que as mulheres também representavam "o mundo e os outros, o desconhecido", uma vez que o destino da mulher em uma sociedade tradicional era se juntar à família do homem com quem se casava. "Sua situação é ambígua: de um lado, é a submissa", escreve ele, "e, de outro, é a que limita o poder do homem." O patriarcado argelino era inerentemente frágil, porque as mulheres podiam recorrer à magia tradicional para deixar os maridos impotentes se suspeitassem de infidelidade. A impotência era um problema um tanto sério em uma sociedade em que "qualquer déficit da potência viril é sentido como profunda alteração da personalidade, como se o homem, ora impotente, tivesse sido atingido em seu atributo essencial". Um homem cabila que sofresse de impotência não ia a um médico ocidental; consultava um marabuto, ou *taleb*, um curandeiro tradicional versado no Alcorão. Fanon e seus coautores descreveram diversas das curas, baseados em escritos do estudioso medieval Jalal Eddin El Suyuti: consumir uma mistura de especiarias indianas (gengibre, pimenta, cravo); ingerir o pênis de uma raposa ou burro selvagem, por um período de sete dias; esfregar nos genitais óleo de um vaso com inscrições de versos cabalísticos. "O taleb", eles escreveram, "combate o feitiço mágico com o emprego de uma espécie de antimagia: de um lado, ele tenta substituir o sexo pelo pênis de um animal que serve de produto substituto; de outro, responde às fórmulas mágicas do feitiço com fórmulas encantatórias."[43]

A vida nos *douars* demonstrava o poder persistente e a resiliência da tradição argelina sob o colonialismo. Longe de produzir uma "mistura [...] harmoniosa" das culturas europeia e muçulmana, observou Fanon, a presença francesa tinha levado à "mera coexistência — o citadino muçulmano permanece, no mais das vezes, à margem da civilização ocidental". Passar tempo na Argélia rural era ver que ela não era, nunca seria, a França. Ainda que Fanon não tivesse previsto uma revolta, ficou cada vez mais ciente do despertar nacional que seu editor, Francis Jeanson, identificara em seu relato na *Esprit*. Ele conseguia ouvi-lo nas "modulações curtas, agudas e repetidas" das mulheres muçulmanas em Blida, enquanto aplaudiam uma orquestra visitante que tocava música árabe e andaluz.

Os artigos que Fanon escreveu em Blida foram redigidos em uma linguagem mais cautelosa e menos apaixonada do que *Pele negra, máscaras brancas,* mas ainda assim eram intervenções políticas, pondo por terra as mitologias de uma psiquiatria racista ao revelar o que jazia sob as patologias ostensivas dos argelinos: uma teimosa resistência psicológica à dominação colonial, arraigada em um apego à identidade e à tradição nacionais. Apesar de todo o seu ceticismo em relação à Négritude, sua desconfiança de que a identidade *racial* era uma expressão de misticismo (se não coisa pior), Fanon estava começando a reconhecer que uma identidade há muito reprimida poderia se tornar uma fonte poderosa de autoafirmação coletiva.

Em um de seus artigos mais surpreendentes, de coautoria de Raymond Lacaton, outro de seus colegas em Blida-Joinville, Fanon refletia sobre o porquê de os criminosos argelinos se recusarem a confessar, mesmo depois de provas esmagadoras de sua culpa serem apresentadas. Em um ensaio de 1938, Porot atribuía essa recusa à *"teimosia* tenaz e insuperável" dos argelinos muçulmanos. Esse "primitivismo" não era, alegava ele, resultado de uma "falta de maturidade", mas de algo com "raízes muito mais profundas", uma inabilidade de discernir entre verdade e mentiras. Fanon e Lacaton rechaçaram as suposições racistas dessa teoria, apontando em vez disso para o desafio por trás da recusa de confessar, e para o que (num aceno a Merleau-Ponty) eles chamaram de "a experiência vivida do ato". Na lei francesa, o *aveu* (confissão) não é apenas uma declaração assinada de culpa; é também um reconhecimento moral de transgressão. O *aveu* é um "meio de facilitar a reintegração no grupo social". Mas em uma sociedade colonial isso não pode ocorrer, uma vez que "só pode haver reinserção num grupo se o indivíduo já for parte integrante dele". Se o criminoso argelino não "se sente vinculado por um contrato social", é porque ele não pertence ao grupo social representado pela França, pertence a uma nação subjugada.

No romance de 1942 de Camus, *O estrangeiro*, livro de que Fanon certamente estava a par, o protagonista Meursault, no julgamento que antecede sua execução, assume a responsabilidade por assassinar um árabe argelino na praia. Mas Meursault é europeu, e portanto membro, apesar de sua alienação, da comunidade colona dominante. O criminoso argelino que se recusa a confessar é um homem que foi levado a se sentir um estrangeiro em seu próprio país, portanto, negar a responsabilidade de seu crime em um tribunal francês se torna sua expressão final de revolta. "Essa recusa do acusado muçulmano em autenticar, pela confissão de seu ato, o contrato social que lhe é proposto", Fanon e Lacaton escreveram, "significa que a submissão, por vezes profunda, que percebemos que ele demonstra perante o poder [...] não pode ser confundida com uma aceitação desse poder."[44]

Em um aparte zombador sobre a Négritude em *Pele negra, máscaras brancas*, Fanon tinha caçoado da ideia de que as pessoas se revoltam em defesa de sua herança cultural; elas se revoltam, sim, quando já não podem respirar. Ele não mudara de opinião, e ao longo de sua breve vida continuaria a menosprezar a perspectiva da Négritude como uma "miragem negra", uma busca mística por reinos africanos antigos e os sons evanescentes dos tam-tans. Mas suas experiências com os pacientes psiquiátricos na Argélia sugeriam que a cultura e a habilidade de respirar estavam inextricavelmente ligadas — que o pertencimento cultural, até o apego a tradições que pareciam ultrapassadas, poderia ser o meio pelo qual o corpo do colonizado continuava a puxar o ar, e a afirmar sua vontade de viver. Talvez Césaire e Senghor, em sua celebração dos poderes emancipatórios da cultura e consciência negras, tivessem descoberto algo importante. E, no entanto, o que Fanon observava com crescente admiração na Argélia não era a busca livresca e caprichosa por um passado perdido que o alienava da Négritude. Era a cultura viva, alojada no corpo, e que se distinguia pela recusa de se adaptar à civilização do conquistador: a recusa da máscara.

Os argelinos, segundo o ponto de vista de Fanon, com mais do que um toque de romantização, não eram como os antilhanos, que aspiravam à branquitude e se mediam — suas conquistas, seu discurso, seu valor — por padrões do homem branco. Depois de mais de um século de dominação, eles seguiam dizendo não aos franceses: à sua medicina, a seu estilo de vida, a sua comida, a seu sistema judiciário — à amputação de sua identidade que o colonialismo buscava infligir. Até a letargia de seus pacientes muçulmanos o impressionava como uma arma dos fracos, um sinal do rechaço deles à assimilação, sua insistência em serem reconhecidos como argelinos. Ao passo que não desejavam restaurar a unidade perdida, o membro fantasma, das culturas pré-coloniais da Argélia — a ambição da Associação dos Ulemás Muçulmanos Argelinos e de outras correntes religiosas do nacionalismo argelino —, ele podia ouvir os estrondos de um povo que, mesmo na derrota, recusava-se a se entregar a seus conquistadores.

"*L'Algérie montait à la tête*" [a Argélia fazia a cabeça],[45] disse o estadista francês Louis Joxe em 1961. Ela fez a de Fanon. Na véspera da guerra de independência argelina, e depois de quase um ano trabalhando entre árabes e berberes colonizados, ele havia chegado a um entendimento mais profundo e mais compreensivo da cultura como um bastião de resistência psicológica. Ele também desenvolvia uma ligação cada vez mais apaixonada com o povo argelino. Quando a explosão chegou em novembro de 1954, Fanon já estava correndo em direção às chamas.

# 8.
# A explosão argelina

Em agosto de 1956, em uma conferência de psiquiatras em Bordeaux, Fanon conheceu o psicanalista de esquerda Jean Aymé. Eles conversaram sobre a guerra na Argélia, perceberam que estavam do mesmo lado e decidiram fazer o percurso de volta para Paris juntos. No trem, Fanon lhe falou sobre seu trabalho com a FLN e contou o que Aymé chamou de "a história que mudaria seu destino".[1] Um ano antes, durante o Ramadã, Fanon estava fumando em seu carro, quando um argelino passou e, tomando-o também por muçulmano, alertou-o de que, se ele continuasse a fumar, teria "sérios problemas". Tratava-se de uma alusão ao boicote da FLN aos cigarros produzidos na França: infratores primários tinham a ponta do nariz ou os lábios cortados; um segundo delito poderia resultar em execução. (O nariz, na tradição cabila, é onde fica alojada a *nif* de um homem, sua "honra".) Aymé afirmou que foi "nesse momento de reconhecimento" que Fanon se reimaginou como argelino. "Eu senti que tinha sido designado como um deles", supostamente disse a Aymé.

A história tem uma simetria atraente. É como se Fanon, que fora brutalmente conscientizado de sua negritude quando uma criança branca o chamou de *nègre* no trem, tivesse abraçado sua missão como revolucionário anticolonial no momento em que um muçulmano desconhecido o *confundiu* com um argelino. Na verdade, muito antes de esse incidente ocorrer, Fanon já estava oferecendo tratamento e refúgio a combatentes feridos da ala armada da FLN, o Exército de Libertação Nacional (Armée de Libération Nationale, ALN). Ainda assim, a anedota transmite uma verdade visceral sobre como Fanon estava tomado pela política argelina: seu sentimento de que estava pessoalmente envolvido — de que, como rebento do colonialismo francês, ele era obrigado a ficar do lado dos colonizados.

A guerra de independência argelina[2] teve início bem cedo na manhã de 1º de novembro de 1954, Dia de Todos os Santos, um feriado para os europeus argelinos, quando pequenas unidades de combatentes precariamente armados[3] empreenderam uma série de setenta ataques em toda a Argélia. O reduto no leste era o terreno acidentado da Aurès, que nunca fora ocupado, nem pelos romanos. Os combatentes da FLN queimaram lavouras; cortaram cabos telefônicos; lançaram bombas em estações de rádio, fábricas de gás e depósitos de combustível; incendiaram armazéns cheios de cortiça e tabaco; atacaram casernas e gendarmarias. (Os insurgentes fizeram uma tentativa sem sucesso de tomar as armas da caserna em Blida.) O prejuízo material chegou a aproximadamente 200 milhões de francos. Nove pessoas morreram e quatro ficaram feridas. Os combatentes tinham ordens estritas de não ferir nenhum civil europeu — restrição que, à medida que a guerra se tornaria mais brutal, seria suspensa e encarada como quase curiosa. Mas um civil europeu, um professor liberal francês que acabara de voltar de lua de mel, foi morto no fogo cruzado. Guy Monnerot e a esposa viajavam de Biskra para Arris, no leste da Argélia, quando o ônibus deles foi detido por combatentes da ALN. A bordo estava Hadj Sadok, um *caid*\* que tentou impedir o ataque, declarando que não falaria com "bandidos". Quando

---

\* *Caids* eram administradores muçulmanos locais que eram escolhidos pelas, e respondiam às autoridades francesas, servindo como os olhos e ouvidos do regime colonial no interior do país.

irrompeu o tiroteio que tinha como alvo Sadok, que morreu, ambos os Monnerot foram baleados. Guy Monnerot foi deixado na beira da estrada, onde sangrou até a morte antes que pudesse ser levado a um hospital.

Em panfletos distribuídos em 1º de novembro, os líderes da FLN aproveitaram a oportunidade de se apresentar — não apenas a seus inimigos franceses mas também ao povo argelino, que não estava a par de sua existência. (A FLN não tinha mais que mil combatentes na época, e pouco no que diz respeito a dinheiro e armas.) Eles se descreviam como "um grupo de jovens militantes conscientes e dedicados, reunindo em suas fileiras a maioria dos indivíduos íntegros e resolutos".[4] Seu propósito era "tirar o Movimento Nacional do impasse para o qual havia sido forçado por conflitos de pessoas e influência" — uma mensagem direcionada a Messali Hadj e sua organização, o MTLD — e empreender "a verdadeira luta revolucionária ao lado de seus irmãos marroquinos e tunisianos". O objetivo: "independência nacional através da restauração do Estado argelino, soberano, democrático e social, dentro da estrutura dos princípios do islã". Todas as liberdades fundamentais seriam protegidas, "sem distinção de raça ou religião". Os cidadãos franceses podiam ou continuar na Argélia como estrangeiros ou adotar a nacionalidade argelina.

Com exceção da crítica da FLN à liderança de Messali, esse comunicado fundador era uma variação dos temas que ele mesmo tinha composto. Não surpreende que as autoridades presumiram que Messali, que estava vivendo no oeste da França, havia sido o responsável pelos eventos de 1º de novembro, e o colocaram em prisão domiciliar. Messali, por sua vez, ficou furioso com o fato de outro grupo — criado por membros dissidentes do comitê central do próprio MTLD, os chamados Centralistas —, ter dado início a uma guerra sem sua aprovação. Isso era nada menos do que um golpe contra a sua liderança. Mas ele também ficou ressentido e não fez nada para dispersar os boatos de que estava por trás da insurreição. Um mês depois, formou seu próprio exército guerrilheiro, o Movimento Nacional Argelino (Mouvement National Algérien, MNA). O MNA nunca evoluiu para uma insurreição anticolonial significativa, mas a FLN o encarava como um adversário mortal, e por grande parte da guerra, tanto na Argélia quanto na França, os dois grupos se envolveram em conflitos de facção implacáveis, nos quais milhares de militantes foram mortos por seus conterrâneos argelinos. Desde o início, a FLN deixou claro que ela, e apenas ela, falava pelo povo argelino, e que qualquer um que desejasse tomar parte na causa da libertação nacional teria de aceitar sua autoridade. Nos primeiros anos da guerra, as principais vítimas da FLN foram outros argelinos: *caids*, membros do MNA, argelinos acusados de colaboração; e, acima de todos, os *harkis*, argelinos que lutavam do lado da França.[5]

Fanon parece ter precisado de pouco convencimento para ficar do lado da FLN. A FLN era liderada por homens jovens e impacientes como ele próprio, homens que consideravam que seus "pais" humilhados deviam se afastar. Três de seus fundadores (os ditos *chefs historiques*), incluindo o primeiro presidente da Argélia independente, Ahmed Ben Bella, haviam servido nas Forças Francesas Livres durante a Segunda Guerra Mundial. Em sua decisão de acabarem com o impasse da política argelina, de lançarem uma guerra contra uma das forças armadas mais poderosas do mundo e de se declararem os únicos representantes do povo argelino, eles foram insolentes, até imprudentes. Seu autoritarismo e sua inclinação a resolver os problemas através de violência eram inegáveis. No entanto, ao se organizarem em um movimento, eles também eram exemplo do que Hannah Arendt chamou de "natalidade", ou a capacidade de dar início a algo novo. Em *Pele negra, máscaras brancas*,

Fanon cantara os louvores da natalidade e da iniciativa radical, reservando seu maior louvor aos soldados do VietMinh que lutavam contra os franceses na Indochina. Agora, seis meses depois da derrota francesa em Dien Bien Phu, a FLN tinha colocado a Argélia em um novo caminho, rejeitando a via eleitoral para a independência e proclamando sua determinação de libertar o país com a força das armas. A revolta da FLN não era apenas contra os franceses; era um desafio a toda uma geração de políticos e ativistas muçulmanos argelinos que tinham posto suas esperanças em protestos pacíficos e reformas políticas. Esses homens e mulheres não eram colaboradores; eram patriotas,[6] educados em escolas francesas, que acreditavam que a República secular e democrática da França metropolitana seria, por fim, persuadida de seus argumentos em favor da autodeterminação argelina. Quando o nacionalista liberal Ferhat Abbas foi eleito pelo segundo dos dois colégios eleitorais da Assembleia Nacional Constituinte em 1948, declarou em seu primeiro discurso: "Esperamos 116 anos por esse momento".[7] O segundo colégio, que representava os muçulmanos argelinos, era inerentemente desigual, no entanto, como a maioria de seus colegas, ele continuava esperançoso de que a participação argelina na política francesa era o início do fim da dominação dos colonizadores. Agora a FLN — um grupo de que ninguém tinha ouvido falar — estava lhes dizendo para se afastar. Balas, não o voto, decidiriam o futuro da Argélia.

Fanon vira o suficiente do governo francês para saber qual era a sua posição. Ali estava o ato de invenção heroico sobre o qual ele falava com entusiasmo, e ele ficou eletrizado. A princípio, até considerou procurar a ALN no *maquis* e oferecer seus serviços; afinal, era um soldado condecorado, com uma Croix de Guerre.

No fim das contas, Fanon ajudaria a FLN dentro da Argélia não como combatente, mas como médico. Mas para se tornar útil, ele primeiro precisava estabelecer contato com essa organização clandestina e altamente sigilosa. De acordo com um mito espalhado mais tarde por seus admiradores, Fanon fez uma conexão ao tratar de combatentes da ALN. Mas eles simplesmente não apareciam no Hospital Psiquiátrico de Blida-Joinville. Eles sabiam que um simpatizante ativo estava trabalhando como médico no hospital. E sabiam disso não por causa de seu trabalho pioneiro com os pacientes muçulmanos, muito menos por ele ser negro, mas sim porque esse papel lhe fora atribuído pela FLN. Fanon tinha pouca afeição por Argel, mas foi na capital que ele conheceu apoiadores da FLN pela primeira vez, que o apresentaram à organização. A maioria desses apoiadores não era de muçulmanos argelinos ou mesmo comunistas europeus. Eles eram católicos esquerdistas europeus,[8] muitos deles com ligações com a *Esprit*, a revista que publicara seus primeiros ensaios.

Em *Os condenados da terra*, Fanon descreveria a Igreja católica na Argélia como "uma Igreja de brancos, uma Igreja de estrangeiros. Chama o homem colonizado não para o caminho de Deus, mas para o caminho do branco, para o caminho do senhor, para o caminho do opressor".[9] No entanto a Igreja também tinha seus dissidentes, que acreditavam que a opressão colonial era uma traição aos ensinamentos de Cristo. E esses dissidentes tinham mais liberdade para se rebelar contra o colonialismo do que os membros do Partido Comunista, porque eram guiados por uma visão moral livre de diretivas partidárias: uma teologia da libertação avant la lettre. Desde o fim da guerra, eles tinham formado um *groupuscule* de militância anticolonial. Seu líder era um jovem iconoclasta estudioso de latim, André Mandouze, que em 1946 embarcara em uma balsa na França para assumir um cargo na Universidade de Argel.

A perspectiva política de Mandouze foi formada pelo Movimento Operário Católico, que era profundamente crítico à hierarquia da Igreja, e por seu envolvimento na Resistance. Durante a guerra, ele ajudou a resgatar judeus, enquanto publicava a revista católica antifascista *Cahiers du Témoignage Chrétien* [Diários do testemunho cristão]. Sua decisão de ir para Argel foi em parte inspirada por sua devoção a Santo Agostinho, que vivera na cidade. Ele logo fez um nome para si ao levar os estudantes em excursões para as ruínas romanas, tema do ensaio lírico de Camus *Bodas em Tipasa*. Mas Mandouze não era um seguidor de Louis Bertrand, nem um adepto da latinidade essencial da Argélia. Como ex-*résistant*, ele sentia como se tivesse "desembarcado em outro planeta"[10] na Argélia colonial, um lugar onde Pétain era mais popular que De Gaulle. Quando mencionou os problemas da Argélia para o capelão dos estudantes na universidade, ouviu que todos eles poderiam ser resolvidos com uma metralhadora. Até os jovens comunistas que ele conheceu eram hostis ao nacionalismo argelino.

O Partido Comunista da Argélia era ativo na defesa dos direitos da comunidade muçulmana, e alguns de seus líderes eram muçulmanos. Mas a posição oficial do Partido Comunista Francês, formulada por seu líder, Maurice Thorez, no fim da década de 1930, era de que a Argélia era uma "nação em formação" e de que ela "fora forjada por meio da mistura de vinte raças". A formulação de caldeirão cultural de Thorez foi originalmente apresentada em resposta a racistas europeus argelinos, que identificavam a si mesmos — mas não os muçulmanos do país — como "argelinos". Mas Thorez maquiava a natureza colonizadora de ocupação da Argélia francesa e indicava fortemente que a "evolução" ainda imatura da nação argelina deveria ser supervisionada pela França. O "direito ao divórcio", disse ele, não significava que o divórcio era desejável. O nacionalismo muçulmano, alertou o partido, dividiria a classe trabalhadora do país, e faria o jogo do fascismo. Em um futuro socialista, os argelinos muçulmanos seriam livres; até lá, seu papel era lutar junto da classe trabalhadora europeia.

Mas os muçulmanos argelinos sofriam com a opressão colonial e racial, não apenas com a injustiça de classe, e não entendiam por que deveriam aguardar uma revolução socialista (liderada, como de costume, por europeus na *métropole*). Nem Mandouze, cuja convicção mais profunda era "a igualdade de todos os homens". Como os argelinos eram "os mais fracos, aqueles cuja humanidade e dignidade foram minadas", sua solidariedade para com eles era "automática". Um ano depois de sua chegada, ele publicara uma crítica dilacerante do governo francês na *Esprit*: "Impossibilités algériennes ou le mythe des trois départements" [Impossibilidades argelinas ou o mito dos três departamentos].[11] Como mais tarde formularia, a lógica de suas convicções o levou de uma resistência à outra, do antinazismo ao anticolonialismo.

Em 1950, Mandouze criou uma revista, a *Consciences Algériennes*. "A consciência argelina",[12] declarou ele no editorial de estreia, "não é possível sem uma liquidação definitiva do racismo, e de todos os racismos", e "sem um comprometimento definitivo com a democracia". A revista chegou ao fim, mas no início de 1954 Mandouze presidiu o lançamento de outra revista anticolonial, a *Consciences Maghrébines*. Seus colaboradores eram um grupo de universitários que, dois anos antes, haviam criado a Associação da Juventude Argelina para Ação Social (Association de la Jeunesse Algérienne pour l'Action Sociale, Ajaas), uma organização de estudantes europeus e muçulmanos que se opunham à dominação colonial; seus objetivos eram "enriquecer a vida uns dos outros com nossas diferenças mútuas"; "superar reações que foram condicionadas por nossos próprios preconceitos de raça ou casta"; e criar um espaço para a ação conjunta contra a pobreza, o analfabetismo e a assistência médica inadequada nas favelas da Argélia, e outras formas de injustiça colonial. Vários dos fundadores da Ajaas se tornariam líderes na FLN.

Um dos protegidos de Mandouze na *Consciences Maghrébines* era um jovem católico radical chamado Pierre Chaulet, um residente em epidemiologia no Hospital Mustapha Pacha, onde Antoine Porot lecionava. Nascido em 1930, Chaulet era de uma família francesa que se estabelecera na Argélia no século XIX, mas seu trabalho na Ajaas com crianças argelinas nas casbás o despertara para as crueldades do domínio francês e o levara a se tornar um apoiador fervoroso da independência argelina e um dos poucos membros europeus da FLN. Sua irmã, Anne-Marie, que também era ativista na Ajaas, compartilhava de suas convicções e casaria com um de seus colegas argelinos do grupo, Salah Louanchi, secretamente um integrante da FLN. Em março de 1955, Chaulet, Louanchi e outro ativista da FLN, Mohamed Drareni, foram a um jantar em Argel com Frantz e Josie Fanon. Fanon havia falado em eventos da Ajaas em Argel e era conhecido por ser simpático à rebelião. Chaulet tinha lido *Pele negra, máscaras brancas* quando o livro foi publicado em 1952 e dera um exemplar a Louanchi, seu futuro cunhado, com a dedicatória "Para que as máscaras caiam um dia". Chaulet e Fanon conversaram a noite toda sobre a história da Argélia, o racismo dos *grands colons* e a promessa do movimento nacional. "Aquela noite marcou o início de uma longa amizade e do comprometimento de Fanon com a luta de libertação argelina", lembrou Chaulet em um livro de memórias que escreveu com sua esposa, Claudine, também fervorosa ativista anticolonial. Não menos impressionado, Mandouze, o mentor de Chaulet, elogiou Fanon chamando-o de poeta, "no sentido grego clássico de alguém que sabe como levar as coisas a cabo, e não apenas alguém que sabe escrever, e mais precisamente alguém que atua na escrita, a palavra sendo um tipo de ação".[13]

Através de Chaulet, Fanon conheceu Mustapha Bencherchali, o filho de um abastado agricultor de tabaco de Blida que tinha laços com a FLN. Enquanto fingia submeter-se a terapia no hospital, Bencherchali apresentou Fanon a líderes nacionalistas em Blida. A FLN dividira o país em seis *wilayas*, ou "zonas"; Blida pertencia à Wilaya 4. Essa foi a grande sorte da Fanon. Os líderes da Wilaya 4 estavam entre as pessoas mais abertas e progressistas da FLN, frente que incluía uma grande variedade de tendências políticas: republicanos liberais, nacionalistas conservadores, marxistas e tradicionalistas islâmicos. Fanon ficou especialmente impressionado com o coronel Si Sadek (Slimane Dehilès) e com os comandantes Si Azzedine (Rabah Zerari) e Omar Oussedik, marxistas que acreditavam que a libertação nacional não seria digna do nome a não ser que levasse a uma revolução social e uma melhora dramática na vida dos pobres da Argélia, sobretudo no interior do país.* Todos os três eram berberes cabilas, com ligações estreitas com o também cabila Abane Ramdane, o líder mais influente no interior argelino.

Esses homens passaram, por sua vez, a admirar Fanon, que foi encarregado de administrar uma clínica diurna clandestina dentro do Hospital Psiquiátrico de Blida-Joinville, disponível 24 horas a combatentes que necessitassem de tratamento físico e psicológico. Essa era uma tarefa indispensável: em outros hospitais argelinos, feridos corriam o risco de serem

---

* A Wilaya 4, com sua estrutura de comando excepcionalmente inventiva, era também a mais acolhedora com relação a mulheres no *maquis*, ainda que não se permitisse que as "combatentes" do sexo feminino lutassem, e que elas fossem, sim, designadas a tarefas auxiliares como preparo de comida e assistência médica.

entregues à polícia. (Os farmacêuticos eram proibidos de oferecer penicilina, estreptomicina e até algodão sem receita, e eram fortemente incentivados a delatar compradores argelinos.) Aqui os argelinos feridos estavam seguros: Fanon até impedia a polícia de entrar na propriedade do hospital com armas carregadas. Muitos dos enfermeiros eram argelinos que ele mesmo havia formado. Para eles, como para Fanon, o fornecimento de cuidados médicos adequados era uma parte da libertação nacional. Ao coordenar a assistência médica à população argelina, a FLN estava construindo um ministério da saúde próprio — a instituição de um Estado futuro.[14]

Vários dos jovens residentes de Fanon eram simpatizantes ativos da FLN. Entre eles estava Alice Cherki, nascida em Argel em 1936 e expulsa da escola de enfermagem por ser judia em 1940. Na adolescência, ela descobrira a miséria dos argelinos que viviam nas favelas, e se juntou ao grupo de Pierre Chaulet, a Ajaas. "Eu adquiri a convicção de que a independência era uma necessidade inevitável", disse Cherki. "Não era uma crença utópica." Ela estava estudando psiquiatria.

Em 1955, Cherki foi ouvir Fanon falar em uma conferência de psiquiatria em Argel. O tema de sua fala era medo e angústia. Ela ficou fascinada. "Vou dizer isso apesar de como possa soar, porque é verdade: enquanto o ouvia falar, eu esqueci de que ele era negro", ela me disse.[15] "Ele falava um francês do mais impecável — mais francês do que os franceses. E isso também era fascinante." (Quando ela lhe contou mais tarde que de certa forma não conseguira notar que ele era negro, ele caiu na gargalhada.) Ela escreveu no perfil de Fanon que ficou impressionada com "o brilho de seus olhos castanhos e límpidos".[16] A chegada dele à Argélia também animara jovens intelectuais contrários ao colonialismo. Como muitas das melhores mentes da Argélia estavam deixando o país — o grande jornalista judeu de Blida, Jean Daniel, por exemplo —,

Fanon era, disse Cherki, uma das "pouquíssimas pessoas com quem podíamos conversar".

Quando Cherki expressou suas frustrações quanto ao modo como a psiquiatria era ensinada na Universidade de Argel, Fanon a convidou para ir a Blida. Lá ela conheceria seu primeiro marido, Charles Geronimi, e observaria a transformação em curso no hospital. Ela ficou entusiasmada por ver pacientes se tornando "mais conscientes de seus corpos", entre os muitos efeitos libertadores da socioterapia. Fanon a apresentou ao bebop do revolucionário Charlie Parker, às cinco lições de Freud e eventualmente aos escritos de Sándor Ferenczi sobre trauma de guerra. Ela também aprendeu a ficar atenta à batida na porta inesperada no meio da noite, caso um combatente da FLN aparecesse precisando de ajuda.

Ao dispor a si mesmo e sua instituição a serviço dos objetivos da guerra revolucionária, Fanon se tornou, para os combatentes da Wilaya 4, o que o mentor dele, François Tosquelles, fora para os combatentes do Poum na Catalunha. Já em fevereiro de 1955, três meses depois do início da guerra, os líderes da Wilaya 4 realizavam reuniões no hospital. Fanon nunca explicou sua decisão de se juntar à revolução. Ele simplesmente fazia seu trabalho, enquanto Blida-Joinville, o hospício, evoluía para um laboratório de fermentação e inovação revolucionária.

No ano em que Fanon passou para a resistência ativa contra o domínio francês, 1955, uma tragédia pessoal teve início. Em janeiro, sua irmã Gabrielle, uma farmacêutica que vivia em uma cidadezinha na costa norte da Martinica, entrou em trabalho de parto prematuro no sétimo mês de gestação, entrou em coma e nunca mais acordou. Ela tinha 33 anos. Em uma longa carta para a família, Fanon prestou homenagem a Gabrielle como "uma das poucas pessoas em quem ele nunca percebera desespero".[17] Continuou:

Mesmo quando todos os desafios se acumulavam ao mesmo tempo, ela permanecia solidamente concentrada no futuro. Não havia desprezo pelos outros, nenhum ódio, nenhuma mesquinhez, apenas aquela seiva abundante da qual fluía uma vida equilibrada. [...] Descobri através de Joby que durante o parto ela teve um acidente. É claro, seria fácil identificar determinados erros aqui e ali. Mas talvez minha proximidade ao islã esteja me afetando. Que explicações bastam quando se trata da morte? Não são todas as mortes absurdas, ilógicas, grotescas, inexplicáveis? [...] A morte de Gabrielle não é apenas a de uma irmã. Nela perdi uma das raras mulheres que confiavam em mim, pura e simplesmente.

Oito meses depois da morte de Gabrielle, Fanon se tornou pai pela segunda vez, quando Josie deu à luz o filho deles, Olivier, em um hospital de Lyon. Apesar de toda a raiva de Fanon contra as injustiças do domínio francês na Argélia, ele queria garantir que o filho nascesse na França,[18] de pais franceses. Essa decisão pode parecer surpreendente, mas Fanon acreditava em cumprir suas responsabilidades como pai, uma vez que o seu próprio, em sua avaliação, não o fizera. E apesar de todos os traumas por que passara em Lyon, ele pode ter considerado, mesmo de modo nebuloso, que o filho de um pai negro e de uma mãe branca teria mais chances com um passaporte que indicasse que ele nascera na *métropole*.

Na época do nascimento de Olivier, a guerra na Argélia ainda estava em grande parte confinada ao leste rural. O governo francês alegava estar enfrentando *hors-la-loi*, "foras da lei", e não soldados rebeldes ou patriotas; os "eventos" logo passariam, como mau tempo, e a "ordem" retornaria. "A Argélia é a França", declarou o ministro do Interior François Mitterrand em novembro de 1954, e a França não podia estar em guerra consigo mesma. (Só em 1999 o Estado francês admitiria que havia travado uma guerra na Argélia.) Nos primeiros dez meses de guerra a França foi capaz de manter sua ficção sem muito esforço — e com apenas 60 mil soldados em terra, dos quais só 3 mil eram treinados em combate. A maioria dos ataques da FLN visava outros argelinos suspeitos de deslealdade (ou obediência insuficiente), não os franceses. Cercada pelo Exército francês, a FLN chegara a um impasse paralisante: os argelinos não tinham se juntado às suas fileiras, e políticos mais moderados pareciam estar ganhando espaço, pressionando por um acordo pacífico com a França.

Tudo isso mudou em 20 de agosto de 1955, quando os líderes da FLN na Wilaya 2, Youcef Zighoud e Lakhdar Bentobbal, deram início a uma nova insurreição na cidade portuária de Philippeville (hoje Skikda), no leste da Argélia.[19] Para retomar a ação, Zighoud e Bentobbal organizaram milícias camponesas e lhes disseram que o Exército egípcio ofereceria cobertura aérea. Armados com granadas, facas, clavas, machados e forcados, as milícias invadiram cerca de trinta cidades de maior e menor porte. Ao longo dos dias seguintes, mataram 123 pessoas: 71 europeus, 31 soldados e policiais e 21 argelinos. Enquanto realizavam esses assassinatos, alguns gritavam "Vingança por Sétif". No centro de mineração de El-Halia, os trabalhadores argelinos foram de casa em casa, matando 37 europeus, dez deles crianças. Entre as vítimas argelinas estavam dois líderes do partido liberal nacionalista de Ferhat Abbas: o vereador Alloua Abbas (sobrinho de Ferhat) e Chérif Hadj-Saïd. Abbas foi assassinado por um comando da FLN. Hadj-Saïd sobreviveu e imediatamente se uniu à FLN.

O governador-geral da França, Jacques Soustelle, chegara na Argélia em janeiro com uma visão reformista de "integração", a qual reconhecia as culturas específicas das diferentes comunidades de um país mas buscava diminuir a lacuna social e econômica entre elas. Um gaullista de esquerda e veterano da Resistance, ele fizera uma conferência sobre as civilizações maia e asteca no Museu do Homem em Paris e se considerava um reformista liberal. Soustelle dobrou os gastos com educação, tornou o árabe uma língua oficial nas escolas muçulmanas e eliminou as opressivas *communes mixtes* (municipalidades com uma pequena maioria de muçulmanos governadas diretamente por administradores franceses, flanqueados por *caids* leais aprovados pelo governador-geral). Também criou as Seções Administrativas Especializadas (Sections Administratives Spécialisées, SAS), um programa "de corpo e alma" projetado para melhorar as condições no interior do país, contratando como principal assessora a etnóloga Germaine Tillion, uma renomada autoridade nos povos da Aurès. Conhecidos como *képis bleus* por causa de seus chapéus de aba azul, os integrantes das SAS viajavam a seções remotas do *bled* argelino para conversar com muçulmanos argelinos sobre as necessidades locais e fornecer remédios, como se fossem voluntários do Corpo da Paz. Os colonos estavam desconfiados de Soustelle. Fosse ou não judeu, como os rumores diziam, ele pareceu à maioria deles um "amante de árabes" duvidoso, promovendo reformas que levariam ao fim da Argélia francesa.

Isso foi antes de ele ver a carnificina em Philippeville. "Quando você se depara com centenas de pessoas destroçadas, moças estupradas, cabeças cortadas e assim por diante, isso impressiona", disse.[20] Soustelle guinou para o lado dos colonos, lançando uma campanha feroz de repressão. Mais de 10 mil argelinos foram mortos, outra vez inspirando memórias dos massacres de Sétif e Guelma. As classes médias muçulmanas, que haviam se mantido distantes da insurreição, se reagruparam em apoio à FLN, uma vez que elas, também, foram visadas pela contrainsurgência. Um grupo de 61 nacionalistas moderados da Assembleia Argelina condenou a "repressão cega" do exército e defendeu a "ideia nacional argelina". Como o próprio Soustelle reconheceu mais tarde, ele havia ajudado a cavar "um fosso pelo qual correu um rio de sangue".

Philippeville foi um acontecimento pavoroso. Também foi uma vitória psicológica para a insurreição. Antes de Philippeville, a Guerra Argelina fora uma batalha pouco intensa entre *maquisards* e soldados nas montanhas da Argélia rural. Depois de Philippeville, ela se tornou uma guerra entre duas comunidades violentamente avessas: colonos europeus e muçulmanos colonizados. Como afirmou Mohammed Harbi, o "eixo social" do nacionalismo argelino começou a se afastar das cidades, onde nacionalistas liberais francófonos tinham forjado alianças com europeus liberais, e a seguir rumo ao interior, onde as massas rurais viam a "supressão física do estrangeiro"[21] não como um crime mas como uma vingança pela humilhação que haviam sofrido ao longo de um "século de despotismo colonial". Em seus apelos aos argelinos rurais, a FLN minimizava o idioma do anticolonialismo secular — uma linguagem falada por intelectuais e militantes — em favor do islã populista, descrevendo seus combatentes como *moudjahidine* (guerrilheiros islâmicos) envolvidos em uma guerra santa. Isso era em parte uma questão de praticidade, mas desbastaria lentamente os ideais pluralistas de alguns dos líderes do movimento ao sugerir que o inimigo não era simplesmente o *colonialismo* francês mas também os próprios franceses, e que o objetivo final da revolta era a expulsão de todos os estrangeiros.

Tentativas de articular uma entente provisória — ou até um acordo para não visar os civis um do outro — vieram tarde demais e foram recebidas com ridicularização. No fim de janeiro de 1956, Albert Camus organizou uma reunião em Argel para promover uma "trégua civil" entre os dois lados. Para Simone de Beauvoir, ele "nunca soara mais oco do que quando exigiu piedade pelos civis",[22] uma vez que "o conflito era entre comunidades civis". Apesar de toda a sua justeza aparente, Camus foi contra as negociações com a FLN, esperando por um *interlocuteur valable*, uma terceira força mais maleável com quem a França negociaria um acordo político que protegeria os interesses da comunidade europeia.

A visão política de Camus para a Argélia dificilmente se diferenciava do projeto de integração de Soustelle, com seus coquetéis de reforma liberal e contrainsurgência: "A personalidade árabe será reconhecida pela personalidade francesa, mas para isso acontecer, a França deve existir. 'Você deve escolher o seu lado', gritam os detratores. Ah, eu escolho! Eu escolhi meu país. Eu escolhi a Argélia da justiça na qual franceses e árabes se associarão livremente".[23] A "Argélia da justiça" que Camus escolhera, no entanto, permanecia firme sob autoridade de francesa; qualquer separação entre os dois povos, alertou ele, resultaria em "um monte de ruínas".

"Esperávamos que Camus fosse tomar uma posição clara quanto ao problema argelino", disse o colega de Fanon Charles Geronimi, que comparecera ao evento. "O que nos ofereceu foi um discurso de irmã apoiadora. Ele nos explicou em que medida a população civil inocente deve ser protegida, mas foi categoricamente contrário à arrecadação de fundos em favor das famílias inocentes dos prisioneiros políticos. Nós no salão ficamos pasmos."[24]

No entanto, até a proposta cautelosa de Camus para o diálogo europeu-muçulmano — e para poupar os inocentes — era demais para os "ultras", os defensores mais fanáticos da *Algérie française*. Uma multidão de colonos de direita — gritando "Camus na forca!" — interrompeu a reunião, e o projeto de trégua civil morreu antes de nascer. O que Camus não percebeu foi que os argelinos que o protegeram da multidão eram membros da FLN que haviam se infiltrado no movimento. Eles tinham nutrido a esperança de influenciar seu líder, o romancista mais famoso do país, para o lado deles. Mas Camus estava relutante, ou incapaz, de aceitar a ideia da independência argelina, e caiu em um silêncio tenaz e amargo.

Enquanto isso, a repressão francesa — e os ataques da FLN contra os "traidores" — levou a maioria dos políticos argelinos a se alinhar com a FLN. Ferhat Abbas, o liberal nacionalista cujo sobrinho fora assassinado pela FLN em Philippeville, fugiu para o Cairo em 1956 para se unir à liderança da FLN no exílio. Abbas era um patriota argelino, mas — como produto das escolas francesas, casara-se com uma francesa — havia muito acreditava que a autodeterminação poderia ser alcançada sem provocar uma ruptura violenta entre as duas comunidades.[25] Agora parecia que seus esforços não tinham dado em nada. "Os métodos que sustentei pelos últimos quinze anos — cooperação, discussão, persuasão — se mostraram ineficazes", ele disse a um jornal tunisiano.[26]

Para os argelinos assimilados que apoiavam a independência, o precipício entre europeus e muçulmanos era às vezes uma provação excruciante, porque se voltar contra a França era se voltar contra parte de si mesmos. O caso do poeta Jean Amrouche, um berbere cabila esquerdista, é revelador. Amrouche, cujos pais eram cristãos convertidos, lecionava literatura francesa e era amigo de Camus. Mas seu nome do meio era El Mouhoub, e ele era apoiador ferrenho da luta de independência. Em um diário de 1956, ele escreveu:

> A cada dia, El Mouhoub caça Jean e o mata. E a cada dia, Jean caça El Mouhoub e o mata. Se meu nome fosse apenas El Mouhoub, as coisas provavelmente seriam fáceis. Eu abraçaria a causa de todos os filhos de Ahmed e Ali [...]. Se meu nome fosse apenas Jean, provavelmente também seria fácil. Eu adotaria o raciocínio de todos os franceses que

caçam os filhos de Ahmed. Mas eu sou Jean, e eu sou El Mouhoub. Os dois vivem em uma única e mesma pessoa. E seus modos de pensar são conflituosos. Entre os dois, há uma distância insuperável.[27]

O dilema de Amrouche era incomum, mas o conflito interno que ele descreveu não era. Jacques Berque — um sociólogo do Norte da África nascido na Argélia e apoiador da independência — observou: "Nós não nos interligamos por 130 anos sem essa descida profunda em nossas almas e corpos. A profundidade do impacto francês aqui foi além das alienações comuns do colonialismo".[28] Mas quando a FLN obrigou-os a escolher entre a resistência e o Exército francês, intelectuais muçulmanos francófonos não tiveram problema em decidir. Mouloud Feraoun, um romancista cabila nascido em 1913, escreveu vastamente em seus diários dos tempos de guerra sobre a brutalidade da FLN contra outros argelinos; também lecionou francês em um dos "centros sociais" que Soustelle fundara para melhorar a vida dos argelinos, como parte de seu projeto de integração. No entanto, Feraoun também vivenciou a insurgência como um despertar nacional há muito esperado. Em dezembro de 1955, ele escreveu:

> Por que é que assim de repente, toda uma população reconhece a existência de um abismo considerável e se prontifica a deixá-lo ainda maior? [...] A verdade é que nunca houve um casamento. Não, os franceses permaneceram distantes. Desdenhosamente distantes. Os franceses permaneceram estrangeiros. Eles sempre acreditaram que eram a Argélia. Agora que sentimos que estamos um tanto fortes ou que os vemos com um tanto francos, estamos lhes dizendo: Não, senhores. Nós somos a Argélia. Vocês são estrangeiros em nossa terra.[29]

Feraoun estava indignado com a brutalidade de alguns soldados da ALN, mas notou com orgulho que as ordens deles eram agora "tão bem recebidas quanto qualquer decreto oficial":[30]

> Não há cigarros nas prateleiras; os fumantes abrem mão do tabaco e já não têm nenhum desejo de fumar escondido em casa. Todos desertaram dos cafés franceses, e já não se veem bêbados tropeçando nas ruas. [...] A mente dá passos gigantes; os mais frustrados entre nós discutem política ou estratégia de combate. Nós falamos sobre o passado e antevemos o futuro. Nós por fim nos sentimos como homens [...]. Sentimos que estamos livres ou no processo de nos libertar.

Eles já não se sentiam membros de uma raça subjugada e colonizada. Era isso que Fanon queria dizer quando descreveu o drama violento da descolonização como a criação de um "novo homem".

A repressão da França em Philippeville marcou, nas palavras de Fanon, o "ponto de não retorno",[31] e moldou o entendimento dele da descolonização como um processo inerentemente violento. Ela pode também ter moldado as suas (muitas vezes ignoradas) reservas com relação ao uso indiscriminado da violência. O massacre não fora espontâneo. Ele tinha sido deliberadamente orquestrado pelos líderes da Wilaya 2. Mas o fato de que tanto camponeses quanto mineiros argelinos pudessem ser incitados com tanta facilidade a chacinar civis desarmados — alguns que eles conheciam pessoalmente — era uma indicação inquietante da "distância insuperável" que, como formulou, jazia "à flor da pele".[32] Ele mais tarde escreveria: "Esse povo, a quem sempre disseram que só compreendia a linguagem da força, decide se expressar pela força [...].

À fórmula 'Todos os nativos são iguais' o colonizado retorque: 'Todos os colonos são iguais'".

Dada a brutalidade da colonização, episódios de violência explosiva por parte dos oprimidos eram, em sua perspectiva, inevitáveis na fase inaugural da guerra de libertação. Ele escreveria em *Os condenados da terra*: "Para o colonizado, a vida só pode surgir do cadáver em decomposição do colono [...]. No que se refere aos indivíduos, a violência desintoxica. Liberta o colonizado do seu complexo de inferioridade, de suas atitudes contemplativas ou desesperadas".[33] Como Feraoun, Fanon conseguia sentir que os argelinos estavam tomando um gosto pelo próprio poder agora que a FLN tinha pegado em armas em seu nome. A violência oferecia, acreditava ele, um tipo de terapia de choque para a mente colonizada — uma descarga revigorante de autoconfiança e energia que explodia a síndrome norte-africana de depressão e desamparo.

Graças à guerra de libertação, o crime comum por parte de argelinos contra outros argelinos quase desapareceu; assim como rituais populares como as cerimônias de possessão que Fanon testemunhara. Os impulsos agressivos da sociedade argelina pareciam estar sendo canalizados em uma única direção: libertar-se da França. Mas a violência em si não era uma estratégia política de longo prazo, especialmente se fosse anárquica ou cega em sua aplicação, tratando todos os membros da população de colonizadores como inimigos existenciais. Fanon escreveu:

> O racismo, o ódio, o ressentimento, o "desejo legítimo de vingança" não podem alimentar uma guerra de libertação. Esses lampejos na consciência que jogam o corpo em caminhos tumultuosos, que o lançam num onirismo quase patológico, em que a face do outro me convida à vertigem, em que meu sangue chama o sangue do outro, em que minha

morte por simples inércia chama a morte do outro, essa grande paixão das primeiras horas se desloca, caso pretenda alimentar-se de sua própria substância. [...] O dirigente se dá conta, dia após dia, de que o ódio não poderia constituir um programa. [...]

O povo, que no início da luta havia adotado o maniqueísmo primitivo do colono — brancos e negros; árabes e rumes —, percebe ao longo do caminho que acontece de alguns negros serem mais brancos do que os brancos, e que, na eventualidade de uma bandeira nacional, a possibilidade de uma nação independente não leva certas camadas da população a renunciar de forma automática aos seus privilégios ou interesses. [...] O povo descobre que o fenômeno iníquo da exploração pode se apresentar sob a aparência de um negro ou de um árabe.[34]

Eles também vão descobrir, acrescentou, que alguns membros da população colonizadora — pode ser que tivesse em mente seu amigo Pierre Chaulet — "revelam estar mais próximos, infinitamente mais próximos, da luta nacionalista do que certos filhos da nação". A violência teria de ser "organizada e aclarada pela direção". Ela não podia permanecer uma voracidade assassina.

Graças tanto à insurreição de Philippeville quanto à resposta feroz da França, a violência se tornou, cada vez mais, a linguagem através das quais europeus e muçulmanos se dirigiam uns aos outros. Em sua campanha para reprimir a insurgência, o Exército francês praticou tortura, execução extrajudicial e outras "técnicas da Gestapo",[35] como o jornalista Claude Bourdet, um sobrevivente de Buchenwald, as chamou em 1955. Eles "desapareciam" ativistas argelinos, estupravam mulheres e jogavam napalm em civis. A FLN, enquanto isso, tentava organizar e canalizar a raiva de seus apoiadores, como Fanon recomendava.

Mesmo assim, a fronteira entre resistência e vingança, entre justiça e assassinato, quase nunca era clara. Nem os franceses tinham o monopólio do uso de tortura e execução extrajudicial. A luta da FLN era ao mesmo tempo uma insurgência heroica contra o Exército francês e uma guerra suja empreendida contra civis — muitos deles compatriotas argelinos.

Em seus escritos sobre a FLN, Fanon nunca questionaria explicitamente suas táticas. Mas ele não era estranho às ambiguidades morais da luta de libertação, nem aos custos psicológicos da guerra, de ambos os lados. Como psiquiatra em Blida, foi testemunha do que mais tarde chamaria de "patologia da atmosfera": a desumanização do outro lado, a suspensão de tabus contra a crueldade. Entre seus pacientes havia dois argelinos adolescentes, de treze e catorze anos de idade, que tinham assassinado o melhor amigo, um europeu.[36] O de catorze anos perguntou a Fanon se ele já tinha visto um europeu preso e punido pelo assassinato de um argelino (um resumo inadvertido da trama surreal do romance de Camus *O estrangeiro*). Fanon respondeu que não. "E, no entanto, há argelinos sendo mortos todos os dias, não?", o garoto disse. "O senhor pode me explicar?" Fanon respondeu que não podia, mas lhe perguntou por que ele havia assassinado o amigo. O garoto explicou que dois membros de sua família tinham sido mortos em um vilarejo nos arredores de Argel onde milícias francesas arrancaram quarenta homens de suas camas e os assassinaram. Ele e o amigo mataram o amigo, um europeu, porque os franceses estavam determinados, disseram eles, a matar todos os argelinos. A conversa seguiu:

"Mas você é um menino e essas são coisas de adultos."
"Mas eles matam crianças também..."
"Mas isso não era uma razão para matar o seu amigo. [...] Será que esse amigo tinha feito alguma coisa contra você?"
"Não, ele não tinha feito nada."

Outro dos pacientes de Fanon em Blida era um policial europeu que havia torturado argelinos e que falou que "só de ouvir alguém gritar posso dizer em que estágio se encontra o interrogatório".[37] Fanon o colocou de licença, e concordou em atendê-lo como paciente particular. Um dia, Fanon estava na ala, cuidando de uma emergência, quando o homem foi a sua casa para a consulta. Josie lhe disse que ele podia esperar o marido voltar, mas ele disse que preferia dar uma volta, na esperança de encontrar Fanon na propriedade do hospital. Alguns instantes depois, Fanon o encontrou "encostado numa árvore [...] banhado em suor", em meio a um ataque de pânico. Ele levou o homem para casa de carro; no sofá, o homem explicou que tinha topado com um argelino que fora torturado na delegacia de polícia. No final das contas, Fanon ficou sabendo que o próprio oficial torturara o paciente em questão e que, depois do encontro, o paciente desaparecera. "O descobrem num lavabo, onde tentava se suicidar", Fanon escreveu em seus prontuários. A vítima argelina estava convencida de que seu torturador tinha ido ao hospital para prendê-lo.

A devastação psicológica da guerra deixou Fanon se sentindo tanto necessário quando impotente: Como ele poderia debelar esses ferimentos psíquicos? Como poderia lutar contra a alienação em condições tão desumanizantes? E qual era a sua responsabilidade quando tratava torturadores — homens que haviam torturado outros pacientes do hospital? Como médico, Fanon não fazia distinção entre argelinos e europeus: todos, em sua perspectiva, mereciam compaixão e cuidado. Ele descreveu apenas um caso cujo tratamento interrompeu: quando um torturador sadista que também agredia a esposa e os três filhos pediu a Fanon para treiná-lo para suprimir seus sentimentos de culpa enquanto continuava a torturar. Fanon sabia que alguns de seus colegas de profissão estavam realizando um serviço parecido em centros de tortura como a Villa Sésini em Argel. Foi ali que ele estabeleceu um limite.

No entanto soldados, e até torturadores, tinham direito à terapia. Fossem vítimas ou perpetradores, os pacientes de Fanon sofriam do que ele mais tarde chamou de "distúrbios mentais originários da guerra de libertação conduzida pelo povo argelino".[38] Muitos eram sobreviventes de celas de interrogatório, onde eram expostos a um repertório de técnicas de tortura: afogamento simulado, violação com garrafas, golpes de cacetetes, imobilização forçada e, sobretudo, a *gégène*, um magneto de sinais do exército a partir do qual eletrodos podiam ser aplicados a diversas partes do corpo, especialmente às genitálias. Eles relatavam uma variedade de sintomas físicos, incluindo úlceras estomacais, ciclos menstruais desarranjados, impotência, rigidez muscular e espasmos noturnos. Mas os piores efeitos costumavam ser mentais: pesadelos, sentimentos homicidas ou de desespero, um senso paralisante de despersonalização. Alguns sobreviventes da *gégène* tinham pavor de eletrodomésticos; outros tinham a impressão de ter "a mão sendo arrancada, a cabeça explodindo, a língua sendo engolida". Não é por acaso que Fanon descreveu a luta argelina por independência como "a guerra mais alucinatória que qualquer povo já travou para acabar com a agressão colonial".[39] Em Blida, a guerra dava a impressão de ser uma fábrica de alucinações. As observações clínicas de Fanon confirmavam sua crença de que a violência colonial era um guia muito melhor para entender as doenças de seus pacientes do que a psicanálise freudiana ou a psiquiatria tradicional — para não mencionar as teorias de Antoine Porot sobre a personalidade norte-africana. O "acontecimento desencadeador" das psicoses que ele tratava, escreveu Fanon, era "principalmente a atmosfera sanguinária, implacável, a generalização de práticas desumanas, a tenaz impressão que as pessoas têm de assistir a um verdadeiro apocalipse".

Abalado pelos traumas que observou naquela atmosfera sanguinária e implacável,[40] Fanon escreveu no início de 1956 para Daniel Guérin, um ativista anticolonial na França. "Cada hora que passa é um indicador da gravidade e da iminência da catástrofe", alertou.[41] "Os dias vindouros serão terríveis para este país. Os civis europeus e os civis muçulmanos vão de fato pegar em armas. E o banho de sangue que ninguém deseja ver irá se espalhar pela Argélia." O horror profético de Fanon da queda da Argélia rumo à carnificina é impressionante, uma vez que ele costuma ser tomado como um defensor acrítico da violência, não apenas por seus depreciadores mas também por alguns de seus admiradores. Simone de Beauvoir, por exemplo, alegaria em suas memórias que Fanon ajudara a treinar pessoas que carregavam bombas para suas missões.

Na verdade, não existe evidência de Fanon ter estado diretamente envolvido em operações violentas. No entanto, ele agiu, sim, para *impedir* uma conspiração violenta contra Guy Mollet, o primeiro-ministro socialista da França. A Frente Republicana de Mollet venceu a eleição legislativa em janeiro de 1956 em uma campanha por "paz na Argélia", um slogan que provocou temores de traição entre os argelinos europeus. E ainda que ele enfatizasse a "unidade indissolúvel da Argélia e da França metropolitana", Mollet prometera buscar igualdade plena para todos os habitantes do país. Uma de suas primeiras decisões foi a de substituir Soustelle, cuja guinada dramática para a repressão lhe rendera o apoio da comunidade de colonos, por Georges Catroux, que negociara o retorno do exilado Mohammed V para Rabat às vésperas da independência do Marrocos.

Quando Mollet anunciou que visitaria Argel, colonos irados começaram a preparar uma recepção hostil. Uma das pacientes de Fanon, europeia, lhe disse que seu marido estava tramando um ataque contra o primeiro-ministro.[42] André Achiary era um colono violento que fora integrante do serviço secreto de Charles de Gaulle durante a guerra e fizera parte do massacre de Sétif em maio de 1945. Juntamente com um grupo de colonos chamado ultras, ele pretendia contratar criminosos do submundo do Norte da África para fazer o serviço de modo que se pudesse colocar a culpa da violência sobre os *fellagha* — a palavra árabe para "bandidos", usada pelos franceses para se referir à FLN.* Depois de ficar sabendo da conspiração — e em uma rara violação do sigilo entre médico e paciente — Fanon a relatou a André Mandouze, que acabara de voltar de reuniões em Paris com Pierre Mendès-France, ministro de Estado de Mollet. Mandouze tomou o primeiro avião de volta para Paris e notificou Mendès-France. Quando Mollet chegou em 6 de fevereiro, por volta de 60 mil europeus apareceram nas ruas exigindo a volta de Soustelle, e agitadores o acertaram com tomates enquanto ele colocava uma coroa de flores em um memorial da Primeira Guerra Mundial. Se não fosse por Fanon e Mandouze, ele poderia ter sido saudado com tiros de metralhadora.

Mas os gritos de "Mollet na forca!" bastaram para repreender o primeiro-ministro. "De 6 de fevereiro em diante", escreveu Fanon, "já não podíamos voltar o olhar para a França." Assim que Mollet retornou a Paris ele se rendeu aos colonos, anunciando sua decisão de aumentar as forças francesas na Argélia para 500 mil, quase dez vezes mais do que as que havia no país em 1º de novembro de 1954, e recuando da indicação de Catroux em favor de Robert Lacoste, que logo se aliaria aos colonos contra a FLN. Ele também apresentou um

---

* O uso de *fellagha* implicava, é claro, que os rebeldes nacionalistas da FLN não passavam de criminosos comuns, sem demandas políticas legítimas.

projeto de lei solicitando "poderes especiais" contra a FLN. "A França vai lutar para permanecer na Argélia", anunciou Mollet, "e ela vai permanecer na Argélia. Não há futuro para a Argélia sem a França." A moção de Mollet foi aprovada em 12 de março, por uma votação de 455 × 76, com apoio do Partido Comunista Francês, que temia a alienação da classe trabalhadora francesa na colônia. O partido nunca se recuperaria totalmente aos olhos do movimento nacionalista argelino — nem aos olhos de Fanon.

Nunca poderia ter passado despercebido a Fanon que um dos que votaram a favor dos poderes especiais havia sido o representante comunista de Fort-de-France, seu antigo mentor, o poeta Aimé Césaire. Césaire logo se arrependeu de seu voto, e em outubro ele deixou o partido, em uma longa e eloquente carta endereçada a seu líder, Maurice Thorez. Ele se filiara ao partido, disse, na esperança de que o marxismo fosse posto a serviço dos negros, não que os negros fossem postos a serviço do marxismo.[43]

Fanon e Césaire haviam cruzado caminhos um mês antes, em setembro de 1956 em Paris, quando os dois fizeram uma exposição oral no I Congresso Internacional de Escritores e Artistas Negros, realizado na Sorbonne e organizado pela revista *Présence Africaine* com ajuda de Richard Wright. Wright publicara havia pouco um livro-reportagem, *The Color Curtain*, sobre a Conferência de Bandungue de Estados asiáticos e africanos, que ocorrera em abril de 1955 na Indonésia, e concebera os eventos como uma sequência pan-africana, unindo intelectuais negros da terra natal e da diáspora. Os 63 delegados — nem uma única mulher entre eles, como Wright lamentou impetuosamente da tribuna — vinham de 29 países e incluíam alguns dos mais notáveis escritores negros do mundo todo: Wright e Césaire, Senghor, Alioune Diop (o fundador da

*Présence Africaine*), e o romancista de Barbados George Lamming. Em um telegrama, W. E. B. Du Bois, cujo passaporte fora confiscado pelo governo dos Estados Unidos, instou a audiência a seguir o caminho do socialismo "como exemplificado pela União Soviética". Fanon compareceu como membro da delegação martinicana junto com Césaire e o talentoso jovem escritor Édouard Glissant, três anos mais novo, que ele conhecera logo que chegou em Paris, quando era estudante. Um grupo de escritores argelinos, inclusive o contador de histórias cabila Mouloud Mammeri e o historiador Mostefa Lacheraf, mandaram uma carta para a conferência: "Em meio aos penosos eventos que se desenrolam e do meio de uma guerra atroz cujo preço está sendo pago por nosso povo, nós, escritores argelinos, asseguramos a nossos irmãos negros escritores e artistas nossa amizade e nossas esperanças".

Como James Baldwin observou em seu relato sobre a conferência, Senghor começou seu discurso invocando o "espírito de Bandungue", como vários outros fizeram, mas o foco do congresso era a cultura, especialmente a cultura negra, e como ela poderia ficar com o avanço da descolonização e da independência africana. Senghor celebrou, como de costume, o que ele tomava como uma particularidade cultural de pessoas que descendiam da África. Para os negros, ele disse, *sentir c'est apercevoir*, "sentir é perceber".

Césaire estava menos confiante. A violência da colonização, argumentou, subjugara culturas negras a um deslocamento arrasador que nenhuma quantidade de intuição era capaz de superar: "Onde quer que a colonização seja um fato, a cultura autóctone começa a apodrecer. E entre essas ruínas, algo começa a nascer que não é uma cultura mas um tipo de subcultura, uma subcultura que é condenada a existir à margem a que a cultura europeia a relega", sem qualquer "chance de se desenvolver para uma cultura ativa e viva". Retornar às "antigas civilizações" da África era impossível, porque os negros na diáspora estavam "distantes demais delas". Em vez disso, eles teriam de criar uma "síntese" do "velho e do novo", de modo que "nosso povo, o povo negro, fizesse sua entrada no grande palco da história".

Fanon era simpático à posição de Césaire, mas em seu discurso, "Racismo e cultura", ele praticamente ignorou o tema que era a *raison d'être* ostensiva da conferência: o futuro da cultura negra, tanto na África quanto na diáspora. Em vez disso, ele começa com uma observação intrigante, tipicamente nebulosa: "O aparecimento do racismo não é fundamentalmente determinante. O racismo não é um todo, mas o elemento mais visível, mais cotidiano, às vezes mais grosseiro, em suma, de uma dada estrutura".[44] O que é "estrutural" sobre o racismo, em outras palavras, não é que o racismo *determina* as estruturas de desigualdade e opressão, mas sim o inverso: o racismo é produto dessas estruturas. Fanon coloca da seguinte maneira: "O racismo obedece a uma lógica infalível. Um país que vive, que tira sua substância da exploração de povos diferentes, inferioriza esses povos. O racismo a eles aplicado é normal". Ele apresentou um argumento parecido em *Pele negra, máscaras brancas*, especialmente em sua discussão sobre cultura popular, mas seu foco mudou aqui do olhar branco e da experiência vivida da negritude para a natureza da subordinação e da exploração colonial.

No início da era da conquista e da pilhagem, argumenta Fanon, o colonizador procura "fazer do autóctone um objeto nas mãos da nação ocupante". Eventualmente, no entanto, o "ocupante" é obrigado a tomar uma "nova atitude", com "a evolução das técnicas de produção". A essa altura, surge uma derrogação abertamente mais conciliatória com relação ao colonizado, uma "camuflagem das técnicas de exploração do homem". Um sistema de exploração não pode ser construído à força sozinho; isso exige colaboração da população autóctone — logo a emergência de uma "ideologia 'democrática e humana'", promovendo a cooperação entre colonizador e colonizado. O que Fanon tem em mente é o império "liberal" da França, no qual os sujeitos colonizados podiam, a princípio, adquirir a língua e a cultura da pátria, e se tornar "evoluídos", fornecendo assim prova da universalidade do modelo francês.

Fanon observa que "Como as Escrituras se mostraram insuficientes", o imperialismo liberal descartou o "racismo vulgar, primitivo, simplista" que "pretendia encontrar no biológico a base material da doutrina" em favor da "argumentação mais fina" do "racismo cultural". Isso estava fundamentado na ideia da supremacia ocidental, seu objeto "não é mais o homem particular, mas uma certa forma de existir" que diverge dos "valores Ocidentais" tidos como universais, e superiores. Isso não quer dizer, no entanto, que as potências coloniais buscavam extinguir as culturas nativas: "o fim desejado é mais a agonia constante do que o desaparecimento total da cultura preexistente". O colonizador pode até expressar "preocupação [...] de 'respeitar a cultura das populações autóctones'" — a ideia no cerne do programa de "integração" de Soustelle na Argélia. Mas "percebe-se nessa empreitada uma vontade de objetificar, de encapsular, de aprisionar, de enquistar". Em uma antecipação notável de *Orientalismo* (1978), de Edward Said, Fanon defende que "o exotismo é uma das formas dessa simplificação". A admiração da cultura dos oprimidos, até um fascínio erudito, se torna um modo insidioso de mantê-los em seu lugar.

Fanon zomba dos esforços de intelectuais colonizados de se opor ao racismo ao abraçar a cultura nativa deles. Em uma alusão sarcástica à Négritude, uma ideologia adotada por muitos dos que estavam na audiência da Sorbonne, ele evoca uma pessoa colonizada que "reencontra um estilo antes desvalorizado" e que "se extasia a cada redescoberta". Ele continua: "O encantamento é permanente. Antes emigrado de sua cultura, o autóctone agora a explora com fervor. É uma lua de mel constante. O antigo inferiorizado se encontra em estado de graça". O problema é que, longe de ser "repensada, retomada, dizimada a partir de dentro", aquela cultura "é reivindicada". E "nesse ponto", acrescenta ele, "cabe mencionar o caráter incorrigível dos inferiorizados. Os médicos árabes dormem no chão, cospem em qualquer lugar etc. [...] Os intelectuais negros consultam o feiticeiro antes de tomarem uma decisão etc.". Em uma sociedade racista, os racistas costumam ficar bastante confortáveis com a diferença cultural, a qual pode ser facilmente oferecida como um exemplo de inferioridade, ou inadequação, dos oprimidos.

Enquanto o racismo existir como "um todo bastante típico" — "o da exploração desavergonhada de um grupo de homens por um outro grupo, que atingiu um estágio de desenvolvimento técnico superior" — a cultura, também, permanecerá racista. Os esforços dos colonizados de recuperar suas culturas, e de obrigar seus opressores a reconhecer seu valor, não são portanto substitutos para o que ele chama de "libertação total". Só então "as duas culturas podem confrontar-se, enriquecer-se", porquanto a "universalidade reside nessa decisão de assumir o relativismo recíproco de culturas diferentes, uma vez excluído irreversivelmente o estatuto colonial". Fanon nunca pronunciou a palavra "revolução" nesse discurso — a última vez que se dirigiu a uma audiência na França —, mas ela é a mensagem implícita. A cultura ficará livre do racismo apenas quando as estruturas do racismo — a dominação colonial — forem eliminadas. Ainda que Fanon não pudesse defender abertamente a independência argelina em Paris em 1956, o discurso é uma ilustração poderosa da "argelização" de sua perspectiva sobre o racismo. A descolonização, acredita ele, é a condição a priori da reconciliação e da polinização cruzada da cultura.

O discurso de Fanon deve ter parecido deslocado no congresso. Grande parte do debate girava em torno das diferenças entre as lutas dos africanos colonizados e dos negros na diáspora. Como Fanon observaria em *Os condenados da terra*, ainda que os brancos na América não "se comportaram de forma diferente dos que dominavam os africanos", os delegados americanos negros logo se deram conta de que "os problemas existenciais que se apresentavam a eles" eram diferentes "daqueles enfrentados pelos negros africanos".[45]

Baldwin expressou uma visão idêntica em um ensaio cético sobre o evento, mas ele nunca menciona o discurso de Fanon, e não há registro da reação da audiência. Mas uma audiência argelina não teria problema em entender o argumento de Fanon de que o racismo cru e biológico estava sendo eclipsado pelo racismo cultural notavelmente na forma de afirmações condescendentes da superioridade dos valores ocidentais. Por mais que abominasse o racismo científico de Antoine Porot, Fanon entendeu que ele representava um anacronismo do século XIX. Quando as autoridades francesas defendiam a causa da *Algérie française*, elas falavam não do córtex subdesenvolvido dos argelinos, mas sim da civilização ocidental, de liberdade e, notavelmente, da emancipação das mulheres muçulmanas do patriarcado islâmico, tema para o qual Fanon se voltaria em seu ensaio de 1959 sobre o véu.

O discurso de Fanon teria feito mais sentido se tivesse sido feito em uma conferência que a FLN realizou algumas semanas antes no vale do Soummam na Cabília, um reduto nacionalista. O arquiteto da Conferência de Soummam foi Abane Ramdane, a quem ele admirava profundamente. Nascido em 1920, Abane cresceu no vilarejo cabila de Azouza e frequentou o ensino médio em Blida. Ele era baixo, robusto, e tinha uma mente arguta e analítica. Quando a guerra irrompeu em novembro de 1954, ele estava na prisão por suas atividades no MTLD de Messali. Tinha tirado bom proveito de seu confinamento, estudando Marx e Lênin. Ao ser solto, em janeiro de 1955, ele se juntou à FLN, depois de ser cortejado por Krim Belkacem, o líder do movimento na Cabília (Wilaya 3), que tivera que vencer as consideráveis dúvidas de Abane sobre a sensatez de uma ofensiva: a decisão de lançar a guerra, considerava ele, era extremamente prematura.

Krim, que Fanon também chegou a conhecer bem, era uma figura imponente, de instintos implacáveis e maquiavélicos. Ele estava no *maquis* desde 1946, desenvolvendo, nas palavras de Mohammed Harbi, a personalidade incansável e sempre desconfiada de um "homem caçado". Krim era especialmente severo com relação aos companheiros cabilas que defendiam de maneira explícita um projeto político berbere — em oposição a um islâmico árabe e nacionalista. Em março de 1956, alguns meses antes da Conferência de Soummam, seu companheiro na Wilaya 3, Amar Ould Hamouda, um defensor de longa data da tendência "berberista", foi condenado à morte e executado sob ordens de Krim;[46] ele não seria o último. Para Krim, qualquer afirmação da identidade berbere era um presente para os franceses, que tentavam explorar as tensões entre árabes e berberes desde os primeiros dias da colonização. Nisso, Abane e Krim estavam na mesma página, e suas origens cabila apenas fortaleciam sua ligação. Acolhido por Krim no santuário interno da revolução, Abane logo se estabeleceu como o líder mais graduado da FLN dentro das fronteiras da Argélia, responsável por líderes exilados no Cairo e em Túnis. Na primavera de 1956, graças em parte a Abane, a ALN tinha quase 20 mil combatentes bem equipados operando em território argelino.

A ALN também estava aumentando sua presença regional como resultado dos desdobramentos logo além das fronteiras da Argélia. Em março de 1956, o Marrocos e a Tunísia obtiveram sua independência. Como protetorados, eles eram destinados a reaver sua soberania em dado momento, mas o cronograma foi acelerado por insurreições nos dois países — e, ainda mais, pela intensificação da revolta na Argélia, que, como parte integrante da França, importava muito mais para o governo francês.* A desistência dos protetorados, esperava-se, permitiria que o exército dedicasse todos os seus recursos à campanha argelina. No entanto, a perda do Marrocos e da Tunísia criou, a curto prazo, um ambiente regional mais favorável para a FLN. Tanto Mohammed V, o rei do Marrocos, quanto Habib Bourguiba, o líder da Tunísia, forneceriam à FLN e à ALN uma base de operações. Os líderes exilados da FLN já não precisavam ir até o Cairo; podiam cruzar a fronteira até um amistoso vizinho norte-africano.

O Norte da África ficou unido no apoio à guerra de libertação da FLN. Mas a expansão da ALN do outro lado das fronteiras argelinas levaria ao desenvolvimento de uma vasta burocracia, dominada pelas forças militares no Marrocos e na Tunísia; esse dito exército das fronteiras encarava a guerra de modo muito diferente das forças do interior, que Abane Ramdane lideraria até ser obrigado a fugir. O racha entre as lideranças do interior e do exterior moldaria o futuro do movimento — e de Fanon.

A Conferência de Soummam, que aconteceu no mais extremo sigilo em uma mata fechada na costa mediterrânea do leste, foi a salva inaugural na luta entre os dois braços da FLN.

* As conversas que levaram à independência da Tunísia e do Marrocos foram iniciadas por Pierre Mendès-France, primeiro-ministro da França de junho de 1954 a fevereiro de 1955. Três décadas depois, um dos filhos de Mendès-France se casaria com a filha de Fanon, Mireille.

Ato fundador do Estado argelino moderno, a conferência estabeleceu o Conselho Nacional da Revolução Argelina com dezessete membros, provendo o interior de um governo provisório, bem como um politburo de cinco homens, o Comitê de Coordenação e Execução, do qual tanto Abane quanto Krim eram membros. A criação desses órgãos governamentais foi a resposta de Abane à intensificação da repressão francesa. Mas foi também uma audaciosa jogada de poder interna. Abane mandara mensagens a líderes exilados da FLN no Cairo e em Túnis, prometendo lhes fornecer uma passagem da Itália para Trípoli, e então para a Argélia, mas quando chegaram a Trípoli, descobriram que a conferência tinha chegado ao fim — e que ela havia afirmado inquestionavelmente a "primazia" do braço do interior da luta sobre o do exterior.

Abane acreditava que os civis e líderes dentro da Argélia, e não os membros exilados da burocracia da FLN e o cada vez maior exército das fronteiras, deveriam determinar o rumo do movimento. Ele também argumentava a favor de ampliar a guerra do interior do país para as cidades, onde a maioria dos europeus vivia, bem como para a França metropolitana: a não ser que os franceses pagassem um preço em sangue, insistia ele, nunca abririam mão de seu controle sobre a Argélia. O fogo, insistia ainda, não podia parar até que a independência total — incluindo o controle argelino sobre o Saara, onde reservas de petróleo e gás haviam sido descobertas — fosse reconhecida.

Ao mesmo tempo, Abane ressaltava a necessidade de alianças com sindicatos, organizações de mulheres e a comunidade judaica da Argélia, uma minoria em grande parte autóctone*

---

* Ainda que a maioria dos judeus argelinos podia remontar suas origens em milhares de anos, alguns eram descendentes de refugiados da Inquisição, enquanto outros vinham de famílias colonas que haviam chegado no século XIX.

que adquirira cidadania francesa em 1870. Ele cultivava amizades com apoiadores intelectuais do movimento, independente de suas origens, em especial André Mandouze, a quem os franceses acusariam de ter escrito a Plataforma da Conferência de Soummam. (Como Mandouze observou, as autoridades "não podiam imaginar que os argelinos eram capazes de produzir um texto tão cuidadoso e bem organizado".) "Para Abane", Alice Cherki me disse, "homens como Fanon e Pierre Chaulet eram cidadãos de uma nova sociedade, uma nova Argélia que seria fundada numa perspectiva pluralista." Logo depois da conferência, Pierre e Claudine Chaulet rodaram de carro pela Cabília, distribuindo cópias da Plataforma de Soummam escondidas nas fraldas do filho pequeno.

Abane era um militante intransigente que buscava autoridade total sobre as forças do interior. Ele tinha a língua afiada e não poupava a liderança no exílio: "Se vocês não podem fazer nada por nós do lado de fora, voltem e morram conosco. Venham e lutem. Ou então se considerem traidores". Alguns de seus camaradas — especialmente no exterior — passariam a temê-lo como um projeto de Robespierre, mas sua visão estratégica e política exercia enorme influência sobre seus seguidores. Fanon era um deles, e sua visão da libertação argelina sempre levaria a marca de Abane.

A estratégia militar de Abane, no entanto, ajudou a provocar uma escalada na guerra que comprometeria o futuro do interior — e obrigaria Fanon a deixar a Argélia. Em junho de 1956, Abane decidiu levar a guerra às cidades depois que dois militantes da FLN, Ahmed Zabana e Abdelkader Ferradj, foram guilhotinados no pátio da prisão de Barberousse em Argel, que dá para a casbá densamente povoada. Para cada membro guilhotinado da FLN, Abane disse, cem europeus seriam mortos de forma aleatória. ("Um cadáver de paletó", ele teria observado, "sempre vale mais do que vinte de uniforme.")[47]

À exortação de Abane, a FLN lançou uma campanha de terrorismo urbano naquela que é referida como a zona autônoma de Argel, visando homens europeus entre as idades de dezoito a 54 anos. (Argel pertencera previamente à Wilaya 4 da FLN, mas podia agora tomar iniciativas próprias.) A campanha foi organizada por um padeiro da casbá, Yacef Saadi; a estratégia e as diretivas foram determinadas em colaboração com Ali La Pointe, um antigo criminoso que fora recrutado pela FLN na prisão. Ao longo de três dias — entre 21 e 24 de junho — os insurgentes da FLN mataram ou feriram 49 pessoas na capital. Então, em 10 de agosto, um grupo de terroristas europeus, incluindo membros da polícia, plantaram uma bomba do lado de fora de um abrigo secreto da FLN na Rue de Thèbes na casbá. Mais de oitenta pessoas morreram, e tanto o abrigo secreto quanto prédios vizinhos ruíram em uma pilha de escombros e cinzas. Diante das pessoas da casbá lamentando seus mortos, Saadi prometeu que a atrocidade não passaria em branco.

Em 30 de setembro de 1956, dez dias depois de Fanon ter voltado à Argélia, do congresso promovido pela *Présence Africaine* em Paris, a FLN reclamou sua vingança em diversas localidades no centro de Argel, todas refúgios da comunidade europeia: o Milk Bar na Place Bugeaud, a cafeteria na Rue Michelet e o terminal da Air France. As bombas foram plantadas por três mulheres argelinas: Zohra Drif, Djamila Bouhired e Samia Lakhdari. Elas vestiram roupas europeias para a ocasião e passaram facilmente pelos postos de controle, às vezes flertando coquetes com os soldados que os ocupavam. Ao chegar em suas respectivas posições, elas deixaram a bolsa embaixo de mesas ou cadeiras e foram embora. Três pessoas morreram e cinquenta ficaram gravemente feridas no Milk Bar e na cafeteria; um timer defeituoso levou à falha do ataque na Air France. Mouloud Feraoun escreveu no seu diário:

Há mais e mais ataques estúpidos e atrozes nas cidades. Inocentes são destroçados. Mas que inocência? Quem é realmente inocente? As dezenas de clientes europeus pacíficos em um bar? As dezenas de árabes jazendo por toda a estrada em volta de um ônibus despedaçado? Terrorismo, contraterrorismo, terror, horror, morte, gritos de desespero, gritos de sofrimento atroz e estertores mortais. Nada mais. Paz.[48]

Daniel Timsit era um jovem comunista judeu que Saadi contratara para construir o primeiro laboratório de explosivos da FLN no Impasse de la Grenade na casbá. Ele fora levado a acreditar que as bombas seriam usadas no interior e ficou perplexo com seu uso contra civis em Argel.* Pierre Chaulet expressou horror em relação à escolha dos alvos, e levou um sermão de Abane, que estava escondido em sua casa, dizendo que não via diferença entre uma "garota que coloca uma bomba no Milk Bar"[49] e um aviador francês que bombardeia um vilarejo. ("A Rue Michelet", disse ele, "será nossa Dien Bien Phu.") É provável que Fanon compartilhasse da perspectiva de Abane. Ele estava impressionado com o crescente envolvimento de mulheres na FLN, especialmente as que passavam por europeias em suas missões, como Drif e Bouhired. Como escreveria em seu estudo de 1959 da luta de independência, *L'An V de la révolution algérienne* [O ano V da Revolução Argelina]:

> Levando revólveres, granadas, centenas de carteiras de identidade falsas ou bombas, a mulher argelina sem véu se move como um peixe em águas ocidentais. Os soldados,

---

\* Timsit foi preso em outubro e passou o resto da guerra na prisão. Mais tarde publicou um livro de memórias sobre seu envolvimento com a FLN intitulado *Algérie, récit anachronique* (Paris: Bouchene, 1998).

as patrulhas francesas, sorriem para elas quando passam, elogios sobre sua aparência são ouvidos aqui e ali, mas ninguém desconfia que suas malas contêm a pistola automática que logo irá abater quatro ou cinco membros de uma das patrulhas.[50]

Em outubro, Fanon disse a Marcel Manville, seu amigo de Fort-de-France que era agora um advogado representando suspeitos da FLN na Argélia, que estava cheio de alguns de seus "amigos intelectuais, que alegavam ser humanistas" mas o criticavam "por estar totalmente envolvido nessa luta". Independente de seus receios, ele agora estava comprometido com a violência revolucionária como uma resposta legítima à violência cotidiana da opressão colonial.

O envolvimento de Fanon na luta argelina era a essa altura tão total, tão desmedido, que ele rechaçava qualquer simpatia por aqueles cujo ardor não se igualavam ao seu próprio. "Quando você me revelou que queria deixar a Argélia", Fanon escreveu em uma carta para um amigo francês, "subitamente minha amizade se tornou silenciosa."[51] Ao anunciar sua partida, o amigo de Fanon brincara que enquanto a Argélia poderia ver outra Sétif, ele e a mulher não estariam por lá para ser testemunha. "Por trás do seu riso eu vi. Vi sua ignorância fundamental sobre as coisas deste país", escreveu Fanon, acusando-o de estar preocupado com a humanidade, "porém, estranhamente não com o árabe." Ele continuou: "Você vai partir. Mas todas essas perguntas, essas perguntas sem respostas. O silêncio combinado de 800 mil franceses, esse silêncio ignorante, esse silêncio inocente. E 9 milhões de homens sob esse sudário de silêncio". Era um veredito duro, ele reconheceu, mas então acrescentou, com um floreio retórico: "Não a quero [minha voz] bela, não a quero pura [...] não a quero em todas as dimensões". Ele seguiu para evocar as vidas inclementes dos *fellahin* (camponeses) argelinos em uma espécie de prosa poética césairiana, enquanto satirizava as justificativas do domínio francês: "Sem nós, o que vocês fariam? Ah, seria bonito esse país se nós fôssemos embora? Transformado em pântano dentro de pouco tempo, sim!".

Como se verificou, o tempo de Fanon na Argélia estava prestes a terminar: o envolvimento da equipe do hospital na resistência havia sido exposto. Ficar seria arriscar prisão, possivelmente tortura e execução. Como diretor do hospital, estava especialmente vulnerável. Alertado por primos corsas na polícia de que uma batida no hospital era iminente, Geronimi foi o primeiro a ir embora para a França. Na época, a esposa dele, Alice Cherki, estava em Argel distribuindo panfletos para a FLN visando a comunidade judaica argelina, instando-a a apoiar a independência e a unidade muçulmana-judaica contra os *grands colons*. Quando seu pai descobriu seu esconderijo de panfletos, disse a ela para destruí-los: "Ele sabia que a independência era inevitável, mas esperava que ela ocorresse pacificamente, e ficar do lado da FLN era inconcebível para ele", Cherki me disse. Ela fez as malas e se juntou a Geronimi em Paris.

Em 29 de dezembro de 1956, pouco antes de Fanon partir para a França, Pierre Chaulet arranjou para que ele se encontrasse com Abane Ramdane e o vice dele, Benyoucef Benkhedda: os principais líderes, junto com Larbi Ben M'hidi, da zona autônoma de Argel. Abane solicitara o encontro, depois de ouvir falar da devoção de Fanon à causa a partir de seus companheiros da FLN, mas a reunião teve de ser postergada um dia devido a riscos de segurança: o assassinato por parte da FLN, em 28 de dezembro, de Amédée Froger, presidente da Federação Argelina de Prefeitos, havia provocado tumultos de europeus locais. Chaulet levou Fanon de carro para um local onde ele foi recebido por Benkhedda e, então, presumivelmente interrogado por Abane.

Depois de receber as bênçãos do interior argelino, Fanon disparou uma carta de demissão pungente a Robert Lacoste, o novo governador-geral do país:

> Durante quase três anos, coloquei-me completamente a serviço deste país e dos homens que nele residem. [...] Não houve sequer um fragmento de minha ação que não tenha exigido como horizonte a emergência de um mundo válido, desejada de forma unânime.
>
> Mas o que são o entusiasmo e a preocupação do homem se dia após dia a realidade se tece de mentiras, covardias, e desprezo pelo homem? [...]
>
> A loucura é um dos meios que o homem tem de perder sua liberdade. E eu posso dizer que, situado nessa interseção, mensurei com horror a amplitude da alienação dos habitantes deste país.
>
> Se a psiquiatria é a técnica médica que visa permitir ao homem não mais ser estrangeiro em seu meio, devo afirmar que o árabe alienado permanente no próprio país, vive num estado de despersonalização absoluta [...].
>
> Sr. ministro, chega um momento em que a tenacidade se torna perseverança mórbida [...].
>
> Já há longos meses minha consciência é palco de debates imperdoáveis. E a conclusão deles é a vontade de não deixar de crer no homem, isto é, em mim mesmo.[52]

Lacoste respondeu com uma ordem de expulsão, mas Fanon já estava seguro em Paris. E em janeiro, o Hospital Psiquiátrico de Blida-Joinville foi invadido. François Sanchez, um dos colegas de Fanon, foi preso no campo de detenção de Lodi, a sudoeste de Argel. Raymond Lacaton, coautor com Fanon do artigo sobre confissão criminal, foi espancado por soldados e jogado em um chiqueiro para que fosse devorado pelos porcos; ele teve sorte de sobreviver. Um dos residentes argelinos do hospital, o dr. Slimane Asselah, morreu durante o interrogatório.

A Batalha de Argel tinha começado. O general Raoul Salan, que condecorara Fanon com a Croix de Guerre, havia chegado a Argel naquele dezembro como novo comandante das Forças Armadas. Um mês depois veio o general Jacques Massu, com seus paraquedistas e uma *carte blanche* para usar todo e qualquer método para derrotar a FLN. Os uniformes militares em estilo leopardo que eram marca registrada dos paraquedistas foram desenvolvidos pelo general Marcel Bigeard, um especialista em guerras "não convencionais" que também inventara o dito *crevette Bigeard* (camarão Bigeard) — o termo do Exército para os suspeitos da FLN cujos pés eram enfiados em baldes com cimento: uma vez que secavam, eles eram jogados de helicópteros ao mar. Massu, Salan e Bigeard eram todos veteranos da campanha mal sucedida da França na Indochina que encaravam a Argélia como outro front na guerra contra o comunismo internacional. Eles estavam determinados a não deixar os "viets" (como costumavam chamar a FLN) humilhá-los de novo. Os homens de Massu sistematicamente caçaram oponentes ao domínio francês, incluindo o líder da FLN Larbi Ben M'Hidi e o advogado nacionalista Ali Boumendjel, os quais foram ambos "suicidados" em março de 1957, e o jovem matemático comunista Maurice Audin, que desapareceu em junho — um dos mais de 3 mil desaparecimentos da Batalha de Argel.\* Quase metade dos homens que residiam na casbá seria presa entre a primavera e o verão de 1957. A tortura se tornou

---

\* O chefe de polícia em Argel, Paul Teitgen, um sobrevivente de tortura por parte da Gestapo, demitiu-se do cargo em protesto depois de descobrir que mais de 3 mil pessoas postas em prisão domiciliar tinham simplesmente desaparecido.

institucionalizada, em geral praticada por homens que a haviam sofrido em primeira mão nas câmaras da Gestapo durante a ocupação ou como prisioneiros de guerra na Indochina. As forças da ALN no interior, lideradas por Abane, nunca se recuperariam da contrainsurgência de Massu, a qual deu ao exterior — a liderança exilada e os extraordinários serviços de inteligência da FLN — a preponderância na luta de independência.

O interior argelino que definira a experiência de Fanon da luta de independência entrou em êxodo. Em fevereiro, os líderes da FLN Abane Ramdane e Krim Belkacem fugiram de Argel em um Citroën conduzido por Claudine Chaulet. Os dois homens foram para Túnis: Krim seguiu seu caminho por terra, sobretudo à noite, em mulas; Abane e seu vice, Benyoucef Benkhedda, voaram de avião depois de escapar através da fronteira marroquina. Pierre Chaulet foi detido, em seguida expulso por Lacoste, e rumou para Túnis. O estudioso clássico e progressista católico André Mandouze, cuja rede havia proporcionado a Fanon sua apresentação à FLN, foi impedido de entrar em sua própria igreja, onde defensores violentos da Argélia francesa lhe disseram que, se ele amava tanto os árabes, deveria frequentar uma mesquita. Ele partiu para a Universidade de Estrasburgo sob ameaças de morte. Naquele outono, Yacef Saadi, o líder da casbá durante a Batalha de Argel, seria preso pelos paraquedistas, e a França se vangloriaria de sua — no fim das contas pírrica — vitória.

Os dias heroicos do interior argelino, Wilaya 4, e da resistência psiquiátrica contra a alienação colonial em Blida tinham acabado. Mas de suas memórias da revolta, Fanon forjaria um mito duradouro da Revolução Argelina.

# Parte III
# O exílio

# 9.
# Vertigem em Túnis

Fanon havia chegado à Argélia como francês; ele partiu como argelino, cidadão de um Estado que ainda não existia. A luta por independência da Argélia havia lhe dado não apenas uma missão mas uma nova identidade. Assim que aterrissou em Paris, começou a fazer planos para ir embora de novo, desta vez para Túnis, onde a liderança exterior da FLN gozava da proteção do líder da Tunísia, Habib Bourguiba. A Argélia era agora o único país no que fora chamado de África do Norte Francesa a permanecer sob domínio da França. Mas então, como incontáveis políticos franceses, de praticamente todas as linhas políticas, insistiam, a Argélia era a França.

Já no início de 1957, o contrário também era verdade, uma vez que a guerra havia cruzado o Mediterrâneo. Os argelinos nunca tinham se sentido bem-vindos na França, mas agora eles estavam soturnamente acostumados a ações repressivas arbitrárias, às vezes interrogatórios brutais, no norte de Paris e nas *bidonvilles* (favelas) das *banlieues*, os subúrbios da classe trabalhadora nos arredores da capital. Nesse clima pervasivo de medo e desconfiança, não apenas um argelino, mas qualquer homem que pudesse ser confundido com um argelino corria risco de ser preso. Um caso de identidade equivocada foi o de um jovem escritor colombiano que ficou inusitadamente familiarizado com as prisões francesas em sua chegada a Paris em dezembro de 1955. Os colegas de cela argelinos de Gabriel García Márquez desconfiaram dele a princípio, mas "como eles e eu continuávamos sendo visitantes tão assíduos das celas noturnas, acabamos por chegar a um entendimento", escreveu ele. "Uma noite, um deles disse que já que eu ia ser um prisioneiro inocente, era melhor que fosse culpado, e me pôs para trabalhar para a Frente de Libertação Nacional Argelina."[1]

Foi só em agosto de 1958 que a FLN levou a batalha para a França, com ataques contra alvos do Estado, refinarias de petróleo e policiais. Mas o movimento já tinha designado a França como a Wilaya 7, a única fora do território argelino, e ela era ativa em diferentes frentes, sobretudo organizações estudantis e sindicatos. Havia 300 mil argelinos na França, e membros da ala francesa da FLN, a Fédération de France, visitavam as casas de argelinos nos subúrbios para cobrar uma taxa de guerra de cada adulto. (Deixar de pagar a taxa poderia resultar em execução.) Como na Argélia, a FLN também travava uma guerra sangrenta contra membros do MNA de Messali Hadj, ao longo da qual aproximadamente 4 mil argelinos na França, pertencente a ambas as facções, foram mortos.

A *guerre sans nom*, "guerra sem nome", parecia estar levando a *métropole* rumo a uma guerra civil própria. Em junho de 1958, a crise na Argélia provocaria a queda da Quarta República, com o general Charles de Gaulle voltando ao poder como presidente. Independente de como a chamavam — uma batalha contra "bandidos" e "foras da lei", uma campanha para restaurar a ordem, "os acontecimentos", ou, Deus o livre, uma guerra — ela parecia impossível de se vencer. E estava levando a França a aventuras estrangeiras cada vez mais imprudentes, notavelmente a Guerra de Suez de outubro de 1956, uma expedição conjunta com a Grã-Bretanha e Israel contra o novo líder do Egito, Gamal Abdel Nasser, em resposta à decisão deste de nacionalizar o canal de

Suez. Os franceses encaravam Nasser, que oferecera aos líderes exilados da FLN uma base de operações, como o titereiro da insurreição argelina; o primeiro-ministro Mollet o comparou com Hitler. A guerra terminou em uma derrota humilhante e catapultou Nasser a um prestígio ainda maior no mundo árabe. A longa era da complacência colonial sobre os "três departamentos" do outro lado do Mediterrâneo finalmente chegava a um fim.

A oposição à guerra da França na Argélia, alimentada por relatos de tortura por parte do Exército durante a Batalha de Argel, começou a crescer entre os intelectuais. Um dos críticos mais eloquentes da guerra foi um jovem brilhante, estudioso de grego antigo, Pierre Vidal-Naquet, cujos pais tinham sido assassinados em Auschwitz. Ao longo de sua campanha contra a tortura e os crimes de guerra na Argélia, ele tomaria como modelo o socialista francês Jean Jaurès, que defendera a inocência do capitão do exército Alfred Dreyfus, judeu falsamente acusado em 1894 de entregar documentos secretos aos alemães. Se o domínio francês na Argélia não chegasse ao fim, temia Vidal-Naquet, o resultado seria uma corrosão moral permanente da República,[2] possivelmente o retorno ao fascismo.

Nem todos os intelectuais que se opunham à guerra na França eram *Dreyfusards* como Vidal-Naquet, defendendo valores republicanos contra sua traição nas colônias. Alguns — em especial Raymond Aron, um filósofo liberal de temperamento conservador[3] que defendia a retirada em termos da realpolitik em seu livro de 1957, *La Tragédie algérienne* — simplesmente consideravam a guerra um exercício de futilidade. E então havia intelectuais da esquerda radical que não apenas se opunham à guerra mas também abraçavam os membros da FLN como combatentes da libertação, ao mesmo tempo herdeiros da luta contra o nazismo e arquitetos de um futuro novo e emancipado para os oprimidos do *tiers--monde* (Terceiro Mundo).* Para os *tiers-mondistes* mais entusiastas, a revolução da Argélia era uma verdadeira força de salvação, não apenas para os argelinos mas também para outros povos oprimidos, das nações dominadas do Sul Global ao proletariado francês, cujo silêncio sobre o sofrimento dos colonizados parecia ter sido comprado pelos ordenados do imperialismo.

O líder (não oficial) dos *tiers-mondistes* da França era o antigo editor de Fanon, Francis Jeanson, um apoiador do movimento nacionalista argelino desde o fim dos anos 1940. Em dezembro de 1955, Jeanson e sua esposa, Colette, haviam publicado um relato elogioso da insurreição, *L'Algérie hors-la--loi* [Argélia fora da lei]. Arriscando-se quase tanto quanto Fanon se arriscara em Blida, Jeanson havia criado uma rede de ativistas para assistir a FLN. Eles eram conhecidos como os *porteurs des valises*, "carregadores de malas", e colaboravam de perto com a Fédération de France da FLN. Os *porteurs des valises* contrabandeavam dinheiro e documentos da FLN, davam refúgio e salvo-conduto para ativistas argelinos na França e por toda a Europa, e às vezes escondiam armas. A maioria dos *porteurs* era de franceses, mas uma parte era de esquerdistas estrangeiros. Jakob Moneta era um judeu alemão trotskista que trabalhava como representante de sindicato na embaixada da Alemanha Ocidental em Paris e usava sua mala diplomática para transportar documentos da FLN.

---

\* O termo *tiers-monde* foi cunhado em 1952 por um demógrafo francês, Alfred Sauvy, para indicar a transformação histórica da descolonização, bem como a emergência iminente de um bloco de nações que, como a maioria da população do *tiers état* (terceiro Estado) no *ancien régime* da França, eram excluídas dos privilégios dos outros dois: a nobreza e o clero. O Terceiro Mundo não pertencia nem ao primeiro mundo, liderado pelos Estados Unidos, nem ao segundo, liderado pela União Soviética.

O falsificador do grupo, Adolfo Kaminsky, era um imigrante judeu russo de Buenos Aires que fabricara passaportes para a resistência antinazista ainda adolescente. Em seu segredo, devoção e ideais internacionalistas, os *porteurs* encaravam a si mesmos como uma continuação da resistência dos tempos de guerra. Kaminsky se descrevia como alguém que usava as únicas armas que possuía — "conhecimento técnico, engenhosidade e ideais utópicos inabaláveis"[4] — para se opor a "uma realidade angustiante demais para observar ou sofrer sem fazer nada a respeito".

Isso, claro, é exatamente o que Fanon tinha feito — com modéstia e ousadia impressionantes — no Hospital Psiquiátrico de Blida-Joinville. E não há razão para pensar que ele não poderia ter servido à causa na França, como psiquiatra na comunidade argelina, como escritor, ou talvez como um aliado de Jeanson na rede dos *porteurs de valises*. É tentador imaginar Fanon instalado em Paris, encontrando Sartre e Beauvoir no Café de Flore, depois seguindo distraído para conversar com Richard Wright e Chester Himes no Café Monaco, antes de voltar para casa para um jantar tranquilo com Josie e Olivier ou sair para ver uma apresentação de *Les Nègres* de Genet.

Mas a vida de um intelectual parisiense de esquerda já não satisfaria Fanon, se é que jamais o teria feito. (Lembre-se de seu horror à "vida larval, maçante, obsoleta" das classes médias.) Ele tampouco tinha qualquer interesse em voltar para a Martinica, como seu conterrâneo e amigo, o advogado de esquerda Marcel Manville, o instara a fazer. A luta argelina — e sua proximidade a Abane Ramdane e a outros líderes do interior — havia aberto um horizonte novo e mais amplo do que a França ou sua ilha natal poderiam lhe render. Quando Jeanson se reuniu com ele, Fanon estava ainda mais ríspido que de costume, como se considerasse que Jeanson ocupasse um andar inferior na casa da revolução, onde os criados trabalhavam. Ele expressou desdém pelas pessoas que trabalhavam na França, até por aqueles que o tinham ajudado a sair da Argélia e estavam agora organizando sua ida para Túnis. "Ele estava indo para Túnis e nós não existíamos", lembrou Jeanson. Fanon, ele sentia, tinha uma "necessidade terrível" de seguir o caminho mais extremo. (Quando os dois se encontraram por acaso no aeroporto de Madri três anos depois, Fanon foi desdenhoso, depreciou o trabalho de Jeanson e disse — brutal, mas não imprecisamente — que Jeanson não sabia nada sobre como a FLN era organizada na França: por trás da "fachada política" havia um líder militar que ele "nunca conheceria".)

A diferença entre Jeanson e Fanon estava na relação deles com a França. O apoio clandestino de Jeanson à FLN era um tipo de patriotismo, uma defesa radical dos princípios centrais da República Francesa — igualdade, liberdade e fraternidade — que nunca haviam sido honrados nas colônias. Fanon já havia compartilhado dessa visão: ela o levara a lutar nas Forças Francesas Livres, e ela permeava *Pele negra, máscaras brancas*, o grito de um filho nativo para que a República estivesse à altura dos valores que ela professava. Mas na Argélia, Fanon tinha passado a acreditar que um novo capítulo da história estava sendo escrito, fora da França, fora do Ocidente, e ele queria ser parte dele. Ele escreveria em *Os condenados da terra*: "Então, irmãos, como não compreender que temos mais o que fazer do que seguir essa Europa? [...] Vamos, camaradas, o jogo europeu está definitivamente terminado, é preciso encontrar outra coisa. Podemos fazer de tudo hoje, com a condição de não imitar a Europa, com a condição de não nos deixarmos obcecar pelo desejo de suplantar a Europa".[5] Ele não tinha razão para estar na França quando podia estar trabalhando ao lado de seus "irmãos" em Túnis. Ele não queria ser um simpatizante na *métropole*; tendo sido expulso da Argélia, queria estar o mais perto possível de sua chama revolucionária.*

Em 28 de janeiro de 1957, um dia depois de ele ter sido oficialmente expulso da Argélia, Fanon trocou a França pela Suíça, em seguida viajou para a Itália e, de lá, em dois meses, tomou um avião para Túnis. Nunca voltaria a colocar os pés em solo francês.

A partida de Fanon da França foi organizada por um conhecido de Argel, Salah Louanchi, marido da irmã de Pierre Chaulet, Anne-Marie, e então líder da Fédération de France. (Louanchi foi preso um mês depois.) No aeroporto ele foi saudado pelos líderes da FLN Abane Ramdane e Benyoucef Benkhedda, os quais conhecera pouco antes de sua fuga da Argélia.

Dias depois voltou a exercer a psiquiatria, primeiro no Hospital Razi de La Manouba, e em seguida no Hospital Charles Nicolle, onde supervisionou o tratamento de soldados argelinos com lesões físicas e psicológicas. Em junho, ele se juntou ao gabinete de imprensa da FLN (localizado em seu Ministério da Informação no número 14 da Rue des Entrepreneurs), e em setembro — graças ao endosso de Abane, seu aliado mais poderoso no movimento — ele se tornou membro do comitê editorial do jornal em língua francesa dos rebeldes, *El Moudjahid*, onde trabalhava junto de Pierre Chaulet e Redha Malek, um argelino da Aurès, no centro da rebelião.

---

\* O desgosto de Fanon pela França era compartilhado por seu colega Charles Geronimi, que, depois de passar por Paris a caminho de Túnis, escreveu: "Os parisienses não se importavam com nada além de seus passeios, seus teatros, suas férias preparadas com três meses de antecedência. Eu passei a detestá-los, a desprezar todos os franceses que estavam mandando seus filhos para torturar na Argélia e que só podiam estar interessados em suas pequenas butiques". Simone de Beauvoir observou em suas memórias que os uniformes dos soldados franceses tinham o mesmo efeito sobre ela que as suásticas antigamente haviam tido.

Fanon ter ido para Túnis por ser onde julgava que seria mais útil é um fato de que dificilmente se pode duvidar. A FLN precisava de pessoas com as habilidades dele, tanto como escritor quanto como médico. A cor de sua pele logo se mostraria uma vantagem inesperada quando a FLN buscasse aliados na África subsaariana. Em sua paixão pela causa, ele tinha alguns iguais. Mas seria um erro desconsiderar um motivo mais mundano, ainda que menos exaltado, por trás de sua decisão de seguir para Túnis: ambição. Depois da Batalha de Argel, o centro de gravidade do movimento estava oscilando do interior para o exterior, de Argel para Túnis. Se quisesse crescer no movimento, era para Túnis que se deveria ir.

Foi uma decisão audaz. Como ele bem sabia, a vida que tinha escolhido para si em Túnis seria repleta de perigos. No fim de outubro, apenas alguns meses antes de sua chegada, cinco dos líderes da FLN, entre eles o homem que se tornaria o primeiro presidente da Argélia independente, Ahmed Ben Bella, iam de Rabat para uma conferência em Túnis quando o avião em que estavam — a aeronave particular do rei do Marrocos — foi interceptado sobre o Mediterrâneo pela Força Aérea francesa e obrigado a pousar em Argel, onde Ben Bella e seus colegas foram detidos e mandados para a prisão de La Santé em Paris.[6] Havia também a sempre presente ameaça da La Main Rouge (a Mão Vermelha), uma organização terrorista operada pela inteligência francesa cujo propósito era liquidar membros da FLN.

Pela primeira vez na vida, Fanon desfrutaria da proteção de um guarda-costas, um argelino negro chamado Youcef Yousfi. Alguns anos mais novo do que Fanon, Yousfi era um veterano do *maquis*. "Nós nos parecíamos fisicamente, e todos achavam que éramos irmãos", lembrou Yousfi.[7] "Como ele me chamava de irmão [...] ninguém sabia se era um irmão de armas ou um irmão de sangue." Alguns dos pacientes argelinos de Fanon perguntariam a Yousfi por que seu "irmão" não falava árabe. Yousfi, que descreveu Fanon como a "humanidade em pessoa", cuidava do carro dele, buscava a correspondência e às vezes até se passava por ele quando Fanon não conseguia estar disponível. "Os tunisianos não vão ser capazes de ver diferença entre dois homens negros", Fanon disse. Eles até andavam com o mesmo passaporte falso, com o nome de dr. Ibrahim Farès. À medida que o perfil de Fanon se avultou e ele se tornou alvo da inteligência francesa, Yousfi passou a abrir suas encomendas; se houvesse chocolates dentro, era o primeiro a prová-los.

Fanon alcançara destaque primeiro como um jovem rebelde, marcando seu afastamento de Senghor e Césaire, ambos homens de renome no mundo da política negra, líderes assim como poetas. Mas quanto mais ele se desviava da Négritude, e quanto mais argelino se tornava, mais se enxergava como um líder. A Argélia o deixara ainda mais consciente de algo que Senghor e Césaire sempre souberam: que as palavras podem se traduzir em poder.

Mas Senghor e Césaire eram líderes de seu próprio povo, que os reverenciava. A aposta de Fanon era mais arriscada. Ele tinha se alistado em uma revolução de outro povo, na esperança de que fosse reconhecido como um deles. E foi, por alguns; mas o verdadeiro pertencimento o eludiria, uma vez que ele não era nem argelino nem muçulmano. Ele alcançaria certo poder simbólico, mas nunca seria responsável pela tomada de decisões. Não era membro do órgão dirigente da FLN, o Comitê de Coordenação e Execução, e nunca recebeu um passaporte diplomático, viajava com vistos de turismo de curta duração. Ele também jamais foi um "teórico" da Revolução Argelina, cuja direção era definida por homens armados. Seu principal papel era representar o movimento: dar expressão pública a seus objetivos, em especial para estrangeiros.

(A maioria dos argelinos não lia francês e se informava pelo rádio.) O poder que adquiriu como porta-voz adularia sua ambição e nutriria seu orgulho; mais tarde, daria brilho a sua lenda. Mas ele veio a um preço, uma vez que Fanon era obrigado a se submeter às posições da FLN, mesmo quando tinha objeções a elas.

Isso não era fácil para ele. Apesar de toda a sua humildade entre os doentes e oprimidos, ele por vezes revelava uma veia de volatilidade aos seus pares, uma arrogância que tinha dificuldade de reprimir. Mesmo em uma revolução do povo, Fanon não era um burocrata nato. E ainda havia a grande oração que dirigira ao seu corpo, que não poderia ter esquecido: "Ó meu corpo, faz sempre de mim um homem que questiona!". Os questionamentos de Fanon o haviam levado a unir forças com os *maquisards* do interior argelino. Mas em Túnis — a capital do exterior — ele aprendeu que alguns questionamentos tinham de ser reservados para a página e, mesmo assim, com considerável discrição, a fim de não levantar suspeitas em seus companheiros, seus irmãos de armas. No exército de qualquer povo, que dirá um povo com o qual ele não tinha afiliação nacional, um homem tinha de ser um bom soldado. Do contrário, poderia ser acusado de traição.

Em Túnis, e em suas viagens pela África em nome da FLN, Fanon escreveria algumas de suas páginas mais brilhantes: análises inspiradas da transformação da Argélia, crônicas causticantes de descolonização que às vezes alcançavam força de ficção. Ele amadureceria como pensador e profeta. Ele se tornaria um herói da revolução. Mas também se tornaria um refém dela.

Logo que pousou em Túnis, Fanon era um homem mais livre do que jamais tinha sido — ou que jamais voltaria a ser. Ele estava cercado de companheiros argelinos: Omar Oussedik, o marxista cabila da Wilaya 4; Pierre e Claudine Chaulet; seu mentor político, Abane Ramdane; e, eventualmente, seus residentes Charles Geronimi e Alice Cherki, que tinham trabalhado com ele nos serviços médicos da FLN. Ele continuava usando o nome Ibrahim Farès, por questões de segurança. Mas fora isso já não precisava usar uma máscara. Podia dizer o que pensava sobre o domínio francês na Argélia, sem subterfúgios. Assim como sua esposa, Josie, uma anti-imperialista igualmente comprometida que aceitou um emprego como editora da revista pan-africana *Afrique Action* (mais tarde conhecida como *Jeune Afrique*). Frantz e Josie não tinham apenas casado um com o outro; tinham desposado a própria revolução. Eles se mudaram para um apartamento modesto com varanda nos arredores da capital, e socializavam entre outros ativistas anticoloniais.

Habib Bourguiba, o líder da Tunísia, era nacionalista moderado, não radical, mas era acolhedor com relação aos rebeldes argelinos, seus colegas norte-africanos, que agora tinham unidades na capital e autorização tácita para construir campos de treinamento e contrabandear armas pela fronteira. (Ele também era menos invasivo na política interna argelina do que o líder egípcio, Gamal Abdel Nasser, que tentara exercer controle sobre a FLN no Cairo.) Enquanto Bourguiba governava com mão firme, nos primeiros anos da independência as mulheres deram grandes passos no mercado de trabalho, minorias não muçulmanas foram protegidas e Túnis manteve sua aura cosmopolita e seu charme mediterrâneo.

Os Fanon passariam a apreciar os prazeres que a capital tinha a oferecer: as praias, o ótimo peixe grelhado, a bem abastecida livraria Chez Lévy e o cinema de arte Rotonde. Eles eram convidados frequentes na casa de Pierre e Claudine, casualmente conhecida como "Dar Chaulet", onde simpatizantes e outros membros da FLN se encontravam depois do expediente. E ficaram especialmente próximos de diversos judeus tunisianos de esquerda, entre eles o advogado comunista Roger Taïeb e sua esposa pianista Yoyo, que davam festas para intelectuais e ativistas anticoloniais em sua casa de veraneio em La Marsa, uma cidade litorânea ao lado de Túnis; e o amigo mais velho dos dois, o sociólogo Paul Sebag, que fora torturado pelos franceses durante a luta de independência.

Fanon ficava à vontade com os Taïeb de um modo que não era possível com seus colegas argelinos, com exceção de seu amigo Oussedik. (Fanon, que adorava dançar, nunca o fazia na companhia dos colegas da FLN.) Em La Marsa, Frantz e Josie ouviam Yoyo tocar piano enquanto o filho dos dois, Olivier, brincava nos milharais próximos com os filhos da jovem secretária francesa de Frantz, Marie-Jeanne Manuellan, e seu marido, Gilbert, um agrônomo tunisiano de origem armênia, que também eram amigos dos Taïeb. "Os Taïeb eram mais velhos do que nós",[8] lembrou Manuellan, "mas eram pessoas mais velhas cujas vidas nos pareciam respeitáveis, admiráveis e de coragem. Eles eram tunisianos, 'cidadãos do mundo', antes de serem judeus. E apesar da rigidez do Partido Comunista, tinham certa liberdade, se comparado com a mentalidade conformista e estreita da burguesia tunisiana."

Em pouco tempo, Fanon ganhou a fama de ser o expoente mais extremo da luta armada da FLN, expressando suas visões militantes em coletivas de imprensa e editoriais não assinados do *El Moudjahid*. O conteúdo de seus comentários era o mesmo do que outros oficiais da FLN diziam, mas seu estilo retórico incendiário fazia toda a diferença. Assim como sua altivez. Por exemplo, Fanon não guardava segredo sobre seu desdém pelos jornalistas ocidentais — especialmente os franceses: "Os repórteres franceses mais liberais não deixaram de usar epítetos ambíguos para caracterizar nossa luta. Quando reprovamos tal conduta, eles responderam com a maior boa-fé que estavam sendo objetivos. Para o colonizado, a objetividade é sempre dirigida contra ele".⁹ Para os membros do dito Maghreb Circus que cobriam a Revolução Argelina de Túnis — Thomas F. Brady do *The New York Times*, Jean Daniel do *L'Express*, Guy Sitbon do *Le Monde* —, o novo porta-voz da FLN era um enigma fascinante: um antilhano negro, um filho do império que se voltara contra a pátria mãe, um homem que combinava na mesma medida elegância e intransigência.

Sitbon, que crescera em uma família judaica tunisiana em Monastir, uma cidade portuária 160 quilômetros ao sul de Túnis, costumava visitar Fanon na redação do *El Moudjahid*. Nascido Isaac Shetboun em 1934, Sitbon gravitara para o Partido Comunista na juventude, procurando uma saída da sociedade judaica altamente tradicional em que havia sido criado. Enquanto estudava em Paris em meados dos anos 1950, ele tinha desenvolvido fortes vínculos com ativistas da independência argelina, incluindo Mohammed Harbi, que se juntara à Fédération de France da FLN em 1956. Mas Fanon não o encarava como um companheiro, e quando se viu com Sitbon em um jantar se lançou em um sermão sobre a desumanidade do imperialismo. Sitbon lembra:

> Suas formulações eram originais. Ele era fervoroso, sedutor e muito teatral — quase um ator. E ele se interessava de verdade por você se você fosse a audiência. Mas também era um tanto nervoso, raramente sereno, e intolerante em relação a qualquer pessoa que considerasse um filho da mãe ou um traidor. As outras pessoas da FLN não tinham raiva. Fanon tinha. Era como se ele fosse possuído por sua raiva. Eu considerava Fanon um francês, um *lyonnais*, mas o essencial para *ele* era sua pele — sua cor era sua nacionalidade, porque tinha sido assim que ele fora identificado em Lyon, e ele obviamente sofreu com isso.¹⁰

Quando o cineasta de esquerda René Vautier foi a Túnis para discutir um documentário que vinha fazendo sobre o *maquis* do interior,[11] Fanon insistiu que ele fosse primeiro aprovado pela ALN. Não podiam permitir que "um comunista francês", disse ele, entrasse "no coração do *maquis* argelino com uma câmera e então fizesse uso das imagens que estava levando sem a aprovação da FLN". Fanon não havia esquecido nem perdoado o voto do Partido Comunista a favor dos poderes especiais.

Alguns meses depois de se estabelecer em Túnis, Fanon conversou com Jean Daniel sobre visitar uma base da ALN perto de Tétouan, uma cidade no norte do Marrocos. Nascido Jean Daniel Ben-Saïd em 1920, Daniel crescera em uma família judaica argelina de classe média baixa em Blida, mas se portava como um dignitário e sempre se encarara como um escritor, e não um jornalista, tendo como modelo Albert Camus, seu mentor. Daniel tinha lutado com as Forças Francesas Livres, como Fanon, e estivera entre os primeiros soldados a entrar em Paris na libertação. Um convertido logo de primeira hora à causa da independência argelina, ele relatara os horrores da repressão francesa, incluindo o assassinato de seu colega de classe, o advogado nacionalista Ali Boumendjel, em março de 1957, durante a Batalha de Argel. Apesar de suas discordâncias sobre a independência, Daniel já estava, como Camus, melancólico em relação ao futuro da Argélia sob domínio da FLN, e apreensivo quanto ao que ela guardava para as relações entre franceses e muçulmanos, para os europeus que não eram *grands colons*, e para sua própria comunidade religiosa. Sentia repulsa pela violência contra civis por parte da FLN, e por seu autoritarismo ideológico, especialmente a tendência de alguns de seus líderes de encarar a presença francesa como um "parêntese" que poderia ser apagado e esquecido. A Argélia, acreditava ele, tinha virado um país diferente depois de mais de um século de domínio francês, com uma elite árabe, berbere e judaica que tinha passado por uma vasta aculturação às normas francesas. A emancipação do domínio colonial lhe parecia uma inevitabilidade um tanto trágica, não a vitória revolucionária que Fanon defendia como "o começo de uma nova vida, uma nova história [...] a dissolução de todos os grilhões do passado". Daniel ficou impressionado, mas também intimidado, até assustado, com Fanon: "Ele se manteve atento, falando com ponderação, acima de tudo tentando me sondar, fazer perguntas, mas a entrevista terminou com sua afirmação radical de rompimento com um certo mundo que, para ele, eu, todavia, representava".

O mundo era a França, e a ordem imperial ocidental à qual ela pertencia. Em 1º de novembro de 1957, sob a manchete "Argélia e a crise francesa", Fanon escreveu no *El Moudjahid*: "Na segunda metade do século XIX, falava-se dos 'homens doentes da Europa', o Império Otomano. Hoje, também, a Europa tem um doente: a França [...]. Não existe um problema argelino hoje, existe um problema francês". (O jornal não era para o gosto de todos: Mouloud Feraoun descreveu em seus diários o *El Moudjahid* como escrito "no estilo pomposamente idiota de um semanário regional [...]. Pobre povo da montanha, pobres estudantes, pobres jovens, seus inimigos de amanhã serão piores do que os de hoje".)[12]

Um mês depois, em uma série de três partes, Fanon foi ainda mais longe, denunciando a esquerda francesa por não apoiar incondicionalmente a luta argelina e argumentando que em uma colônia de povoamento como a Argélia, os colonizados e o proletariado europeu não tinham interesses em comum, porque todos os europeus eram beneficiários do privilégio colonial e portanto cúmplices. "O francês na Argélia não pode ser neutro ou inocente", escreveu ele. "Todo francês na Argélia oprime, despreza, domina."[13] Isso queria dizer que todo cidadão francês merecia ser atacado? Gilles Martinet, um jornalista francês de esquerda, observou que o autor anônimo devia ser "um recém-convertido à FLN", com um "gosto por afrontas verbais e striptease psicológico". Surpreendidos com a linguagem de Fanon, seus superiores argelinos suprimiram sua referência a "uma nação tão pervertida quanto a França".

Na verdade, as acusações de Fanon contra as "belas almas" da esquerda francesa, e suas alegações de privilégio colonial, não eram sem precedentes. Uma série de argumentos similares havia sido apresentada por Albert Memmi, um escritor anticolonialista judeu tunisiano que trocou Túnis por Paris em junho de 1956, menos de um ano antes de Fanon chegar. Conhecido dos amigos dos Fanon em Túnis, Paul Sebag e os Taïeb, Memmi era de certa forma um *doppelgänger* de Fanon, ainda que os dois nunca tivessem se conhecido. Como Fanon, Memmi era um radical existencialista, um analista do concreto, da "experiência vivida" da dominação colonial e do racismo. "Injustiça, ofensa, humilhação e insegurança", escreveu ele, "podem ser tão insuportáveis quanto a fome."[14] Memmi acreditava que as vítimas de racismo deveriam proclamar seu direito de serem aceitas como são, "com suas diferenças", em vez de assimilar as normas de seus opressores.

A vida pessoal dos dois também era uma reflexo da outra. Como Fanon, Memmi tinha se casado com uma francesa que conhecera enquanto estudava na França, uma católica da Alsácia. A experiência desfez qualquer ilusão de que o amor vence tudo em uma sociedade colonial. Em seu romance de 1955, *Agar*, há um retrato de um casamento inter-racial como o do próprio Memmi, em que um judeu tunisiano assimilado e sua esposa francesa se estabelecem em Túnis e se veem amargamente em desacordo. Quanto mais ela reclama dos modos tradicionais da família dele e declara a superioridade da França, mais furiosamente ele se ergue em defesa dos costumes que se orgulhava tanto de rejeitar, e mais ressentimento sente em relação a sua cultura francesa adotiva. Como Memmi formulou: "Eu descobri que o casal não é uma célula isolada, um oásis de luz esquecido em meio ao mundo; pelo contrário, o mundo todo está no casal".[15] Esse era, é claro, o argumento de Fanon sobre relacionamentos inter-raciais em *Pele negra, máscaras brancas*.

No inverno de 1956, contra o pano de fundo da Batalha de Argel, pouco antes de Fanon fugir de Blida, Memmi se encontrou com Sartre em Paris e lhe deu uma cópia de um ensaio, "Portrait du colonisateur de bonne volonté" [Retrato do colonizador bem-intencionado]. O ensaio, uma crítica minuciosa do liberal europeu que não se vê como um colonizador mas que se recusa a abraçar a revolta do colonizado, tocou Sartre profundamente, que o publicou na *Les Temps Modernes*. Não é difícil entender o porquê. O colonizador bem-intencionado de Memmi era culpado do que Sartre chamou de "má-fé", opondo-se aos sintomas (tortura, injustiça) mas não à causa (domínio francês). Sartre pode também ter acolhido o ensaio de Memmi como um golpe contra Camus, que — por lealdade aos *petits blancs* da Argélia e por repulsa às mortes de civis por parte da FLN — se recusou a endossar a independência à espera de uma solução federal que mantivesse o país anexado à França. Camus, que escrevera o prefácio do romance autobiográfico de Memmi, *A estátua de sal* (1953), evidentemente interpretou as coisas dessa maneira, identificando um retrato velado de si mesmo no colonizador liberal que "participa e se beneficia daqueles benefícios que ele denuncia sem convicção".[16] A amizade de Memmi e Camus nunca se recuperou.

No entanto, Memmi não poupou a si mesmo em seu relato dos esquerdistas horrorizados com as realidades muitas vezes feias da luta anticolonial que eles de outra forma acolhiam.[17] Formado pela tradição ocidental que condena o terrorismo, Memmi escreveu, o colonizador de esquerda recua perante a violência do colonizado. Ele também teme que quando a libertação chegar, o novo governo irá impor a lei islâmica. Para continuar comprometido com a causa, ele deve "esquecer temporariamente que é um esquerdista".[18] Sua escolha "não é entre o bem e o mal, mas entre a maldade e o desconforto", dilema que o próprio Memmi encarou — e que no fim das contas o levou a se reinstalar na França.

Fanon compartilhava da impaciência de Memmi com a esquerda francesa, mas não de seu desconforto quanto à revolta que adotara como a causa de sua vida. Isso pode ter tido alguma coisa a ver com a posição deles na pirâmide de privilégio colonial de Memmi. Memmi tinha crescido nos confins de El Hara, o gueto judaico de Túnis, mas, como judeu, era considerado mais próximo dos franceses do que seus compatriotas árabes; ocupando um lugar entre colonizador e colonizado, ele passou a estudar a hierarquia colonial desde cedo, e aprendeu a usá-la em seu benefício.

O primeiro modelo intelectual de Memmi foi seu professor do liceu Jean Amrouche, o poeta cristão berbere da Argélia que lhe mostrara que "era possível nascer pobre e africano e se transformar em um homem culto e bem-vestido".[19] Mas ele passou a encarar Amrouche, um homem que se sentia dividido entre seus eus argelino e francês, como paralisado por seu fracasso em romper com o mundo do Oriente — o mundo do próprio pai de Memmi. Memmi, por sua vez, voltou-se para a França e para o Ocidente. O amor não era sempre retribuído. Enquanto estudava filosofia na Universidade de Argel, Memmi foi expulso sob as leis antissemitas de Vichy, como a colega de Fanon Alice Cherki fora de sua faculdade de enfermaria. Em *A estátua de sal*, o alter ego de Memmi, Alexandre Mordechai Benillouche, reflete: "Eu queria rejeitar com toda a minha indignação essa nova imagem da França, mas, afinal, os gendarmes eram tão franceses quanto Descartes e Racine".[20]

Mais tarde, na Sorbonne, Memmi ouviu um boato de que, como "nativo" tunisiano, ele poderia não ser autorizado a fazer a prova de filosofia. Quando a revolta contra o domínio da França na Tunísia irrompeu, Memmi se tornou um militante do movimento de independência e fundou o jornal nacionalista *Action*, editado por Bourguiba da prisão. No entanto, sua crença no republicanismo francês e sua convicção de que, no fim das contas, estava melhor na *métropole* do que em uma Tunísia de governo muçulmano seguiam inalteradas. "Como judeu tunisiano de cultura francesa de esquerda", escreveu ele em seu diário, "eu pertenço a uma cultura francesa e é tarde demais para que eu mude isso [...] eu também não desejo nem posso me permitir adotar um ódio de pura paixão antifrancesa que não sinto."[21] Ele decidiu "ajudar os norte-africanos a conquistar sua liberdade, mesmo que essa liberdade não apenas não nos beneficie, mas até corra o risco de nos machucar". Observou que "responsabilidade e interesses históricos nem sempre coincidem". Depois de participar da libertação da Tunísia, Memmi vendeu sua casa e se instalou em Paris.

A criação de Fanon foi mais de classe média, mas ele carregou o estigma de sua cor; a ferida da traição por parte da República pela qual lutara quando jovem nunca sarou. Não apenas ele nunca seria confundido com um francês branco, como — conforme aprendera sentado em seu carro em Blida — podia facilmente ser confundido com um muçulmano argelino. Ao contrário de Memmi, ele já não se considerava membro de um grupo eternamente minorizado, condenado a procurar o lar que melhor garantiria a segurança de seu clã. Graças à Revolução Argelina e à ascensão de outros movimentos de independência contra o colonialismo, ele se reimaginou como parte de uma nova maioria — negra, marrom e amarela — que purgaria o mundo do racismo e do imperialismo. Os "condenados" um dia herdariam a terra; os últimos seriam os primeiros. Enquanto o entendimento de Fanon da opressão colonial continuava a ser fundado em seu trabalho psiquiátrico, sua visão da desalienação como uma revolução política adquiriria um matiz cada vez mais utópico — até messiânico — em seus últimos anos.

Fanon manifestava todo o fervor de um convertido ou, talvez mais direto ao ponto, de um *assimilé*. Assim como seu francês era mais perfeito do que o dos franceses, agora ele era mais argelino do que os argelinos. De acordo com Harbi (que mais tarde chegou a conhecê-lo em Túnis quando trabalhou para o Ministério das Relações Exteriores da FLN), "Fanon tinha uma necessidade muito forte de pertencer".[22]

O fervor retórico dos ataques de Fanon à esquerda francesa refletia sua aliança com Abane Ramdane, que começara a instar os editores do *El Moudjahid* a adotar uma linha mais dura. Abane acreditava que a FLN devia formar comandos dentro da Wilaya 7 — ou seja, a França — não apenas para diminuir a pressão no interior, mas também para obrigar os franceses da *métropole* a pagar um preço por seguir com a guerra. Os líderes da Fédération de France, incluindo Harbi, eram contra essa jogada, não porque tivessem descartado ataques na França mas porque a diáspora argelina na França simplesmente não estava pronta para a repressão que certamente se seguiria. Essa também era a perspectiva dos líderes históricos da FLN, cujo avião fora sequestrado no ano anterior e que agora estavam presos em Paris. Em uma carta escrita de La Santé no outono de 1957 para seus colegas no exterior, Ahmed Ben Bella, Hocine Aït-Ahmed, Mohamed Boudiaf e Mohamed Khider defenderam que tal decisão não reconhecia as "condições econômicas, morais e humanas em que os migrantes argelinos vivem". Dar início a uma guerra dentro da França era expor os imigrantes argelinos vivendo em "já precárias condições" à "hostilidade chauvinista do país inteiro", possivelmente a pogroms antiargelinos. A organização precisava semear a divisão dentro da França e cultivar potenciais aliados — quer eles abraçassem ou não cada jogada da FLN — para não voltar o país inteiro contra a causa argelina. A luta armada, a essa altura, era apenas uma parte da estratégia da FLN para alcançar a independência, e o papel que a organização desempenharia depois da Batalha de Argel se tornaria cada vez mais simbólico. A liderança da FLN sabia que nunca conseguiria derrotar os franceses no campo de batalha. Ela precisava fazer uma "revolução diplomática",[23] como colocou o historiador Matthew Connelly, explorando as fraquezas políticas da França no cenário internacional. A principal arena era a Assembleia Geral das Nações Unidas, que abriu o primeiro debate sobre o futuro da Argélia em fevereiro de 1957.

Um dos líderes mais efetivos da revolução diplomática era o representante da FLN nas Nações Unidas, M'hammed Yazid, um afável e loquaz nativo de Blida que trabalhava fora do escritório da FLN na East Fifty-Sixth Street em Nova York. Mesmo enquanto o Exército francês desmantelava a FLN durante a Batalha de Argel, Yazid e seu colega Abdelkader Chanderli, ambos falantes fluentes de inglês, cortejavam o senador John F. Kennedy. Depois do briefing de Yazid e Chanderli, Kennedy fez um discurso notavelmente informado para o Senado em 2 de julho de 1957, no qual se posicionou a favor da autodeterminação argelina e declarou que os Estados Unidos não deveriam basear suas políticas no "mito do império francês".[24] A crise argelina, concluiu ele, "afeta os interesses mais vitais de todo o mundo livre — a Otan, as propostas emergentes para um mercado comum para a Europa, o Euratom e o crescimento precário dos novos Estados da África. Todos esses grandes empreendimentos e visões, receio, não darão em nada se não pudermos fechar a ferida argelina".

O discurso de Kennedy enfureceu os franceses; dois dias depois, uma bomba explodiu do lado de fora do consulado dos Estados Unidos em Argel. Mas essa foi uma vitória enorme para a FLN. Homens como Yazid eram, cada vez mais, a imagem pública do movimento nacionalista argelino: diplomatas sofisticados e urbanos que preferiam ternos a uniformes de guerrilha. Eles eram mais nacionalistas do que revolucionários; seu objetivo era obrigar a França a se retirar, não condená-la enquanto nação. Embora se empenhassem em obter o apoio de nações recém-independentes do antigo mundo colonial, eles o faziam por uma razão única e pragmática: garantir a liberdade da Argélia do domínio francês. Uma vez que os franceses abrissem mão da Argélia, não viam razão para não terem boas relações com seus antigos ocupantes. Afinal, eles se conheciam havia mais de um século: nas palavras de Fanon, "O colono e o colonizado são velhos conhecidos".[25]

Quando o governo provisório — o Gouvernement Provisoire de la République Algérienne (GPRA) — foi formado no outono de 1958, com Ferhat Abbas como presidente e Krim Belkacem como vice-presidente, Yazid se tornou seu ministro da Informação e substituiu Fanon como o porta-voz da FLN. Ainda que Fanon continuasse a escrever para o *El Moudjahid*, suas colunas eram monitoradas de perto; uma vez o jornal foi recolhido da gráfica por causa de objeções à sua linguagem. No entanto, ele continuou a subir dentro do movimento: sua retórica incendiária podia ser questionada, mas não sua dedicação à causa.

Fanon escreve em *Os condenados da terra*:

> Desde sempre, no seio do povo, a verdade só brotou dos nacionais. Nenhuma verdade absoluta, nenhum discurso de transparência da alma pode corroer essa posição.

À mentira da situação colonial o colonizado responde com uma mentira igual. A conduta é franca com os nacionais, tensa e ilegível com os colonos. Verdadeiro é o que precipita o desmantelamento do regime colonial, é o que favorece a emergência da nação. Verdadeiro é o que protege os "nativos" e arruína os estrangeiros. No contexto colonial não existe conduta de verdade. E o bem é simplesmente aquilo que *lhes* faz mal.[26]

A elasticidade da verdade em condições de guerra colonial não era uma questão abstrata para Fanon. Como porta-voz da FLN, ele era encarregado de articular as visões da FLN, e o fazia fielmente.

Em sua primeira declaração pública em Túnis, ele negou as alegações de que, em maio de 1957, a FLN tinha estado por trás do assassinato de mais de trezentos habitantes do pequeno povoado de Mechta Kasbah, junto do vilarejo montanhoso de Melouza. Na verdade, nenhuma ordem direta por parte da liderança\* fora dada para o massacre, que foi realizado por soldados da ALN sob iniciativa de Mohammedi Saïd, o chefe brutal da Wilaya 3, que, como muitos companheiros regionais, desfrutava de arbítrio considerável, sobretudo quando se tratava da punição de suspeitos de traição. Mas a natureza não oficial da operação também era um constrangimento em potencial, uma vez que contradizia a noção de uma estrutura de comando unificada. As vítimas, além disso, eram muçulmanos argelinos cujo único crime tinha sido apoiar um grupo rebelde diferente, o MNA de Messali Hadj. Ainda que apenas um pequeno braço dos messialistas fosse solidário aos franceses,

---

\* É improvável que o braço executivo da FLN, o Comitê de Coordenação e Execução, tivesse tido qualquer conhecimento prévio do ataque a Melouza.

a FLN encarava todos os apoiadores do MNA como traidores, assim como o fazia Fanon.

A imprensa francesa publicou páginas duplas horríveis sobre o massacre de Melouza, quando ele se tornou conhecido; o governo citou as atrocidades como evidência da barbárie dos *fellagha*. A FLN, por sua vez, culpou os franceses, mas sua responsabilidade logo ficou clara, até para observadores que apoiavam a rebelião. Um dos conhecidos de Fanon em Túnis, Mohamed Ben Smaïl[27] — um membro do Maghreb Circus que escrevia para o *Afrique Action*, onde Josie Fanon trabalhava — foi para Melouza investigar. Ainda que tenha culpado os franceses em sua reportagem, ele disse a colegas da imprensa que a FLN havia cometido o massacre. Jean Daniel assinou uma petição sobre Melouza no *Le Monde*, instando a FLN a renunciar ao terror contra os civis. Enquanto o governo francês e a FLN responsabilizavam um ao outro, o romancista Mouloud Feraoun declarava em seu diário:

> Senhores da FLN, senhores da Quarta República, acham que uma gota de seu sangue vale mesmo mais do que uma gota do sangue de qualquer outra pessoa — sangue que, por causa dos senhores, está sendo derramado no solo da Argélia? Os senhores realmente acreditam que, com suas mãos sujas, vão construir o futuro melhor que estão prometendo com seus discursos histéricos?[28]

De acordo com Charles Geronimi, Fanon sabia que a FLN era responsável por Melouza. E em *L'An V de la révolution algérienne* ele implicitamente reconheceria essa responsabilidade: "Os ministros franceses Lacoste e Soustelle publicaram fotografias com o objetivo de manchar nossa causa. Algumas dessas fotografias mostram feitos de membros de nossa revolução".[29] No entanto, ele logo aludiu a "outras fotografias que mostram alguns dos milhares de crimes" cometidos pelos colaboradores argelinos do Exército francês, e as "dezenas de milhares de homens e mulheres argelinos que foram e continuam sendo vítimas das tropas francesas. Não, não é verdade que a Revolução tenha chegado tão longe quanto o colonialismo". Ainda assim, ele seguiu,

> porque nós queremos uma Argélia democrática e renovada, porque nós acreditamos que não se pode erguer e se libertar em uma área e se afundar em outra, nós condenamos, com dor no coração, aqueles irmãos que se lançaram na ação revolucionária com a brutalidade quase fisiológica que séculos de opressão nutrem e provocam.

Mas o massacre de Melouza foi um caso não tanto de "ação revolucionária" contra o colonialismo quanto de acerto de contas em uma guerra civil: um lembrete perturbador das divisões persistentes entre os argelinos.*

Na coletiva de imprensa de 5 de junho de 1957, Fanon cumpriu o seu dever, renegando a responsabilidade da FLN e denunciando as "maquinações sórdidas sobre Melouza, que se destinam a desacreditar a Frente de Libertação Nacional aos olhos do mundo civilizado". Os franceses, ele defendeu, estavam explorando o massacre para distrair a atenção de suas próprias atrocidades na Argélia rural, onde o Exército estava empreendendo uma contrainsurreição implacável. Ao longo da guerra, mais de 2 milhões de habitantes dos vilarejos[30] — quase metade da população rural — foram expulsos à força de suas casas e transferidos para *camps de regroupement* (campos

---

* Mohammedi Saïd, o comandante da ALN que chefiara o massacre, reconheceu sua responsabilidade no documentário de 1991 *Les Années algériennes*: "Nosso primeiro inimigo não era o soldado francês, era o traidor entre nós".

de reassentamento). Seus vilarejos foram declarados *zones interdites* (zonas proibidas), onde qualquer um que continuasse ali poderia ser morto por ser considerado rebelde; seus conselhos governantes, conhecidos como *djema'a*, foram dissolvidos. Soldados incendiaram florestas, estupraram mulheres, destruíram colheitas e gado, e usaram napalm. Nas cartas que mandavam para casa,[31] alguns soldados comparavam as cenas que haviam testemunhado ao massacre em Oradour-sur-Glane, um vilarejo no Limusino onde os alemães reagiram à captura de um de seus oficiais matando quase todos os habitantes.

O objetivo oficial do "reassentamento" era proteger os habitantes dos vilarejos da FLN, mas o verdadeiro propósito — como o sociólogo Pierre Bourdieu e seu colega argelino Abdelmalek Sayad escreveram em seu livro de 1964, *Le Déracinement* [O desenraizamento] — era desintegrar a ordem social nativa para subordiná-la. O reassentamento era uma repetição da guerra de "pacificação" do século XIX, uma continuação da *mission civilisatrice* da França. Agora esta estava brandindo a verdade sobre Melouza em defesa de uma mentira: o mito da *Algérie française*.

Em tempos de guerra, a verdade é o que quer que prejudique mais o outro lado, e Fanon permaneceu um bom soldado. Em todo caso, ele tinha poucas outras opções: era o porta-voz de uma organização segredista e autoritária que não hesitava em punir — e eliminar — membros que desobedeciam a ordens ou que eram considerados uma ameaça a sua unidade.[32] Em suas memórias de 1982, *Nour le voilé* (Nour, o Velado), o radical francês Serge Michel, um dos colegas de Fanon no *El Moudjahid*, fez um relato intenso da atmosfera paranoica que se espalhou pelos círculos da FLN em Túnis. Nascido Lucien Douchet em 1922 de pais de origem polonesa,[33] Michel mudara de nome em homenagem a dois de seus heróis: o escritor e dissidente revolucionário nascido na Rússia Victor Serge e a líder anarquista Louise Michel. Como Fanon, ele era um argelino "adotivo", tendo se juntado à FLN enquanto vivia na Argélia em meados dos anos 1950 e ganhado a confiança de seus líderes. (Abane Ramdane o descreveu mais poeticamente como "dormindo em uma nuvem, frágil, desprotegido e pertencendo a clã nenhum".) Michel tinha fugido para a França depois de ficar sabendo que o Exército estava prestes a prendê-lo; abrigado em Paris por Colette Jeanson, ele foi levado de carro, através da fronteira, para a Suíça, onde editou o jornal pró-FLN *Résistances Algériennes* até que pudesse chegar em segurança a Túnis. "Não confie em ninguém e cuide da própria pele", um colega argelino lhe disse quando ele chegou.[34] "Aqui todo mundo se barrica com um sorriso, para mostrar os dentes. Sempre prontos para morder. Ainda não há nenhum poder de verdade, mas todos os chefes, com os clientes, já estão na guarita. Túnis era, e ainda é em parte, nosso refúgio; mas se permitirmos, vai ser nossa vala comum. Eles vão lutar para jogar a primeira pá de terra sobre nossos cadáveres."

Ainda mais que seus irmãos argelinos, Fanon tinha de renovar constantemente seu compromisso com a organização. Por mais frequente que as palavras "nós, argelinos" aparecessem em seus artigos no *El Moudjahid*, ele continuava sendo um forasteiro, e na esteira de Melouza sua posição no movimento ficou de repente mais delicada, já que Abane Ramdane começara a perder terreno nas crescentes lutas por poder que confrontavam o *maquis* interno com a liderança externa.* A integridade pessoal de Abane, ousada, e o modernismo político lhe renderam seguidores apaixonados entre os militantes de esquerda da FLN. Mas ele também era explosivo — possivelmente em parte devido a uma úlcera não diagnosticada —, e fazia pouco para esconder seu desprezo pelos militares

---

* Abane ainda era encarado como um membro do interior, ainda que já não operasse dentro da Argélia.

e oficiais de inteligência alocados em Túnis que, desde a derrota na Batalha de Argel, tinham ficado em vantagem. O mais influente desses homens era Abdelhafid Boussouf, que fora o coronel comandante da Wilaya 5 (no oeste da Argélia, incluindo a cidade costeira de Orã) e era agora chefe da inteligência. Em Túnis, um grupo de homens poderosos — incluindo o amigo de infância de Boussouf, Lakhdar Bentobbal, um dos líderes da insurreição em Philippeville, e o aliado de Abane do interior, Krim Belkacem — tinha cerrado as fileiras em torno dele. Eles eram conhecidos como "Boussouf boys". Boussouf, que usava um bigodinho tingido de ruivo e óculos grossos, dividia seu tempo entre Túnis, a base da FLN em Trípoli, na Líbia, e uma fábrica de armas clandestina no Marrocos, construída pelo trotskista grego Michel Raptis, também conhecido como Pablo. Um homem profundamente conspirador e reservado, com fortes ligações com a liderança militar exilada, Boussouf via Abane, o arquiteto carismático da Conferência de Soummam e um defensor inexorável do interior, como uma pedra no sapato. Em uma reunião do comitê central da FLN em agosto de 1957, os dois entraram em conflito com relação à direção do movimento.

Abane supostamente se queixou a Ferhat Abbas que os "Boussouf boys" eram "futuros potentados orientais",[35] "a negação da liberdade e da democracia que queremos estabelecer em uma Argélia independente". Ele concluiu, "não vou marchar por um tal futuro". Abbas instou-o a se acalmar, sugerindo que passasse um tempo em um spa na Suíça. Abane respondeu dando um tapinha na coronha de sua pistola e ameaçando voltar para o *maquis*. "Você está construindo um poder baseado no Exército", disse. "O *maquis* é uma coisa, a política é outra, e ela não é conduzida por analfabetos ou ignorantes" — uma alusão clara a Boussouf.

Mas apesar de toda a sua bravata, Abane argumentava a partir de uma posição enfraquecida. O interior fora devastado pelos paraquedistas de Jacques Massu. E em setembro de 1957, logo que a Batalha de Argel terminou, os franceses concluiriam a construção da Linha Morice, uma cerca de arame farpado de quase 2,5 metros de altura, batizada em homenagem ao ministro de Defesa da França, André Morice, que corria por toda a fronteira da Argélia com a Tunísia e o Marrocos, e foi projetada para impedir incursões e carregamentos de armas por parte da ALN. Era guardada por 8 mil soldados; de cada lado havia um campo minado de 45 metros de largura. Nos seis meses que se seguiram à sua conclusão, 6 mil militantes da FLN morreriam tentando cruzá-la. Graças a esses desdobramentos, o centro de gravidade da luta de independência da Argélia agora estava nas mãos da liderança militar exilada, não do interior lendário de Abane. Até Krim, seu companheiro cabila, que o convidara para se juntar à FLN, começou a se afastar dele.

Fanon admirava Krim e o considerava um autêntico homem do povo, mas, fora isso, dividia a perspectiva geral de Abane sobre os líderes em Túnis, menosprezando-os como "pastores de cabras". Ele desconfiava de Boussouf e Bentobbal. "A ideia de um Estado secular, ou de socialismo, a ideia de homem, aliás, essas são coisas que me são inteiramente estranhas", ele disse a Ferhat Abbas. Mas os *maquisards* esquerdistas da Wilaya 4, que Fanon considerava a vanguarda da luta argelina, eram uma corrente minoritária na FLN. E eles seriam cada vez mais eclipsados por populistas como Bentobbal e Boussouf, cujo objetivo era a restauração da Argélia muçulmana, não a revolução social, especialmente se esta levasse a mudanças nas práticas culturais argelinas, quanto a gênero e família, que poderiam desafiar morais tradicionais.

No fim de dezembro, Krim Belkacem e Mahmoud Chérif, um coronel da ALN, acompanhou Abane ao Marrocos, onde disseram a ele que haveria uma conferência de cúpula com o rei Mohammed V. (Bentobbal deu seu aval mas optou por ficar em Túnis.) Eles foram apanhados em Tétouan por Boussouf e dois outros homens. O carro seguiu rumo a Tânger, mas depois parou em uma fazenda, onde mandaram Abane descer. Krim disse a Boussouf que era para Abane ser encarcerado, segundo instruções do comitê central. "Eu não tenho uma prisão aqui", respondeu Boussouf. Abane morreu estrangulado.

Os "Boussouf boys" assumiram responsabilidade conjunta pelo assassinato de um de seus irmãos — um homem que, segundo a perspectiva deles, ameaçava impor um culto de personalidade em um movimento explicitamente baseado na liderança coletiva. Quando Ferhat Abbas, que ficara sabendo do assassinato por Mahmoud Chérif, confrontou os assassinos de Abane em Túnis algumas semanas mais tarde, tanto Krim quanto Boussouf alegaram ter salvado a revolução ao eliminar um ditador potencial. "Quem fez de vocês juízes?", perguntou Abbas. "Eu renuncio!" Ele não o fez. Mas seria afastado da liderança e eventualmente expulso da FLN, a qual ele passou a acusar de ter confiscado a independência da Argélia. (Muitos anos depois, Krim, que se exilara na esteira do golpe militar pós-independência em 1965, seria encontrado estrangulado em um quarto de hotel em Frankfurt.)

Passados cinco meses do assassinato de Abane, o jornal de Fanon, *El Moudjahid*, anunciou que Abane tinha morrido em batalha no "campo de honra". O líder do interior já não estava no caminho. O exterior, também conhecido como o exército das fronteiras, evoluiria agora a um para-Estado, preparando-se para assumir o poder depois da independência; quase metade da Tunísia estava ocupada por combatentes da ALN. Fanon, que era próximo o bastante dos serviços de inteligência para saber do assassinato de seu amigo, ficou muito abalado; pouco antes de sua própria morte, ele confessaria a Sartre e

Beauvoir que se sentia pessoalmente responsável por Abane. Mas em Túnis ele continuou calado. E em seus anos restantes desenvolveria uma relação cada vez mais intensa com o exército das fronteiras, pelo bem da revolução e, talvez, para proteger a si mesmo: de acordo com Harbi, seu nome estava em uma lista de pessoas a serem executadas caso houvesse alguma contestação interna à liderança da FLN.* O dilema de Fanon, claro, não era exclusivo dele: na luta argelina, como na maioria dos movimentos insurrecionais, a medida máxima de comprometimento era a disposição de sujar as próprias mãos, até para trair seus próprios princípios éticos mais caros, pela causa.

No fim de 1958, a liderança encontraria uma nova tarefa para o protegido de Abane, o argelino de Fort-de-France, mas ela seria longe do Norte da África.

A morte de Abane marcou uma reviravolta na luta argelina por independência. Mas execuções desse tipo não eram incomuns, e costumavam ser realizadas por um grupo de pessoas, não um único indivíduo, de modo que a responsabilidade fosse dividida entre *les frères*, os irmãos, que nunca falavam do que tinham feito.[36] Em suas memórias, o operador de rádio da ALN Mokhtar Mokhtefi se lembra de que, quando dois soldados foram acusados de fazer planos para desertar de uma base, aprendizes foram obrigados a participar do assassinato deles. O resultado era uma atmosfera de medo, típica da cultura interna de movimentos revolucionários, que Sartre mais tarde identificaria como "fraternidade-terror" — um conceito que tinha forte ressonância em Fanon.

---

* Em suas memórias, *Une Vie debout: Mémoires politiques* (Paris: La Découverte, 2001), Harbi, que também sabia a verdade sobre a morte de Abane, lembra-se de ver o filho bebê de Abane, Hacène, nos braços de Krim, um dos assassinos de seu pai. "A visão de um dos responsáveis pelo assassinato de Abane brincando com o filho dele", escreveu ele, "me perturbou profundamente."

## 10.
## Desalienar a psiquiatria

Como Fanon estava aprendendo, a vida de um revolucionário anticolonial significava aceitar a disciplina revolucionária e, portanto, o sigilo, o silêncio e a negação: respostas repressivas ao trauma que a maioria dos psicanalistas consideraria um obstáculo ao tratamento, se não à própria saúde mental. No entanto sua época em Túnis acabou por se revelar a sua mais criativa e inovadora como médico. Enquanto os "Boussouf boys" assumiam as rédeas do movimento argelino, Fanon seguiu um rumo ainda mais revolucionário como psiquiatra, construindo um espaço de autonomia e liberdade a que ele voluntariamente renunciara como porta-voz da FLN.

Seu primeiro cargo foi na clínica Manouba, um hospital psiquiátrico em um subúrbio de Túnis, fundado por seu antigo nêmesis, Antoine Porot. As coisas não correram bem. Embora a Manouba fosse uma bela instalação, com gramados elegantes e canteiros de flores, os pacientes de longa data lembravam os homens macilentos e com a barba por fazer que Fanon tinha visto ao chegar em Blida. Determinado a apresentar os métodos de François Tosquelles à Tunísia, Fanon fez uma solicitação de fundos para terapia ocupacional. Quando o pedido foi negado pelo diretor do hospital, Tahar Ben Soltane, ele foi falar com o ministro da Saúde do país.

De acordo com Albert Memmi, Ben Soltane, que substituíra o diretor francês na independência, era um homem "jovial e amigável", mas também era inseguro intelectualmente, e se intimidava com a expertise de Fanon na nova psiquiatria. Depois de passar anos esperando por uma promoção, ele se ressentiu, amargurado, de ter sua autoridade questionada pelo novo médico das Antilhas, a quem se referia como *le nègre*.* Ele eventualmente acusou Fanon de fazer espionagem para Israel e de maltratar pacientes sob ordens israelenses: era o mesmo que pedir sua execução. O chefe dos serviços de saúde da FLN prometera que os que estivessem envolvidos na "conspiração sionista" seriam executados. Fanon era, de fato, mais próximo dos médicos judeus da equipe, em especial de Lucien Lévy, um comunista, do que dos árabes, mas a única "prova" de Ben Soltane das conexões sionistas de Fanon eram seus escritos sobre antissemitismo. As acusações foram retiradas.

Mas no fim de 1957, Fanon trocou Manouba pelos serviços psiquiátricos do Hospital Charles Nicolle, no centro de Túnis, onde logo se uniu a ele um grupo de jovens médicos que trabalhavam para a FLN: Geronimi e Cherki, seus residentes em Blida (agora casados um com o outro), e o cirurgião francês Michel Martini, que chegara em Túnis da Argélia depois de passar quase um ano na prisão por ajudar a FLN. Fanon ficou próximo especialmente de Cherki, uma mulher pequena e elegante, da metade da estatura de seu marido alto e afoito, de (nas palavra de Martini) "olhos vivos e brilhantes, um encanto de sorrisos indiscretos e curiosos, com maças do rosto salientes e uma fronte levemente curvada".[1]

---

* O racismo antinegros entre os norte-africanos, como Fanon descobrira como soldado francês, não era incomum. Mohammed Harbi escreve em seu livro de memórias, *Une Vie debout*, sobre um médico argelino negro, um camarada no movimento, que decidira se casar com uma francesa. Quando seus colegas fizeram objeções, ele respondeu: "Quem de vocês permitiria que eu me casasse com a sua irmã?". Apenas um deles disse que permitiria — e ele não tinha uma irmã. "Foi um choque para mim", escreve Harbi. "Nós ultrajávamos o racismo de que éramos vítimas, enquanto esquecíamos de limpar debaixo de nosso próprio tapete."

As instalações do Charles Nicolle eram menos pitorescas do que as da Manouba; o irmão de Fanon, Joby, o descreveu como "degradado e menos bem arejado"[2] do que Blida. Mas Fanon tinha uma equipe tunisiana e argelina altamente motivada, e uma secretária dedicada e aguerrida na pessoa de Marie-Jeanne Manuellan, que logo desempenharia um papel importante em sua vida de escritor. O Charles Nicolle se tornou o laboratório do experimento mais radical de Fanon até então: a criação do primeiro *day hospital* psiquiátrico da África, fundado com as bênçãos das autoridades tunisianas. O Centro Diurno de Neuropsiquiatria (Centre Neuropsychiatrique de Jour, CNPJ) abriu suas portas em maio de 1958. Fanon o encarava como um potencial modelo para o tratamento psiquiátrico, em especial no que ele chamava de países subdesenvolvidos. Durante os primeiros dezoito meses de existência, o CNPJ atenderia mais de mil pacientes; quase nenhum deles foi internado. Nas palavras de Martini, "Fanon literalmente varreu [...] a poeira da psiquiatria tunisiana clássica e, ao fazê-lo, atraiu o ódio maciço de seus colegas tunisianos, com os quais ele não poderia ter se importado menos".

Martini era um tanto cético em relação a Fanon, que, de sua perspectiva, "era muito ambicioso e ávido por glória, com um gosto por dar ordens". Ainda que o admirasse como médico, o "lado de cortesã" da relação de Fanon com a ideologia da FLN — sobretudo suas odes populistas à sabedoria das massas — lhe parecia "um pouco indigno de um homem de sua estatura". Durante uma discussão sobre circuncisão, por exemplo, Fanon declarou com fervor sua disposição a executá-la se esse fosse "o desejo do povo", ainda que ele se opusesse pessoalmente a isso. "Ninguém o obrigava a atacar o tabu de uma comunidade a que ele aspirava pertencer", escreveu Martini, "mas ninguém tampouco o obrigava a apoiá-lo e defendê-lo, ou a assumir posições abertamente retrógradas." Fanon parecia sempre estar desempenhando um papel, "um personagem que não era ele de verdade". Ainda assim, Martini desenvolveu uma admiração relutante por ele. "Eu estava ciente", escreveu, "de que estava olhando para um 'Monsieur' com ideias fortes e originais assim que ele vestia seu uniforme de psiquiatra e pegava sua caneta."

Tosquelles tinha sonhado com algo chamado "geopsiquiatria", que consistia em "fazer a comunhão com os pacientes psiquiátricos em suas casas". Em Túnis, Fanon colocou esse sonho em prática, desenvolvendo o trabalho de seu mentor e indo além. Em Saint-Alban e em Blida, ele fora um praticante rigoroso da socioterapia, ao criar um microcosmo da sociedade dentro dos muros do hospital, uma "neossociedade" onde os pacientes e aqueles que ofereciam tratamento trabalhavam juntos em um projeto comum de desalienação. Mas ele tinha passado a desconfiar que até a neossociedade mais bem-intencionada acabava reproduzindo "a atitude complacentemente punitiva" do hospital psiquiátrico moderno. Em um contexto de confinamento psiquiátrico, defendia ele, "criamos instituições fixas, quadros estritos e rígidos, esquemas rapidamente estereotipados. Na neossociedade, não existe invenção; não existe dinamismo criativo ou inovador. Não existem abalos genuínos nem crises. [...] a experiência vivida da internação-aprisionamento limita consideravelmente o valor curativo e desalienante da socioterapia. Assim, consideramos atualmente que o verdadeiro ambiente socioterápico é e continuará a ser a sociedade concreta propriamente dita". (Ele nunca mencionou seu mentor pelo nome em seus escritos sobre a clínica, mas citou o trabalho de Tosquelles com um elogio vago: "A institucional-terapia está certamente longe de ser inútil".)

O fato de Fanon atribuir um valor terapêutico positivo às crises refletia sua crença nas qualidades benéficas do choque, pelo menos em algumas formas. "Não reconhecemos o valor terapêutico das dissoluções da consciência", escreveu ele em seu primeiro artigo sobre o trabalho da clínica. "O serviço clínico está voltado à tomada de consciência, à verbalização, à explicação, ao reforço do ego."[3] Mas ele fez uso de alguns dos procedimentos médicos de que ele e Tosquelles haviam lançado mão em Saint-Alban, incluindo eletrochoques insulínicos (para induzir subcomas), sismoterapia (vibrações mecânicas produzidas por eletrochoques) e terapias de sono (nas quais os pacientes recebiam altas doses de neurolépticos). O propósito dessas medidas era preparar os pacientes para retornar às suas vidas — e, no caso dos soldados argelinos, ao campo de batalha.

Blindar os pacientes do mundo, na opinião de Fanon, era incentivar uma "coisificação" de sua condição — "e portanto do paciente", apontou enfaticamente. Ele defendia uma abordagem mais dinâmica e de confronto no cuidado, na qual os pacientes eram obrigados a lidar com "a violência do conflito e a nocividade da realidade". Criar uma neossociedade higienizada e mais segura era, em suas palavras, permanecer "indefinidamente no plano mágico", quando o que era necessário era um "sincopado diálogo estabelecido entre a personalidade global e seu ambiente". O *day hospital*, defendia ele, oferece às famílias meios para evitar a "amputação", reduzindo o "aspecto carcerário ou coercitivo" do tratamento. O tratamento estaria mais para realizar um trabalho do que cumprir uma pena: os pacientes no CNPJ chegariam de manhã e voltariam para casa às seis horas da tarde; já não estavam isolados da família e dos amigos.

Em seus dois artigos sobre o CNPJ (o segundo dos quais teve Geronimi como coautor), Fanon apresentou uma crítica cada vez mais radical do que ele chamou de "internação clássica",[4] a qual condena o paciente "a exercer sua liberdade no mundo irreal dos fantasmas". No *day hospital*, argumentava ele, "a dialética sumária do senhor e do escravo, do prisioneiro e do algoz, criada pela internação" podia ser transcendida, transformando o encontro entre médico e paciente em um "encontro de duas liberdades. Isso é necessário para qualquer terapêutica e tanto mais na psiquiatria". Uma vez que o psiquiatra já não está "trancado no manicômio com 'seus loucos'", ele perde seu caráter "fantasmático, misterioso e, no seu conjunto, ligeiramente inquietante", e se torna "um médico como os outros", abordando cada caso como "uma enfermidade vivida por um enfermo", em um "ambiente sempre atual. Ali está um estudo concreto, dinâmico e in vivo da doença". Em Blida, Fanon usara a psiquiatria para promover a desalienação de seus pacientes. Agora ele atacava o confinamento em si, propondo transformar — ou desalienar — sua própria profissão. Aquela exata expressão sartreana, "um encontro de duas liberdades", também abarcava a visão de Fanon das relações entre negros e brancos, muçulmanos e europeus, em uma sociedade descolonizada.

A crítica de Fanon à profissão, que antecipou a "antipsiquiatria" de R. D. Laing e Thomas Szasz, não era de conhecimento da maioria de seus antigos colegas. Ele já não estava apresentando artigos em conferências de medicina na França nem em nenhuma outra parte da Europa, onde correria riscos viajando com seu nome verdadeiro por causa de suas atividades na FLN. Alguns de seus colegas franceses lamentavam que ele tivesse abandonado a psiquiatria pela política, como se a revolução anticolonial fosse um desvio do trabalho de Fanon como médico, em vez de sua expressão máxima. Na verdade, ele continuava tão apaixonado como sempre pela psiquiatria, e seu trabalho em Túnis no fim da década de 1950 deu a impressão de uma mente em chamas.[5]

Suas aulas na Universidade de Túnis eram, de acordo com seus alunos, performances inspiradas em que Fanon improvisava sobre ideias que havia explorado em *Pele negra, máscaras brancas*, enquanto desenvolvia os argumentos de seu trabalho posterior sobre o drama psicológico da descolonização. Seu tema central era a experiência vivida dos marginalizados, dos oprimidos e dos párias da modernidade ocidental: os americanos negros, os árabes colonizados, os funcionários de escritórios vigiados por câmeras escondidas, os que têm transtornos mentais. Ele ilustrava seu argumento sobre o impacto do racismo antinegros na saúde mental — nos Estados Unidos, "a agressividade do negro se volta contra o negro"[6] — com citações de romances de Chester Himes e de letras de blues sobre suicídio e assassinato. Mas a visão um tanto ingênua do protesto inter-racial que ele esboçara em *Pele negra, máscaras brancas* tinha, a essa altura, tinha dado espaço a uma avaliação mais desoladora da tenacidade da opressão antinegros. Relações normais entre negros e brancos nos Estados Unidos eram impossíveis devido à "mentira da situação". Ele observou: "Quando um negro mata outro, nada acontece; quando um negro mata um branco, toda a polícia é mobilizada". Ser negro nos Estados Unidos, ele continuou, era passar por uma "espécie de condicionamento pelo absurdo [...]. A dificuldade de defender o amor-próprio desvaloriza esse amor-próprio".

Se os americanos negros eram prisioneiros do que Fanon chamou de "definição social", eles não estavam sozinhos. Nas colônias, apontou, uma pessoa desempregada não era um trabalhador sem trabalho, mas sim um nativo "cuja energia não foi ainda requisitada pela sociedade colonial".[7] Para o colonizado, ociosidade não era um sinal de preguiça; era, sim, "uma proteção, uma medida de autodefesa no plano fisiológico, antes de mais nada". Também as pessoas com transtornos mentais eram reféns de classificações opressivas, sugeriu ele. Ainda que Fanon sempre tivesse evitado a romantização da loucura por psicanalistas como Lacan, estava começando a encará-la como algo além de uma patologia da liberdade. "O louco", disse ele, "é aquele que é 'estranho' à sociedade. E a sociedade decide se livrar desse elemento anárquico." Os psicanalistas, sugeria ele, eram cúmplices desse esforço, auxiliares estruturais "da polícia, os protetores da sociedade *contra*". Em uma espécie de disquisição socrática sobre a categoria de normalidade, observou: "Diz-se também que a pessoa normal é aquela que não cria dificuldades. Mas, então, os sindicalistas que reivindicam e que protestam são normais? Quais seriam os critérios de normalidade? Para alguns, o critério é o trabalho. Mas uma prostituta trabalha!".

Nas aulas que deu na Universidade de Túnis, Fanon levantou questões sobre normalidade que nunca pôde desenvolver plenamente na escrita, e que às vezes revelavam os vieses herdados por um homem heterossexual do meio do século passado, sobretudo quando se tratava de gênero e sexualidade. Compreensivelmente, talvez, impotência e vaginismo (medo de penetração) se enquadravam nos distúrbios da sexualidade, mas o mesmo acontecia com a homossexualidade. Em *Pele negra, máscaras brancas*, ele havia expressado repulsa pela homossexualidade negra e lançado dúvida sobre sua existência na Martinica. Não é de estranhar que a crença de Fanon de que a homossexualidade era uma anormalidade que precisava ser curada — junto com suas especulações sobre fantasias de estupro das mulheres brancas — inspirariam uma pequena mas acalorada bibliografia de denúncia.[8] Contudo, de acordo com Alice Cherki, as visões de Fanon sobre homossexualidade evoluíram em uma direção notavelmente menos normativa em Túnis,[9] graças, em parte, a seu trabalho com um homem gay com transtornos mentais, um dos únicos pacientes com quem ele tentou um tratamento psicanalítico tradicional. Fanon gostava de ouvir a si mesmo falando, mas era também um ouvinte atento em sua prática médica, disposto a mudar de opinião à luz da experiência vivida de seus pacientes. Seus alunos em Túnis costumavam ser os primeiros a ouvir sobre as epifanias de Fanon na clínica.

"A personalidade dele nos fascinava", a socióloga tunisiana Lilia Ben Salem, uma de suas alunas, lembrou.[10] "Ele era soberbo e ao mesmo tempo estava pronto para ouvir os outros; era distante, apaixonado e fascinante [...]. Nós lhe fazíamos perguntas, mas ele tinha uma tendência a proferir monólogos, refletindo em voz alta. Não era só o médico se expressando mas, sobretudo, o filósofo, o psicólogo, o sociólogo." Fanon às vezes convidava seus alunos para acompanhá-lo até a ala depois da aula. "Nós ficávamos imensamente impressionados com sua habilidade de ouvir os pacientes e sua arte de fazê-los falar sem medo", lembra o sociólogo Frej Stambouli.[11]

Na clínica, pelo menos, Fanon continuava um intelectual dissidente e heterodoxo. Mesmo aderindo à disciplina da FLN, rebelava-se contra os limites da sua própria — e é tentador enxergar em seus alertas sobre as dimensões carcerárias do confinamento e da hospitalização um protesto deslocado contra o autoritarismo da FLN. A maioria de seus pacientes era tunisiana, mas ele também atendia europeus, refugiados argelinos e, em especial, soldados da ALN. Os soldados que haviam sido tratados por ele eram descritos por seus companheiros combatentes, com zombaria afetuosa, como tendo sido fanonizados. Um dos soldados da ALN que foi se consultar com Fanon, Abderrahmane Dridi, estava fingindo ter transtorno mental: tinha passado anos no *maquis* fugindo de ataques aéreos franceses, não achava que estava sendo heroico e não queria voltar.[12] Fanon logo percebeu que Dridi estava fingindo, mas ainda assim o aceitou como paciente e nunca informou seus superiores. Ele ficou comovido com Dridi, um aprendiz de pedreiro analfabeto que tinha crescido sem pai em um pequeno vilarejo perto da fronteira tunisiana. Fanon às vezes lhe dava dinheiro e lhe dizia para ir ao cinema, mas Dridi achava os filmes de arte europeus que ele recomendava muito chatos, então ia assistir a westerns. Fanon sabia que

Dridi estava mentindo quando afirmava ter visto um filme que ele havia sugerido, mas nunca disse nada. Nesses silêncios, nessa cumplicidade, havia uma grande ternura pelos jovens, sobretudo de origem rural pobre, que estavam lutando pela libertação da Argélia.

Havia, é claro, uma dimensão política inescapável na fanonização dos soldados da ALN. A FLN queria que seus combatentes fossem curados para que pudessem voltar ao campo, e na primavera de 1959 ela o encarregou da tarefa de reorganizar os serviços médicos da ALN, a quase 1500 quilômetros na fronteira entre o Marrocos e a Argélia. Uma das técnicas favoritas dele era a "hibernoterapia", na qual usava sedativos leves e não viciantes, como se lembrava de Tosquelles fazer, para pôr soldados exaustos para dormir por longos períodos de modo que pudessem recuperar sua força e energia. Nessa época, Fanon costumava viajar com seu guarda-costas Youcef Yousfi para bases da ALN nas cercanias da fronteira entre a Tunísia e a Argélia aos finais de semana, e dizem que ele teria cruzado a Linha Morice para a Argélia em missões clandestinas. Era um trabalho perigoso, conduzido sob ameaça de ataques pela Aeronáutica francesa. No início de fevereiro de 1958, alguns dias depois de um ataque da ALN a uma patrulha francesa em que quinze soldados franceses foram mortos e quatro capturados, a Força Aérea francesa bombardeou a cidade fronteiriça tunisiana de Sakiet Sidi Youssef, alegando que ela escondia uma base da FLN; mais de oitenta civis foram mortos, muitos deles crianças cuja escola foi assolada.* Pelo menos uma vez ao longo dessas missões, Fanon repreendeu oficiais de patente

---

* O bombardeio de Sakiet Sidi Youssef provocou a condenação das autoridades tunisianas e intensificou a pressão internacional contra a França — notavelmente dos Estados Unidos, que cada vez mais se apegava à perspectiva expressa pelo senador John F. Kennedy de que a Argélia seria perdida para os russos se a guerra continuasse.

quando os viu se comportando com crueldade com jovens recrutas. "Poucos argelinos teriam ousado" expressar críticas como essa, observou Yousfi.[13]

O papel de Fanon como médico da FLN era parecido com o do médico britânico W. H. R. Rivers, que atendia soldados que sofriam de neurose de guerra durante a Primeira Guerra Mundial, em especial o poeta Siegfried Sassoon. Depois da morte de Abane Ramdane, esse papel pode ter lhe dado um pouco de consolo: Fanon, que sempre encarara a medicina como uma forma de política, podia agora usar sua expertise para recuperar a saúde dos soldados e, portanto, servir à luta de independência. Seu trabalho com os soldados da ALN o deixou ainda mais próximo do exército das fronteiras. Não mais um bando desorganizado de guerrilheiros, a ALN evoluía para uma organização altamente profissional, englobando antigos *maquisards* que tinham atravessado a fronteira para a Tunísia e o Marrocos, e, cada vez mais, desertores muçulmanos do Exército francês.*

Fanon desenvolveu um vínculo cada vez mais romantizado com os soldados da ALN, os quais ele reverenciava como "guerreiros-filósofos".[14] E durante uma viagem em 1959 à base de Ben M'hidi (batizada em homenagem ao líder assassinado Ben M'hidi) em Oujda, Marrocos, Fanon recebeu uma visita de seu líder enigmático, o coronel Houari Boumediene, um dos aliados mais próximos de Boussouf. Nascido Mohammed Ben Brahim Boukharouba, Boumediene (seu *nom de guerre*) era filho de um pobre produtor de trigo em Clauzel, um vilarejo próximo de Guelma, no leste da Argélia. Dizem que ele estudou em Al Azhar, o centro de estudos islâmicos no Cairo; e falava apenas árabe, embora entendesse francês. Um homem

---

* Durante a guerra de independência, mais argelinos lutaram com os franceses, ou como soldados no exército ou em unidades auxiliares conhecidas como *harka*, do que com a ALN.

esguio mas imponente, de cabelo ruivo e olhos verdes, ele tinha um jeito manso de falar, era modesto e quase nunca sorria. ("Eu deveria sorrir só porque um fotógrafo está se dando ao trabalho de me fotografar?", perguntou.) Ele valorizava o trabalho de Fanon e se afeiçoou a ele.

Nessas visitas ao exército das fronteiras, Fanon forjou uma aliança com o *état-major* (estado-maior) — a liderança externa da FLN, que eliminara Abane e colocara um fim na primazia das forças políticas sobre as militares no movimento. Mas ele conseguiu algo precioso em troca. O acesso incomum de Fanon aos soldados da ALN lhe proporcionou uma rara abertura para a experiência vivida — e os transtornos psicológicos — dos rebeldes anticoloniais. Os homens que ele atendia eram jovens, às vezes ainda na adolescência, sobretudo de origem rural. Muitos lhe contaram sobre membros da família que tinham sido mortos, torturados ou violentados por soldados franceses. Alguns expressavam sentimentos de culpa e vergonha, muitas vezes com relação à violência que eles mesmos tinham cometido contra civis europeus. Sofriam de uma variedade de sintomas psicológicos e físicos: impotência, fadiga, depressão melancólica, ansiedade aguda, agitação e alucinações. Seus transtornos eram causados, ele passou a acreditar, pela "atmosfera sanguinária, implacável, a generalização de práticas desumanas, a tenaz impressão de que as pessoas têm de assistir a um verdadeiro apocalipse".

Fanon também tratou refugiados argelinos em campos da Tunísia e do Marrocos, logo além da fronteira com a Argélia. (Eles eram por volta de 300 mil em ambas as fronteiras, vivendo em extrema pobreza.) Os refugiados, observou ele, vivem "numa atmosfera de insegurança permanente", sempre temendo ataques de tropas francesas "que aplicam 'o direito de seguir e perseguir'". Incontinência, insônia e tendências sadistas eram generalizadas entre as crianças. As refugiadas, ele descobriu, eram especialmente suscetíveis a psicoses puerperais — transtornos mentais posteriores ao parto — que iam de "grandes depressões duradouras com múltiplas tentativas de suicídio" a "uma agressividade delirante contra os franceses que querem matar a criança que está para nascer ou acabou de nascer". O tratamento se mostrou extremamente difícil: "Mesmo as pacientes curadas mantêm e alimentam esses nós patológicos".

Trabalhar com combatentes e refugiados levou Fanon de volta aos escritos do psicanalista húngaro Sándor Ferenczi sobre traumas de guerra. "Não é preciso ter sido ferido à bala para admitir em seu corpo, assim como em seu cérebro, a existência da guerra", ele se deu conta. Alguns dos casos mais sérios de trauma psicológico que ele analisou envolviam combatentes que nunca haviam sido feridos. Um de seus pacientes era um membro da FLN que sofria de impotência e depressão porque sua esposa havia sido estuprada por soldados que tinham ido à sua procura. A princípio o paciente ficou enfurecido com o que ele tomava como a desonra de sua esposa. Uma vez que lhe ocorreu que ela tinha sido estuprada porque se recusara a revelar o paradeiro dele, sentiu-se envergonhado por não ter conseguido protegê-la. Mas ainda que tivesse resolvido reatar com ela depois da guerra, ainda temia que "tudo o que viesse da minha mulher estivesse podre".

Outro soldado, um argelino de dezenove anos cuja mãe havia morrido recentemente, contou a Fanon sobre "uma mulher que vinha persegui-lo" em seus sonhos, uma mulher que ele conhecia "muito bem" porque ele mesmo a tinha matado. Ele tentara suicídio duas vezes, ouvia vozes e constantemente "fala de seu sangue que é derramado, de suas artérias que se esvaziam". A princípio, Fanon achou que esse podia ser um caso de "complexo de culpa inconsciente depois da morte da mãe", de acordo com o relato de Freud em seu ensaio de 1917 sobre o pesar, "Luto e melancolia". Como se verificou, a culpa do soldado era genuína. Alguns meses depois de se juntar à FLN, ele explicou, ficara sabendo que um soldado francês tinha matado sua mãe com um tiro, e que duas de suas irmãs tinham sido levadas para o quartel, onde provavelmente haviam sido torturadas, talvez estupradas. Pouco depois, ele participou de um ataque a uma grande fazenda administrada por um "ativo colonialista" que assassinara dois civis argelinos. O proprietário não estava em casa. "Sei que vocês vêm por causa do meu marido", disse a esposa, implorando para que eles não a matassem. Mas enquanto ela falava, o soldado não parava de pensar na própria mãe, e antes que se desse conta do que estava fazendo, ele a matara a facadas. "E essa mulher passou a vir todas as noites, para exigir meu sangue", disse ele. "E o sangue de minha mãe, onde está?" Em suas anotações clínicas, Fanon escreveu que sempre que o homem "pensa na mãe, como duplo inesperado surge essa mulher estripada. Por pouco científico que isso possa parecer, pensamos que só o tempo poderá trazer alguma melhora à personalidade desintegrada do rapaz".

Esses estudos de caso apareceriam em um dos escritos mais poderosos de Fanon, "Guerra colonial e distúrbios mentais", o capítulo final de *Os condenados da terra*.[15] A sensibilidade a detalhes concretos e ambiguidades psicológicas nos perfis de homens e mulheres em tempos obscuros sugere que ele poderia ter sido um excelente escritor de ficção. São histórias de um médico do interior, como Tchékhov, mas têm a irresolução brutal das histórias de guerra de Isaac Bábel em *O exército de cavalaria*. Nós não sabemos se essas pessoas serão curadas, muito menos libertadas, quando a liberdade da Argélia por fim chegar, mas temos fortes motivos para duvidar disso.

Depois da guerra, a memória inalterada de violência, estupro e tortura — da barbárie sofrida e infligida — abasteceria os romancistas argelinos com matéria-prima, mesmo quando os líderes argelinos tentassem deixar essa história vergonhosa para trás, purgando-a com a mitologia oficial da revolução: a fábula de um povo virtuoso, unido contra o ocupante. Fanon esteve entre os primeiros a romper os tabus e iluminar o que ele chamou de "herança humana da França na Argélia". Apesar de todas as suas proclamações utópicas sobre o futuro descolonizado da Argélia — ou suas declarações sobre os efeitos desintoxicantes da violência anticolonial —, ele não esperava que os danos psicológicos fossem facilmente reparados. "Nossos atos nunca cessam de nos seguir", escreveu. "Seu arranjo, sua ordenação, sua motivação podem perfeitamente, a posteriori, ser profundamente modificados. Essa não é uma das menores armadilhas que nos arma a História, com suas múltiplas determinações. Mas será que podemos escapar da vertigem? Quem ousaria afirmar que ela não persegue toda existência?"

Em seu papel como representante da FLN, Fanon obedientemente apresentou uma imagem heroica da Revolução Argelina. Mas, como médico, ele tratava das feridas psíquicas dos soldados da Argélia, testemunhando o tipo de horror que as fábulas nacionalistas pretendem nos fazer esquecer. Era um ato de funambulismo.

## II.
## O "gravador" de Fanon

Fanon manteve o equilíbrio durante os anos em Túnis ao mergulhar na pesquisa psiquiátrica e — pela primeira vez desde *Pele negra, máscaras brancas* — ao escrever para o público geral. Ele se destacaria tanto como analista quanto como o bardo da Revolução Argelina — seu teórico, pelo menos aos olhos dos leitores franceses de esquerda. (A maioria dos irmãos argelinos considerava os escritos dele propaganda para o público estrangeiro, quer os julgassem úteis ou enganosos.) Mas primeiro ele precisava de alguém para datilografar. Josie, que batera à máquina o primeiro livro do marido, estava ocupada fazendo o copidesque do *Afrique Action* e apresentando um programa sobre ficção contemporânea em uma rádio tunisiana. Fanon nunca escrevera sozinho e não estava prestes a começar agora. Como Aimé Césaire — que, quando era um jovem professor, recitava poemas para seus alunos em cima de sua mesa em Fort-de-France —, ele tinha de expressar seus pensamentos em voz alta, ouvi-los tomar forma na presença e imaginação de outra pessoa. Embora não fosse um poeta e não tivesse escrito nenhuma peça desde a época de estudante em Lyon, mantinha a tradição antilhana de contar histórias em sua prosa: um aspecto da Négritude ao qual ele nunca renunciaria.

A pessoa que ele escolheu como amanuense foi sua secretária, Marie-Jeanne Manuellan, que se tornaria sua amiga e confidente, bem como sua musa. As relações de Fanon com seus pares homens — sobretudo franceses — costumavam ser tensas, distorcidas por desconfiança e rivalidade. Apenas com Joby e seus amigos antilhanos mais próximos, em especial Marcel Manville, ele realmente baixava a guarda, muitas vezes conversando em crioulo, ainda que isso irritasse Josie, que se sentia excluída da conversa. Com as mulheres, ele deixava de lado a armadura e revelava um lado mais frágil de si — inclusive suas cicatrizes de guerra.

Sejamos claros: Fanon não era de modo algum um feminista. Embora considerasse Josie uma companheira política na luta argelina, a maior parte das tarefas domésticas e parentais recaía sobre ela, mesmo que ela já não se encarregasse dos ditados. Uma vez ele disse ao cirurgião Michel Martini que não suportava não ser um "deus" para a esposa, "uma confissão de franqueza e lucidez surpreendentes, sobretudo vinda da boca de um homem que defendia a descolonização por meio da violência. É claro que ele estava ciente da contradição, mas a aceitava sem tentar se justificar". Fanon tampouco parece ter sido um marido fiel — sobretudo quando estava viajando.

Alguns de seus detratores o vilipendiaram como misógino.[1] No entanto, Fanon criou fortes vínculos com diversas de suas colegas, como Alice Cherki, sua residente e futura biógrafa, que nunca deixaria de reverenciar a influência dele em suas ideias como psicanalista. E é a Marie-Jeanne Manuellan que devemos seu perfil mais íntimo enquanto homem: *Sous la Dictée de Fanon* [Como ditado por Fanon], livro de memórias que ela publicou em 2017, dois anos antes de morrer em Paris.

Ela nasceu Marie-Jeanne Vacher em 1927, na Corrèze, o departamento mais ao sul de Limousin. Seu pai, socialista, prestou auxílio a refugiados espanhóis, depois salvou judeus e escondeu armas para a Resistance durante a guerra. "Ele era um terrorista",[2] costumava brincar sobre o pai. Enquanto se formava enfermeira em Paris, ela se filiou ao Partido Comunista, sob a influência de sua prima Jeanne, uma moça corajosa que havia passado grande parte da guerra em campos de detenção. No dia em que recebeu a carteirinha do partido, conheceu o homem que se tornaria seu marido. Gilbert Manuellan, estudante de agronomia e excelente pianista clássico, era um tunisiano de origem armênia cujos pais tinham fugido da devastação de Esmirna por forças turcas em 1922 para um campo de refugiados em Bizerta. Ao ter o ingresso na École Normale Supérieure recusado por seu pai não ser francês, Gilbert deixou os estudos e se juntou às Forças Francesas Livres, participou da libertação do país da ocupação alemã e se tornou comunista. Marie-Jeanne e ele se casaram em 1949 em Malakoff, um subúrbio nos arredores de Paris e um bastião comunista, depois se instalaram em Tulle, capital da Corrèze.

Em 1956, após as revelações de Nikita Khruschóv sobre as atrocidades de Stálin e da invasão soviética na Hungria, os dois deixaram o partido e redirecionaram suas paixões políticas para a causa da revolução anticolonial. "Nós tínhamos perdido o comunismo", escreveu Marie-Jeanne, "mas podíamos acreditar no Terceiro Mundo."[3] Pouco depois da independência da Tunísia em 1956, Marie-Jeanne e Gilbert se mudaram para a capital com os três filhos pequenos. A princípio, Marie-Jeanne sentia falta do verde da Corrèze, mas logo passou a amar sua nova casa: o cheiro das calêndulas e laranjeiras, as praias e dunas. "Em Túnis", escreveu ela, "nós éramos mais livres, até com relação a nosso corpo."

Enquanto Gilbert trabalhava no Ministério da Agricultura, Marie-Jeanne dava assistência a mulheres na favela de Djebel Amar, nos limites de Túnis. Era a única funcionária francesa. Ela tinha visto seu quinhão de horrores trabalhando em um hospital em Tulle depois da guerra, mas nunca a miséria que observou em Djebel Amar. Quando as mães não tinham leite suficiente para amamentar, alimentavam os bebês com pão e um pouco de azeite de oliva, tingido de vermelho com *harissa*.

"Djebel Amar se tornou a 'minha' China", lembrou Marie-Jeanne, que havia começado a ler sobre a revolução de Mao no interior. Como as experiências de Fanon em Blida, as dela lhe serviram de aprendizado sobre o cuidado como forma de solidariedade política. Ela distribuía mamadeiras com leite em pó para mulheres cujo peito havia secado, às vezes as acompanhava ao ambulatório de manhã. Quando o médico não aparecia, ela se apinhava em um táxi com um grupo de mães para protestar no Ministério da Saúde. "Não traga as mulheres de Djebel Amar para o ministério", um oficial lhe disse. Mas suas pacientes louvavam sua audácia e comprometimento; algumas lhe davam seus colares. A sujeira das favelas de Djebel Amar nunca a enojou tanto quanto a injustiça. Ela ficava chocada com o desprezo demonstrado pelos médicos — árabes tunisianos que não tratavam mulheres pobres melhor do que os médicos franceses que os haviam formado, como se "elas não fossem suas compatriotas, nem mesmo seres humanos, mas animais". A França tinha deixado a Tunísia, porém, as atitudes que Fanon expusera em seus escritos sobre a síndrome norte-africana, não: as formas coloniais de medicina, ela ficaria sabendo, continuavam intactas.

No início de 1958, Marie-Jeanne Manuellan foi transferida para o CNPJ de Fanon. Ela não gostou de deixar Djebel Amar, e Fanon não a fez mudar de ideia. Ele era "glacial, e mal me cumprimentava, olhando para além de mim, como se eu fosse um objeto transparente e inconveniente". A "sala" dela era um depósito. Os colegas de Fanon — Cherki, Geronimi e Lévy — a ignoravam; ela se sentia "inadequada, inútil, até incômoda" para eles. O mês seguinte, Fanon passou trancado em sua sala, enquanto Manuellan sentia falta de Djebel Amar e voltava para casa se queixando a Gilbert do chefe, que ela apelidara de "o Sádico". Gilbert a incentivou a pedir demissão. Mas amigos argelinos lhe contaram sobre o trabalho corajoso de Fanon em

Blida com a FLN. "Você pode detestá-lo agora, mas logo vai passar a adorá-lo", um deles disse. Ela não acreditou.

Quando Geronimi viu que Fanon não tinha dado nada para Manuellan fazer, chamou-a para trabalhar com ele na ala das mulheres, o que foi um grande alívio para ela, uma vez que já estava se sentindo culpada por ser uma francesa ociosa e assalariada em um país pobre que tinha acabado de conquistar sua independência da França. Foi só quando Fanon a viu conversando com Geronimi que reparou nela. Pouco tempo depois, ele a parou na porta de sua sala e disse, num tom ríspido: "Quer trabalhar?". Ela respondeu que sim. Ele lhe disse para "anotar tudo o que o paciente disser, e tudo o que eu disser". Ela escreveu palavras que lhe eram totalmente novas, termos médicos que ficou constrangida por ainda não conhecer e cuja ortografia receava errar. Fanon, afinal de contas, tinha "um ar muito severo". Ela cometeu erros, mas ele nunca reclamou. O que importava para ele era manter um registro. Para a surpresa dela, "ele não era inebriado por seu status como chefe do serviço, nem pretensioso. O que lhe importava era a eficiência".

Para Manuellan, trabalhar com Fanon não era apenas um emprego; era uma formação nos métodos da psicanálise, para a qual sua doutrinação comunista lhe ensinara a fechar a cara por ser uma "ciência burguesa". (Embora Fanon não fosse psicanalista, tinha uma leitura vasta e profunda da bibliografia da psicanálise, e recorria a seus métodos, sobretudo à transferência.) Ela passou a se dar conta de que não importava quão sinceros os pacientes fossem, "outra história" jazia por trás de cada uma das histórias que contavam sobre suas vidas. "Através do que Fanon dizia, em suas trocas com colegas e pacientes", escreveu ela, "eu descobri o inconsciente." Ele lhe contou sobre François Tosquelles ("o homem que me ensinou meu métier") e explicou as teorias de seu mentor sobre a "desalienação", outra palavra que ela nunca tinha ouvido.

Fanon demonstrou um interesse vivo, ainda que um tanto paternalista, pelo despertar intelectual de sua secretária. Ele a mandou a sua livraria favorita na Rue d'Alger, Chez Lévy, e a instruiu a buscar *A interpretação dos sonhos* de Freud, bem como livros de Alfred Adler, Helen Deutsch e de outros psicanalistas. Mais tarde, a apresentou aos romances policiais de Chester Himes ambientados no Harlem, sobre os quais ele vinha dando aulas na Universidade de Túnis. "Leia isto, e depois conversamos", Fanon lhe dizia sempre que recomendava um novo livro. Sob a orientação dele, escreveu Manuellan, sua "própria psique começou, inadvertidamente, a se alvoroçar, e a funcionar de modo diferente". Ela anotava seus próprios sonhos e às vezes os descrevia para colegas no hospital, até que Fanon lhe disse: "Você nunca deve contar seus sonhos a ninguém". Ela deveria fazer isso apenas com um profissional. Ele ainda não discutira seus próprios sonhos no divã, mas disse que pretendia fazê-lo. "Assim que eu terminar com essa Revolução Argelina", ele lhe disse, "vou fazer análise."[4] Se ela quisesse se tornar uma analista, ele a formaria na Argélia depois da guerra.

Manuellan observava Fanon de perto no trabalho. "Ele tinha um respeito infinito por seus pacientes", escreveu ela, exibindo uma espécie de "delicadeza, especialmente com as pessoas mais humildes". Ele também entendia a importância do contato. Ao atender uma jovem argelina paralisada pela depressão, Fanon sentou ao lado de seu leito, tomou sua mão, e esperou que ela falasse.[5] Cercada por toda a equipe do CNPJ, a jovem criticou o marido e elogiou o cunhado, como se tivesse se casado com o homem errado. O modo tranquilo mas determinado em que expressou seu lamento sugeria, para Manuellan, uma melodia. A mulher falava, às vezes irrompendo em soluços, e Fanon segurava a mão dela com as suas, acariciando-a "no ritmo de seu lamento, seus olhos fixos na paciente". Isso seguiu, sem palavras, por algum tempo. De repente

Fanon disse, em uma voz abafada: "Diante dos doentes, ficamos cheios de humildade".

Naquele momento, Manuellan compreendeu o éthos da prática de Fanon: o mundo da paciente "era também o de cada um daqueles que tinham ouvido o lamento", incluindo o psiquiatra e sua equipe. Eles e seus pacientes "compartilhavam os ingredientes da mesma humanidade"; a única diferença é que os que ofereciam cuidados "ainda estavam de pé". O objetivo do tratamento, ela aprendeu, não era deixar os pacientes felizes, mas sim "transformar seu sofrimento histérico em infelicidade comum" — um dos vários dizeres de Freud que Fanon costumava repetir —, para que eles pudessem se reerguer. Muitos de seus pacientes o viam como "uma espécie de mago, como tinha sido entre os camponeses em Saint-Alban".

Mas Fanon também podia ser impaciente, e às vezes irascível, quando os outros não seguiam suas recomendações. Um dia, o diretor de uma faculdade de enfermagem recém-inaugurada no Charles Nicolle pediu sua ajuda com uma estudante, uma jovem judia tunisiana de dezenove anos que vinha exibindo o que pareciam ser sintomas de esquizofrenia. Para atendê-la, no entanto, ele primeiro precisaria da autorização de seus pais, e o pai da moça lhe disse que sua esposa não queria que ela fosse atendida por um psiquiatra. Quando Fanon insistiu que ele levasse a esposa ao hospital, o homem respondeu que ela não podia sair de casa já que passara os últimos meses doente, acometida por um estranho caso de arrotos compulsivos. Suspeitando que tinha se deparado com uma "constelação familiar patogênica e até patológica", Fanon ergueu as sobrancelhas. "Se estou entendendo direito", ele disse ao pai, "é sua esposa que usa as calças."[6] O homem voltou com a esposa, que anunciou que o que a filha dos dois precisava não era de um psiquiatra, mas de um marido, e que ela já havia contratado os serviços de uma casamenteira. "Mas, madame", disse Fanon, "a senhora é casada, e isso não a impediu de adoecer." O casal levantou e foi embora. Fanon tentou convencê-los a deixá-lo examinar a filha, sem sucesso. Nos dias que se seguiram ele controlou seu temperamento, "pensando naquela garota de dezenove anos que ficara sem cuidados".

Fanon também não fazia segredo de seu desdém pela arrogância da nova elite dominante da Tunísia. Um dia uma mulher furou uma longa fila de pacientes, reclamando de dor de cabeça. A enfermeira explicou que ela era sogra de um ministro, e Fanon concordou em recebê-la. Mas assim que começou o exame, pediu à assistente para dizer a ela: "Estou aqui para cuidar dos pobres, não das sogras de oficiais". A mulher entendia francês e não precisou de uma intérprete.

Vigilante consigo mesmo, ele também era vigilante com sua equipe, intolerante à "menor falha, à menor negligência que se poderia evitar". Quando uma de suas pacientes, uma garotinha tunisiana, referiu-se a um "pássaro" escondido na barriga da mãe, ela usou uma palavra que costumava designar o pênis. Fanon se inclinou sobre as anotações de Manuellan, viu que ela não a havia anotado e a repreendeu pela omissão. Da próxima vez que a garotinha foi se consultar com ele, usou argila para criar "as formas mais sugestivas dos sexos masculino e feminino, aninhados um dentro do outro". Outro paciente pediu a Manuellan para colocar o relógio dela. Por insistência de Fanon, ela atendeu o pedido do homem. O paciente passou a ter sonhos em que uma "pessoa calada que escrevia ocupava um lugar importante". Só muito tempo depois, quando voltou a estudar na França para se formar em psicanálise, ela se deu conta de que Fanon a tinha usado como um objeto de transferência de seus pacientes. "Fanon trabalhara como os primeiros psicanalistas vienenses que giravam em torno de Freud", escreveu ela.[7] "Ele experimentava e descobria, mobilizando sua curiosidade e audácia."

Quando Fanon não estava atendendo pacientes, costumavam aparecer em sua sala oficiais da FLN e representantes do governo provisório, o GPRA. O rosto deles eram conhecidos para Manuellan das fotografias nos jornais. As conversas aconteciam a portas fechadas, e ele nunca falou com ela sobre seu trabalho político. Mas ela presenciou um incidente que a conturbou o bastante para escrever a respeito em detalhes quase sessenta anos depois.[8] Um dia, Fanon saiu de sua sala com um homem negro da mesma idade, que tinha uma compleição um tanto mais clara que a dele. "Minha secretária vai lhe entregar a carta porque vou precisar ir à enfermaria", declarou. Despedindo-se do homem, ele levou Manuellan à sua sala e pediu que ela sentasse para anotar um ditado. Em sua carta — uma solicitação a um empregador, ou talvez à FLN —, Fanon dizia que o homem desejava passar um tempo na França, antes de concluir abruptamente: "Espero que ele morra de fome". Pediu a Manuellan para assinar por ele, selou a carta e lhe disse para esperar mais cinco minutos antes de entregá-la, de modo que ele tivesse tempo de chegar à enfermaria. Manuellan ficou chocada com a frieza de Fanon e disse a si mesma que o homem devia ser "algum tipo de traidor", até se dar conta de que aquilo era o equivalente epistolar da terapia de eletrochoque. Fanon sabia que a certa altura o paciente leria a carta, talvez até antes de deixar o hospital. Seu propósito era repreendê-lo por sua decisão de ir para a França, talvez até fazê-lo reconsiderá-la: apesar de toda a sua dureza, Fanon ainda não tinha desistido do homem.*

Tanto Fanon quanto Manuellan apareceram em um documentário curto sobre o CNPJ,[9] feito pela televisão tunisiana

---

* Anos depois, Manuellan refletiu que Fanon "não tinha pena daqueles que não tinham sua estima", mas que "para perder sua estima você tinha de ter feito, ou estar prestes a fazer, algo sério".

em 1959. O filme tem apenas 3min45, e não há som na única cópia sobrevivente. Em uma cena, Fanon está fazendo um discurso enquanto seus ouvintes tomam notas cuidadosamente. Em outra, ele caminha por um corredor vestindo jaleco branco, seguido por homens de óculos escuros, e abre um raro sorriso, confiante de estar no centro das atenções — um líder, pelo menos no próprio hospital. Enquanto leciona diante de um quadro-negro, homens o fotografam. Paparazzi no Hospital Charles Nicolle? A ideia parece implausível ainda que sinistramente profética, uma vez que sabemos que o médico passará, depois de sua morte, a ser um ícone, quase um santo para seus seguidores. Manuellan, enquanto isso, fica em uma sala com um grupo de crianças contentes fazendo figuras de argila. Algumas acabam parecendo falos, um momento que dá à imagem uma inocência cômica mas também perturbadora — o que Roland Barthes teria chamado de seu "punctum", o detalhe que "me *punge* (mas também me mortifica, me fere)".[10]

    Nem todos os pacientes de Fanon eram tão acolhedores com Manuellan quanto essas crianças. Um combatente argelino disse a Fanon que não queria falar "na frente daquela mulher". Ela levantou para sair, mas ele a impediu, e tranquilizou o soldado: "Esta não é uma mulher, é um gravador, e eu preciso dela para fazer o meu trabalho". O soldado prosseguiu com suas lembranças da prisão e da tortura que tinha sofrido na Argélia antes de cruzar a Linha Morice para a Tunísia. Manuellan ficou envergonhada de ter que tomar notas sobre seus suplícios mas continuou escrevendo. "Se for demais para você", Fanon lhe disse, "não precisa mais vir."[11] Mas ela decidiu que seu desconforto — um caso de narcisismo ferido, pensou — não era nada se comparado ao "que aquele homem tinha suportado", e continuou pelo restante das sessões dele. Ainda assim, ela prezou o gesto de

Fanon, uma vez que "ele tinha demonstrado certa humanidade com relação a mim".

Alguns meses depois de começarem a trabalhar juntos, Fanon ficou sabendo que o ponto em que Manuellan esperava o ônibus ficava no caminho dele para o trabalho e ofereceu carona. Essa se tornou a rotina da manhã dos dois. Mas ele respondeu friamente quando ela convidou a ele e sua família para jantar em sua casa. "Você talvez saiba que eu tenho responsabilidades na FLN e que não socializo com franceses!" Ela se sentiu humilhada[12] e declarou a Gilbert que Fanon ainda era "um sadista pretensioso". Os Manuellan tinham outros amigos da FLN, argelinos que gostavam de visitar sua casa. Mas "era normal para ele desconfiar de franceses", escreveu ela; afinal, "eu pertencia ao campo inimigo". Mesmo assim, ela estava aos poucos ganhando sua confiança. Fanon se confidenciava com ela sobre sua filha, Mireille, expressando frustração e tristeza por não poder mais visitá-la na França por causa de seus vínculos com a FLN. Ele tinha reconhecido a paternidade e ainda pagava pensão. Manuellan relatou que ele lhe contou isso "como se estivesse confessando [...] como uma criança culpada". Também revelou uma ferida, ainda em carne viva, por nunca ter tido uma resposta do diretor Jean-Louis Barrault, a quem ele enviara cópias das peças que tinha escrito quando era estudante em Lyon.

Na primavera de 1959, Fanon estava morando com a esposa e o filho no centro de Túnis, na Avenue de Paris, num grande prédio atrás da loja de departamentos Monoprix. Um dia, ele chamou Manuellan a sua casa com um pedido urgente.

"Vou precisar de você", disse Fanon.[13]

"Para fazer o quê?", perguntou Manuellan.

"Para escrever um livro."

François Maspero, um editor radical de Paris que tinha ouvido falar de Fanon por um amigo revolucionário angolano, lhe encomendara um livro sobre a luta de independência argelina para a editora que levava seu nome. Manuellan saiu para comprar uma máquina de escrever Japy, leve e portátil, e todas as manhãs na sala de Fanon, das sete às nove horas, ele ditava o livro para ela. Inicialmente, ele ficou frustrado com a lentidão de Manuellan, e ameaçou encontrar outra pessoa para datilografar, então ela propôs uma solução: anotaria suas palavras à mão, e bateria à máquina suas anotações em casa mais tarde, depois de colocar os filhos para dormir. Eles chamavam essas sessões matinais de "a cerimônia do livro".[14] Fanon "andava de um lado para outro e 'falava' seu livro como se ele brotasse de seus passos, do ritmo do seu corpo em movimento". Ele nunca sentava, e nunca perguntava o que ela achava, mas "dizia coisas que me acertavam nas entranhas". Ele muitas vezes a lembrava de um ator, lendo suas falas com um efeito dramático. "Fanon não poderia ter 'falado' seus livros para qualquer um [...]. Ele poderia ter arranjado outra secretária. Mas precisava de uma adequada. [...] As palavras de Fanon tinham de entrar nos ouvidos de outra pessoa de quem ele se sentisse próximo." Os escritos de Fanon, que costumam ser citados por rappers de língua francesa, são um registro do que eram essencialmente performances de textos falados.

*L'An V de la révolution algérienne* foi escrito num período de três semanas e publicado em outubro pela Maspero. Primeiro livro de Fanon sobre a luta argelina, ele é um relato apaixonado de um despertar nacional, uma celebração da "vitória do colonizado sobre seu velho medo e sobre a atmosfera de desespero destilada dia após dia por um colonialismo que se incrustou com a *perspectiva de durar para sempre*". O livro é também um documento das visões utópicas que a luta da Argélia despertou em Fanon, que passara a pensar em si mesmo como argelino depois de três anos em Blida. Em seu retrato, a Revolução Argelina não era simplesmente uma insurreição anticolonial, era também uma revolução social contra a opressão de classe, o tradicionalismo religioso, até mesmo o patriarcado. Como Fanon sugeriu em uma passagem notavelmente existencialista, o "novo sistema de valores introduzido pela Revolução" obrigou cada argelino a "definir-se, a tomar uma posição, a escolher". Esses novos valores foram, de fato, profundamente contestados dentro da luta de independência; hoje, grande parte de *L'An V* parece um registro de esperanças revolucionárias que logo seriam frustradas pelas tendências socialmente conservadoras do movimento ao qual ele se unira. No entanto, ele é também um exemplo surpreendente do pensamento psiquiátrico de Fanon sobre a experiência vivida da descolonização, o modo como a luta por independência substituíra "consciência, movimento, criação" pela "imobilidade tensa da sociedade dominada".

Fanon considerava *L'An V* uma obra de sociologia. Cada um de seus cinco capítulos aborda um aspecto da sociedade argelina: vestimentas das mulheres, o rádio, a família, a medicina, as minorias europeia e judaica. O que ele revelou em cada um desses domínios foram mudanças na consciência tanto coletiva quanto individual sob o impacto da revolução, como os argelinos se conscientizaram com relação a si mesmos como atores sociais, como membros de uma nação capaz de tomar seu destino nas próprias mãos. Mas o livro era também um panfleto revolucionário que visava explicitamente a propaganda francesa — em especial com relação a gênero.

No fim de 1956, como o historiador Neil MacMaster mostrou em seu livro *Burning the Veil*,[15] o governo francês havia lançado uma campanha para "modernizar" as mulheres argelinas, libertando-as do que era percebido como o atraso do patriarcado e da secularização muçulmanos. Os especialistas em guerra psicológica do exército acreditavam que se as mulheres muçulmanas fossem convencidas a aceitar as normas europeias de relações familiares e de gênero, elas passariam para o lado francês, e os homens não ficariam muito atrás. Ou, como considerava Fanon, "converter a mulher, conquistá-la para os valores estrangeiros, livrá-la de seu status era ao mesmo tempo obter um poder real sobre os homens e alcançar um meio prático e efetivo de desestruturar a cultura argelina".[16] A grande demonstração de preocupação com a situação das mulheres argelinas confinadas em casa também servia de distração bem-vinda da opressão que elas sofriam por parte do colonialismo (mais de 90% das mulheres argelinas eram analfabetas), ao visar seus inimigos "reais": seus pais e maridos. Como observou Fanon: "Diante do intelectual argelino, argumentos racialistas aparecem com especial prontidão. Apesar de ser médico, as pessoas vão dizer, ele continua sendo árabe".[17]

A campanha de emancipação da França chegou à sua apoteose teatral em maio de 1958, dias depois de elementos de direita do exército levarem a cabo um golpe cruento em Argel e instalarem uma autoridade "revolucionária" temporária chefiada pelo Comitê de Segurança Pública, sob os generais Jacques Massu e Raoul Salan — o prelúdio imediato à volta de Charles de Gaulle ao poder. Em 17 de maio, em uma cerimônia orquestrada pelo exército, mulheres argelinas tiraram seus *haïks*\* e os queimaram em frente aos prédios do governo-geral em Argel; no dia seguinte, centenas de mulheres das favelas marcharam para o centro da capital, onde ou tiraram seus *haïks*, ou suas "irmãs" europeias o fizeram, enquanto interlocutoras muçulmanas declaravam seu desejo por emancipação e modernidade como cidadãs francesas plenas. A mensagem não tão sutil desses cortejos de "fraternização" era a de que se as

---

\* O *haïk* é uma vestimenta branca tradicional usada por mulheres norte-africanas que cobre todo o corpo, escondendo também o cabelo e parte do rosto.

mulheres argelinas quisessem ser livres, teriam de escolher a França, não os *fellagha*. Essas "mulheres-testes, com rosto descoberto e corpo livre", observou Fanon, "eram cercadas de uma atmosfera de inovação. Os europeus, superexcitados e totalmente a favor de sua vitória, tomados por uma espécie de transe, evocariam o fenômeno psicológico da conversão".[18]

O primeiro capítulo de *L'An V*, "L'Algérie se dévoile" [A Argélia se desvela], um de seus textos mais famosos, foi uma resposta direta às cerimônias de desvelamento, uma desmistificação do transe colonial. Em maio de 1958, Fanon escreveu:

> Cada véu que cai, cada corpo que se liberta do envolver tradicional do *haïk*, cada rosto que se oferece ao olhar audaz e impaciente do ocupante, é uma expressão negativa do fato de que a Argélia começa a negar a si mesma e a aceitar a violação do colonizador. [...] Desvelar esta mulher é evidenciar sua beleza; é expor seu segredo, quebrar sua resistência, torná-la disponível para a aventura. Esconder o rosto é também dissimular um segredo, é criar um mundo do mistério, do oculto. [...] Esta mulher que vê sem ser vista frustra o colonizador. Não há reciprocidade. [...] O europeu que se depara com a argelina quer ver. Ele reage de modo agressivo diante dessa limitação de sua percepção. [...] O conteúdo onírico dos europeus destaca outros temas especiais. Jean-Paul Sartre, em seu *A questão judaica*, mostrou que no nível do inconsciente, a mulher judia quase sempre tem uma aura de violação. [...] Assim a violação da mulher argelina no sonho de um europeu é sempre precedida do desvelamento. [...] O europeu sempre sonha com um grupo de mulheres, com um campo de mulheres, que são sugestivos do gineceu, do harém, temas exóticos profundamente arraigados no inconsciente.[19]

Ainda que o véu fosse usado por muitas mulheres argelinas, reconheceu ele, "por tradição, por uma separação rígida dos sexos", ele também era usado "porque o ocupante *quer desvelar a Argélia*". Era uma proteção contra as tentativas agressivas do ocupante de possuir as mulheres, de torná-las visíveis ao olhar masculino europeu.[20]

A ênfase de Fanon na opressividade desse olhar era profundamente sartriana, mas seu relato das fantasias do colonizador também revelava uma dívida não reconhecida com um pensador que ele criticara em *Pele negra, máscaras brancas*: o psicanalista Octave Mannoni. Em *Psicologia da colonização*, Mannoni atribuíra o exibicionismo violento do colonizador a um complexo de inferioridade que tinha de ser constantemente refutado por atos de dominação e crueldade. A experiência de Fanon em Blida — em especial o tratamento que dispensava a soldados franceses que torturavam argelinos e então brutalizavam suas esposas se tivessem sua autoridade questionada — o levou a uma perspectiva semelhante, ainda que nunca tenha se retratado de suas críticas. A diferença, claro, é que as mulheres em "L'Algérie se dévoile", ao contrário dos malgaxes de Mannoni, não são "colonizáveis"; elas rechaçam desafiadoramente as tentativas coercitivas de assimilação.

Como Fanon argumentou, o colonialismo francês tinha reacendido o próprio tradicionalismo argelino que ele buscava substituir por valores europeus, e dado "uma nova vida a esse elemento morto [...] do repertório cultural argelino".[21] De fato, as argelinas "que há muito tinham abandonado o véu, voltaram a vestir o *haïk*" depois dos desvelamentos simbólicos de maio, uma vez que "o traço psicológico dominante do colonizado é se crispar diante de qualquer convite do conquistador". No entanto, uma vez que esse "elemento morto", o *haïk*, é ligado à resistência, ele deixa de ser um sinal de "modéstia" ou subordinação da mulher; pelo contrário, ele expressa uma atitude de rebelião cultural, como a Négritude: "É o branco que cria o negro. Mas é o negro que cria a Négritude. À ofensiva do colonialista contra o véu, o colonizado opõe o culto do véu".²² O tecido branco significava uma recusa da máscara branca, e da cultura do conquistador.

Não surpreende, talvez, que alguns dos leitores muçulmanos devotos de Fanon, tanto no movimento argelino quanto além, adotariam esse relato sobre o véu como uma celebração de resistência fundada nos princípios do islã. Um deles era um pós-graduando iraniano em Paris, Ali Shariati, que fez contato com a Fédération de France da FLN em 1959 e ajudou a traduzir alguns dos textos de Fanon para o persa no ano seguinte. Shariati, que posteriormente se tornou uma das principais influências para os revolucionários islâmicos do Irã, compartilhou sua visão do islã de uma fé inerentemente revolucionária em uma carta para Fanon. Em sua resposta,* Fanon reconheceu que a defesa do islã tinha sido um grito de guerra importante nas lutas anticoloniais em países de maioria muçulmana. Mas ele criticou a ideia de uma política islâmica como um "recuo em si mesmo"²³ disfarçado de uma libertação da "alienação e despersonalização". Ele advertiu que "reanimar o espírito sectarista e religioso obstruiria a reunificação necessária — já difícil de alcançar", e separaria a nação emergente, "que é, na melhor das hipóteses, uma nação em vias de se tornar", de "seu futuro ideal, para reconectá-la com seu passado". Ele continuou: "É isso que temo, e o que me angustia em meus esforços com os homens honráveis da Associação dos

---

* De acordo com Robert Young, que publicou esta carta na antologia *Writings on Freedom and Alienation*, ela pode, de fato, ter sido "uma invenção criativa de seu suposto destinatário, Ali Shariati". Quer Fanon a tenha escrito ou não, a carta indica que Shariati estava consciente de que o caminho de Fanon e o da Revolução Islâmica que ele imaginou para o Irã eram distintos e, de certa forma, opostos.

Ulemás Norte-Africanos" — uma alusão aos estudiosos religiosos argelinos que entendiam a independência como um "retorno" aos caminhos do islã. Como a "grande miragem negra" da Négritude, a afirmação da identidade islâmica era uma parada ao longo do caminho, não um destino final.

De fato, o véu é um objeto altamente complexo, tanto nos escritos de Fanon (nos quais é ora símbolo de rigidez cultural, ora de resistência anticolonial) quanto no papel histórico que ele desempenhava nas fases finais da dominação colonial. Uma vez que a guerra de libertação nacional começou, defendia Fanon, uma "mutação ocorreu", à medida que a FLN decidiu envolver mulheres como "elementos ativos", e "o véu foi abandonado no curso da ação revolucionária". A partir de 1955, as mulheres argelinas, muitas vezes de famílias de classe média, ficaram cada vez mais envolvidas com a luta. Como ele enfatizou, essa decisão de permitir que as mulheres se juntassem ao *maquis* não foi tomada com leveza. A participação das mulheres as expunha à ferocidade do Exército francês; também desafiava as convenções de gênero dentro da sociedade argelina. Mas foi um passo necessário para as mulheres realizarem tarefas essenciais para a revolução, sobretudo se passando por europeias e se deslocando livremente entre cidades em missões para a FLN — serviços de intermediárias ou vigias, entregando armas a combatentes, ou de fato plantando dispositivos explosivos. A esperança de Fanon era de que a coragem e o sacrifício que elas demonstravam levassem irreversivelmente a uma melhora de seus status na sociedade argelina, de fato ao "nascimento de uma nova mulher".[24]

Em um relato impressionante de uma argelina anônima que tira o véu, veste-se como europeia e planta uma bomba no bairro europeu de Argel, Fanon evocou um processo de desalienação revolucionária. "Sempre que ela se aventura em uma cidade europeia, a argelina deve obter uma vitória sobre si mesma, sobre seus receios infantis", escreve ele.[25] "Ela deve considerar a imagem do ocupante alojada em algum lugar em sua mente e em seu corpo, remodelá-la, iniciar o trabalho essencial de erodi-la, torná-la não essencial, remover algo da vergonha que a ela está vinculada." Porque ela estava acostumada ao confinamento em casa e à proteção do véu, "seu corpo não tem a mobilidade usual em um campo ilimitado de avenidas, calçadas desdobradas, de casas, pessoas de quem se desvia ou com quem tromba [...]. O corpo desvelado parece escapar, se dissolver. Ela tem a impressão de estar vestida indevidamente, até de estar nua. Ela vivencia um sentimento de incompletude com grande intensidade". Em uma passagem bastante marcada pelos escritos de Merleau-Ponty sobre o "corpo fenomenal", ele continuou:

> A ausência do véu distorce o esquema corporal da mulher argelina. Ela tem de inventar novas dimensões para seu corpo, novos meios de controle muscular. Tem de criar para si uma atitude de uma mulher desvelada e externa [...]. A argelina que entra caminhando toda nua na cidade europeia reaprende seu corpo, o restabelece de uma maneira totalmente revolucionária.[26]

Isso não é absolutamente o que os franceses imaginaram com as queimas de véus orquestradas na primavera de 1958. Ao se tornar uma mulher que pode entrar caminhando sozinha em uma cidade, sem se sentir nua, a mulher argelina de Fanon assume o fardo da liberdade, tanto o de seu povo quanto o dela próprio, e chega a uma "nova dialética do corpo e do mundo". Ainda que deva se passar por uma colona europeia, "não há personagem a imitar".[27] Fanon continua, "há, pelo contrário, uma dramatização intensa, uma continuidade entre a mulher e a revolucionária. A mulher argelina ascende de imediato ao nível da tragédia".

Fanon considerou, em outras palavras, que o desvelamento como tática revolucionária estava concedendo às mulheres muçulmanas a propriedade de seus corpos. E agora que "as palavras dos homens já não eram a lei", a liberdade da Argélia seria "identificada com a libertação das mulheres, com sua entrada na história". As cerimônias de desvelamento colonial de maio de 1958, longe de ser um momento de autoemancipação, foram um espetáculo de "emancipação" coercitivo orquestrado pelas autoridades francesas. Nos anos seguintes, argumenta Fanon, as mulheres cada vez mais usaram o véu como um gesto de orgulho e de afirmação coletiva. Ainda assim ele alega que o véu fora "arrancado de uma vez por todas de sua dimensão exclusivamente tradicional" já que "ajudou as mulheres argelinas a responder às novas questões criadas pela luta": ao reassumir o véu, muitas militantes estavam confrontando uma nova rodada de "questões criadas pela luta". Onde os franceses enxergavam uma mulher subordinada ao patriarcado islâmico, Fanon via uma guerreira anticolonial determinada, portando o *haïk* muito como ele antigamente portara sua pele negra — só que com uma mensagem para um dos irmãos, ou uma arma, escondida dentro dele.

Fanon também aclamava transformações radicais nas atitudes dos argelinos com relação à tecnologia e à medicina ocidentais. Antes da luta por independência, notou, poucos argelinos tinham um rádio; a maioria o encarava como um símbolo do poder e da exclusão coloniais, tal qual o vinho, "um objeto maléfico, ansiogênico e maldito". A Radio-Alger, "a voz da França na Argélia", visava a comunidade europeia, especialmente colonos ou fazendas distantes das cidades, para as quais ela era "um convite diário à não mestiçagem", a não esquecer a superioridade de sua cultura. Mas com a explosão da guerra, e a criação do programa de rádio da FLN, a *Voix de l'Algérie* [Voz da Argélia], comprar um rádio se tornou "o único meio de entrar em contato com a Revolução, de conviver com ela. [...] O receptor de rádio perde quase magicamente [...] seu caráter de objeto do inimigo".[28]

A medicina ocidental também perdeu seu verniz hostil. Sob o colonialismo, os médicos tinham sido "parte integrante da colonização, da dominação e da exploração".[29] Os argelinos consideravam suas consultas médicas como "uma oposição de mundos exclusivos, uma interação contraditória de técnicas diferentes, uma confrontação veemente de valores". Como resultado, "o colonizado que vai se consultar com o médico está sempre um pouco rígido", com frequência apresentando sintomas de síndrome norte-africana. Os médicos europeus racistas logo concluiriam que "com essa gente não se exerce medicina, mas veterinária". O colonizado só podia responder defensivamente, seguindo "cada comprimido engolido ou cada injeção tomada" com "a aplicação de um preparado ou a visita a um santo" — um marabuto ou curandeiro. Tudo isso mudou, argumentou Fanon, com a guerra de libertação nacional e a expansão dos serviços de cuidados médicos da FLN para argelinos comuns. "O médico argelino", escreveu ele, "torna-se uma parte da carne argelina. [...] Populações acostumadas a consultas mensais ou bienais com médicos europeus veem os médicos argelinos se estabelecendo permanentemente em seus vilarejos. A revolução e a medicina manifestaram sua presença simultaneamente." O resultado foi "uma atmosfera criativa impressionante", na qual os argelinos superaram o que os médicos europeus haviam interpretado como fatalismo e procuraram "entender as explicações proferidas por médicos ou enfermeiros compatriotas". As práticas religiosas rurais que Fanon descrevera em seus artigos médicos, como a crença em djims, "todas essas coisas que pareciam fazer parte da própria fisiologia do argelino foram varridas pela ação e pela prática revolucionárias".[30]

Ler *L'An V* é se sentir uma testemunha indireta de uma sociedade tradicional em fluxo, lutando por sua libertação não apenas da opressão colonial mas também do peso herdado do passado. Tudo o que é sólido se desmancha no ar, enquanto as tradições calcificadas — autoridade paterna, separação dos sexos, superstições rurais — são "derrubadas e desafiadas pela luta de libertação nacional".[31] No capítulo sobre a luta argelina, Fanon descreve a revolta dos filhos nacionalistas contra seus pais tímidos, que foram obrigados a renunciar a sua autoridade "diante do novo mundo" em construção ou a encarar as consequências, incluindo execução pela FLN por traição. "Essa derrota do pai pelas novas forças que emergiam", escreve Fanon, confiante, "não podia deixar intacta as relações que antes ordenavam a sociedade argelina." No *maquis*, o casamento já não era "um arranjo entre famílias", e rapazes e moças podiam escolher seus parceiros: "o casal militante unido, participando do nascimento da Nação, se torna a regra na Argélia".*[32]

A descrição otimista de Fanon da desalienação entre as mulheres argelinas era exagerada, mas não inteiramente ficção. Milhares de mulheres participaram do esforço de guerra como portadoras de bombas, mensageiras, arrecadadoras de fundos, enfermeiras, vigias e cozinheiras, e seu envolvimento desafiava não apenas as restrições do patriarcado argelino mas também o próprio sentido herdado por elas do que a vida tinha a lhes oferecer. Malika Ighilahriz, uma integrante da clandestinidade da FLN na capital, lembrou com delicioso frisson de passar batom vermelho, entrar em um carro esportivo americano e ir e voltar entre a casbá e as tarefas na Argel

---

\* O contraste aqui com o retrato que Fanon faz em *Pele negra, máscaras brancas* de mulheres antilhanas como Mayotte Capécia, que se "branqueia" para se casar com homens brancos, não podia ser mais gritante.

central. Safia Bazi, uma *maquisarde* na Wilaya 4, leu *L'An V* na prisão. "[O livro] continha para mim uma análise exata do que eu tinha vivido pessoalmente",[33] escreveu ela, a "transformação radical no comportamento das mulheres sob o impacto da Revolução e suas contribuições para ela." Durante a guerra e depois da independência, mulheres combatentes como Zohra Drif, Djamila Bouhired e Djamila Boupacha se tornaram ícones internacionais da resistência argelina, até da própria descolonização.

Mas embora a FLN projetasse essas portadoras de bombas como exemplos de patriotismo e abnegação, persistia a ideia profundamente patriarcal da "família como fortaleza",[34] um baluarte contra o colonialismo. Entre os muitos problemas que Fanon não conseguiu reconhecer estava o fato de que as mulheres que esperavam obter emancipação das restrições do patriarcado argelino corriam o risco de serem atacadas como "lacaias do colonialismo". Mouloud Feraoun temia que a única liberdade que as *maquisardes* estavam ganhando era o direito de serem presas e torturadas junto de seus camaradas homens. "Talvez um novo mundo esteja sendo construído a partir das ruínas",[35] escreveu ele, "um mundo onde as mulheres vestirão calças, literal e figurativamente, um mundo onde o que resta das antigas tradições que defendem a inviolabilidade das mulheres, tanto literal quanto figurativamente, serão vistas como um inconveniente e varridas." Entre aquelas que foram varridas ou vilipendiadas nos anos seguintes à independência estava a irmã de Malika Ighilahriz, Louisette, uma militante da FLN que, depois de ser presa pelos franceses em 1957, foi estuprada e torturada, antes de ser resgatada de uma prisão militar colonial por um médico militar francês que a encontrou encolhida em uma poça de excrementos e sangue menstrual. Depois da independência, as irmãs Ighilahriz e outras mulheres veteranas se veriam lutando uma batalha perdida para defender as frágeis conquistas que haviam obtido durante a guerra, que foram sendo desbastadas por uma legislação retrógrada em questões de casamento, divórcio e custódia de filhos.

A oposição de homens argelinos (e um bom número de mulheres) às convenções ocidentais de igualdade de gênero era, em parte, uma expressão da resistência autóctone aos esforços da França de cortejar e cooptar mulheres argelinas — de "salvar mulheres não brancas de homens não brancos",[36] como a crítica literária Gayatri Spivak caracterizou as campanhas coloniais para "libertar" mulheres colonizadas. O que Fanon se recusou a ver era que a hostilidade com relação ao empoderamento das mulheres argelinas não era apenas um "elemento morto" do passado ao qual o colonialismo dera novo fôlego: correntes religiosas do movimento nacionalista, sobretudo as próximas à Associação dos Ulemás Muçulmanos Argelinos, estavam interessadas em fortalecer o patriarcado e a família tradicional, invariavelmente em nome do islã. A crença de Fanon na revolução — e é provável que seu próprio ateísmo — o cegava quanto ao componente religioso da luta argelina. Quando Jacques Berque, o sociólogo do islã norte-africano, o conheceu em Túnis, considerou Fanon "um psiquiatra de grande refinamento" e um mestre da "observação clínica"; ele admirou sua "raiva, seu bom senso e sua bondade", mas acrescentou que "como quase todos os apoiadores franceses da FLN, ele não conseguia compreender [sua] dimensão árabe e islâmica".

Apesar de todos os seus apelos ao islã, Fanon insistia em *L'An V* que o nacionalismo argelino era um nacionalismo da vontade, e não da etnicidade ou da religião, aberto a qualquer um que estivesse disposto a se juntar à luta. No capítulo sobre o rádio, ele argumentou que os programas da FLN estavam "consolidando e unificando o povo" em torno de uma "concepção não racial" da nação. Ao transmitir em berbere, bem como em árabe, eles estavam derrubando preconceitos contra os berberes cabilas, não mais vistos por seus companheiros árabes como "os homens das montanhas", mas como "irmãos que [...] dificultavam as coisas para as tropas inimigas". E como a língua francesa também era usada para promover a revolução — o locutor francês do *Voz da Argélia* era o colega de Fanon do *El Moudjahid* Serge Michel —, ela já não era identificada como traição; de acordo com Fanon, as transmissões francófonas desempenhavam seu papel no "exorcismo da língua francesa". Quando a libertação chegasse, haveria lugar para todos à mesa, como Aimé Césaire, o compatriota de Fanon, havia imaginado.

Muitos homens e mulheres europeus, ele notou, haviam contribuído para "nossas unidades e células políticas"; sob interrogatório, "o europeu torturado se comportou como um autêntico militante na luta nacional por independência". Também alguns dos judeus da Argélia tinham unido forças com a FLN, tornando-se os "olhos e ouvidos da Revolução".[37] O relacionamento dos judeus com a revolução, admitiu ele, era complicado em virtude de suas próprias experiências com o racismo: "O judeu, desprezado e excluído pelo europeu, fica bastante contente, em certas ocasiões, de se identificar com aqueles que o humilharam para humilhar, por sua vez, os argelinos". Na pirâmide de privilégio colonial descrita por Albert Memmi, os judeus estavam apenas alguns degraus acima dos muçulmanos. Mas Fanon acrescentou que os judeus da Argélia, eles mesmos antigos *indigènes*, tendiam a ser mais liberais do que os europeus, e que "é muito raro [...] ver judeus, em plena luz do dia, afirmar seu pertencimento aos grupos extremistas [europeus] da Argélia". Na Plataforma de Soummam de agosto de 1956, apontou ele, a FLN tinha apelado aos judeus argelinos que "ainda não haviam superado seus problemas de consciência, nem escolhido um lado" a "seguir o caminho da [...] Revolução" ao "proclamar, com orgulho, sua nacionalidade argelina".

Fanon tinha amizade com diversos judeus argelinos, inclusive Alice Cherki e Lucien Lévy, que haviam se juntado à FLN. Ele sem dúvida estava a par de figuras como Daniel Timsit, o fabricante de bombas judeu da FLN, que estava em uma prisão francesa. Fanon escreveu, enfático, que *"os advogados ou os médicos judeus que compartilham nos campos ou na prisão o mesmo destino de milhões de argelinos, atestam a realidade multirracial da Nação Argelina"*.[38] Mas a maioria dos 120 mil judeus não estava com pressa para se declarar argelina se isso significasse abrir mão de seus passaportes franceses. A experiência de ter sua cidadania revogada pelo governo de Vichy em 1940 tinha apenas fortalecido seu vínculo à República, sua língua e sua cultura. Durante a Segunda Guerra Mundial, os europeus da Argélia se uniram à causa da Revolução Nacional de Vichy, aplaudindo medidas antissemitas como a expulsão de crianças judias de escolas francesas — um evento que o filósofo Jacques Derrida, com dez anos na época, descreveu como o "terremoto" de sua infância.[39]

Enquanto isso, os judeus da Argélia tinham desfrutado da solidariedade de seus vizinhos muçulmanos,[40] a maioria dos quais rejeitava os apelos das potências do Eixo. Mas uma vez que sua cidadania foi restaurada em 1943, poucos judeus desejavam voltar a se tornar *indigènes*, ou a se alinhar com uma rebelião nacionalista e liderada por muçulmanos contra a França, um país a que atribuíam o crédito de conduzi-los à modernidade ocidental. E ainda que "quase não houvesse antissemitismo naquela época entre os argelinos", como lembra Cherki, os muçulmanos argelinos cada vez mais se identificavam com a luta argelina para recuperar suas terras dos colonos sionistas — outra crescente fonte de tensão entre as duas comunidades.

Em *L'An V*, Fanon deu expressão eloquente às esperanças da ala revolucionária da FLN, os argelinos que inspiraram a revolução como se ela fosse (nas palavras dele) o "oxigênio que cria e modela uma nova humanidade". A Argélia futura, proclamou, seria "aberta a todos",[41] inclusive aos europeus, desde que renunciassem a seus privilégios coloniais: "O que os argelinos querem é descobrir o homem por trás do colonizador". Essa visão da Argélia pós-independência não era só dele. Ela representava os ideais e as aspirações de Abane Ramdane e da Conferência de Soummam, na qual a primazia do interior foi afirmada — e, ainda mais, dos progressistas da Wilaya 4, dos quais Fanon ficara amigo em Blida.

Já em 1959, no entanto, com a derrota da FLN em Argel e o assassinato de Abane, a representação que Fanon fazia da Revolução Argelina tinha ficado ainda mais distante das realidades da Argélia. De novo, Fanon nunca menciona que havia mais combatentes, muitos deles a postos, na Tunísia e no Marrocos do que na Argélia em si. Sob a liderança de Houari Boumediene, o exército do exterior se profissionalizara ainda mais, sua visão da Argélia ficara mais estritamente árabe-islâmica. Aqueles que imaginavam uma Argélia multiétnica e democrática, sempre uma minoria, viam seu número diminuir a cada atrocidade cometida pelo exército ou pelos colonos. Embora o colonialismo estivesse morrendo, as estruturas do mundo colonial — a segmentação rígida e hierárquica de muçulmanos, europeus e judeus; a divisão entre árabes e berberes; os costumes defensivos da maioria autóctone — feneciam em um ritmo muito mais lento, e estavam de algum modo sendo fortalecidas pela guerra e pela própria resistência. Os argelinos da FLN eram menos propensos a falar de uma Argélia "multirracial" ou "não racial" do que de uma "Argélia muçulmana", e o apelo da "restauração" era mais forte do que o de qualquer revolução *dentro* da sociedade argelina. Como seu ex-aluno, o sociólogo tunisiano Frej Stambouli, observou, Fanon ignorava os "dois legados sinistros e decisivos"[42] da colonização na Argélia — o analfabetismo em massa e a marginalização do islã —, e ambos garantiam a dominação do populismo religioso, em vez do esquerdismo secularista, no movimento de independência.

Fanon, é claro, não analisou simplesmente a Revolução Argelina; ele articulou uma interpretação específica dos objetivos dela, a qual esperava fortalecer suas tendências progressistas e promover seu perfil internacional. Para espalhar essa mensagem, ele instou seu editor, Maspero, a enviar exemplares do livro para a Tunísia, o Marrocos, a Guiné, o Senegal, o Sudão, as Antilhas Francesas, o Haiti, a Suíça e a Bélgica. Mas Fanon encontraria seus seguidores mais entusiastas entre os radicais da rede de Jeanson, que eram fascinados pelo relato altamente existencialista de Fanon sobre os dilemas éticos que os combatentes argelinos encaravam: incluindo jovens tendo de aceitar a decisão da revolução de executar seus pais e o conflito de consciência que experimentavam as mulheres que plantavam bombas em locais públicos. No retrato de Fanon, além do mais, a Argélia não estava apenas se libertando, mas também reinventando a si mesma. *L'An V* era teoria da modernização para os radicais, apresentando a revolução como um tipo de terapia de choque para uma sociedade tradicional.

"Seu livro representou, para mim, tudo que minha coleção deve ser: revolucionária e violenta", François Maspero lhe disse.[43] Talvez por essa exata razão, Aimé Césaire se recusou a escrever um prefácio. Assim como Memmi, que considerou que Fanon tinha roubado suas ideias sem dar crédito. (Ele mais tarde admitiu seu erro em seus diários,[44] depois de descobrir que *Pele negra, máscaras brancas*, publicado em 1952, antecedera *Retrato do colonizado precedido do retrato do colonizador* em cinco anos.) De acordo com Maspero, Memmi o aconselhou a não se aproximar de Fanon. Por fim, o líder do GPRA, Ferhat Abbas, que morava no mesmo prédio que Fanon, concordou em escrever o prefácio, o que deixou Fanon orgulhoso. Mas quando ele entregou um exemplar a Manuellan, ela notou que o prefácio de Abbas não aparecia.

"Quem lhe disse que eu teria um prefácio de Abbas?", perguntou Fanon.[45]

"Você disse."

Fanon ficou calado; ele claramente se esqueceu de que tinha lhe contado.

"Para mim não importava", lembrou ela, "mas eu sabia que a ausência desse prefácio preocupava enormemente algumas pessoas." Não está claro se Abbas recuou ou se apenas nunca escreveu o prefácio. Mas a falta de um endosso da FLN era um lembrete do status ambíguo de Fanon no movimento, e machucava.

Em dezembro de 1959, *L'An V de la révolution algérienne* foi confiscado pela polícia em livrarias na França. Mas Manuellan, o "gravador" de Fanon, recebeu uma promoção por seus esforços: ela agora trabalhava a seu lado em sua sala. A "cerimônia do livro" os aproximara,[46] lembra ela, e quando Fanon ficou sabendo que ela e Gilbert iam dar uma festa de Natal, perguntou por que não tinha sido convidado.

"Porque vai haver muitos franceses", respondeu ela.

"Mas se eles forem franceses como Jean-Paul Sartre é francês, para mim tudo certo."

"Pois bem, venha!"

Ela ficou apavorada com a ideia, lembrando-se de como ele havia recusado seu último convite. "Dançar na frente de Fanon? Não era possível. [...] Mas como eu poderia dizer a ele, 'Fique em casa!'. Ele ia estragar nossa noite."

Fanon perguntou se podia levar um amigo.

"Leve quem quiser."

Ele chegou na casa dela em Mutuelleville, um subúrbio de Túnis, com Josie e Olivier; seu guarda-costas, Youcef Yousfi; Bertène Juminer, um parasitologista guianense do Instituto Pasteur de Túnis; e as esposas de ambos. Para grande surpresa de Manuellan, Fanon foi a alma da festa. "Sorrindo, realmente feliz, contando piadas", ele pegou um violão, cantou beguines antilhanas, e até dançou. A música alegre e contagiosamente sincopada da Martinica realçou uma leveza, uma cordialidade em Fanon que Manuellan tinha acabado de começar a notar.*

Depois dessa noite, eles se tornaram visitas regulares à casa um do outro. Ela ficava surpresa, e um pouco decepcionada, por ele nunca olhar suas estantes de livros, até perceber que ele mesmo mal tinha livros. "Abordava os livros como um médico", escreveu ela. "Ele os usava mas não tinha uma relação especial com eles." A comida era outra questão. Ele ensinou Manuellan a aperfeiçoar seu *vinaigrette* e enfatizou "como era importante para uma criança sentir o cheiro da geleia feita pela mãe". (Ele falava com frequência, e carinho, sobre sua própria mãe, mas "parecia bem distante do pai" e acusava os pais antilhanos de negligenciar seus filhos.) Quando o pai de Manuellan visitou Túnis, Fanon lhe entregou documentos da FLN para levar de volta para a França, uma vez que sentiu nesse ex-membro da resistência "uma simpatia bruta pela causa". O antigo *maquisard* o fez sem hesitar. Fanon ficou comovido com as histórias familiares da Corrèze, sua terra, e seu papel na resistência do tempo da guerra. "O que a Martinica é pra mim,

---

\* O amigo de infância de Fanon, Marcel Manville, escreve em suas memórias que sempre que visitava Fanon em Blida ou Túnis, este colocava para tocar discos de 78 rotações do grande clarinetista martinicano Alexandre Stellio. "Ele pedia a sua esposa, Josie", lembrou Manville, "para fazer marinadas de bacalhau para nós, nem sempre com êxito, mas que eram saboreadas um pouco como a madeleine de Proust." Ver Marcel Manville, *Les Antilles sans fard*. Paris: Harmattan, 1992.

a Corrèze é pra você", ele disse a Manuellan. Os dois lugares representavam, nas palavras dela,

> a terra das origens, da infância, dos ancestrais, onde nós nascemos e crescemos, mas onde não éramos compelidos a ficar como se estivéssemos fincados como pregos. Pelo contrário, nós somos curiosos com relação a outras terras, outras culturas. Nós "enriquecemos" junto dos outros, adquirimos múltiplas identidades. Tomamos parte em um certo "universal" [...]. Era esse status de seres compostos que deve ter agradado Fanon, uma vez que se assemelhava a ele de algum modo.

Fanon tinha ainda mais em comum com Gilbert Manuellan, um veterano de guerra que, como ele, tinha lutado na Poche de Colmar no inverno de 1944 e recebeu uma Croix de Guerre. Ambos, como diz Marie-Jeanne, "acreditavam no homem". Eles frequentavam o mesmo alfaiate, um apoiador italiano da FLN. Ainda assim, parece que Fanon gostava de provocá-lo.

"Os *nègres* não inventaram nada", ele disse uma vez com um ar melancólico.[47]

"E quanto à música?", respondeu Gilbert. "O blues, o jazz!"

Marie-Jeanne não conseguiu dizer se Fanon acabara de redescobrir naquele momento essa invenção negra, ou se ele tinha deliberadamente "fingido ter esquecido", como teste para as convicções de seu marido. Então Fanon levantou a questão dos preconceitos dos brancos contra os negros. Os brancos, ele disse, alegam que os negros cheiram mal, mas ele tomava três banhos por dia. Marie-Jeanne ficou sem palavras:

> Obviamente nem Gilbert nem eu compartilhamos esse modo de ver as coisas. Para nós, havia apenas seres humanos, independente da cor da pele. Nós sabíamos sobre

Aimé Césaire, Toussaint L'Ouverture, Jomo Kenyatta. Era um discurso provocativo, e eu não sei por que ele o fez. Naquele dia, Fanon perguntou se podia tirar os sapatos e andar de chinelos (o que não nos incomodou absolutamente). E então os homens voltaram a falar sobre música.

Eles costumavam discutir o futuro econômico da Argélia depois da independência. Gilbert, o mais moderado dos dois, ressaltava como demorava para agregar valor à terra, e alertava que o crescimento demográfico apresentaria um sério desafio ao desenvolvimento. "Esse Manuellan está acabando com o meu moral!",[48] brincou Fanon, voltando-se para o que ele via como o experimento promissor em autogestão do trabalhador de que Tito fora pioneiro na Iugoslávia — um modelo brevemente adotado na Argélia depois da independência.

Uma noite em 1959, os Fanon e os Manuellan foram assistir ao novo filme de Alain Resnais,[49] *Hiroshima, meu amor*, na Rotonde, perto da catedral Saint Vincent de Paul. Fanon, que sofria de miopia mas se recusava a usar óculos por considerá-los um estorvo, insistiu em sentar na primeira fileira. Josie declarou que não ia estragar a própria vista e sentou bem mais para trás, deixando Marie-Jeanne ao lado de Fanon. No filme de Resnais, Emmanuelle Riva interpreta uma atriz que foi a Hiroshima fazer um filme sobre o impacto da bomba. Lá ela se apaixona por um japonês e se vê tomada de lembranças da guerra, quando teve um caso com um soldado alemão: um relacionamento clandestino que levou a uma punição humilhante, ter o cabelo raspado, na libertação.

Fanon perguntou a Marie-Jeanne o que ela tinha achado do filme. Ela respondeu que seu tratamento do trauma e da repressão a fazia lembrar da psicanálise. Para esquecer sua experiência, explicou ela, a personagem de Riva deve primeiro lembrá-la e nomeá-la. "O que está reprimido é algo de que não conseguimos nos lembrar", disse Manuellan, "e ainda assim o reprimido está ali, vivo, mas apenas nos nossos sonhos." Ela comparou a experiência da repressão à amputação de uma parte da pessoa. Fanon, que sempre fora atraído pela metáfora da amputação (e de membros fantasmas), ficou exultante com as explicações que ela deu: "Ele me disse, 'Você me deixou muito feliz, eu lhe ensinei alguma coisa'".

Fanon também gostou do filme, mas, para Manuellan, ele o tocara por outra razão: sua representação do que ele chamava de amor "contingente" ou "paralelo" — um termo um tanto grandioso e filosófico para o tipo de casos que Sartre e Beauvoir se permitiam, desde que eles não fossem uma ameaça a seu vínculo duradouro. Fanon acreditava que pessoas ciumentas eram "paranoicos perigosos"[50] e que o ciúme era "um mal a ser eliminado, de modo que os humanos possam ser verdadeiramente adultos". Em um jantar no apartamento dos Manuellan, Fanon disse que ele esperava poder um dia abordar um homem e dizer,

> eu gostaria de compartilhar uma parcela da vida de sua esposa, se ela estiver de acordo, sem isso ter qualquer efeito no que me liga à minha esposa, ou ao que liga você à sua. Isso não tira nada de vocês. Ao contrário, é um "ganho" já que ninguém é propriedade de outra pessoa. Cada um pode viver em liberdade. Cada um é o único proprietário da própria liberdade. Isso não é fácil, mas é amor de verdade.

(Ele incentivava Josie a buscar seus próprios amores paralelos? Marie-Jeanne não diz, mas Josie parece ter tido um amante, um oficial da FLN, quando as ausências do marido ficaram mais frequentes.)[51]

"Nós estávamos todos tão sérios quanto ele",[52] lembrou Manuellan, "pesando os prós e os contras enquanto descascávamos nossas toranjas na mesa." Josie defendeu a posição do marido, enquanto os outros contestaram que "nem todo mundo podia ser Sartre e Beauvoir". Fanon respondeu que o amor contingente, de qualquer modo, "era impossível de ser colocado em prática agora. Nós precisamos fazer essa revolução primeiro".

Fanon nunca abordou Gilbert com uma proposta do tipo, mas uma atração, se não um amor paralelo, começara a despertar entre o médico e sua secretária. Marie-Jeanne não o achava bonito, mas "ele era naturalmente elegante e sedutor", e um dia sua mão sem querer roçou a bochecha dele. A pele dele estava quente, e Fanon respondeu seu toque abraçando-a. Eles foram para um hotel, mas assim que chegaram, ele hesitou, e disse que não podia entrar. Por quê? "Porque eu sou negro", respondeu ele, querendo dizer que com certeza seria visto, e notado, muito possivelmente por um dos espiões de Abdelhafid Boussouf[53] nas ditas Brigadas Móveis. "Todos eles estavam sendo vigiados", lembrou Marie-Jeanne, e ele não podia se arriscar. "Não era uma questão de poder. Ele não tinha nenhum. Mas não queria que sua reputação fosse manchada." Eles fizeram outra tentativa, algumas semanas depois, quando entraram em um carro e foram até a casa vazia dos Taïeb em La Marsa, da qual Fanon tinha as chaves. "Nós não tivemos nem tempo de tirar a roupa, pois alguém bateu na porta", lembrou Manuellan. Era o jardineiro. Eles tomaram a interrupção como um agouro e foram embora. Manuellan me disse que eles nunca tiveram um caso, mas acrescentou, maliciosamente, que mesmo se tivessem tido, nunca contaria o segredo. Independente se um relacionamento se materializou ou não, uma colaboração aconteceu. Fanon "falou" seus livros; Marie-Jeanne Manuellan, seu gravador, foi a primeira a passá-los para o papel.

# 12.
# Argélia negra

Na véspera do Ano-Novo de 1959, logo depois de publicar *L'An V de la révolution algérienne*, Fanon anunciou a Marie-Jeanne Manuellan que tinha pedido à liderança da FLN em Túnis que o enviasse para o outro lado da Linha Morice para que pudesse se juntar ao *maquis*. Era um pedido extraordinário. Ainda que Fanon não fosse mais o porta-voz da FLN em Túnis, ele permanecia um homem de considerável autoridade: integrante do comitê editorial do *El Moudjahid*; diretor de uma clínica diurna pioneira no Hospital Charles Nicolle; autor cada vez mais influente, sobretudo entre os *porteurs des valises* na Europa, "os carregadores de malas" de Jeanson. Ele também era pai de uma criança pequena. Ainda assim Fanon queria voltar para o interior, o campo de honra onde Abane Ramdane não estava morto, para lutar pela causa onde mais importava, em sua opinião — e, talvez, para se redimir por seu silêncio ante o assassinato do amigo.

Se tivessem permitido sua ida, é improvável que ele tivesse vivido para escrever *Os condenados da terra*. Depois de ser eleito presidente em dezembro de 1958, Charles de Gaulle encarregou-se de destruir a resistência na Argélia rural. Ele estava incerto com relação ao estatuto final da Argélia e manteria uma ambiguidade enigmática quanto a suas intenções até o fim da guerra, mas queria tomar sua decisão a partir de uma posição de força. Com esse objetivo, em fevereiro de 1959, ele lançou o Plano Challe (cujo nome vem do general Maurice

Challe) para reconquistar o interior argelino. De acordo com o plano, o exército usou helicópteros para deslocar unidades móveis especiais compostas de tropas de elite para áreas em que os combatentes da ALN estavam se escondendo, em missões de busca e destruição (uma estratégia mais tarde adotada, com resultados igualmente destrutivos, pelos americanos no Vietnã). No fim de junho de 1961, quando De Gaulle anunciou na tevê ao vivo que a luta estava praticamente terminada, apenas 5 mil *maquisards* continuavam na Argélia.

Os argelinos se recusaram a atender ao pedido de Fanon. Mas menos de um ano depois, ele embarcaria em sua última operação como soldado com as bênçãos da FLN, no coração do que os franceses ainda chamavam de *l'Afrique noire* (a África negra).

"Cada geração, numa relativa opacidade, deve descobrir sua missão, cumpri-la ou traí-la", escreveria Fanon em *Os condenados da terra*.[1] E assim foi com o crescente envolvimento de Fanon na África: uma guinada impressionante — e talvez um *retorno* imaginado, como o de Césaire — rumo à terra de seus ancestrais. Enquanto garoto antilhano com uma máscara branca em Fort-de-France, ele aprendera a associar a África aos *tirailleurs sénégalais* e aos negros sorridentes nos anúncios de achocolatado. Em *Pele negra, máscaras brancas*, ele afirmara que o destino do mundo de maioria negra não o preocupava muito, pois ele era um cidadão negro da República. No entanto agora, às vésperas da independência africana, o Fanon argelino se veria unindo forças com outros povos negros como um representante do GPRA na África subsaariana. Ele não tinha redescoberto sua Négritude, nem tinha sido repentinamente tomado por um desejo de defender a cultura negra por si só. Pegar em armas para defender uma "raça" ou uma "cultura" permanecia uma ideia insondável no que lhe dizia respeito. Mas ele tinha passado a considerar os destinos da África subsaariana e do Norte da África inextricavelmente ligados. Ambas as partes do continente eram subjugadas pelo colonialismo; ambas buscavam sua liberdade. E a luta argelina, acreditava ele, mostrava o caminho para o restante da África, por seu compromisso com a independência total, sem comprometer a soberania territorial — e por sua disposição para usar qualquer medida necessária, incluindo a violência. A libertação da Argélia, escreveu ele no *El Moudjahid*, seria "uma vitória africana",[2] um "passo na concretização de uma humanidade livre e feliz".

Uma pessoa que não precisava ser convencida de que os destinos da Argélia e da África estavam interligados era De Gaulle. Em 28 de setembro de 1958, foi feito um referendo na França e nos territórios ultramarinos para aprovar a Constituição que De Gaulle tinha esboçado para a Quinta República. Ao mesmo tempo, os habitantes de treze das colônias francesas da África subsaariana* votaram em um referendo a respeito do desejo de permanecer ligadas a França (sim) ou se preferiam a completa independência (não). Como observou o biógrafo de De Gaulle, Julian Jackson, o próprio termo para a nova disposição proposta, "a Comunidade Francesa da África", ilustrava seu "talento para a obscuridade sugestiva",[3] uma vez que "tinha a vantagem de soar generoso enquanto não possuía nenhum significado jurídico preciso". Com uma votação para o sim, seria oferecida independência formal aos Estados africanos na Comunidade Francesa — exceto nas áreas cruciais de soberania, incluindo política externa, defesa e economia, que continuariam todas nas mãos da França. Era uma independência transitória — ou falsa —, na qual os africanos governariam suas questões internas enquanto tropas francesas permaneceriam estacionadas em seu território. Para Fanon, sem dúvida parecia uma sequência de meados do século XX da abolição

---

\* O Togo Francês e o Camarões Francês não foram incluídos no referendo.

da escravatura nas Antilhas, com De Gaulle escalado no papel de Victor Schœlcher, concedendo aos nativos sua liberdade, o prêmio elusivo que só poderia ser conquistado através de luta e provavelmente violência.

Para muitos africanos ocidentais franceses, no entanto, a oferta de De Gaulle parecia uma melhora significativa em relação a sua cidadania de segunda classe dentro da República francesa. Na década seguinte à Segunda Guerra Mundial, o trabalho forçado foi abolido e habitantes ultramarinos obtiveram a cidadania francesa. A maioria dos líderes africanos encarava o novo arranjo com a *métropole* como uma oportunidade de transformar ainda mais o império — em um Estado descolonizado e multinacional baseado na igualdade de direitos. Léopold Sédar Senghor, que foi eleito para a Assembleia Nacional em 1945, defendia que a própria colonização era um "fato histórico" cujo legado — nas palavras do historiador Frederick Cooper — teria de ser "reconhecido e superado, não por imitação ou rejeição de tudo o que era francês, mas por uma reconfiguração ponderada da relação".[4] Senghor descreveu seu programa como "a luta pela Euráfrica", um acordo que segundo ele seria baseado em "solidariedade vertical"[5] entre africanos e os franceses metropolitanos, e em "solidariedade horizontal" entre os africanos ocidentais franceses. Se estava repudiando a "nação" africana, ele o estava fazendo para salvar a "*patrie* africana" — a terra natal e a cultura.

Ao acreditar que a identidade e o desenvolvimento africanos eram melhor promovidos por uma associação contínua com a França, Senghor não era de modo algum um caso isolado entre seus pares africanos. Um manifesto influente da época, proclamado em 1946 pela Assembleia Democrática Africana, alertava contra fórmulas "sedutoras" como "independência imediata, brutal e total". De acordo com um de seus signatários, Félix Houphouët-Boigny, um deputado da Costa do Marfim, os africanos franceses tinham escolhido "o caminho difícil da constituição com a *métropole*, de uma comunidade de homens que são diferentes mas iguais em direitos e deveres". O objetivo final de estadistas como Senghor e Houphouët-Boigny não era a independência, mas sim — como o líder maliano Modibo Keïta formulou em maio de 1958 — a "interdependência com a França em uma construção federal".[6] Essa era uma questão de cálculo realista, assim como uma visão idealista. Como explicou Keïta, os governos africanos precisavam da ajuda francesa para construir estradas e escolas.

O governo francês encarava favoravelmente a ideia de associação, mas rejeitava a ideia de uma república federal baseada na igualdade, em que votos africanos teriam o mesmo peso na Assembleia Nacional Francesa. Caso contrário, a França "se tornaria a colônia de suas antigas colônias", alertou um legislador de direita, em uma linguagem que seria retomada, muitos anos depois, pelos teóricos da dita grande substituição. Senghor entendeu que a Comunidade Francesa da África ficava muito aquém de sua visão da unidade franco-africana. Mas quando De Gaulle levou seu apelo diretamente aos eleitores africanos em uma turnê das treze colônias, no fim de agosto de 1958, nem Senghor nem Houphouët-Boigny estavam prontos para contemplar a alternativa brusca que ele apresentou: um rompimento total com a *métropole*.

Como coloca Frederick Cooper, a mensagem do líder francês em sua viagem à África era "um apelo inclusivo de um lado, um ultimato de outro".[7] Todas as colônias, exceto uma, votaram no sim, e em maiorias esmagadoras. De Gaulle esperava que a Comunidade Francesa da África se tornasse um modelo para a Argélia, assim que os rebeldes fossem derrotados. ("É para a Argélia que eu criei a Comunidade", ele disse ao político africano francês Gabriel d'Arboussier.) O referendo foi também uma provocação indireta à FLN, que tinha acabado de anunciar a formação de seu governo provisório. Privados do direito de estabelecer suas próprias políticas externas, no devido tempo, os Estados-membros da comunidade votariam ao lado da França, nas Nações Unidas, sobre a guerra na Argélia.

Fanon pode não ter sido surpreendido com o apoio de Houphouët-Boigny à vitória do sim; ele encarava o líder da Costa do Marfim como um colaborador francês. Mas a posição pró-França de Senghor, o chefe de Estado do Senegal, deve tê-lo machucado, vinda de um dos fundadores da Négritude. Fanon tinha basicamente rechaçado a filosofia de Senghor em *Pele negra, máscaras brancas*, mas ainda se lembrava de estar "atolado no irracional" — e ter se descoberto como um homem negro — sob o feitiço do verso de Senghor. O apoio de Senghor a De Gaulle foi o indiciamento mais claro possível da Négritude aos olhos de Fanon, e ele atacaria o movimento com uma veemência cada vez maior como uma "mistificação", uma mistura de essencialismo racial e covardia política.

O único líder africano a rejeitar o projeto de De Gaulle foi o novo presidente da Guiné, o único país cujos eleitores optaram pela independência plena. Ahmed Sékou Touré não tinha estudado na Sorbonne como Senghor, nem vinha de uma família de fazendeiros de cacau como Houphouët-Boigny. Com apenas 36 anos de idade, ele era ex-líder sindical, orador popular e homem do povo, não um intelectual assimilado. Quando De Gaulle chegou à capital, Conacri, para vender o novo acordo em 25 de agosto, Sékou Touré, de pé ao lado do general no palanque, declarou que seu povo "preferia a liberdade na pobreza à riqueza na escravidão",[8] sob aplausos arrebatados. Sua intenção não era cortar os vínculos com a França tanto quanto expor seu antigo mentor, Houphouët-Boigny; ele nem sequer apelou para um voto no não em seu discurso. Mas a demonstração de rebeldia de Sékou Touré na presença de De Gaulle fez história e criou uma lógica própria irreversível. Quando chegou sua vez de falar, De Gaulle proferiu uma ameaça mal velada no sentido de que a França "é claro, procederia às consequências necessárias". Mais tarde naquela noite ele mandou que sua refeição fosse servida no quarto em vez de ir a um jantar oficial com "aquela pessoa"; e se negou a dar uma carona a Sékou Touré em seu avião para Dakar, como havia prometido. "*Adieu*, Guiné", ele disse no aeroporto, depois de apertar a mão do líder guineense.

Quando a Guiné se tornou independente em 2 de outubro, o significado das palavras de De Gaulle ficou claro. Todo o auxílio francês cessou da noite para o dia, e todos os cidadãos franceses fugiram, deixando a Guiné sem administradores ou profissionais treinados. Mas antes de tomarem o avião para casa, eles arrancaram toda a fiação elétrica dos postes de iluminação, de prédios residenciais e escritórios, destruíram geradores dos hospitais e removeram cada equipamento que pudessem levar embora. A fúria e a violência da partida da França causaram uma impressão duradoura em Fanon. Bem como a coragem e a audácia de Sékou Touré em confrontar De Gaulle. Dois anos depois, Sékou Touré instalaria uma ditadura monopartidária brutal na Guiné. Quando Mohammed Harbi viajou para Conacri em nome do GPRA em 1961, durante um expurgo violento de supostos traidores, ele logo se deu conta de que as conspirações contra as quais Touré esbravejava eram pretextos para liquidar rivais, se não alucinações paranoicas, representando pouco mais do que o "desvario sangrento de um poder tirânico".[9] Mas a estima de Fanon por ele nunca vacilou, e ele citaria respeitosamente tanto Touré quanto seu implacável ministro do Interior Fodéba Keïta em *Os condenados da terra*. Como Abane, Touré era um homem duro, um militante inexorável. Fanon uma vez confessou ter "horror à fraqueza", e Sékou Touré parecia absolutamente não a ter.

Em dezembro de 1958, dois meses depois do referendo, Fanon foi de avião para Accra, capital de Gana, com seus colegas da FLN Ahmed Boumendjel (irmão do advogado da FLN Ali Boumendjel, que fora assassinado) e Chawki Mostefaï, um assessor de Krim Belkacem. Seu passaporte, emitido pelo consulado tunisiano do Reino Unido da Líbia, o identificava como dr. Omar Ibrahim Fanon. Ele tinha ido a Gana representar o GPRA e angariar apoio para a luta da Argélia no Congresso dos Povos Africanos, uma conferência pan-africana organizada por Kwame Nkrumah, que tinha liderado a antiga Costa do Ouro à independência da Grã-Bretanha no ano anterior. Delegados de todos os Estados independentes do continente, bem como líderes anticoloniais como Patrice Lumumba do Congo Belga e Félix-Roland Moumié do Camarões Francês, chegaram à antiga colônia britânica para discutir a descolonização da África e saudar seu anfitrião. Enquanto chefe do primeiro Estado africano a se libertar do colonialismo e pan-africanista eloquente, Nkrumah estava no auge de sua influência, não apenas na África. Como disse um dos convidados da cerimônia de independência de 1957 — um pastor de 28 anos de idade de Atlanta chamado dr. Martin Luther King Jr. —, a liberdade de Gana "daria ímpeto aos povos oprimidos do mundo todo",[10] uma vez que "tanto a segregação na América quanto o colonialismo na África têm a mesma coisa como base — a supremacia branca e o desprezo pela vida".

O esforço de De Gaulle para exercer controle sobre os satélites africanos da França, e para minar a solidariedade afro-argelina, estava na mente de Fanon em Accra. Assim como estava a traição de líderes africanos como Senghor, que tinham se resolvido por algo aquém da independência e ficado do lado da França contra a Argélia. Nkrumah era um líder mais militante do que Senghor, vislumbrando uma união de Estados africanos livres e soberanos que compartilhariam seus recursos econômicos e juntos alcançariam a "libertação total do continente africano". Instou as potências imperiais a "fazer as malas voluntariamente em vez de serem expulsos"; ele e a maioria dos participantes do congresso não fizeram segredo de sua preferência por uma saída pacífica, esperando se basear no êxito da resistência não violenta de Gandhi na Índia.

Fanon fez seu discurso de terno bege, camisa branca e óculos escuros para proteger os olhos da luz do sol que entrava pelas janelas: um modelo de elegância revolucionária numa época em que a militância e a respeitabilidade andavam de mãos dadas, e em que radicais africanos usavam terno e gravata em vez dos uniformes de guerrilha e das *dashikis* que adotariam no fim da década de 1960. Dispensando o estilo cauteloso e acadêmico (e o subterfúgio retórico) de sua fala no congresso de 1956 promovido pela *Présence Africaine* em Paris, quando foi obrigado a ocultar sua afiliação à FLN, Fanon descreveu as abomináveis atrocidades da França na Argélia e defendeu intransigentemente a luta armada — o rumo da FLN — como o único caminho efetivo para a libertação nacional. Enquanto falava, segurava com força os dois lados do atril, debruçando-se em direção ao público, e, no fim, recebeu a maior ovação de pé do evento, deixando Nkrumah, seu anfitrião, na defensiva.

Ainda que tivesse sido uma performance e tanto, ela não fora ensaiada. Fanon fazia muitos discursos do tipo por toda a África. A causa da libertação africana não era um "amor paralelo" e passageiro; era uma paixão, e uma aspiração, que se originou de seu comprometimento com a Argélia. Peter Worsley, sociólogo britânico, lembrou-se de que ele "parecia quase estar tendo um surto"[11] durante um discurso de 1960 em Accra. Quando Worsley lhe perguntou depois o que o fizera estremecer, Fanon respondeu que ele se sentira de uma hora para outra emocionalmente exausto pela ideia de ter de ficar lá, diante dos representantes dos movimentos nacionalistas africanos reunidos, para tentar convencê-los de que a causa argelina era importante, numa época em que homens estavam morrendo e sendo torturados nesse país por uma causa cuja justiça devia impor apoio automático de seres humanos racionais e progressistas.

Afinal, acrescentaria ele, os combatentes por liberdade da África podiam contar com a inabalável solidariedade argelina. Um argelino, insistiu ele, "não pode ser um verdadeiro argelino se não sentir no fundo a indescritível tragédia que está se desenrolando nas duas Rodésias ou em Angola".

Se isso valesse, poucos teriam contado como "verdadeiros argelinos". Em sua identificação com a África, Fanon não era de modo algum um argelino típico. Ele sabia disso, é claro, mas fingia não saber. A maioria de seus companheiros argelinos encarava a guerra de libertação nacional como uma luta *norte*-africana. Em francês, eles a chamavam de revolução, mas em árabe eles se referiam a ela, mais modestamente, como uma insurreição ou uma revolta. E se olhassem para além das fronteiras do Magrebe, eram menos propensos a se identificar com a luta antiapartheid sul-africana ou com a batalha angolana contra os portugueses do que com a insurgência do Vietnã contra os franceses, a revolução de Nasser no Egito, ou a luta para recuperar a Palestina dos sionistas. Mas Fanon tinha um raro talento para retratar a rebelião da Argélia como um modelo global para as vítimas do imperialismo.

Algumas pessoas da FLN, em particular, faziam pouco-caso da retórica de Fanon. Em seu livro de memórias, Serge Michel lembra de conversar com um colega argelino que criticava Fanon por universalizar a luta de independência para além do razoável e ignorar o apego dos argelinos a suas tradições, em especial a sua religião. "O que a destruição das 'sobrevivências das eras medieval e feudal' [...] quer dizer, de forma prática, para a maioria dos argelinos?",[12] observou o homem, aludindo a um dos artigos de Fanon no *El Moudjahid*. "Você não pode culpá-lo. Ele se esforça." Ainda assim, acrescentou ele: "O islã não é a Terceira Internacional, nem a Quarta". Outro líder da FLN em Túnis se queixou a Michel sobre o "antilhano que quer explicar a Argélia para mim [...]. Sabe o que ele me disse? 'A revolução me conhece, venha me ver, eu lhe dou uns conselhos' [...]. Você sabia que ele quer criar um periódico teórico para nos dar uma ideologia? E por que não, afinal? Ele tem o direito de sonhar também. Mas quem é que o leria?". Com certeza não os argelinos, insinuou.

No entanto a FLN — muito como a República Espanhola nos anos 1930 e, mais tarde, a OLP e o Congresso Nacional Africano — acolhia simpatizantes estrangeiros como Michel e Fanon por poderem falar em seu nome para as pessoas de fora. E a liderança em Túnis estava especialmente satisfeita de ter Fanon como porta-voz de sua política para a África. De certo modo, ele *era* a política para a África deles, um homem negro que parecia com outros africanos e, como eles, havia vivenciado a hipocrisia do daltonismo da França. Ele entendia — ou assim eles imaginavam — como os africanos se sentiam com relação à dominação branca. Quando os africanos perguntavam a Fanon se havia muitos negros na Argélia, ele sempre dizia que sim, ainda que os argelinos negros do sul, como seu guarda-costas Youcef Yousfi, formassem apenas uma pequena — e oprimida — minoria da população do país. (Ele relatava essas interações com grande divertimento para os Manuellan.) Afinal de contas, como ele escrevera, a verdade em uma guerra colonial era o que quer que promovesse a vitória dos colonizados. Enquanto Fanon representasse a Argélia na África, a Argélia era negra.

"Descobrimos em Accra que as grandes figuras da Revolução Argelina — Ben Bella, Ben M'hidi, Djamila Bouhired — tornaram-se uma parte da epopeia africana", Fanon reportou com satisfação no *El Moudjahid* depois da conferência.[13] Só que por mais que ele tivesse excitado a plateia em Accra com seu chamado à luta armada, poucos dos líderes africanos estavam dispostos a assinar embaixo. A maioria deles era composta de nacionalistas pragmáticos como Senghor que tinham chegado ao poder pacificamente e não desejavam pegar em armas: por mais heroica que fosse, a agonia da Argélia era algo a ser evitado, não emulado. Ainda assim, Fanon logo ficou amigo de dois dos jovens líderes mais militantes da África: Patrice Lumumba, que em breve se tornaria primeiro-ministro do Congo independente, e Félix-Roland Moumié,[14] que fora expulso de Camarões pelos franceses depois de ajudar a dar início a uma insurreição armada dois anos antes, e que seguiria Lumumba a Léopoldville na independência. Os dois homens encarnavam, para Fanon, um comprometimento escrupuloso com a autodeterminação africana e um repúdio ao tribalismo que líderes ocidentais haviam promovido sob o colonialismo e agora exploravam para manter o continente dividido, e sob seu controle.

"Lendo seus textos e decifrando suas vidas",[15] Sartre escreveu sobre Fanon e Lumumba, "é possível tomá-los como inimigos impecáveis." Enquanto Fanon se tornara um defensor da rebelião violenta em um país norte-africano distante de sua terra natal, Lumumba era um filho nativo congolês que construíra um movimento nacionalista através de uma organização pacífica. Um homem era um intelectual cosmopolita e sofisticado, fluente nos últimos estilos do pensamento parisiense; o outro era filho de um lavrador, educado por missionários, que tinha começado a vida como um humilde funcionário do correio em Stanleyville. No entanto Fanon e Lumumba se afeiçoaram imediatamente. E ainda que Fanon repreendesse Lumumba por sua "confiança exagerada no povo",[16] que o cegava quanto aos traidores em seu entorno, também admirava essa fé na sabedoria das massas; de acordo com Sartre, ele "via nisso um traço fundamental dos africanos". O fato de Lumumba esperar tomar o poder por meio do voto, não da bala, refletia realidades locais. Como os britânicos e os franceses em suas colônias africanas, os belgas não tinham avidez por uma guerra colonial. A Argélia, onde os franceses continuavam determinados a manter o poder a qualquer custo, era o ponto fora da curva.

Havia, no entanto, outro líder no congresso em Accra que compartilhava da crença de Fanon no valor intrínseco da luta armada: Holden Roberto, um pastor do norte de Angola[17] que crescera no Congo Belga, onde tinha sido formado por missionários americanos. Ex-estrela do futebol, ele tinha diversos pseudônimos: em Accra se dizia "Rui Ventura". A partir de seu quartel-general em Léopoldville, ele liderava um movimento armado chamado União dos Povos de Angola (UPA), que tinha como objetivo libertar a Angola do domínio português. A UPA tinha sua base entre os bacongo, um grupo étnico rural que vivia dos dois lados da fronteira norte da Angola com o Congo — seu nome original e mais preciso era União dos Povos do Norte de Angola.

Impressionado com a militância de Roberto, Fanon decidiu que a UPA era um movimento camponês autêntico, mais próximo do povo do que os comunistas de Angola, e convenceu seus colegas da FLN a permitir que membros da UPA treinassem em campos da ALN. Mas a visão política de Roberto era sectária, e suas táticas, brutais. Fanon continuaria curiosamente leal a ele, mesmo depois que o movimento de libertação marxista de Angola, o Movimento Popular de Libertação de Angola (MPLA), deu início a sua — por fim exitosa — guerra contra o Exército português em 1961. Fanon tinha conhecido um dos fundadores do MPLA, o poeta Mário Coelho Pinto de Andrade, no congresso de 1956 em Paris, e compartilhava com os militantes do movimento uma cultura secular e esquerdista que não existia entre os populistas rurais da UPA. Mas Fanon passou a desenvolver uma desconfiança cada vez maior de intelectuais urbanos e uma crença fervorosa e quase mística no campesinato: sua sabedoria, seu rechaço às tentações da assimilação ocidental, sua incorruptibilidade. A UPA de Roberto também era anticomunista, ao contrário do pró-soviético MPLA, e Fanon — apesar de suas próprias dívidas intelectuais com o marxismo — encarava com desconfiança o comunismo desde a traição do partido com relação à Argélia na Assembleia Francesa.

Pode ter havido ainda outra razão, mais íntima, para a fé de Fanon em Roberto: a liderança da UPA era negra, enquanto uma grande porção da MPLA era miscigenada, constituída de angolanos de descendência portuguesa, ou *mestiços*. Fanon, que tinha passado a vida inteira rejeitando o sangue, estava ficando cada vez mais curioso em relação ao seu próprio — o sangue que o ligava ao continente africano. Ele ficara sabendo recentemente[18] que as origens de sua família podiam estar em Luanda, capital de Angola, e mais tarde flertaria com a ideia de deixar a FLN e se juntar à luta de Roberto no norte.

O que Fanon não sabia era que o ódio de Roberto pelo comunismo tinha lhe rendido um lugar na folha de pagamentos da CIA. Como diplomata da FLN, Fanon já tinha chamado a atenção da CIA, uma vez que a agência queria impedir que a Argélia caísse na órbita soviética depois da independência. Não está claro o que os americanos achavam de sua afeição pelo homem deles em Angola, mas a amizade florescente não deve ter passado em branco em Langley.

Fanon teria pouco êxito na "argelização" das estratégias das lutas de libertação africanas.* O efeito de seu envolvimento nos movimentos de libertação negros do continente seria, sim, o de "africanizar" sua própria perspectiva, até sua identidade. Mal se tornara um argelino e ele então começou a pensar em si mesmo como um africano. Como nos lembra Harbi, Fanon tinha um grande desejo de pertencimento. No entanto ele também parece ter tido um senso bem elástico do que pertencimento significava, quase como se pudesse se inserir imaginativamente em qualquer grupo cuja luta ele adotasse como sua: argelinos, africanos, os "condenados" do Terceiro Mundo. Ele estava convencido de que os caminhos deles para a liberdade eram na verdade um único, uma vez que todas eram lutas nacionais contra o imperialismo. Juntas, ele insistia, essas novas nações, forjadas na violência e armadas com as culturas autoconfiantes que emergem unicamente da luta coletiva, superariam as alienações infligidas pelo colonialismo e gerariam um novo internacionalismo, ou o que ele chamaria de um "novo humanismo" no II Congresso de Escritores e Artistas Negros, programado para acontecer em Roma na primavera de 1959.

Como o primeiro congresso em Paris três anos antes, o segundo foi organizado pela *Présence Africaine* e contou com a participação de alguns dos principais intelectuais e políticos negros do mundo: Sékou Touré; Eric Williams, o líder tobaguiano e historiador da escravidão; o poeta e político malgaxe Jacques Rabemananjara; o historiador senegalês Cheikh Anta Diop; e dois dos fundadores da Négritude, Léopold Sédar Senghor e Aimé Césaire. A ausência mais notável foi a de Richard Wright, um coorganizador do primeiro congresso,

---

\* Só depois de sua morte, combatentes pela independência africana — notavelmente Amílcar Cabral da Guiné-Bissau e os movimentos de guerrilha na Namíbia e no Zimbábue — deram início a guerras de libertação nacional do tipo que ele defendia.

que se recusou a comparecer: uma discussão livre, protestou ele, seria impossível na Cidade do Vaticano. (Alioune Diop da *Présence Africaine* era um convertido ao catolicismo e amigo do papa João XXIII, que fez uma fala no evento.) O segundo congresso foi em alguns aspectos mais radical do que o primeiro, destacando o papel da cultura na luta contra a dominação colonial. Rabemananjara deu o tom do evento em um discurso inflamado evocando "a grande onda da unificação africana" que se estendia de "Tananarive a Porto Príncipe, de Conacri ao Harlem, de Bamako a Fort-de-France [...] de Little Rock a Durban".

Fanon também tinha captado o espírito. Em seu discurso "Fundamentos recíprocos de cultura nacional e a luta de libertação", que posteriormente ele expandiria como o capítulo "Sobre a cultura nacional" em *Os condenados da terra*, ele saudou a emergência de uma nova "literatura de combate". Em vez de escrever "exclusivamente para o opressor, fosse para encantá-lo, fosse para denunciá-lo", o escritor colonizado "agora adota progressivamente o hábito de se dirigir a seu povo. Somente a partir desse momento é que se pode falar de literatura nacional". Essa mudança de abordagem resultara em formas literárias novas e mais urgentes, na reinvenção de formas mais antigas e na criação de uma cultura nacional insurgente. Como um exemplo do que tinha mente, ele descreveu como a contação de histórias, e a relação entre contadores de histórias e suas audiências, tinha mudado na Argélia com o advento da guerra:

> A epopeia, com suas categorias de tipificação, reaparece. É um autêntico espetáculo que readquire valor cultural. O colonialismo não se enganou e, a partir de 1955, procedeu à detenção sistemática desses contadores de histórias. O contato do povo com a nova gesta suscita um novo ritmo

respiratório, com tensões musculares esquecidas, e desenvolve a imaginação. Cada vez que o contador expõe um episódio novo diante de seu público, assiste-se a uma real invocação. É revelada ao público a existência de um novo tipo de homem. O presente não está mais fechado em si mesmo, mas dividido em pedaços. O contador de histórias volta a dar liberdade à imaginação, inova, realiza obras criadoras. [...] Num país colonizado, é preciso seguir passo a passo a emergência da imaginação, da criação nas canções e nos relatos épicos populares. O contador corresponde, por aproximações sucessivas, à expectativa do povo, e caminha, aparentemente solitário mas na verdade apoiado pelo seu público, em busca de modelos novos, de modelos nacionais. A comédia e a farsa desaparecem ou perdem seu atrativo. Quanto à dramatização, deixa de se situar no nível da consciência em crise do intelectual. Perdendo suas características de desespero e de revolta, ela se tornou o apanágio comum do povo.[19]

De certo modo, Fanon estava se tornando exatamente tal contador, ainda que suas descrições épicas da descolonização, em *Os condenados da terra*, fossem alcançar as audiências no mundo colonial apenas depois de sua morte, em 1961. O discurso teve todas as marcas da energia modernizadora de Fanon, e de sua sensibilidade modernista. Como de costume, ele estava menos interessado na tradição e na memória[20] do que na inovação e na invenção enquanto evidência de um "despertar coletivo". Sua ênfase em "progresso e impulso" refletia tanto sua formação psiquiátrica quanto sua perspectiva política. A nova contação de histórias teria de possibilitar o processo de desalienação e criar uma onda de energia criativa por todas as artes. Ele imaginava uma mutação radical nas tradições estéticas dos colonizados. "Para Fanon, a cultura é", como o filósofo camaronês Achille Mbembe escreveu mais tarde, "a festa da imaginação produzida pela luta",[21] e isso não é melhor expressado em nenhum outro lugar do que nessa ocasião em Roma.

Fanon já previa a abordagem carnavalesca às artes plásticas, na qual

> Moringas, jarros, bandejas são modificados, inicialmente de maneira imperceptível, depois de modo brutal. As cores, outrora em número restrito e obedecendo a leis tradicionais, multiplicam-se e sofrem o contragolpe da pressão revolucionária. [...] Da mesma forma, a não figuração do rosto humano, característica, segundo os sociólogos, das regiões perfeitamente delimitadas, torna-se de súbito totalmente relativa.[22]

Ele alertou que "especialistas colonialistas" nas ditas artes nativas ficariam enfurecidos e se reinventariam como os que "vêm em socorro das tradições da sociedade autóctone". Ele já tinha localizado um precedente desalentador na resistência dos especialistas americanos do swing de New Orleans aos experimentos musicais inovadores na cena afro-americana da década de 1940. Evocando as "reações dos especialistas brancos do jazz quando [...] novos estilos como o bebop se tornaram estáveis e cristalizados" na América do pós-guerra, Fanon, o modernista, estava em seu ponto mais cáustico:

> Pois o jazz não deveria ser senão a nostalgia enferma e desesperada do negro velho preso entre cinco uísques, sua própria maldição e o ódio racista dos brancos. A partir do momento em que o negro se apreende e apreende o mundo de maneira diferente, faz nascer a esperança e impõe um recuo ao universo racista, é claro que seu trompete tende

a se desobstruir e sua voz a desenrouquecer. Os novos estilos, em matéria de jazz, não nasceram somente da concorrência econômica. É preciso ver aí sem dúvida uma das consequências da derrota, ineluctável embora lenta, do universo sulista nos Estados Unidos. E não é utópico supor que, daqui a cinquenta anos, a categoria jazz-lamento soluçado de um pobre negro maldito será defendida somente pelos brancos, fiéis à imagem imobilizada de um tipo de relação, de uma forma da negritude.

O argumento de Fanon, que ridicularizava os ditos críticos carolas do bebop, encontraria um eco preciso alguns anos depois no livro de 1963 *Blues People*, do jovem poeta e crítico de jazz americano negro LeRoi Jones.* Mas a observação mais reveladora na invectiva de Fanon contra os carolas da música é seu aparte sobre a Négritude, cujas políticas culturais nostálgicas eram personificadas por Césaire e Senghor, os quais compareceram ao congresso. Sob Senghor, como vimos, o Senegal tinha ingressado na Comunidade Francesa da África. Césaire tinha rompido com seus companheiros comunistas e formado o Partido Progressista da Martinica, mas continuou a defender, por razões pragmáticas, que a ilha deveria continuar sendo um departamento francês. O discurso de Fanon em Roma ofereceu outra oportunidade para ele se distanciar da departamentalização, que encarava como uma forma lamentável de "autonomia interna". (Ela também significava que ele não podia visitar a família em seu país natal, uma vez que agora era visto

---

* Jones, que mais tarde mudou seu nome para Amiri Baraka, contrastou o "som voluntariosamente áspero, antiassimilacionista do bebop" com o revival do *dixieland* dos "jovens universitários brancos que tentavam tocar como velhos homens de cor" e que "reviviam com bastante franqueza, ainda que talvez com menos consciência, o cadáver que ainda respira dos menestréis e do *blackface*".

como um inimigo da França.) O fato de Senghor e Césaire continuarem a celebrar o "grito" negro da Négritude enquanto faziam as pazes com a França não era consolo. Claramente, Fanon podia ouvir em Césaire e Senghor apenas a "nostalgia enferma e desesperada do velho negro". Claramente, também, ele preferia o bebop da ampla revolta anticolonial.

Guerras culturais, como pensamos nelas hoje, não faziam sentido para Fanon. Mesmo uma guerra cultural completa e revolucionária era uma causa perdida a não ser que ela coalescesse como um projeto "nacional" em vez de "racial". A recuperação de um passado aproveitável não produziria por si só uma cultura nacional resiliente. Apenas a "luta organizada e consciente empreendida por um povo colonizado" poderia fazer esse projeto render frutos. Ação coletiva, luta e invenção cultural foram os três temas do discurso de Fanon em Roma. A partir deles seguiria uma perspectiva internacionalista no grande desenrolar de uma nova ordem política. A consciência nacional autêntica, longe de incentivar o narcisismo ou a xenofobia, permitiria às populações colonizadas da África identificar a "dimensão internacional" de suas próprias lutas e eventualmente aceder a uma comunidade de nações com sua identidade africana intacta. "Consciência nacional", defendia Fanon, não tinha nenhuma semelhança com "nacionalismo". Pelo contrário, ela se abria a uma perspectiva internacionalista, uma conscientização conjunta de que "toda nação independente, numa África onde o colonialismo permanece encravado, seja uma nação cercada, frágil, em permanente perigo".

Quando fez sua fala no II Congresso de Escritores e Artistas Negros, Fanon já estava profundamente engajado na luta armada contra a França, no entanto os termos pelos quais ele defendia a consciência nacional eram os de um intelectual francês classicamente republicano: se ela "traduz o desejo manifesto do povo", declarou ele em seu discurso, então "é acompanhada necessariamente pela descoberta e pela promoção de valores universalizantes". E ainda que ele esperasse que os Estados-nação libertados da África eventualmente formassem uma união pan-africana mais ampla, dava pouca importância ao seu conteúdo cultural (para além da comoção da luta coletiva); e, surpreendentemente, não questionava as fronteiras geográficas impostas pela Europa.

O que Senghor e Césaire acharam do discurso de Fanon só se pode imaginar. Mas Joby Fanon, que tinha ido a Roma ver o irmão mais novo pela primeira vez em três anos, relatou uma interação embaraçosa entre Fanon e Césaire. "Você escolheu a luta certa", Césaire elogiou Fanon.[23] "Mas ainda há espaço para outros", o homem mais jovem respondeu, e mesmo que tenha feito uma reverência, foi uma provocação implícita, se não uma reprimenda, a seu líder mais velho da Martinica, um território ultramarino que não tivera êxito em se descolonizar.

Fanon estava trabalhando com afinco em Roma para internacionalizar o modelo argelino de luta armada. No subsolo de um café, ele se encontrou com um grupo de revolucionários angolanos, incluindo Pinto de Andrade, e lhes disse que a FLN estava pronta para treinar onze jovens angolanos no combate de guerrilha em um de seus campos na Tunísia: quando voltassem a seu país, eles se prepariam para a guerra contra os portugueses. Como explicou, a FLN esperava que as guerras de libertação nacional no Sul da África dispersariam as forças da Otan, que estavam se juntando à contrainsurgência da França na Argélia.

Pinto de Andrade e seus companheiros do MPLA eram marxistas, ao contrário do amigo de Fanon, Holden Roberto. Mas isso não parece ter desencorajado Fanon (ou a FLN), porque o MPLA tinha se declarado pronto para pegar em armas. A pessoa encarregada de recrutar os onze angolanos foi o guineense Amílcar Cabral.[24] Um ano mais velho que Fanon, Cabral era filho de imigrantes cabo-verdianos de classe média. Quando era estudante de agronomia em Lisboa, ele devorara a antologia de poesia negra de Senghor, que — junto com o racismo antinegros pervasivo da *métropole* — o levou a fundar um movimento estudantil contra a ditadura de Salazar e o colonialismo português. Como Fanon, ele defendia um nacionalismo marxizante inclusivo. Ele executaria sua missão em Angola e se tornaria um dos fundadores do Partido Africano para a Independência da Guiné e Cabo Verde, o qual embarcou em uma luta armada contra os portugueses.

Pouco depois de deixar Roma,[25] Fanon buscou a companhia de um conhecido martinicano um tanto mais jovem, o escritor Édouard Glissant. Glissant acabara de publicar seu primeiro romance, *La Lézarde*, uma história sombria e turbulenta sobre um grupo de jovens intelectuais radicais de Fort-de-France que assassinam um oficial corrupto depois de concluir que o "poder das palavras" não é um substituto para a ação militante — tema da escrita juvenil de Fanon para o teatro. Fanon ligou para ele de seu hotel em Roma, deu-lhe um endereço, e lhe disse para encontrá-lo lá naquela noite. Quando Glissant chegou, descobriu que era um bordel. Os dois homens conversaram no salão, depois seguiram caminhos separados. De acordo com a romancista argelina Assia Djebar, a quem Glissant contou a anedota, Fanon desapareceu na noite, mas não antes de olhar para trás para ter certeza de que não estava sendo seguido, "sua expressão atenta, seu olhar inquisitivo".[26]

Em 1959, Fanon representaria a FLN em eventos em Delhi, no Cairo e em Casablanca. À medida que sua proeminência aumentava, o mesmo acontecia com os perigos que ele atraía.

Em 22 de maio, ele viajou para uma base da FLN perto de Oujda, uma cidade marroquina na fronteira com a Argélia, para atender soldados que sofriam de exaustão e encontrar o coronel Boumediene, que despontara como o líder do exército das fronteiras, e como figura central, ao lado de Abdelhafid

Boussouf, no dito clã de Oujda, que mais tarde daria forma ao Estado argelino depois da independência. Fanon passava os dias colocando soldados em "hibernoterapia" com sedativos, para que pudessem voltar ao front; suas noites eram dedicadas à leitura e à escrita. Ele estava alojado em um hospital da ALN equipado pela Iugoslávia e pela Alemanha Oriental, onde dividia um quarto com o homem que se tornaria seu assistente, Amar Boukri, um soldado que se requalificara como paramédico.

Algumas semanas depois de chegar, Fanon ficou gravemente ferido em um acidente na estrada: foi lançado para fora de um veículo em movimento, e várias de suas vértebras foram lesionadas. Os médicos marroquinos que chegaram na cena temeram que ele tivesse sofrido uma lesão fatal na coluna, e — como Fanon mais tarde lembraria, fazendo piada com os Manuellan — deram a impressão de estar se preparando para enterrá-lo. Ele era muçulmano?, perguntaram aos argelinos. A cicatriz na parte superior de sua bochecha esquerda era um sinal de um ritual religioso? Incapaz de responder, Fanon ouvia a conversa atordoado. Quando Josie ficou sabendo do acidente no Marrocos, entrou em pânico, convencida de que ele havia sido vítima de um ataque deliberado.

Ele não fora. Mas, no início de julho, Fanon foi alvo de um complô de assassinato em Roma. Ele chegou na capital italiana em 5 de julho, enfaixado do pescoço à pelve, para receber tratamento médico adicional. Seu passaporte o identificava como o médico líbio Ibrahim Omar Fanon. Mas os assassinos da Main Rouge, o esquadrão da morte da inteligência francesa, estavam seguindo sua movimentação. Fanon e seus dois guarda-costas, um marroquino e um tunisiano, esperavam ser recebidos no aeroporto por Taïeb Boulahrouf, um líder da Fédération de France da FLN, mas foram recebidos pelos *carabinieri* (a polícia nacional italiana). Uma bomba tinha explodido debaixo do banco do motorista do carro de Boulahrouf, matando um menino que brincava nas proximidades. (Boulahrouf não estava no carro na hora.) Um policial armado fazia a guarda do quarto de Fanon na enfermaria, mas em uma reportagem sobre a bomba em um jornal italiano, sua presença no hospital foi mencionada. Ele pediu para ser transferido para outro andar. Um homem armado entrou no hospital pouco depois e invadiu o primeiro quarto de Fanon.

Em seu regresso a Túnis em agosto, Fanon participou de uma série de discussões sobre o programa político da FLN. Foi o único momento em que ele exerceu uma influência direta na política da organização, e isso levou à sua indicação a uma comissão "especializada" da qual Omar Oussedik, seu amigo da Wilaya 4, também fazia parte. A indicação de Fanon era um sinal da crescente estima que a liderança da FLN tinha por ele, e do interesse que ela desenvolvia por suas ideias sobre a direção da revolução da Argélia. Em um relatório que exibia a marca dele, a comissão concluía que o campesinato era "ainda a parcela mais revolucionária da população". Essa pareceu a Mohammed Harbi — que se juntara ao Ministério da Informação do GPRA em Túnis a pedido de M'hammed Yazid, e tivera uma série de longas discussões com Fanon no verão de 1959 — uma leitura absurda, "em flagrante contradição com a realidade".[27] Os soldados da ALN tinham se beneficiado da generosidade de alguns camponeses — incluindo o oferecimento de refúgio — no *bled*; no início da guerra, eles haviam considerado relativamente fácil inflamar insurreições rurais em Philippeville e em outras partes. Mas, em grande parte do interior, a ALN impusera sua vontade, às vezes impiedosamente, sobre pessoas cujo primeiro reflexo era uma política pragmática de esperar para ver, negociando alianças provisórias não apenas com os rebeldes mas também com os militares franceses e o MNA, com o objetivo de proteger seus vilarejos de incursões militares e extorsão. Pierre Bourdieu apontou, além do mais, que a campanha de "reassentamento" da França negara ao campesinato a possibilidade de mobilização revolucionária: eles ou acabaram em campos cercados por arame farpado ou fugiram para Argel, Orã e outras cidades que se tornaram asilos — e por fim lares permanentes — para os refugiados rurais.* De acordo com Bourdieu, que se lamentava (e se ressentia profundamente) da influência de Fanon na esquerda, sua crença na natureza revolucionária do campesinato era "insensatez pretensiosa", "falsa e perigosa".[28]

No entanto a linha de Fanon sobre o campesinato não era excepcional. Desde a década de 1930, nacionalistas argelinos — e alguns comunistas dissidentes, rompendo com a ênfase do partido nas classes trabalhadoras urbanas — vinham apresentando ideias similares e tal como os revolucionários em todo o mundo colonial, inspiraram-se no sucesso da revolução de Mao na China. Como no Vietnã, a guerra na Argélia era travada sobretudo pelo coração e espírito das comunidades rurais. "O povo da Argélia é camponês", observou o etnógrafo francês Jean Servier, um dos assessores de Jacques Soustelle. "A revolução liderada pela França deve ser agrária."

Mas esse setor da população não estava pretendendo se tornar parte de uma revolução, liderada pela França ou pela FLN. Em grande medida eles adotavam uma visão milenarista da restauração árabe-islâmica (ou cabila-berbere), baseada em códigos

---

* Em julho de 1959, Mouloud Feraoun ficou sabendo por sua mãe que, sob a liderança de um ex-apoiador fervoroso da FLN, o vilarejo de sua família na Cabília havia desertado para o Exército francês; combatentes da ALN haviam entrado no vilarejo raptando homens idosos, cortando a garganta das pessoas e exigindo dinheiro. "As pessoas do vilarejo estão se sentindo cansadas, infelizes e agredidas", escreveu Feraoun. "Uma vez do lado de dentro do arame farpado [os campos de reassentamento do Exército], muitas delas devem ter suspirado aliviadas". Mouloud Feraoun, *Journal 1955--1962: Reflections on the French-Algerian War*, trad. de Mary Ellen Wolf e Claude Fouillade. Lincoln: University of Nebraska Press, 2008, p. 268.

de autoridade patriarcal e honra aos quais a FLN foi obrigada a se adaptar. No romance de Albert Camus, *O primeiro homem*, Saddok, um *maquisard* da FLN, explica a um amigo francês que, apesar de suas próprias convicções liberais, ele está planejando casar com uma mulher que mal conhece em uma cerimônia islâmica tradicional. "Por que se submeter a uma tradição que você acha boba e cruel?", Saddok — cujo nome deriva de *zadok*, hebraico para "justo" — responde: "Porque meu povo está identificado com essa tradição, não tem outra, porque se fixou nela e porque se separar dessa tradição é separar-se dele. É por isso que vou entrar nessa sala amanhã e vou despir uma desconhecida, e a violarei no meio do barulho das espingardas".[29]

Apesar da extrema brutalidade da interação, ela capta um dilema real. A presença de mulheres jovens e urbanas no *maquis*, aclamada por Fanon como prova da emancipação da mulher sob a força da revolução, provocava tamanho tumulto em partes do *bled* que alguns comandantes da ALN — cujas visões sobre gênero tendiam a ser igualmente conservadoras — impunham uma segregação rigorosa em suas unidades, com as mulheres designadas a tarefas estereotipadamente "femininas", como enfermagem e preparação de refeições.* Relações sexuais consensuais entre *maquisards* eram proibidas. Em seu livro de memórias *Nour le voilé*, Serge Michel relata um incidente em que dois jovens amantes no *maquis* foram levados a um tribunal da ALN: a jovem foi mandada para a Tunísia e casada com um soldado

---

\* Os combatentes da ALN não costumavam se envolver em atos de violência e estupro contra mulheres, e eram severamente punidos — em alguns casos executados — quando o faziam. "Essa era uma área crucial na qual a ALN ganhou apoio entre as populações rurais em contraste com o Exército francês, no qual abuso de mulheres, estupro e humilhação sexual de homens eram endêmicos", escreve o historiador Neil MacMaster em *War in the Mountains: Peasant Society and Counterinsurgency in Algeria, 1918-1958* (Oxford: Oxford University Press, 2020), p. 323.

ferido; o homem foi morto. Quando Michel levantou a questão com seu colega Krimou (provavelmente Krim Belkacem), ele respondeu: "O que você esperava? Que nós os casassem e eles fizessem um monte de pequenos *maquisards*? [...] A FLN não é uma agência de casamentos ou um bordel. [...] O que você chama de amor é nosso pior inimigo".[30]

A prática do islã em áreas rurais se tornou ainda mais austera e socialmente conservadora durante a guerra, à medida que a Associação dos Ulemás Muçulmanos Argelinos — uma força influente dentro da FLN — fazia incursões no interior combatendo as tradições do marabutismo, baseadas na veneração de santos e santuários. Em *L'An V de la révolution algérienne,* Fanon defendeu que o declínio do marabutismo refletia o êxito da FLN em afastar as energias populares da superstição e orientá-las em direção aos objetivos nacionalistas, mas o que ele de fato demonstrava era a crescente influência de uma interpretação do islã altamente conservadora e neotradicionalista que consolidava sua posição no movimento às custas das tradições mais flexíveis e místicas que tinham seduzido Fanon em suas viagens de pesquisa na Cabília.*

Mohammed Harbi, um marxista libertário, suspeitava que a "adoção da tese de Fanon"[31] sobre o campesinato era uma jogada tática por parte do exército das fronteiras e de outras forças "hostis ao liberalismo e ao marxismo, que tinham uma base social importante nas cidades". De fato, o termo "campesinato" era um código para exército das fronteiras, amplamente formado por soldados que vinham da zona rural. (Ainda que Houari Boumediene, o líder do exército, possa ter desprezado Fanon como "um homem modesto" que "não sabia

---

* Ainda que projetado como um retorno às tradições sagradas, o islã dos ulemás era, na verdade, uma invenção do fim do século XIX — "muito mais novo do que o Iluminismo", como apontou o antropólogo Ernest Gellner.

nada sobre os camponeses da Argélia", ele compreendia a utilidade de sua retórica.) Como previu Harbi, o louvor de Fanon ao campesinato revolucionário se adequaria muito facilmente a uma campanha para fortalecer o exterior às custas das forças políticas do GPRA e do interior. Quando ele anunciou para Fanon e Oussedik que "eles estavam iludidos, projetando seus desejos políticos e considerações estratégicas em um mundo rural cuja natureza sociológica permanecia obscura para eles", Oussedik riu, e Fanon fechou a cara, "como se dizendo que tinha pouco interesse em qualquer coisa que lhe parecesse vir de um marxismo ortodoxo". É verdade que muitos membros da ALN eram do interior, onde os franceses eram encarados desde o início como invasores — *roumis*, ou não muçulmanos — que eventualmente seriam obrigados a ir embora, mas a ode de Fanon aos guerreiros camponeses da ALN como um grupo não contaminado pela cultura francesa ajudaria a subscrever um projeto social conservador de que ele já tivera pavor, o nostálgico "retorno ao eu".

Que a escrita de Fanon estivesse sendo colocada a serviço de uma versão tão voltada para dentro da "consciência nacional" era uma ironia, mas talvez menos irônica do que pareça. Ainda que ele nunca tenha deixado de apoiar uma visão expansiva e pluralista da identidade argelina, seu trabalho em Blida lhe ensinara que, em um cenário colonial, a desalienação não podia se dar sem um reconhecimento da diferença cultural e uma aceitação das tradições que, para um francês de sua geração e histórico, teriam parecido antiquadas, se não excludentes, como o *café maure*, onde homens da classe trabalhadora tomavam café e mulheres não eram bem-vindas. O que havia acontecido com o grande salto de invenção que ele louvara em *Pele negra, máscaras brancas*? Ele aprendera a esquecer que era um homem secular da esquerda, e a encontrar muçulmanos argelinos colonizados onde eles estavam, em vez de para onde ele esperava os guiar (como Memmi escrevera sobre os esquerdistas europeus que se uniram a lutas de libertação nacional muçulmanas)? Ou estava simplesmente confiante de que a luta de independência provocaria uma revolução radical dentro da sociedade argelina, como ele sugerira em *L'An V de la révolution algérienne*, com seus perfis de mulheres combatentes libertadas, filhos destituindo os pais e homens e mulheres jovens se casando no *maquis* por amor e devoção nacional conjunta?

Como Fanon falou tão pouco sobre o conteúdo do nacionalismo árabe islâmico da Argélia, é difícil saber quais eram suas opiniões reais. De acordo com o crítico literário palestino americano Edward Said, um de seus intérpretes mais celebrados, Fanon encarava o nacionalismo como um rito de passagem inevitável, "uma condição necessária mas longe de suficiente para a libertação, talvez até uma espécie de doença temporária que deve ser vencida".[32] Mas, como seus escritos etnográficos sobre o *bled* sugerem, Fanon parece ter encontrado, ou imaginado, o que o romancista martinicano Patrick Chamoiseau chamou de "certezas atávicas que não existiam no mosaico confuso de sua terra nativa";[33] acima de tudo, ele parece ter identificado um povo sem máscaras brancas. A ALN representava as massas, as "pessoas com armas", e Fanon tinha pouco desejo de contradizê-las ou de debruçar-se sobre a questão dos argelinos de educação francesa e de classe média, cujos passados eram parecidos com o dele próprio, e que desejavam alcançar tanto a independência como nação *quanto* a liberdade enquanto indivíduos.

A impaciência de Fanon com as elites colonizadas e seu senso de estarem presas em meio à cultura ocidental e suas próprias tradições — e alienadas de ambas — foi manifestada de forma particularmente dura em um ataque anônimo no *El Moudjahid* ao livro de Richard Wright, *White Man, Listen!*, publicado em agosto de 1959. O autor de *Filho nativo* e *Black Boy* já havia sido um herói para ele; Fanon considerara escrever uma monografia sobre sua obra, projeto que ele descreveu na carta de admirador a que Wright nunca respondeu. Depois de se estabelecer em Paris em 1947, Wright ajudara a fundar a *Présence Africaine* com Césaire, Senghor e Diop, mas, como a maioria dos escritores negros em Paris, inclusive James Baldwin, ele evitava fazer comentários sobre a guerra na Argélia, temendo ser expulso pelo Estado que lhe oferecera um refúgio do racismo americano. Ainda assim, ele se recusou a assinar uma declaração que denunciava a invasão soviética à Hungria, a não ser que ela condenasse também a guerra em Suez, e escreveu extensamente sobre os movimentos de descolonização na África e na Ásia. Como Fanon, ele estava fascinado pelo novo mundo que se erguia das cinzas do imperialismo europeu.

Em seus registros de viagem em Gana e na Conferência de Bandungue, Wright havia deixado para trás o didatismo furioso que Fanon admirara em suas primeiras obras de ficção a favor de um jornalismo literário inquisitivo e explorador que questionava muitas ortodoxias,[34] incluindo as da esquerda anticolonial. Ainda que Wright apreciasse o fato de que os africanos e asiáticos pudessem agora expressar seus "sentimentos raciais [...] em toda a sua paixão túrgida", ele não conseguia abraçar o nacionalismo do Terceiro Mundo; em Bandungue ele ficara apreensivo com o crescente poder da raça e da fé, as superstições com as quais ele lutara nos Estados Unidos. "Minha posição é dividida. Sou negro. Sou um homem do Ocidente. [...] Vejo e entendo o Ocidente; mas também vejo e entendo o ponto de vista não ocidental ou antiocidental. Como isso é possível? A dupla visão que tenho vem do fato de eu ser um produto da civilização ocidental e de minha identidade racial." Essa "dupla visão" não era simplesmente uma forma de tormento, como na descrição de Du Bois da "dupla consciência".

Era um ativo intelectual, ele acreditava, que lhe permitia "ver os dois mundos de um outro e terceiro ponto de vista", e ver o colonizado como "vítima de suas próprias projeções religiosas e vítima do imperialismo ocidental".

Em *White Man, Listen!*, Wright fez um relato pungente dos dilemas psicológicos vivenciados por pessoas de históricos similares aos dele e de Fanon: as "elites ocidentalizadas e trágicas da África, da Ásia e das Antilhas, os párias que existem precariamente nas margens abismais de muitas culturas". A "branquitude" do mundo branco, a propagação da supremacia branca em países dominados pelo imperialismo deixara as elites nativas órfãs: elas nunca poderiam ser plenamente ocidentais, tampouco podiam encontrar um abrigo em suas próprias tradições.

O argumento de Wright sobre o custo psíquico da branquitude na experiência vivida dos "párias solitários" do mundo colonizado tinha muito em comum com a análise de Memmi em *Retrato do colonizado precedido do retrato do colonizador*, e aliás com a de Fanon em *Pele negra, máscaras brancas*. Mas Fanon, a essa altura, já não era um pária solitário no Ocidente: era um argelino, um africano. E ele perdera a paciência com as dores particulares das elites colonizadas. O estudo de Wright, escreveu ele, "sofre dos mesmos defeitos do ensaio de Memmi: o negro, como o árabe [...] é uma figura abstrata".[35] É verdade, seguiu ele,

> que escritores e poetas negros suportam seu próprio sofrimento, que o drama de consciência de um homem negro ocidentalizado, dividido entre sua cultura branca e sua Négritude, pode ser muito penoso; mas esse drama, que, afinal de contas, não mata ninguém, é particular demais para ser representativo: o infortúnio das massas africanas colonizadas, exploradas, subjugadas, é em primeiro lugar de ordem vital e material; as brechas espirituais das "elites" são um luxo com as quais elas não podem arcar. [...] Wright

erra o foco, perdendo-se em uma conversa fiada de interesse apenas para as "elites". [...] A história, então, não ensinou nada a Richard Wright?

Na verdade, ela lhe ensinara um bocado: embora a solidariedade de Wright estivesse com os colonizados, ele entendia — graças às suas próprias experiências como refugiado negro do Sul que seguira para o Norte na Grande Migração — que o caminho para a liberdade era minado com obstáculos, tanto econômicos quanto psicológicos. A própria natureza do imperialismo, incluindo a educação ocidental e os estilos de pensamento e ideologia que ele havia exportado para as colônias, criara formas de deslocamento que a independência política não venceria de imediato. Em retrospecto, a avaliação de Wright sobre a condição pós-colonial era cheia de ambiguidades sugestivas, impiedosa em sua acusação do Ocidente mas também alerta à sedução do nativismo e de outros fervores sectários — problema que o próprio Fanon seria obrigado a abordar.

Em 4 de janeiro de 1960, apenas alguns dias depois de Fanon celebrar o Ano-Novo no apartamento dos Manuellan, Camus voltava para Paris de sua casa na Provence quando o carro em que estava guinou para fora da estrada e bateu de frente em uma árvore. Ele tinha 46 anos. Seu companheiro de viagem, Michel Gallimard — sobrinho do editor dele e quem estava ao volante do Facel Vega — morreu cinco dias depois. Camus muitas vezes descrevera morrer em um acidente de carro como o auge do absurdo. Mas a essa altura, ele se identificava menos com o absurdo do que com as posições que tomara — ou deixara de tomar — sobre a guerra da França na Argélia.

Sua morte carregava imenso simbolismo, como se a esperança de reconciliação entre os muçulmanos argelinos e europeus, em uma Argélia "integrada" que continuaria parte da

França, morresse com ele. Na realidade ela morrera muito antes — talvez há tanto tempo quanto o pecado original da conquista, como o próprio chegou perto de reconhecer em *O primeiro homem*. Camus repugnava as racionalizações intelectuais dos ataques da FLN a civis, que os escritos de Fanon, o qual ele nunca conheceu, passariam a incorporar. O nome de Camus aparece apenas uma vez na obra de Fanon (e nem sequer em suas próprias palavras): em um apêndice de *L'An V de la révolution algérienne*, contendo o testemunho de Geronimi sobre seu despertar político como apoiador europeu da FLN. Mas Camus e Fanon tinham muito em comum. Ambos cresceram em cidades portuárias, nos confins do império francês, onde adquiriram um amor pelo futebol, pela natação e pela atividade física. Ambos haviam olhado na juventude para a França como um símbolo de liberdade; ambos haviam respondido ao chamado de De Gaulle para defendê-la na guerra; ambos escreveram sobre seu horror diante da miséria das crianças argelinas nas ruas; ambos eram fascinados pela questão do assassinato e da confissão. Camus desfrutara de todos os privilégios (e da cegueira) de um europeu nas colônias, mas suas origens eram muito mais humildes do que as de Fanon. Como escritor e pensador que não frequentara as *grandes écoles*, e como o filho nascido na Argélia de uma mãe analfabeta, Catherine Sintès, ele considerava — com alguma razão — que os intelectuais da *rive gauche* o desprezavam. (Ele queixou-se em seus diários da "raça mesquinha de escritores parisienses que cultivam o que acreditam ser insolência. Criados que ao mesmo tempo imitam os grandes e zombam deles na despensa".) Como Fanon, era combativo, mas ofendia-se com facilidade. Sua vaidade, como a de Fanon, tornava-o duplamente suscetível às esnobadas, principalmente difamações sobre sua virtude, como o personagem do "juiz-penitente", Jean-Baptiste Clamence, em seu romance de 1956, *A queda*.

Mas Camus fora criado na Argélia e permaneceu leal à sua comunidade, os europeus da Argélia, muitas vezes de forma ostensivamente agonizante. Nada disso valia para Fanon. Ainda que Camus lançasse mão de sua influência a portas fechadas para garantir a libertação de prisioneiros da FLN, ele se recusava a condenar a conduta do exército. Depois do insucesso de sua iniciativa de trégua civil, ele oscilou entre a reticência e a exacerbação; nem sempre ficava claro se estava defendendo a França ou apenas seu direito de permanecer calado a respeito de um assunto que ele considerava penoso demais de discutir. Na Universidade de Estocolmo em 12 de dezembro de 1957, dois anos depois de Camus receber o prêmio Nobel, um estudante argelino lhe perguntou por que ele se pronunciara contra os crimes stalinistas na Europa do Leste mas não contra os crimes franceses na Argélia. Camus não gostou da pergunta, ou da enxurrada de insultos que se seguiu. "Sempre denunciei o terrorismo", disse ele.[36] "Devo também denunciar um terrorismo que é exercido cegamente, nas ruas de Argel por exemplo, e que um dia poderia atingir minha mãe ou minha família. Eu acredito em justiça, mas defenderei minha mãe antes da justiça."

Para o antigo *résistant* e opositor à pena de morte, o apego arraigado à etnia e à família agora tinha precedência sobre princípios "abstratos". Mas a justiça — ou a falta dela — nunca tinha sido uma abstração para os muçulmanos argelinos, e suas mães corriam maior risco de violência indiscriminada do que a dele. Duas semanas depois da interação em Estocolmo, o poeta berbere Jean Amrouche, com quem Camus discutira por causa da guerra, escreveu: "Eu tive de romper com minha mãe, porque a causa da justiça, a saber a de milhões de mães argelinas, vem antes da minha".[37] O "desconforto [de Camus], em gloriosa solidão, é muito confortável", acrescentou o poeta.

Camus decidiu controlar a língua em público. Mas ele começou a passar ainda mais tempo em Argel, visitando sua mãe idosa. Alguns de seus amigos argelinos o evitaram, mas outros entendiam suas razões para não apoiar a rebelião, mesmo que lamentassem sua posição. Em seu diário depois de encontrar Camus, Mouloud Feraoun escreveu:

> Passamos duas horas apenas conversando muito abertamente. A posição dele [...] é bem como achei que seria — incrivelmente humana. Ele sente uma imensa pena pelos que estão sofrendo. Mas também sabe que pena ou amor é impotente, de todo incapaz de vencer o mal que mata, que destrói e que gostaria de arrasar tudo e criar um novo mundo do qual os tímidos e os céticos são banidos.[38]

Nos últimos dois anos de sua vida, Camus reservou suas ideias sobre a Argélia a seus diários, onde confessou que o amor por seu país natal era tão forte que o levara a trair os princípios que adotara ao longo da vida. "Sou eu que por quase cinco anos venho criticando o que eu acreditei, o que vivi", escreveu ele.[39] "É por isso que aqueles que compartilhavam as mesmas ideias [...] estão tão irritados comigo; mas não, estou travando uma guerra comigo mesmo, e vou me destruir ou vou renascer." Nos diários, ele se volta decisivamente contra "o ponto de vista moral" — a perspectiva que ele adotara por décadas —, concluindo que é "a mãe do fanatismo e da cegueira". Ele tem clareza quanto ao preço que pagou por abandoná-lo, a perda não apenas do prestígio moral que ganhara na Resistance mas de uma perspectiva moral coerente: "Agora eu vago em meio aos escombros, estou desordenado, destroçado, sozinho e assim desejando estar, resignado a minha singularidade e minhas enfermidades. E devo reconstruir uma verdade, tendo vivido minha vida toda em uma espécie de mentira".

Mas enquanto caminhava com dificuldade entre os escombros de suas certezas, Camus começou a trabalhar em sua obra de ficção mais convincente ambientada na Argélia. Assim como a psiquiatria permitia a Fanon afastar-se de suas ostentosas posições polêmicas e escrever com sensibilidade e graça sobre os "transtornos mentais" produzidos pela guerra, *O primeiro homem* permitiu a Camus se reconciliar com aquilo de que tinha recuado em suas declarações públicas sobre a guerra: a honra e a dignidade dos *maquisards* da Argélia (personificados na figura de Saddok), e a crise terminal da Argélia francesa. *O primeiro homem* não era escrita "comprometida"; nem pôde ser lido no tempo de vida dele.[40] Mergulhado no novo sentido de "desordem" do próprio autor, o romance reconhece a legitimidade da revolta da Argélia, mesmo ao tomar o destino trágico de argelinos europeus como sua mãe, que não havia conhecido outro lar e seria "repatriada" para a França com a independência, em um dos maiores êxodos do século XX. Em um dos apêndices do romance, Jacques Cormery, o protagonista, grita para sua mãe:

> Devolvam a terra. Deem toda a terra aos pobres, aos que nada têm e que são tão pobres que nunca quiseram ter e possuir qualquer coisa, aos que no país são como ela, o imenso rebanho de miseráveis, na sua maioria árabes e alguns franceses, que viverão e sobreviverão aqui por teimosia e resistência, com o único orgulho que vale alguma coisa no mundo, o dos pobres, deem-lhes a terra como se dá o que é sagrado aos que são sagrados, e então eu, pobre uma vez mais e para sempre, lançado ao pior dos exílios nos confins da terra, sorrirei e morrerei feliz..[41]

Fanon, é claro, acreditava que homens como Cormery nunca atuariam sobre seus remorsos a não ser que fossem obrigados a fazê-lo, e que não cabia aos conquistadores conceder nem terra nem liberdade: apenas os condenados da terra poderiam reclamá-las para si.

# Parte IV
# O africano

## 13.
## África fantasma

Em janeiro de 1960, Fanon disse a Michel Martini, seu colega no Hospital Charles Nicolle em Túnis, que partiria no mês seguinte para Accra para assumir um novo cargo como *ambassadeur itinérant* (embaixador itinerante) da FLN para o GPRA na África negra. Ele anunciou a notícia em um tom de enfado, como se não tivesse opção a não ser aceitar todas as tarefas de que "a organização", a FLN, lhe encarregara. Martini riu sozinho. Todos em Túnis sabiam que Fanon vinha fazendo campanha para o cargo havia meses.[1]

Mal precisava fazer campanha. A FLN tinha muito a ganhar enviando um homem negro para representar o movimento em Accra. Ele também estaria fora do caminho, exilado mesmo que tendo sido promovido, resultado que seus colegas mais ressentidos em Túnis com certeza aprovavam.

Era um cargo irresistível: Fanon fora arrebatado por sua participação na Conferência dos Povos Africanos de Nkrumah em 1958. Omar Oussedik, seu companheiro mais próximo na FLN, tornou-se representante do GPRA na Guiné de Sékou Touré, estacionado em Conacri, enquanto o irmão de Omar, Boualem, com quem Fanon também tinha amizade, foi encarregado de atuar na mesma função em Bamako. Os esquerdistas do exterior estavam sendo promovidos a cargos diplomáticos, e ao mesmo tempo convenientemente exportados para a África Ocidental, que a FLN não considerava tão importante em termos de estratégia quanto os países do mundo árabe, a Europa ou o bloco soviético. Não importava: a libertação dos países da África negra ocupava um lugar cada vez maior na imaginação de Fanon, independente das opiniões da FLN. Martini tinha a nítida impressão de que Fanon estava feliz por deixar Túnis, ainda que isso significasse dar adeus ao Hospital Charles Nicolle e ao CNPJ, sua realização de maior orgulho como médico.

"Fanon *era* a clínica", como disse Marie-Jeanne Manuellan, e depois da partida dele ela começou a desmoronar. A essa altura, Charles Geronimi já tinha ido para Berlim Oriental, onde Alice Cherki fazia uma residência no Charité, o hospital mais antigo da Alemanha, e Lucien Lévy retomara seu consultório particular. Manuellan continuou ali por pouco tempo e no fim conseguiu emprego como professora de francês de ensino médio. A substituta de Fanon na neuropsiquiatria do Charles Nicolle foi uma médica da França de 38 anos, Annette Roger, uma *porteuse de valise* audaciosa que ficara presa por várias semanas (durante a gestação) por levar em seu carro um oficial da FLN de Marselha para Paris. Espetacular e brilhante, coquete e desbocada, ela era o assunto da Túnis radical; como lembra o jornalista tunisiano Guy Sitbon, quando Roger estava presente, "tudo era sexy".[2]

A vida em Accra, no entanto, não era tão sedutora, especialmente para Josie. Como representante do GPRA na África negra, era tão provável que seu marido estivesse em Conacri ou Addis Ababa quanto em casa em Accra. Em seus primeiros anos como casal, Frantz tinha sido um homem negro numa Lyon branca; agora, como uma mulher branca em uma cidade negra, criando um filho *métis* sozinha enquanto o marido viajava, era ela que se sentia deslocada. Da única vez que a levou com ele para Conacri, os guineenses se recusaram a falar em sua presença; ela era uma francesa branca, em quem não se devia confiar. Logo que os Fanon se instalaram em Accra, ela escreveu para Manuellan: "Os negros caçoam de mim por eu ser branca, e os brancos caçoam de mim por eu ser casada com um homem negro".[3] Pouco tempo depois, Josie e Olivier se mudaram de volta para Túnis; Frantz os visitava sempre que podia sair de Accra.

Em agosto, Fanon seguia para uma conferência da Assembleia Mundial da Juventude (WAY, na sigla em inglês) na Universidade de Gana em Accra quando parou uma mulher no campus para pedir orientações, em seu inglês básico, para chegar ao evento. Coincidentemente, ela estava indo na mesma direção. Elaine Klein era uma judia americana no início da casa dos trinta anos, uma defensora fervorosa da independência argelina e uma ativista do Movimento Federalista Mundial e da WAY. Ela mais tarde escreveu sobre o que chamou de sua "iluminação", que viera no Dia do Trabalho de 1952, em Paris, quando estava na Rue du Faubourg Saint-Antoine, assistindo ao desfile anual dos trabalhadores organizado pelo Partido Comunista Francês:

> Quando o desfile estava se dispersando, milhares de homens apareceram do nada, correndo em formação, dez a doze deles lado a lado [...] eles não paravam de vir, mais e mais — jovens, soturnos, franzinos e malvestidos. Eles não gritavam slogans, não levavam bandeiras, nenhum cartaz. Eram trabalhadores argelinos.[4]

Os homens eram apoiadores do líder nacionalista argelino Messali Hadj e protestavam contra sua exclusão do desfile. Como Klein logo ficou sabendo, a Confederação Geral do Trabalho, o sindicato apoiado pelos comunistas, vetara a participação dele devido a seu apoio à independência argelina. Algumas semanas depois, Messali foi preso e colocado em prisão domiciliar na França. Klein lembra:

O desfile do Dia do Trabalho de 1952 foi meu primeiro contato com a Argélia. Os acontecimentos que testemunhei desmentiram o igualitarismo francês: o famoso lema *liberté, égalité, fraternité* foi invertido [...]. Eu tinha me apaixonado pela França antes mesmo de embarcar no navio que me levou pelo Atlântico [...]. Mas naquele Dia do Trabalho, eu me dei conta de que os franceses não são isentos de preconceito racial [...]. Alguma coisa em mim associou aqueles homem macilentos de tez oliva no Faubourg Saint-Antoine a viajantes mais escuros que caminhavam pelas estradas poeirentas do Sul que eu tinha visto na Geórgia quando era estudante no fim dos anos 1940. Eu os enxergara desesperados e apartados, e eles haviam deixado meu coração apertado.

Naquele dia de agosto em 1960, reconhecendo o sotaque de Fanon, Klein lhe respondeu em francês. "A primeira coisa que passou pela cabeça dele era que eu era francesa", Klein lembra de Fanon lhe contar.[5] "Quando percebeu que eu não era, ele ficou aliviado." Klein ficou impressionada com seus "olhos fundos e perscrutadores" e sua "mandíbula forte e larga". Fanon participava da conferência como um observador oficial do GPRA. Junto de seu colega Mohamed Sahnoun, líder da associação estudantil da FLN, ele pressionou por uma resolução que condenasse a França e apoiasse a independência argelina. Ela foi aprovada unanimemente. Em seu discurso na conferência, Fanon leu trechos de *L'An V de la révolution algérienne* que descreviam os efeitos psicológicos do colonialismo em seus pacientes argelinos, até que Sahnoun, cansado da recitação analítica dele, tomou o microfone e fez a audiência aplaudir de pé com um chamado de apoio à luta de libertação nacional.

Ao longo da conferência, Fanon e Klein se encontraram com frequência. "Estávamos ligados por um comprometimento com a independência africana e também com a luta anti-imperialista", lembra Klein. Fanon a levou a seu escritório em Accra, "que não passava de um pequeno apartamento". Ela ficou "impressionada com como era espartano, como tinha uma aparência clínica". Uma noite, eles estavam dançando em um clube em Accra quando Fanon percebeu que um fotógrafo estava tirando fotos dos dois. Fanon, que nunca dançava na presença de seus colegas da FLN, pediu-lhe que destruísse a fotografia (ela foi publicada alguns dias depois em um jornal de Gana). Só que por mais zeloso que fosse em manter as aparências, fumava sorrateiramente um Gauloise com Klein, apesar do boicote da FLN aos cigarros franceses. "Nós nos tornamos parceiros no crime", admitiu Klein.

Mais tarde, Fanon perguntou o que ela desejava em um relacionamento. "Encostar a cabeça no ombro de alguém", Klein respondeu.

"*Non, non, non*", ele repetiu. "Mantenha-se reta sobre seus pés e siga em frente rumo a objetivos que sejam seus."

Fanon não se tornara um súbito convertido à libertação das mulheres, mas sua crença na liberdade se estendia às mulheres assim como aos homens.* E ainda que não atuasse mais como psiquiatra, não resistia à oportunidade de exercer a desalienação, mesmo quando flertava.

No fim de agosto de 1960, enquanto o congresso da WAY ainda acontecia, Fanon foi de avião para Léopoldville com Omar Oussedik e M'hammed Yazid, ministro da Informação do GPRA, para participar de uma conferência de líderes africanos organizada pelo amigo de Fanon, Patrice Lumumba, que havia pouco se tornara primeiro-ministro da República

---

* Depois da independência, ele escreveria em *Os condenados da terra*: "As mulheres vão receber um lugar idêntico ao dos homens, não nos artigos da Constituição, mas na vida diária, na fábrica, na escola, nas assembleias".

do Congo. Lumumba havia ganhado enorme prestígio por levar os congoleses à independência contra um regime colonial brutal e humilhante. Mas o "homem negro mais grandioso que já pisara no continente africano",[6] como o chamou Malcolm X, estava em apuros. Semanas depois do início de seu mandato e menos de dois meses desde a independência da Bélgica, Lumumba estava à beira de um abismo, à medida que o país afundava em violência. A independência produzira um senso de legitimidade massivo entre as antigas forças de segurança coloniais, a dita Force Publique, que estavam agora amotinadas por salários e benefícios, enquanto o antigo poder colonial — irritado com a acusação que Lumumba havia feito de improviso nas cerimônias de transição — mobilizara tropas próprias, manifestamente para proteger cidadãos belgas: a violência da Force Publique congolesa não deu sinais de abrandamento mesmo quando Lumumba "africanizou" suas fileiras e a reconstituiu como o novo Exército congolês. Foi em grande parte para abordar essa escalada da crise que a conferência em Léopoldville foi convocada. Em julho, Lumumba tinha ido de avião para Accra, onde ele e Kwame Nkrumah haviam concordado em trabalhar com rapidez rumo a um "Estados Unidos da África". A esperança era de que as deliberações dos delegados pudessem fazer as coisas avançarem. Nkrumah também prometera apoio militar a Lumumba enquanto sua jovem República começava a afundar.

A maioria dos brancos que ainda moravam no Congo fugiu da violência do motim e seguiu para a província rica em minério de Catanga, que se tornou um bastião do ressentimento neocolonial, fortificada por soldados belgas; outros rumaram para o aeroporto de N'djili, fora da capital. Mas as companhias de mineração fincaram o pé e enxergaram uma oportunidade de proteger seus ativos de um líder pós-colonial que acreditava que os recursos naturais do Congo pertenciam a seus habitantes. Os Estados Unidos também estavam investindo na riqueza mineral de Catanga e desejavam garantir o sítio de minérios estratégico em Shinkolobwe, que já tinha fornecido urânio ao Projeto Manhattan. A Marinha da Bélgica bombardeou a cidade portuária estratégica de Matadi, enquanto soldados paraquedistas belgas tomavam N'djili. Alguns belgas que estavam indo embora encontraram Lumumba no aeroporto e cuspiram nele.

Catanga se separou do país recém-independente na segunda semana de julho, com o apoio da Bélgica e seus interesses em mineração, bem como de mercenários franceses enviados pelo empresário Jacques Foccart, amigo de De Gaulle cujo apelido era "Sr. África". Antes do fim do mês, tropas belgas entraram em conflito com o Exército congolês, e em agosto a província rica em diamantes de Cassai do Sul fez sua própria tentativa de separação. Lumumba lançou longe sua rede por apoio para manter a paz — ele havia pedido aos Estados Unidos 3 mil soldados como força de intervenção —, mas quando todos os outros caminhos estavam fechados e ele apelou à União Soviética por ajuda, caiu na armadilha que Washington tinha armado para ele.

Dias antes de Fanon viajar para a conferência, Larry Devlin, chefe da estação da CIA em Léopoldville, alertou o governo Eisenhower de que se Lumumba permanecesse no poder, os soviéticos obteriam um monopólio na extração de cobalto e outros minerais usados na produção de mísseis. Em um telegrama nefasto, Devlin descreveu Lumumba e seus aliados como "antibrancos" e acusou o adido de imprensa de Lumumba, o radical francês Serge Michel — colega de Fanon no *El Moudjahid*, que a FLN tinha "emprestado" ao governo congolês — de comunista. Lumumba, disse ele, deveria ser substituído por um "governo mais moderado e mais pró-Ocidente". Tropas das Nações Unidas foram mobilizadas para manter a paz, mas elas não tinham ordens para usar armas contra Catanga — um reduto cada vez mais militarizado dos interesses mineradores ocidentais e das ambições americanas na Guerra Fria —, ainda que tenham entrado em confronto com forças separatistas mais tarde. Quando Fanon por fim conseguiu falar com Lumumba, o destino trágico de seu amigo já tinha sido selado.

A conferência dos Estados africanos independentes teve início em Léopoldville em 25 de agosto, o mesmo dia que a CIA decidiu não descartar qualquer atividade que pudesse contribuir para a remoção ou a aniquilação física de Lumumba. O próprio Lumumba estava em Stanleyville, sua cidade natal e seu bastião, e só chegou alguns dias depois. O objetivo da conferência era angariar apoio africano para seu governo sitiado, mas Léopoldville era a base do presidente Joseph Kasavubu, rival de Lumumba.

A delegação do GPRA tinha ido a Léopoldville não para defender Lumumba, mas para promover a posição da FLN de autodeterminação em uma sessão próxima das Nações Unidas sobre o futuro da Argélia, marcada para dezembro. M'hammed Yazid passou a maior parte do tempo na conferência abordando delegados africanos com, nas palavras de Michel, "uma bacia invisível na mão colhendo o máximo possível de promessas de votos africanos". Para Fanon e Oussedik, a situação era muito mais conflituosa: eles tinham ido para demonstrar solidariedade a um aliado pan-africano, mas só então começavam a compreender toda a extensão do ataque à autoridade dele.

Aproveitando-se da vulnerabilidade de Lumumba na capital, a CIA financiou protestos tumultuosos anti-Lumumba do lado de fora da conferência. Enquanto trucidava as potências ocidentais por sua interferência nos assuntos internos do Congo e de outros Estados africanos, ele era tragado por manifestantes gritando "Abaixo a Lumumba!". Os delegados estavam chocados: eles esperavam ver um líder preparado e confiante como Kwame Nkrumah ou Sékou Touré, não um político sitiado e lutando por sua sobrevivência. Serge Michel, que tinha ficado pessoalmente próximo de Lumumba,[7] disse a Fanon que ele perdera as esperanças de permanecer no poder. Na verdade, a liderança do GPRA já tinha começado a se distanciar de Lumumba. O governo de Bourguiba — sem o qual nem o GPRA nem a ALN podiam operar na Tunísia — não gostava de Lumumba, e estava ávido para manter boas relações com o Ocidente, especialmente com os americanos. A rixa de Lumumba com as Nações Unidas também deixara o GPRA ressabiado, uma vez que a organização era crucial para sua campanha de obter uma solução negociada para a guerra na Argélia. E ainda havia o receio de irritar os inimigos de Lumumba em Washington em uma época em que o governo americano começava a exercer uma pressão discreta sobre a França. Lumumba, em resumo, estava se tornando um inconveniente para os argelinos e, como lembrou Michel em suas memórias, "até Frantz e Omar pregaram realismo" em sua viagem ao Congo.[8]

Em uma das primeiras noites de Fanon em Léopoldville, M'hammed Yazid o convidou para jantar na casa de um amigo de Nova York, Herbert Weiss, um jovem especialista em política africana.[9] Weiss tinha fugido da Áustria em 1938 quando era criança com sua família judia; eles passaram nove anos em Cartum, no que era então o Sudão anglo-egípcio, antes de se mudarem para os Estados Unidos. Como jovem ativista do Movimento Federalista Mundial, ele defendera a causa da independência africana junto de sua amiga Elaine Klein, a mais tarde parceira de dança de Fanon em Accra. Weiss havia trabalhado brevemente como analista de pesquisa no Departamento de Estado mas estava agora no Congo, fazendo pesquisa de campo em áreas rurais para o Massachusetts Institute of Technology. Ele desenvolvera relações estreitas com o círculo interno de Lumumba. Sua namorada, a socióloga belga Maryse Périn, acabara de ser expulsa de Catanga pelo líder da área separada, Moïse Tshombe, e estava trabalhando como secretária não oficial de Lumumba. O sentimento comum de fazer parte de eventos históricos mundiais — a revolução de Lumumba e a independência africana — aumentava a intensidade do romance, ainda que o que havia começado como o tão esperado verão da liberdade congolesa já tivesse dado lugar a amotinamento e separatismo, acessos de violência antibelga e intrigas envolvendo a Guerra Fria. Durante o motim, eles alugaram uma casa colonial com um terraço — abandonada por seus ocupantes belgas, como todas as outras casas em torno dela — no subúrbio de Binza Ma Campagne, um tanto mais alto do que a capital, e um pouco mais fresco. Viam cachorros vagando pelas ruas, procurando seus donos, que nunca voltariam.

Quando Yazid lhe disse que Fanon estava na cidade, Weiss ficou entusiasmado com a possibilidade de recebê-lo, e convidou um amigo, o sociólogo belga Benoît Verhaegen, um acadêmico esquerdista do Congo, para se juntar a eles. Weiss lembra:

> Fanon vinha com uma fama, e nós estávamos admirados com o fato de que um homem que não era árabe e que não sabia falar árabe tinha chegado àquela altura em um movimento nacionalista árabe. O fato de ser negro era outra coisa que deveria ter pesado contra ele aos olhos dos argelinos, mas não pesou. Quantos exemplos existem *disso*? Eu admirava aquele homem não por causa de seus títulos, mas por causa do que ele havia conquistado como escritor e como homem, e o fato absolutamente alucinante de que tratava dos torturadores de dia e dos torturados à noite. Fanon era o ideal definitivo de homem ocidental, uma vez

que ele polira inteiramente sua própria identidade e fundira os dois grandes movimentos intelectuais do século XX, o marxismo e o freudianismo. Ele tinha estruturado sua vida não de acordo com sangue ou terra, mas com valores e princípios, e então se comprometido a se tornar um ativista. Ele se criara a partir de um modelo abstrato.

Yazid, que se orgulhava de suas habilidades na cozinha, preparou uma refeição esplêndida, e os cinco sentaram para discutir política congolesa. Fanon, "um ouvinte intenso", fazia sobretudo perguntas. Ele parecia especialmente curioso a respeito do trabalho que Weiss e Verhaegen vinham fazendo em movimentos de protesto pró-independência no interior. O que chegava aos estudantes de política africana na época era que as elites haviam mobilizado o campesinato e o tinham incentivado a apoiar partidos pró-independência. Mas Weiss lhe disse que sua pesquisa no Congo Meridional[10] sugeria o contrário. As elites congolesas vinham sobretudo buscando substituir os belgas em posições de autoridade e africanizar a administração, enquanto as massas rurais queriam derrubar e substituir o sistema em si, forçando a mão das antes cautelosas elites. Fanon, cujas esperanças por mudança social radical vinham passando da cidade para o interior desde sua época em Blida, ouviu atentamente o monólogo de Weiss sobre os camponeses no Congo Meridional, ou tirando inspiração de suas conclusões ou simplesmente sentindo-se grato por ter suas intuições confirmadas com evidências empíricas. Em *Os condenados da terra*, publicado um ano depois, ele ofereceria seu próprio verniz Narodnik e idealista sobre o radicalismo agrário:

> O militante nacionalista que em vez de brincar de esconde-esconde com os policiais nos centros urbanos decide colocar seu destino nas mãos das massas camponesas nunca

perde. O manto camponês o encobre com uma ternura e um vigor impensáveis. Exilados no interior, cortados do meio urbano no seio do qual elaboraram as noções de nação e de luta política, esses homens se tornaram verdadeiros guerrilheiros. [...] Esses homens se acostumam a falar com os camponeses. Descobrem que as massas rurais nunca deixaram de colocar o problema de sua libertação em termos de violência, de terras a serem resgatadas de mãos estrangeiras, de luta nacional, de insurreição armada.[11]

Em que país, nessa fábula de militantes anticoloniais aprendendo humildes a partir de sua base instintivamente insurrecional, Fanon estava pensando? Não era bem o caso argelino. Mas pode ter refletido impressões que ele formara durante suas conversas na África subsaariana, confirmando uma visão da África que tomou sua imaginação em seus últimos dois anos. Como psiquiatra, Fanon sempre insistia na necessidade dos pacientes de *faire face au monde* (confrontar o mundo), mesmo se — especialmente se — isso desafiasse o sentido de realidade deles. Mas em sua análise política, ele costumava se desviar de realidades desalentadoras e encontrar refúgio em um tipo de poesia utópica, como se, pela força das palavras, pudesse recriar o mundo. A África era, de algum modo, um fantasma para Fanon: uma memória distante da história de sua família, uma premonição do futuro que ele esperava tornar real por meio de insurreição violenta.

Além de ter ficado intrigado com o que Weiss e Verhaegen tinham a dizer sobre o radicalismo rural, ele também ficara muito interessado na namorada de Weiss. Périn, uma anticolonialista radical com raízes na esquerda católica, havia sido uma *porteuse de valise* na Bélgica, onde ajudara militantes da FLN a atravessar a fronteira da França e os escondeu em sua casa. Ela também tinha a mesma impaciência revolucionária de Fanon, sua avidez por ação. Alguns dias depois do jantar, Weiss e Périn estavam em uma festa ao ar livre para o secretário-geral da ONU, Dag Hammarskjöld,[12] quando Fanon puxou Weiss de lado e perguntou: "Essa mulher lhe pertence?", Weiss, "como um bom liberal ocidental", respondeu que só Périn podia responder àquela pergunta. Quando Weiss a procurou mais tarde naquela noite, ela já tinha ido embora com Fanon.

Na manhã seguinte, Weiss recebeu um telefonema de um amigo do escritório de Lumumba, avisando-lhe que se Périn aparecesse no trabalho seria presa imediatamente, "porque era belga e a situação estava ficando cada vez mais tensa". A ligação de Périn com Weiss também despertara suspeitas em oficiais congoleses, desde que um membro da inteligência recebera o antigo cartão de visitas dele do Departamento de Estado. (Mais cedo naquela semana, haviam pedido a Yazid para assegurar aos congoleses que Weiss não era um espião.) Weiss foi de carro para Léopoldville e abordou Fanon no saguão de seu hotel. "Isso não é o que você está pensando", explicou, "não estou aqui como amante enciumado. Só preciso saber onde ela está."

Fanon pareceu não acreditar, deu de ombros, e disse que ela tinha ido para o trabalho. Ele tinha coisas maiores com que se preocupar do que com o paradeiro de sua companheira de noitada. Lumumba estava claramente perdendo seu frágil controle sobre o Congo, e antes de voltar para casa, Fanon e Oussedik passariam uma longa noite sem dormir tentando convencê-lo a abrir mão de seu cargo como primeiro-ministro e a reorganizar seu partido político, o MNC.

No fim das contas, Périn havia de fato ido trabalhar e fora presa por suspeita de espionagem. Depois de passar a noite na cadeia, voltou a Binza com proteção armada. Weiss ficou apavorado temendo que os soldados fizessem uma busca em sua casa, já que seu escritório estava cheio de documentos que oficiais dos partidos políticos congoleses haviam lhe dado ou permitido que ele fotografasse — pesquisa que poderia facilmente ser tomada por trabalho de inteligência. Ele brandiu a carta que Lumumba havia escrito a seu favor, indicando que desfrutava da proteção do primeiro-ministro, e os soldados foram embora. Quando Lumumba descobriu o que tinha acontecido, disse a Périn: "*Je suis entouré par des fous*" (Estou cercado de loucos).

Ele também estava cercado de traidores e assassinos. Em 5 de setembro, Lumumba foi destituído do poder pelo presidente Kasavubu, que o acusou de afinidades pró-comunistas: Lumumba contra-atacou dispensando Kasavubu. A discussão foi e voltou na Câmara dos Deputados e no Senado até 13 de setembro, quando uma sessão conjunta entrou em acordo de que poderes extraordinários deviam ser outorgados a Lumumba. No dia seguinte, o coronel Joseph Mobutu, que Lumumba havia apontado como chefe do estado-maior do exército reformulado, anunciou sua decisão de assumir o comando do Congo; seu golpe foi apoiado pela CIA.

Longe de incitar Lumumba a fechar o cerco contra seus opositores em suas conversas em Léopoldville, Fanon o aconselhara a renunciar, alinhado com as instruções do GPRA. Quando Lumumba se recusou, ele e seus colegas do GPRA parecem ter se dado por vencidos. Em seu livro de memórias, Serge Michel afirma que antes de ir embora do Congo, Fanon, Yazid e Oussedik se reuniram mais uma vez com Lumumba, que fez um apelo comovente por ajuda do GPRA. Eles responderam com entusiasmo, prometendo que "os inimigos da África devem se preparar".[13] Mas, do lado de fora da residência de Lumumba, Fanon chamou Michel de lado e o lembrou de que ele não era representante de Lumumba, mas da FLN no Congo: deveria ser mais circunspecto. O conselho de Fanon para Michel foi o de "esquecer Lumumba" e se alinhar com Kasavubu. Um grupo anti-Lumumba, continuou Fanon, estava "trabalhando muito duro, e isso inclui algumas pessoas de muito peso".

Michel perguntou a Fanon por que ele tinha tanta certeza disso. Fanon respondeu que seu amigo Holden Roberto, o líder angolano apoiado pela CIA ("Gilmore" nas memórias de Michel), o alertara. "Ele está a par de tudo o que está acontecendo", disse Fanon. Roberto, que também participara da conferência, tinha decidido apoiar Kasavubu: o presidente congolês, como Roberto, era da etnia bacongo. Pouco depois do conselho de Fanon, Michel foi abordado por Roberto. "Fanon lhe contou?", perguntou ele, antes de se lançar em uma diatribe contra Lumumba, "um demagogo, um fantoche nas mãos do comunismo internacional, uma ameaça pública", e concluir, "sangue deve ser derramado". Em seguida ao golpe, Mobutu emitiu um mandado de prisão contra Michel, que fugiu de volta para Túnis. Da próxima vez que Michel viu Fanon, eles conversaram sobre a África, mas não sobre o Congo, "de modo a não voltar a abrir feridas que não tinham fechado". Quando Fanon conheceu Sartre e Beauvoir em Roma em agosto de 1961, ele se culparia por não ter conseguido salvar Lumumba.

Fanon costumava ser descrito pelos conhecidos como desconfiado, mas, de certa maneira, ele também era confiante demais, até crédulo, quando se tratava de homens como Roberto (assim como era em relação ao camponês resistente de sua imaginação). Alguns dias depois de Périn voltar para casa da prisão, ela anunciou a Weiss que ela e Fanon planejavam se juntar ao movimento de Roberto no norte de Angola, a UPA. Era uma fantasia momentânea de luta, estoicismo e sacrifício, e provavelmente conversa de travesseiro. A essa altura, Fanon já tinha voltado a Accra, sem ter conseguido convencer Lumumba a renunciar.

Na primavera seguinte, a UPA deu início a uma insurreição na qual mais de mil portugueses foram mortos em ataques a fazendas, postos avançados do governo e mercados — uma jacquerie semelhante à insurreição de Philippeville. "Desta vez", ostentou Roberto, "os escravos não se curvaram. Massacraram tudo." Os portugueses responderam matando dezenas de milhares de angolanos e levando centenas de milhares a cruzar a fronteira com o Congo. Pouco mais de um mês depois dos massacres, Roberto se reuniu com o presidente Kennedy e foi elogiado pela *Time* como um "africano exilado angolano determinado e de fala mansa".[14] Através da estação da CIA em Léopoldville, ele recebeu um honorário por ser um "anticomunista genuíno" e confiável. Ele mais tarde se divorciaria da esposa e se casaria com a cunhada de Mobutu, para consolidar seus vínculos com o ditador pró-Estados Unidos do Congo.

Fanon, por sua vez, tinha feito sua promessa à FLN e estava comprometido a honrá-la até o fim da guerra. Mas a África tinha subido à sua cabeça, tanto quanto a Argélia antes. Sua empreitada seguinte, a mais audaciosa até então, seria no Mali.

## 14.
## "Criar o continente"

A unidade africana pode ter sido a obsessão de Fanon em 1960, mas ele tinha consciência dos obstáculos que havia em seu caminho: o racismo antinegro — um legado da escravidão — era um deles; as diferenças de costumes era outro.[1] Uma vez ele acompanhou um grupo de delegados da Guiné a uma projeção de filmes organizada pelo Ministério da Informação tunisiano. No intervalo eles assistiram ao tipo de anúncio francês que Fanon criticara em *Pele negra, máscaras brancas*: um desenho animado em que canibais africanos dançavam em torno de um homem branco amarrado a um mastro, que em seguida conseguia salvar a pele distribuindo picolés. Os delegados disseram educadamente que estava quente demais dentro do cinema e saíram. Fanon reclamou para um oficial tunisiano do ministério e simplesmente ouviu: "Oh!, Vocês, os africanos, são tão suscetíveis!". Em uma de suas idas a Conacri com o GPRA, os argelinos que levava com ele ficaram mortificados com um espetáculo que os guineenses organizaram em homenagem a eles, que apresentou mulheres dançando com os seios expostos. Fanon fingiu não entender do que se tratava o rebuliço.

"São mulheres decentes?", perguntaram seus colegas.

"Elas têm seios, e os mostram", respondeu Fanon.[2]

Apesar de toda a sua deferência aos costumes argelinos, ele continuava sendo um antilhano e gostava de provocar os colegas da Argélia quanto às apreensões pudicas deles. Mas em *Os condenados da terra* ele registraria preocupações pontuais quanto a essas tensões. Muito frequentemente, escreve, "um cidadão da África negra, passeando numa grande cidade da África branca, ouve as crianças o chamarem de 'preto' [*nègre*], ou funcionários públicos dirigirem-se a ele em *petit nègre*".³ Ele continua:

> Não, infelizmente não é impossível que estudantes da África negra matriculados em colégios ao norte do Saara ouçam seus colegas de liceu lhes perguntar se onde eles moram existem casas, se eles sabem o que é eletricidade, se em sua família pratica-se a antropofagia. [...] Da mesma forma, em alguns Estados jovens da África negra, parlamentares e até mesmo ministros afirmam com toda seriedade que o perigo não está na reocupação de seus países pelo colonialismo, mas na eventual invasão dos "vândalos árabes vindos do norte".

Na perspectiva de Fanon, a única maneira de superar as divisões entre negros, árabes e subsaarianos era unir forças contra o colonialismo. Em novembro de 1960, com a bênção da FLN, ele embarcou em sua primeira e única missão militar pela causa argelina: uma viagem de reconhecimento, com o propósito de abrir uma frente meridional para a ALN, para que armas e munições pudessem ser contrabandeadas de Bamako, capital do Mali, para o norte através do Saara. A libertação da Argélia era o objetivo ostensivo, mas fica claro a partir do diário que manteve em sua viagem que ele tinha uma noção mais ampla do que estava em jogo. O colonialismo estava em declínio, ele afirmava, mas "revivia antigos particularismos e fragmentava a lava libertadora. [...] Para nós, argelinos, a situação era clara. Mas o terreno continuava difícil, muito difícil. [...] precisávamos provar por meio de manifestações concretas que o continente estava unido".⁴

Dias antes da expedição, Fanon ficou sabendo que seu amigo Félix-Roland Moumié, o líder anticolonialista camaronês, tinha sido assassinado em Genebra; um agente da inteligência francesa se passando por jornalista envenenara sua bebida com tálio. Moumié, um dos homens "durões" que Fanon mais admirava, tinha 35 anos. Fanon o vira pela última vez em meados de setembro em Accra, onde os dois fizeram planos para voltar a se encontrar em Roma. Ciente de que estava sob vigilância constante, Moumié evitara voar sobre território francês, ou no espaço aéreo de países da Comunidade Francesa de De Gaulle. "Uma morte abstrata atingindo o mais concreto, mais animado, mais impetuoso homem", escreveu Fanon. "De uma essência revolucionária comprimida em sessenta quilos de músculos e ossos."[5] Quando buscou o pai de Moumié no aeroporto em Accra, lembrou-se "daqueles pais na Argélia que ouvem em uma espécie de estupor a história da morte de seus filhos".

Abane e Moumié tinham sido mortos; Lumumba, um amigo mas nunca uma das prioridades do GPRA, fora derrubado em um golpe; o próprio Fanon escapara por pouco de uma tentativa de assassinato em Roma. Foi nesse clima de violência e terror — e possivelmente em um desejo de expiação — que ele concebeu sua expedição. Em sua imaginação, o deserto africano oferecia uma resposta prática ao problema da Linha Morice nas fronteiras da Argélia com a Tunísia e o Marrocos; ele também prometia conectar todo o continente em uma ofensiva final e apocalíptica contra as forças do imperialismo. Em uma prosa evocativa e onírica, Fanon imaginou uma guerra continental de libertação em nome da Argélia, um análogo anticolonial de sua primeira batalha, quando aterrissou na França com as Forças Francesas Livres para lutar contra os alemães em 1944:

Sublevar a população saariana, infiltrar-se nos altos platôs argelinos. Depois de levar a Argélia aos quatro cantos da África, retornar com toda a África para a Argélia africana, para o norte, para Argel, cidade continental. Eis o que eu queria: grandes linhas, grandes canais de navegação através do deserto. Submeter o deserto, negá-lo, unir a África, criar o continente. Que do Mali cheguem ao nosso território malineses, senegaleses, guineenses, marfinenses, ganeses. E os da Nigéria e do Togo. Que todos subam as encostas do deserto e avancem contra o bastião colonialista. Tomar o absurdo e o impossível a contrapelo e lançar um continente ao ataque contra os últimos baluartes do poder colonial.[6]

A retórica anti-imperialista de Fanon tinha a aura de conquista colonial.

Ele viajou com uma equipe modesta: um comando de oito homens, liderado por um major da ALN chamado Chawki,* que "conhece o Saara como a palma de sua mão". Fanon ficou maravilhado com ele, um antigo *maquisard* com "olhos implacáveis". Eles compartilhavam uma cama na viagem e conversavam até tarde da noite. "Esses olhos", escreveu sobre Chawki, "não enganam. Dizem abertamente que viram coisas duras [...]. Percebe-se nesses olhos uma espécie de arrogância, de dureza quase mortal. [...] Com homens assim logo nos habituamos a ficar atentos. Tudo lhes pode ser dito, mas eles precisam sentir e tocar a revolução nas palavras pronunciadas." Chawki era outro homem durão e fascinante. Entre os argelinos, Fanon fez amizade com um jovem líder da ALN, Abdelaziz Bouteflika, futuro ministro das Relações Exteriores e presidente, conhecido na época por seu *nom de guerre*, Abdelkader al-Mali, que — de

* Não se tratava de Chawki Mostefaï, assessor de Krim Belkacem, com quem Fanon viajou para Accra em 1958.

acordo com boatos generalizados — datilografou algumas das primeiras páginas de *Os condenados da terra*.

A expedição malinesa era um esforço arriscado, e "quase terminou nas salas de interrogatório de Argel". Fanon e seus homens voaram de Accra para a Monróvia, onde esperavam tomar um avião para Conacri. Quando chegaram, foram informados de que o avião estava cheio. Teriam de embarcar em um voo da Air France no lugar. Fanon escreveu que os funcionários da Air France foram "extraordinariamente atenciosos" com eles e ofereceram que a companhia pagasse todos as despesas de sua escala. A "cortesia exemplar" e o "ar de vivandeira de uma francesa obsequiosa e mais que enfadonha" levantaram as suspeitas de Fanon de que os franceses planejavam interceptar o avião, como tinham feito com o de Ben Bella em 1956. Seu palpite se provou correto: o avião fez uma aterrissagem surpresa em Abidjan, capital da Costa do Marfim, governado pelo aliado da França Félix Houphouët-Boigny, e foi revistado por forças francesas.

Fanon e seus companheiros tinham sabiamente decidido não embarcar no voo e viajaram por terra. Entraram na Guiné pela Libéria, passando pelas cidades guineenses de fronteira de Diéké e N'Zérékoré, e então seguiram para Bamako. A República do Mali havia proclamado sua independência em 22 de setembro de 1960, um mês depois do colapso de sua federação com o Senegal, um experimento de governança pan-africana que durou apenas dois meses.[7] Não mais parte da Comunidade Francesa, o Mali logo se declarou "livre de todos os compromissos e vínculos políticos com a França". Seu presidente, Modibo Keïta, propôs instalar um posto de escuta para a ALN em Kayes, no rio Senegal; forneceu a Fanon e seus homens documentos de identidade emitidos pelo Ministério do Interior; e ofereceu-lhes um lugar para ficar no principal quartel de Bamako. "Se alguém ouve, a orelha colada ao solo vermelho",[8] Fanon escreveu em seu diário, escuta nitidamente o barulho de correntes enferrujadas, os murmúrios de angústia, e deixa caírem os ombros tamanha a presença constante de carne ferida nesse meio ambiente abrasador. A África de todos os dias, oh, não essa dos poetas, não a que adormece, mas a que deixa dormir, pois o povo está impaciente por fazer, atuar, falar. O povo diz: quero construir-me como povo.

Na terça-feira, 22 de novembro, às cinco horas da manhã, eles partiram para Gao, mas a estrada Bamako-Timbuktu estava alagada; foram obrigados a viajar por uma outra que seguia para o sul do Níger até Ségou. Depois de reabastecer, eles rumaram para San, e então Mopti, onde toparam com um bloqueio policial na estrada. O gendarme pediu seus documentos, e insistiu para ver seus passaportes. Um oficial superior questionador chegou na cena. Suspeitando que ele trabalhava para os franceses, Fanon decidiu blefar, desafiando-o a prendê-los por não mostrar seus documentos. O oficial os liberou. Eles tomaram a estrada de Mopti a Douentza, em meio a uma floresta tropical densa, fazendo o possível para seguir "os rastros de um carro que deve ter passado ali seis meses antes". Eles se perderam mais de uma vez, mas às duas da manhã chegaram ao destino, onde dormiram em suas Land Rovers.

Às nove horas da noite seguinte eles chegaram em Gao, onde um amistoso comandante local lhes mostrou um conjunto valioso de documentos deixados para trás por oficiais da inteligência francesa que haviam trabalhado ao longo das fronteiras do Marrocos e da Argélia. Em seu diário, Fanon, de forma bastante imponente, comparou sua missão à captura de Kufra, um oásis no deserto líbio, em 1941, quando tropas italianas se renderam às Forças Francesas Livres lideradas pelo coronel Philippe Leclerc de Hauteclocque. "Por vezes se fala da odisseia de Leclerc de Hauteclocque", escreveu ele. "A que estamos preparando, se o governo francês não entender a tempo, vai transformar o episódio Leclerc numa excursão banal."⁹

Antes de Fanon e seu comando partirem para Aguel'hoc e Tessalit, os últimos assentamentos malineses antes da fronteira, o comandante de Gao lhes deu uniformes de soldados marroquinos para se disfarçarem, assim como carabinas e um parco suprimento de munições. (Fanon não segurava uma arma desde a Segunda Guerra Mundial; o único uso que fez de uma foi para matar uma abetarda e vários cervos para se alimentar.) Em Tessalit, eles passaram por um posto avançado francês onde um soldado sem camisa lhes deu um aceno amigo, tomando-os por um bando de viajantes árabes. "Ele cairia de quatro se soubesse quem se esconde sob esses uniformes marroquinos", pensou Fanon, rindo sozinho. Quando chegaram em Boghassa, um riacho em Kidal, a nordeste de Gao, um grupo de nômades malineses lhes deu "detalhes sobre as forças francesas" nas cidades fronteiriças do Saara argelino. Eram esses os povos que Fanon esperava recrutar como intermediários uma vez que a ALN tivesse instalado uma linha de provisão na fronteira malinesa.

Voltando de Boghassa, Fanon leu livros que comprara em Kidal sobre a história da região. "Revivo, com a intensidade imposta pelas circunstâncias e pelos lugares, os antigos impérios de Gana, do Mali, de Gao, assim como a impressionante odisseia das tropas marroquinas com o famoso Djouder"¹⁰ — Judar Paxá, o líder militar espanhol marroquino que atacou o império Songhai em 1591. Oito anos antes, Fanon se perguntara, em *Pele negra, máscaras brancas*, se ele não tinha "mais nada a fazer nesta Terra além de vingar os negros do século XVII".¹¹ Agora que havia vinculado seu destino ao da África, sua história e seu futuro repercutiam nele com um imediatismo que ele mal poderia ter imaginado naquela época.

O desafio da África, ele entendeu com uma nova clareza, era garantir que a libertação do colonialismo formal abrisse caminho para a independência genuína: desenvolvimento econômico, soberania política e o empoderamento das vastas populações rurais. Os africanos não eram os primeiros a enfrentar esse problema: uma das maiores lições das revoluções políticas modernas, como observou Hannah Arendt, é a de que embora a "libertação seja de fato uma condição para a liberdade [...] a liberdade não é de modo algum um resultado necessário da libertação".[12]

Ainda assim, como Fanon tinha visto, para seu horror, no Congo, a passagem da libertação para a liberdade na África era obstruída por forças tanto internas quanto externas, desde divisões étnicas e os apetites predatórios das elites locais à ingerência imperial e os imperativos envolvendo a Guerra Fria por parte das superpotências. A questão de o que aconteceria na África depois que o colonialismo chegasse a seu fim inevitável pesou muito sobre ele durante o período no Mali. "Nem tudo é simples", admitiu em seu diário.[13] Antecipando argumentos que desenvolveria em *Os condenados da terra*, Fanon defendeu que o maior obstáculo à independência africana não era o "colonialismo e seus derivados" tanto quanto a "ausência de ideologia": a falta de projeto político coletivo. As "novas burguesias ou seus príncipes renovados", alertou, conduziam suas questões políticas tanto quanto faziam com seus negócios, usando "sinecuras, ameaças ou mesmo, literalmente, a espoliação da vítima". As distorções do colonialismo tinham sobrecarregado o continente com uma burguesia corrupta e egoísta. "Participar do movimento ordenado de um continente", refletiu, "era, em definitivo, o trabalho que eu tinha escolhido." Mas não seria fácil realizar uma transição da libertação para a liberdade.

A missão de reconhecimento quixotesca de Fanon não deu em nada: o sul do Saara nunca fora uma zona de combate importante para a FLN, e havia pouca confiança entre os argelinos e os povos do deserto. A grande invasão da Argélia pelo sul continuou sendo o que sempre fora: uma alucinação radiante.

(No verão de 1961, o líder do Mali, Modibo Keïta, permitiu que a ALN estabelecesse uma frente meridional, chefiada por Bouteflika, mas a coisa nunca chegou muito longe.) O legado mais importante das aventuras de Fanon no Mali foi o diário que deixou, uma colagem instigante de afropessimismo e afro-otimismo, de introspecção lúcida e às vezes desoladora, e de encantamento revolucionário hipnótico. A prosa e a poesia estavam, é claro, sempre entremeadas na obra de Fanon; essa era uma marca de sua dívida com Césaire. Mas o relato de sua expedição no Mali também revela uma instabilidade que se originava de um desespero crescente, à medida que seus sonhos revolucionários para a unidade africana competiam com as realidades menos que revolucionárias do continente.

O desespero também era físico. Enquanto viajava para a fronteira argelina, Fanon perdeu muito peso, e quando voltou a Accra no início de dezembro, estava totalmente decrépito. Ele disse a si mesmo que estava exausto da viagem, e voltou a trabalhar. Havia muito para distraí-lo da possibilidade de que estivesse com algum problema de saúde grave, inclusive notícias encorajadoras da Argélia, onde De Gaulle fizera uma visita oficial, em um eco de sua turnê pela Comunidade Francesa da África em 1958, para angariar apoio para um referendo sobre autodeterminação: ele aconteceria no mês seguinte. O objetivo de De Gaulle era garantir a transição para uma "Argélia argelina" — em outras palavras, para uma autonomia neocolonial sem soberania nacional: uma "terceira via" que deixaria a FLN ao relento. Ele estava convencido de que, depois de arrasar os rebeldes tanto em Argel quanto no interior, agora poderia impor um novo povoamento e fazê-lo passar por autodeterminação, ao mesmo tempo que protegeria os interesses franceses na Argélia.

Mas, em 11 de dezembro de 1960, dois dias depois da chegada de De Gaulle, em todas as principais cidades, os argelinos — homens, mulheres, crianças, idosos — tomaram as ruas em massa para exigir independência, balançando a bandeira proibida da FLN e levando cartazes que diziam "Argélia muçulmana!" e "Negociem com a FLN!". Eles entraram em confronto com a polícia e os ultraeuropeus, e convergiram para bairros europeus. Em Belcourt, uma região pobre de Argel onde a mãe de Camus morava, mais de 10 mil argelinos ocuparam as ruas. Mulheres atacaram barricadas militares enquanto soldados abriam fogo contra elas, deixando seus *haïks* brancos salpicados de sangue. Nunca houvera uma manifestação tão pública de unidade argelina em apoio à FLN, ou — apesar da violência — uma mais festiva. Como o historiador argelino Daho Djerbal escreveu:

> Esses argelinos confrontaram os europeus mas também cantaram e dançaram; ao retomar as ruas, eles retomaram as cidades; ao libertar seus corpos, eles começaram a fazer da independência uma realidade concreta. Essa foi uma insurreição de corpos humanos até então sujeitos ao tipo de dominação colonial descrito por Frantz Fanon.

Mais de cem manifestantes foram mortos durante os protestos. Contudo, De Gaulle, que havia autorizado o uso de munição real, ficou tão impressionado com a escala do desacato e a mostra de apoio aos rebeldes, que encurtou sua viagem e revisou suas opções limitadas. Ele tinha percorrido um longo caminho. De volta ao poder em junho de 1958 em um golpe de Estado liderado por oficiais do exército alinhados com os colonos, ele prometera nunca abrir mão da Argélia. Em seu discurso de 4 de junho de 1958 diante de uma Argel lotada, declarou: "*Je vous ai compris*" (Entendi vocês), uma formulação tipicamente críptica, interpretada por alguns como uma garantia aos europeus da Argélia, por outros como uma declaração de que ele havia entendido que tanto europeus quanto muçulmanos estavam igualmente exaustos da guerra. Alguns dias depois, na cidade portuária de Mostaganem, no oeste, De Gaulle invocou a *Algérie française*, uma expressão cuja notável ausência em seus discursos anteriores enfurecera os ultras. Mas nos dois anos seguintes, mesmo quando tentava acabar com a rebelião e manter a posse da Argélia, em seu íntimo desenvolveu uma admiração a contragosto pela determinação da FLN — soldados patriotas que se inspiravam no modelo da resistência francesa — e um desprezo crescente pelos colonos, bem como pelos *harkis*, muçulmanos argelinos que lutavam com o Exército francês. Mas foi só a visão de argelinos comuns protestando nas ruas que o levou a reconhecer o que Fanon chamou de "a realidade de uma nação", e a absoluta futilidade de continuar na Argélia.

A derrota da Argélia francesa foi selada não com bombas ou rifles mas com desobediência civil em massa. Foi uma inversão irônica na relação da FLN com seu eleitorado. A organização se projetara como defensora das massas argelinas, mas foram as massas da Argélia — tanto os moradores urbanos de longa data quanto as pessoas da zona rural que se estabeleceram nas cidades, fugindo da repressão do exército — que reavivaram a sorte da FLN, obrigando De Gaulle a abandonar sua procura por um *interlocuteur valable* e sua busca desesperada por uma terceira via. Se era necessária uma prova[14] do que Abane Ramdane chamara de "primazia do interior", lá estava ela. O GPRA teve uma importante vitória diplomática em 20 de dezembro quando a Assembleia Geral da ONU, que se reuniu em Nova York, afirmou o direito de independência da Argélia por uma maioria considerável e sustentou o princípio de integridade territorial do país com relação às ameaças anteriores de divisão. Conversas diretas com a FLN já não podiam ser evitadas.

Para os críticos esquerdistas de De Gaulle, sua mudança de postura em relação à Argélia viria como uma surpresa, para dizer o mínimo. De Gaulle era conhecido por ser um admirador de Hubert Lyautey, um administrador colonial e ministro da Guerra que personificava as duas faces do império francês: embora notório por seus métodos repressivos em Madagascar e na Indochina, Lyautey ganhou o respeito dos liberais por seu paternalismo "benevolente" no protetorado marroquino. Mas quando De Gaulle assumiu o cargo, Fanon o descreveu como "o instrumento mais execrável da mais obstinada, da mais bestial reação colonialista".[15] No entanto seria De Gaulle que acabaria presidindo a retirada da França, diante da oposição violenta dos colonos e de uma campanha terrorista liderada pela Organização Exército Secreto (Organisation Armée Secrète, OAS). Ele não tinha se tornado anticolonialista. Tinha, sim, passado a ver, em suas palavras, que "a Argélia nos custa mais do que nos rende", bastante na linha do que Raymond Aron argumentara em *La Tragédie algérienne*. A única alternativa à independência, ele se deu conta, era a integração plena dos muçulmanos da Argélia à França, que Jacques Soustelle promovera, e para De Gaulle, isso significava o fim da civilização europeia e cristã da França. Como disse para o senador gaullista Alain Peyrefitte em março de 1959, quando se reuniram na residência de De Gaulle no vilarejo de Colombey-les-Deux-Églises:

> Você viu os muçulmanos com seus turbantes e seus *djellabahs*? Dá pra perceber que eles não são franceses. Tente misturar óleo e vinagre. Agite a garrafa. Depois de um instante eles voltam a se separar. Os árabes são árabes, e os franceses são franceses. Você acha que os franceses podem absorver 10 milhões de muçulmanos que amanhã serão 20 milhões e depois de amanhã 40 milhões? Se levarmos a cabo a integração, se todos os berberes e árabes da Argélia fossem encarados como franceses, como é que

se impediria que eles viessem a se estabelecer na metrópole onde o padrão de vida é tão mais elevado? Meu vilarejo já não se chamaria Colombey-les-Deux-Églises mas Colombey-les-Deux-Mosquées.

Como o biógrafo de De Gaulle Julian Jackson observou: "A ironia aqui era que a lógica do republicanismo progressista de Soustelle o levara a defender qualquer meio — inclusive a tortura — para manter a Argélia francesa, enquanto o conservadorismo pragmático de De Gaulle o levou finalmente a aceitar a independência argelina".[16] A explicação de De Gaulle para Peyrefitte era um exemplo perfeito do que Fanon chamou de "racismo cultural" no Congresso de Escritores e Artistas Negros de 1956, no entanto, nesse caso, ele subscreveu a decisão do líder francês de bater em retirada da Argélia. A perspectiva de Fanon não fazia concessões a ironias desse tipo.

Fanon ficou eletrizado com os acontecimentos de dezembro, tirando inspiração da reemergência do interior e da espetacular mostra de apoio dos argelinos aos seus libertadores. "Não há espaço para uma Argélia despojada da FLN",[17] escreveu ele no *El Moudjahid*, "porque a FLN não é nada menos que o reagrupamento do povo argelino imbuído de um desejo resoluto de obter independência." A festa revolucionária nas ruas de Argel e Orã — a qual De Gaulle evitara — provou o ponto.

Mas Fanon também estava com uma dor excruciante e já não podia negar seu sofrimento físico como exaustão da viagem. Quando um médico de Accra descobriu um nível excepcionalmente alto de leucócitos, ou glóbulos brancos, em seu sangue, Josie implorou para que ele voltasse a Túnis, onde mais exames revelaram que ele tinha um caso sério — provavelmente fatal — de leucemia.

A princípio Fanon não contou nada para os amigos e mergulhou no trabalho. Quando foi jantar na casa dos Manuellan,

Marie-Jeanne percebeu que ele parecia abatido e "um pouco esverdeado". Mas ele falou animadamente sobre suas experiências recentes no Congo e no Mali — e sobre seu próximo projeto intelectual.

"Vou precisar de você de novo", ele lhe disse. "Para escrever outro livro."

No dia seguinte ela foi ao apartamento dos Fanon e lhe disse: "Estou aqui para as páginas".

"Que páginas?", perguntou ele.

"As páginas do seu livro."

Ele riu e, batendo na cabeça com o indicador, disse: "Mas o livro está aqui!". O tema, explicou, seria as lutas de libertação nacional na África; o título provisório, "Alger-Le Cap" (De Argel à Cidade do Cabo). Como Manuellan não trabalhava mais no Hospital Charles Nicolle, ele ditaria o livro na casa dela em Mutuelleville, sempre que passasse por Túnis. Ele não planejava ficar em Accra para sempre.

Em 17 de janeiro de 1961, Patrice Lumumba foi entregue aos separatistas de Catanga. Ele foi espancado e torturado pelas tropas de Moïse Tshombe e por oficiais belgas, antes de ser fuzilado. Seu corpo foi dissolvido em um barril de ácido por dois belgas, um dos quais guardou um dente como uma espécie de souvenir; só recentemente devolvido ao Congo. Para os nacionalistas africanos, o assassinato de Lumumba foi como a Paixão de Cristo para os Pais da Igreja. Fanon o invocaria como uma ilustração dos limites da não violência — e dos perigos de divisões tribais ou sectárias. Em um ensaio poderoso sobre a morte de Lumumba no *Afrique Action*, ele denunciou o "assassinato friamente calculado e executado"[18] de seu amigo. Mas também avaliou as falhas de Lumumba, retratando-o como um homem nobre mas no fim das contas ingênuo, que depositara uma "confiança exagerada em seu povo", que não conseguia imaginá-los sendo enganados por seus inimigos. Lumumba também pecara ao pedir a intervenção da ONU, confiando em sua "amistosa imparcialidade". O papel da ONU, escreveu Fanon, era de ajudar a administrar uma "'luta pacífica' pela divisão do mundo" entre as potências da Guerra Fria. "Os africanos deverão se lembrar desta lição. Se for necessária uma ajuda externa, apelemos a nossos amigos." Em vez de enviar tropas ao governo congolês no âmbito da ONU, os Estados africanos deveriam tê-las mandado diretamente, "de um país amigo para o outro". Ele continuou:

> As tropas africanas no Congo sofreram uma histórica derrota moral. Com as armas depostas, assistiram sem reagir (já que eram tropas da ONU) à desagregação de um Estado e de uma nação que a África inteira havia louvado e cantado. Uma vergonha. Nosso erro, o erro dos africanos, é ter esquecido que o inimigo jamais recua. Jamais compreende. Ele capitula, mas não se converte.

A outra lição da "primeira grande crise" da África foi que não poderia haver "uma África lutando contra o colonialismo e outra tentando se acertar com ele". A realidade, é claro, não era tão simples: pelo bem da independência argelina, o GPRA — e Fanon — tinham sido obrigados a "se acertar com o colonialismo" no Congo, às custas de Lumumba. Mas o assassinato de Lumumba só serviu para ressaltar que o continente não podia "avançar por regiões" mas apenas "em sua totalidade", como "um grande corpo que rejeita qualquer mutilação".

Metáforas somáticas, imagens de amputação e membros fantasma proliferavam nos textos de Fanon desde *Pele negra, máscaras brancas*, mas agora sua própria fragilidade física era inescapável. Voltar a seu cargo em Accra estava fora de questão. Ele também não podia manter seu diagnóstico para si. Uma noite na casa dos Manuellan, contou a notícia quando Josie ainda estava a caminho, da redação do *Afrique Action*.

"Vocês têm que ajudar Josie",[19] ele disse. "Mas eu vou cuidar de mim mesmo."

Marie-Jeanne lhe perguntou como.

"Com o meu córtex!", declarou ele.

Pensamento mágico, certamente, mas seu córtex sempre tinha sido sua principal arma.

Quando Josie chegou ao apartamento dos Manuellan, claramente esgotada, insistiu que eles comessem tão logo possível para que Fanon pudesse ir para a cama cedo. Ele tentou fazer pouco-caso de sua doença no jantar; a certa altura pegou uma maçã na mesa, examinou-a, e então deu seu diagnóstico: "Esta maçã não parece boa, deve ser uma maçã leucêmica".

Quando Manuellan foi ao apartamento dele para discutir o livro alguns dias depois, o encontrou no sofá, padecendo. Ele vinha sofrendo de hemorragias retinais; estava apático, com o moral baixo.

A notícia da doença de Fanon reverberou pelos círculos da FLN em Túnis "como raios em um céu sem nuvens",[20] de acordo com o cirurgião Michel Martini. A Tunísia não tinha instalações adequadas para tratar pacientes com leucemia, e como lembrou Martini, "todos estavam prontos para mandá-lo para a Lua se fosse necessário". A Lua teria sido mais segura do que a França, onde até um representante do GPRA mal de saúde corria o risco de ser transferido de um hospital para uma cela de prisão, e Fanon descartou os Estados Unidos — "o país dos linchadores", como chamou. Assim, a FLN decidiu mandá-lo para Moscou. Na noite da véspera de seu voo, os Fanon visitaram os Manuellan. Ninguém mencionou a leucemia no jantar.

"Estávamos todos alheios?",[21] escreveria Manuellan mais de meio século depois. "Fanon emanava tamanha força vital."

# Parte V
# O profeta

## 15.
## Caminhos para a liberdade

Em janeiro de 1961, um referendo sobre a autodeterminação argelina aconteceu nos dois lados do Mediterrâneo. Quase 70% dos residentes da Argélia votaram a favor; a votação do sim foi ainda mais alta (75%) na França metropolitana, onde a guerra se tornara cada vez mais impopular.* Um mês depois, Fanon voltou a Túnis da União Soviética, onde estivera recebendo tratamento com bussulfano, um fármaco inovador para quimioterapia. Ele tinha engordado quase cinco quilos, e sua contagem de células brancas melhorara bem. De acordo com seus médicos em Moscou, ele tinha de quatro a cinco anos de vida — a essa altura, ele esperava, as pesquisas na área médica teriam produzido uma cura. Fanon estava grato pelo cuidado que recebera, mas a vida na União Soviética, principalmente nos hospitais psiquiátricos que tinha visitado, o perturbara. "Você é vigiado em todos os lugares", disse a Marie-Jeanne Manuellan.[1] "Nem os banheiros têm portas." O império soviético, ele logo ficara sabendo, tinha suas próprias formas de preconceito imperial: os russos e os ucranianos, observou, "enxergam os tchetchenos e até os georgianos como bárbaros".[2] Na Universidade Russa da Amizade dos Povos — que acabara de ser rebatizada de Universidade Patrice Lumumba —, ele

---

* A baixa porcentagem na Argélia refletia não apenas a força da oposição dos colonos mas também as taxas elevadas de abstenção entre eleitores muçulmanos, muitos dos quais respondendo ao chamado da FLN para boicotar o referendo.

conversou com diversos estudantes africanos, e eles lhe pareceram "bastante infelizes", de acordo com o cirurgião Michel Martini.

Fanon e Martini logo uniriam forças[3] para salvar a vida de uma das principais figuras da FLN, Krim Belkacem, o ministro das Relações Exteriores do GPRA, o qual Fanon sempre respeitara apesar de seu dedo na morte de Abane. No início de março, Krim se preparava para a primeira rodada de negociações diretas com a França, programada para começar em maio na estância francesa de Évian, às margens do lago de Genebra, quando foi tomado por dor abdominal e indigestão. Um dos colegas médicos de Fanon achou que Krim, chefe da delegação da FLN, pudesse estar nervoso devido a todas as discussões, e pediu a Fanon que executasse uma de suas lendárias hibernoterapias. Em uma vila isolada nos arredores de Túnis sem telefone ou guarda-costas, Fanon começou a administrar medicamentos indutores de sono e tranquilizantes, mas às duas horas da madrugada, a dor de Krim piorou. Às 6h30 de 19 de março — primeiro dia do Eid al-Fitr, a celebração que marca o fim do mês sagrado do Ramadã — Fanon ligou para Martini de um bistrô e lhe disse que o estado de Krim era grave, e então mandou um colega argelino ir buscá-lo. Quando Martini chegou, Krim mal estava consciente. Como se descobriu, ele sofria de uma inflamação aguda da vesícula biliar e precisava de hospitalização imediata. "Além de ser um psiquiatra notável", lembrou Martini, "Fanon era um ótimo clínico."

Martini sempre olhara desconfiado para seu colega antilhano. Mas a partir do "momento em que soube que estava morrendo",[4] Fanon lhe pareceu "outro homem", "admiravelmente cheio de lucidez, coragem e simplicidade". Quando Fanon lhe perguntou o que ele achava da Revolução Argelina, Martini disse que não achava que *era* uma revolução. Os dias heroicos do interior, respondeu Fanon, haviam sido revolucionários, mas não insistiu em seu ponto de vista e, para variar, "não tentou provar que eu estava errado". Ele irradiava um sentimento de propósito tranquilo e valente, empregando toda a sua energia em sua escrita, "como se desconfiasse [...] de que a morte viria surpreendê-lo antes que terminasse de escrever o que tinha a dizer".

A impressão de Martini de um Fanon revigorado — e transformado — era compartilhada por Manuellan, para quem ele ditava seu novo livro em ritmo acelerado. Ainda que tivesse episódios de fadiga, ela nunca o viu tomar uma aspirina ou uma transfusão, parar para um cochilo ou mesmo sentar quando trabalhavam juntos. A urgência com que Fanon abordava *Os condenados da terra*, achava ela, refletia sua consciência de que lhe restava pouco tempo, e seu desejo de ser o primeiro escritor a "denunciar as concessões da burguesia nacionalista"[5] na África. Ele ficara sabendo que o engenheiro agrícola francês René Dumont trabalhava em um livro[6] sobre os fracassos das elites nacionalistas da África, e queria superá-lo. Seu corpo estava sucumbindo, mas sua ambição continuava intacta.

Fanon mencionara pela primeira vez o livro em que trabalhava em uma carta a seu editor François Maspero no verão anterior. (Ele assinava as correspondências com o pseudônimo "F. Farès".) Seu livro precedente para Maspero, *L'An V de la révolution algérienne*, exercera forte influência no entendimento da esquerda francesa quanto à luta de independência argelina, ainda que tivesse de ser lido em segredo, uma vez que a polícia o recolhera das livrarias. O esboço do novo livro era mais ambicioso em termos de escopo temático, e mais nômade na geografia. (Ele aparece em uma carta de 27 de julho de 1960 a Maspero da parte de Josie, que escreveu de Lausanne, na Suíça, sob o nome de "Nadia Farès".)

"Com base na luta armada no Magrebe, no desenvolvimento da consciência e da luta nacional no restante da África",[7] explicou ele, o livro se originara de suas viagens pelo continente e seu trabalho como psiquiatra, mas a essa altura, ele alerta, ainda se assemelha a anotações em um diário. "Certos críticos [...] me repreendem por meu 'jargão'", reconheceu ele em alusão às bases teóricas do livro, mas acrescentou, "medo, complexos de inferioridade e ressentimento às vezes dão a um evento uma orientação e uma forma que um estudo 'dialético' não permite". A defesa que Fanon fez de seu jargão foi tipicamente enigmática. Ele quis dizer que uma análise marxista (um "estudo dialético") não podia capturar a experiência vivida da descolonização, especialmente as fantasias, motivações e desejos dos colonizados, que apenas um vocabulário mais psicanalítico e filosófico seria capaz de trazer à luz. "Se vir Jean-Paul Sartre", acrescentou Fanon, "diga a ele que consegui arranjar seu livro mais recente e que os elementos ideológicos que desenvolve nele encontraram um eco excepcional em mim."

Publicado no fim de abril de 1961, o enorme volume de Sartre, *Crítica da razão dialética*, se tornaria tão importante para o pensamento de Fanon sobre a luta anticolonial quanto *A questão judaica* e o ensaio "Orfeu negro" haviam sido para seu pensamento sobre racismo e Négritude. Escrita em um frenesi induzido pela velocidade, a *Crítica* de Sartre é uma obra intricada, às vezes proibitivamente difícil. Seu objetivo filosófico era reconciliar o existencialismo com a política marxista que Sartre abraçara, ao incorporar ambos em uma filosofia hegeliana da história. Ao abandonar a estrutura centrada no indivíduo de *O ser e o nada*, ele passa a se concentrar nas coletividades, especialmente em "grupos em fusão", pessoas unidas por uma causa comum, lutando para mudar as condições que herdaram: na terminologia de Sartre, o "prático-inerte", ou "matéria trabalhada". Na vida comum, as pessoas encontram umas às outras em relações alienadas de "serialidade", argumentou, usando exemplos de estranhos esperando na fila para entrar em um ônibus. Mas em épocas de levante político e social, elas são reconfiguradas como coletivos autoconscientes dotados de diligência e poder de mudar suas circunstâncias. Essa era exatamente a transformação que Fanon descrevera em *L'An V de la révolution algérienne*, quando a população muçulmana da Argélia alcançava autoconsciência nacional e embarcava em uma insurgência. Em *Os condenados da terra*, ele estenderia esse modelo a todo o mundo colonial.[8]

Sartre extraiu seus exemplos sobretudo da história europeia, notavelmente da Revolução Francesa e da Comuna de Paris. Mas a *Crítica* também revelou seu interesse crescente em problemas que preocupavam intelectuais no Terceiro Mundo: fome, colonialismo, racismo, violência revolucionária. A condição definidora da luta política, argumentou, era *la rareté* (a escassez), fosse histórica ou natural. "Após milênios de História",[9] escreveu, "as três quartas partes da população do globo são subalimentadas; assim, apesar de sua contingência, a escassez é uma relação humana fundamental (com a Natureza e com os homens)." Enquanto muitos de seus pares esquerdistas lamentavam os efeitos entorpecentes da abundância na classe trabalhadora ocidental, Sartre encontrou um novo tema histórico, um novo agente de mudança revolucionária: as massas oprimidas no mundo colonial, para as quais a escassez era uma realidade sempre presente. O "outro" negro, árabe ou latino-americano não era apenas a vítima do Ocidente, mas seu potencial salvador.

Em um capítulo sobre colonialismo, Sartre defendeu que o colonizador e o colonizado — quase duas espécies diferentes, "homens" e "sub-homens" — eram *"a couple"*, nenhum existiria sem o outro. Suas identidades eram fixadas pelo colonizador como essências: o colonialismo "define o explorado" — os sub-humanos — "como eterno porque se constitui a si mesmo como eternidade de exploração". O racismo — uma estrutura, não uma ideologia ou doutrina — era o resultado dessa divisão maniqueísta. "Não é, de nenhuma forma, um pensamento", escreveu Sartre, tanto quanto "o interesse colonial vivido como uma ligação de todos os colonos da colônia". A violência anticolonial era uma "*contraviolência*" lógica, uma "réplica à violência do Outro" e à "utilização sistemática da humanidade do homem para realizar a destruição do humano". O objetivo maior da insurreição anticolonial não era a retaliação mas a conquista da escassez: a recuperação da terra que os colonos haviam tomado, reduzindo os colonizados à miséria e à fome. Em uma luta desse tipo, declarou ele "a destruição do adversário é o único meio".

As formulações de Sartre — sobre a desumanização dos colonizados, a contraviolência, a luta contra a escassez e a desapropriação, e a descolonização como a criação de um novo mundo — tocaram profundamente Fanon. Mas a seção que repercutiu ainda mais nele foi a discussão do que Sartre chamou de "fraternidade-terror": a desconfiança, tirania e violência que ferve a fogo baixo e às vezes transborda no interior de grupos em fusão. Sartre estava pensando no Terror durante a Revolução Francesa e nos expurgos stalinistas.

Mas seu interesse na questão da traição tinha uma fonte mais pessoal: o amigo íntimo de infância de Sartre, o escritor Paul Nizan, fora acusado de traição quando rompeu com o Partido Comunista por causa do Pacto Hitler-Stálin. No início de 1960, Maspero perguntou a Sartre se ele prefaciaria uma nova edição do livro de memórias de 1931 de Nizan, *Áden, Arábia*, uma acusação inflamada da sociedade burguesa francesa e da ordem colonial. Quando Maspero contatou Sartre, Nizan havia sido quase esquecido — ou melhor, enterrado, graças à campanha de invectiva cruel do Partido Comunista, que continuou mesmo depois que ele foi morto aos 35 anos por uma bala perdida alemã na Batalha de Dunquerque. Sartre observou em seu prefácio: "Os comunistas não acreditam no inferno: eles acreditam no nada".[10] Ao louvar Nizan como um porta-voz ideal para os *"angry young men"* dos magros anos do pós-guerra, escreveu ele, "de ano para ano, sua hibernação o rejuvenesceu. Era nosso contemporâneo ontem; hoje é o deles". O prefácio de Sartre, escrito em uma viagem de um mês a Havana revolucionária, onde ele e Beauvoir conheceram Fidel Castro e Che Guevara, era um hino a uma das grandes vítimas da fraternidade-terror.

No entanto a abordagem de Sartre era estrutural, não moralista. Os grupos em fusão, defendeu ele na *Crítica*, eram baseados em um juramento de lealdade que mantém o grupo unido. "Somos irmãos enquanto, após o ato criador do juramento, somos *nossos próprios filhos*, nossa invenção comum."[11] Mas para manter sua unidade e sobreviver diante de ameaças externas, o grupo em fusão deve instilar um medo de violência em seus membros, substituindo "por um medo real, produto do próprio grupo, o medo externo que se afasta e cujo afastamento é enganador". O medo instilado, sugeriu ele, era uma "ação coercitiva da liberdade" contra a potencial dissolução do grupo, e "é o Terror". Aqueles que fazem o juramento e se tornam irmãos de armas estão dizendo, para todos os efeitos, "vocês devem me matar se eu me afastar". Na visão de Sartre, essa afirmação não é meramente uma aceitação negativa das consequências da deslealdade; é um meio positivo através do qual o grupo em fusão é criado.

Fanon se dedicara a um grupo em fusão, uma irmandade cujos integrantes imaginavam a si mesmos como filhos de uma revolução sem pai. (Seu "pai" comum, Messali Hadj, havia sido declarado um inimigo mortal.) Como porta-voz da FLN durante o caso de Melouza, Fanon participara da guerra da FLN contra o MNA; ele tinha visto os "Boussouf boys" se voltarem contra Abane. E quando começou a ditar *Os condenados da terra* para Manuellan em Túnis, Lumumba já tinha sido assassinado, depois que alguns de seus companheiros no Congo — e revolucionários simpatizantes de Túnis, incluindo o próprio Fanon — tinham retirado seu apoio.

No novo livro de Sartre, Fanon descobriu uma reflexão perturbadoramente familiar sobre a cultura interna dos movimentos revolucionários. Sem as restrições impostas a membros individuais por parte da fraternidade-terror, os grupos revolucionários em fusão corriam o risco ou de serem arrasados por adversários mais poderosos ou de se dissolverem. Para um movimento clandestino como a FLN, que encarava um dos Exércitos mais poderosos do mundo, a fraternidade-terror poderia ser justificada como uma necessidade dos tempos de guerra. Mas a fraternidade-terror também poderia levar a assassinatos, massacres e mais atos de traição, subvertendo as aspirações à liberdade que haviam levado em primeiro lugar ao "juramento". E ela ameaçava estabelecer um novo e inibidor conjunto de restrições sobre o futuro, o que certamente era o caso da Argélia: depois da independência, os argelinos se veriam governados por um regime militar secreto e autoritário, cuja espinha dorsal era o aparato de inteligência criado por Abdelhafid Boussouf. Apesar de toda a crença de Sartre no comprometimento revolucionário, a *Crítica* era um livro terrivelmente sombrio sobre as perspectivas de liberdade após a libertação, que sugeria que a liberdade pela qual os revolucionários lutam está ameaçada, se não condenada, pelas práticas internas coercitivas que os unem contra ameaças externas (como a classe dominante ou o imperialismo). Esse era um problema que havia começado a deixar Fanon obcecado durante sua época na África subsaariana, e que ele explorara em seu relato da viagem ao Mali.

Pouco depois de ir a Moscou, Fanon recebeu uma visita de dois dos colegas de Sartre da *Les Temps Modernes*, Claude

Lanzmann e Marcel Péju, que haviam ido a Túnis para uma conferência sobre anticolonialismo. Em 1959, a *Les Temps Modernes* publicara o ensaio dele sobre a minoria europeia na Argélia, um excerto de *L'An V de la révolution algérienne*, mas esse era o primeiro encontro ao vivo com membros do círculo editorial de Sartre. Eles passaram uma tarde no apartamento espartano de Fanon em El Menzah, o subúrbio de Túnis para onde ele e Josie haviam se mudado depois de seu retorno de Accra. Lanzmann, que mais tarde ganharia fama como diretor do documentário *Shoah*, sobre o Holocausto, era um jornalista de esquerda com um histórico na Resistance e um temperamento ainda mais volátil e impulsivo do que o de Fanon; e ele também era amante de Beauvoir. Quando era um *maquisard* adolescente em Clermont-Ferrand,[12] ele tinha buscado armas na estação ferroviária local sob o nariz da Gestapo e armado emboscadas, até que depois da guerra se viu "virado do avesso" e "curado" pelo livro de Sartre sobre antissemitismo. Sua consciência sobre ser judeu era tão intensa quanto a consciência de Fanon sobre ser negro. De acordo com Beauvoir, ele às vezes acordava de sonhos gritando: "Vocês são todos Kapos!".

Lanzmann ficou chocado com o estado de Fanon. "Fanon estava deitado em uma espécie de pálete, um colchão no chão",[13] lembra ele em suas memórias. "Eu fiquei imediatamente impressionado com seus olhos escuros inflamados, obscuros de febre. [...] Fanon falou com um lirismo que eu nunca tinha visto antes, ele já estava tão inundado de morte que ela dava a tudo o que ele dizia a força tanto da profecia quanto das últimas palavras de um moribundo." A certa altura Josie saiu do quarto aos prantos, aflita com a imagem do marido à beira da morte. Mas Fanon disse: "Vamos falar de outra coisa", e passou a bombardear Lanzmann com perguntas sobre Sartre e sua *Crítica*, especialmente o capítulo sobre fraternidade-terror;

ele vinha dando palestras sobre o livro para soldados em campos de treinamento da ALN. "Tudo aqui é corrupto", disse ele a respeito de Túnis. Se Lanzmann quisesse descobrir a Revolução Argelina, teria de ir para o interior, onde os *djounoud* (combatentes) eram "mais verdadeiros, mais puros", e estudavam filosofia quando não estavam lutando contra os franceses. Lanzmann estava cético, mas "as palavras apaixonadas [de Fanon] tornavam impossível duvidar da existência desses camponeses-guerreiros-filósofos. [...] É impossível objetar ao transe de um profeta".

Lanzmann visitou-o mais uma vez em Túnis na primavera de 1961. Fanon recitou passagens de seu manuscrito de *Os condenados da terra* e lhe deu uma cópia para levar consigo para Paris; de acordo com Lanzmann, ele tinha "uma ideia na cabeça: queria que Sartre lesse e escrevesse o prefácio". Ao longo de sua carreira como escritor e militante, Fanon viera pensando nas ideias de Sartre sobre racismo, identidade, a força do "olhar", a natureza do comprometimento.

Mas ele já não era um estudante antilhano desconhecido em Lyon; era um homem de estatura e influência, um representante de uma luta de libertação nacional, um exemplo vivo da escrita comprometida que Sartre desposara. Como Mohammed Harbi descobriu quando foi a Conacri como representante do GPRA em 1961, "todas as elites radicais" eram leitoras atentas de Fanon, "a voz de ruptura com os poderes europeus que queriam entregar o poder enquanto continuavam a explorar as riquezas da África". Tendo lutado para criar um mundo sem senhores, Fanon encarava Sartre não como um *maître à penser* mas como um camarada e interlocutor mais velho com quem esperava estabelecer, por fim, um diálogo e uma colaboração diretos.

Fanon tinha percorrido um longo caminho na última década, mas Sartre e Beauvoir também. Desde o fim da década de 1940, Sartre publicava duros ataques contra o colonialismo e o racismo. Ele alertara que o racismo colonial acabaria "infectando a própria 'metrópole'", e denunciara a maneira como o colonialismo desumanizava tanto o colonizado quanto o colonizador. Mas quando seu *protégé* Francis Jeanson organizou a rede de *porteurs des valises* em nome da FLN em meados dos anos 1950, nem Sartre nem Beauvoir se dispuseram a ajudá-lo. Como Beauvoir disse: "Acreditávamos ser ainda possível trabalhar pela independência deles por meios legais".[14] O que isso significava, na época, era denunciar a guerra e exigir paz sem explicitamente ficar do lado da FLN: a posição dreyfusard apresentada pelo historiador Pierre Vidal-Naquet. Em março de 1958 na *L'Express*, Sartre publicou m texto dreyfusard clássico sobre a Argélia: um artigo sobre *La Question*, o relato terrível de Henri Alleg[15] sobre a tortura que sofreu do Exército francês em Argel. Alleg, um intelectual comunista de origem judaica, foi editor do *Alger Républicain* e apoiador da independência; na época da publicação, ele ainda estava na prisão. "É em nosso nome que ele foi vitimizado",[16] escreveu Sartre, "e por causa dele recuperamos um pouco de nosso orgulho: temos orgulho de ele ser francês." O feito de Alleg ao se recusar a dar nomes enquanto suportava a *gégène* e afogamentos simulados foi de "nos salvar" — os franceses — "do desespero e da vergonha porque ele mesmo é a vítima e porque ele venceu a tortura". Comparado aos "pequenos cretinos" que o torturaram, escreveu Sartre: "Alleg é o único realmente robusto, o único realmente forte".

Mas o ensaio de Sartre sobre *La Question* era mais que uma celebração dreyfusard da coragem masculina sob tortura. A tortura não era simplesmente um "excesso" da guerra; era parte de um sistema, "imposta pelas circunstâncias e exigida pelo ódio racial; de certos modos, ela é a essência do conflito e expressa sua verdade profunda". Ainda que nunca tenha mencionado a FLN pelo nome, Sartre afirmou que os *sous-hommes* (sub-homens) da Argélia haviam sido levados à revolta violenta, uma vez que tinham a

> opção entre passar fome ou reafirmar sua masculinidade contra a nossa. [...] É um fato amargo e trágico que, para os europeus da Argélia, ser um homem significa em primeiríssimo lugar superioridade em relação aos muçulmanos. Mas e se o muçulmano descobrir por sua vez que sua masculinidade depende da igualdade em relação ao colono? É então que o europeu começa a sentir sua própria existência diminuída e rebaixada.

A lógica de Sartre levava, aparentemente, a uma conclusão inevitável: apenas ao apoiar os rebeldes entre aqueles "sub-homens" a esquerda francesa poderia ajudar a acabar com as "atrocidades e desoladora crueldade" pelas quais Alleg — e muitos milhares de muçulmanos argelinos — tinha passado. No entanto, estranhamente, ele apenas clamou por negociações que levassem à paz, uma posição que não fica longe das "belas almas" da esquerda francesa que Fanon denunciara no *El Moudjahid*.

Um ano depois do artigo de Sartre na *L'Express*, no entanto, ele e Beauvoir haviam se aproximado da visão de Jeanson de que os apoiadores da independência argelina tinham de realizar uma resistência ativa em nome da FLN. O livro de Alleg foi confiscado das livrarias, e outras formas legais de protesto eram vítimas de censura e repressão. Charles de Gaulle, levado ao poder por um golpe militar planejado por extremistas coloniais em Argel, lançara o Plano Challe para derrotar a resistência na Argélia. E agora havia campos de detenção para argelinos dentro da própria França, espalhando a "gangrena" da repressão para a *métropole*.

Beauvoir escreveu que ela e Sartre estavam agora convencidos do raciocínio de Jeanson. A esquerda francesa, continuava ela, "só podia retomar posições revolucionárias ligando-se à FLN". Em 1957, a rede de Jeanson parecia a Beauvoir "o campo da traição". Ela escreveu: "Algo em mim [...] impedia-me ainda de encarar essa possibilidade".[17] Ela acrescentou, três anos depois, que "[deixara a Guerra da Argélia] invadir meu pensamento, meu sono, meu estado de espírito". Ela envolveu-se na organização de um comitê para defender Djamila Boupacha, uma *maquisarde* que fora torturada e violada com uma garrafa por soldados franceses, e depois levada a julgamento por homicídio. Quem chorava "as desgraças antigas da pequena Anne Frank ou no gueto de Varsóvia", mas não condenava a França na Argélia, declarou Beauvoir, colocava-se "do lado dos carrascos daqueles que sofrem hoje".

Em 21 de abril de 1961, quatro generais pró-*Algérie française*, liderados por Raoul Salan, o homem que colocara a Croix de Guerre na lapela de Fanon, lançaram um golpe para impedir os planos de retirada de De Gaulle. O Exército continuou leal a De Gaulle, e a tentativa de golpe ruiu em quatro dias, mas Salan tornou-se chefe da OAS, uma insurgência de colonos extremistas e antigos oficiais do Exército que havia sido formada três meses antes na Espanha de Franco. Mais de 2 mil pessoas, a maioria delas civis, seriam mortas pela OAS; o cheiro persistente de explosivos plásticos tornou-se comum nas ruas de Argel — e na França metropolitana, onde a OAS tentou assassinar De Gaulle e seu ministro da Cultura, o escritor André Malraux. O apoio de Sartre à FLN também fez dele um alvo da OAS. Em 20 de julho, uma bomba estourou em seu apartamento no número 42, da Rue Bonaparte; ele e Beauvoir não estavam.*

---

* Em 7 de janeiro de 1962, a OAS fez um segundo atentado contra a vida de Sartre, estourando uma bomba no andar errado mas destruindo boa parte do apartamento.

Sartre, no entanto, não parece ter pensado muito em sua própria autopreservação. E ainda que ele e Beauvoir tenham continuado a falar em nome da República e de seus valores, a visão dos dois do mundo — suas vastas desigualdades e recursos finitos, a marca persistente da dominação ocidental, a luta por reconhecimento e dignidade — foi remodelada por suas viagens ao mundo em desenvolvimento. Como diz Beauvoir, usando uma palavra que Sartre tornara uma categoria central de sua *Crítica*, "a penúria desses países [tornara-se] a verdade do mundo, e nosso conforto ocidental um privilégio restrito".[18] Eles estavam aprendendo a ver o mundo pelos olhos de Fanon, mesmo antes de conhecê-lo.

Beauvoir escreveu sobre o mês que os dois passaram em Cuba em março de 1960: "Pela primeira vez em nossa vida éramos testemunhas de uma felicidade que fora conquistada pela violência; nossas experiências anteriores, sobretudo a Guerra da Argélia, só nos haviam revelado a violência sob sua imagem negativa: a rejeição do opressor".[19] Sartre observou que Cuba passava pela "lua de mel da Revolução", e apontou os sinais da stalinização iminente; mas ele também ficou extasiado com a aparente ausência de qualquer burocracia em Havana, apenas "uma relação direta entre dirigentes e povo". Em 15 de agosto eles foram de avião para o Brasil, onde passaram três meses em uma turnê liderada pelo romancista Jorge Amado. Aonde quer que Sartre fosse, denunciava a Guerra da Argélia e defendia a FLN, na cara de uma comunidade de expatriados franceses que o desprezava; nas palavras de sua biógrafa Annie Cohen-Solal, Sartre era "o mais honesto e o mais veemente contraembaixador da República francesa". Em Copacabana, um representante do GPRA[20] lhe mostrou cópias falsas do jornal que Fanon editava, *El Moudjahid*, criadas pelo Departamento de Psicologia da Inteligência Francesa.

Pouco depois de sua chegada ao Brasil, Sartre e Beauvoir ficaram sabendo a partir de Lanzmann que a polícia prendera diversos membros do grupo de Jeanson, ainda que o próprio tivesse escapado da captura e ido para a clandestinidade. Em 6 de setembro, os dois assinaram uma carta aberta sobre "o direito de insubordinação na Guerra da Argélia" no jornal antiguerra *Vérité-Liberté*. O "Manifesto dos 121", redigido por um grupo de intelectuais liderado pelo filósofo Maurice Blanchot, instava o governo francês a reconhecer a independência argelina, denunciava a tortura e defendia o direito à objeção consciência. Entre seus 121 signatários estavam os romancistas Marguerite Duras, Alain Robbe-Grillet e Nathalie Sarraute; o diretor de cinema Alain Resnais; o compositor Pierre Boulez; a atriz Simone Signoret; e o escritor Édouard Glissant, amigo martinicano de Fanon. Muitos outros pediram para ter os nomes acrescentados, mas o editor, Jérôme Lindon, parou nos 121 porque achou que "soava bem". O Partido Comunista, ansioso como sempre para não alienar a classe trabalhadora francesa, se opôs ao *Manifeste des 121*, insistindo que os conscritos esquerdistas deveriam promover a revolução dentro do Exército, e não desertar seus postos.

O *Manifeste* foi publicado no dia seguinte ao início do julgamento de Jeanson em um tribunal militar na Rue du Cherche--Midi, a mesma rua em que o julgamento de Dreyfus acontecera setenta anos antes. Os advogados de defesa esperavam que Sartre comparecesse, mas ele se recusou a abandonar seus compromissos no Brasil, muitos em nome da Argélia. Por telefone da Bahia, ele ditou a Lanzmann e Péju sua declaração ao tribunal, que foi publicada no *Le Monde* em 22 de setembro.

Na declaração, Sartre entrelaçou habilmente os temas do protesto dreyfusard e da resistência terceiro-mundista, exibindo seu talento único para transcender as divisões entre oponentes patrióticos à tortura e os apoiadores radicais da FLN, tornando-se assim um elemento fundamental de unidade da esquerda. (Como ele havia observado sobre Richard Wright,

Sartre tinha um dom para falar com uma "audiência dividida".)
A independência argelina, disse, "é certa". Ele continuou:

> O que não é certo é o futuro da democracia na França. Pois a guerra da Argélia apodreceu este país. A progressiva diminuição das liberdades, o desaparecimento da vida política, a generalização da tortura, a insurreição permanente do poder militar contra o poder civil, marcam uma evolução que podemos, sem exagero, qualificar de fascista.[21]

A esquerda continuaria "impotente", ele argumentou, a não ser que ela se unisse à "única força que hoje realmente luta contra o inimigo comum das liberdades argelinas e das liberdades francesas. E essa força é a FLN. Essa era a conclusão a que Francis Jeanson tinha chegado, e é também à que eu cheguei". Os *porteurs des valises* não estavam simplesmente ajudando um "povo oprimido"; estavam também "trabalhando para si mesmos, para sua liberdade e seu futuro. Eles estão trabalhando para o estabelecimento na França de uma verdadeira democracia". Se Jeanson tivesse lhe pedido para carregar malas ou hospedar militantes argelinos, ele "o teria feito sem hesitação". O que o governo francês chamava de "traição" era uma forma mais elevada de patriotismo.

Algumas semanas depois, milhares de manifestantes de direita lotaram a Champs-Élysées entoando "Atirem em Sartre!". Quando ele e Beauvoir voltaram para a França em novembro, Lanzmann os aconselhou a ir de carro para a Espanha; de outro modo seriam importunados, se não atacados, por ultras da *Algérie française* que os esperavam no aeroporto. Longe de ficar mortificado por essa hostilidade, Sartre foi impelido por ela; aos 55 anos, ele nunca parecera mais jovem. Em seus escritos sobre Nizan e a Guerra Argelina, em seu projeto de fundir existencialismo e política radical, e em seu desafio público ao próprio governo, ele reavivara sua rebeldia juvenil e se tornara um símbolo da Nova Esquerda da França: independente de um Partido Comunista Stalinista, impetuosamente anticolonial, inspirada pela comoção revolucionária no Terceiro Mundo. Fora do Ocidente, o prestígio moral de Sartre era sem-par. Para intelectuais em países que tinham lutado para se libertar da dominação colonial, ele parecia milagrosamente não contaminado pelo paternalismo — e a hipocrisia — de seus colegas da esquerda europeia.

Fanon vinha observando cada movimento de Sartre, satisfeito com o fato de que o filósofo estava mudando de posição, que seus caminhos para a liberdade estavam por fim se cruzando. Em *Pele negra, máscaras brancas*, Fanon se perguntara onde sua luta contra a dominação racial e a alienação convergia com o socialismo existencialista de Sartre. Agora ele tinha a resposta: na luta de libertação nacional da Argélia.

Em 7 de abril de 1961, Fanon escreveu para Maspero que *Os condenados da terra* estava avançando e acrescentou, em uma letra que claramente tinha se deteriorado: "Peça a Sartre para me prefaciar. Diga-lhe que penso nele sempre que sento à minha mesa. [...] Com amizade o seu, F. Farès".[22] Sartre não precisaria de muito convencimento. Lanzmann já lhe dissera como estava "arrebatado" por Fanon, e em maio de 1961, a *Les Temps Modernes* publicou o ensaio "Sobre a violência" de Fanon, que se tornaria o primeiro capítulo de *Os condenados da terra*. De acordo com Beauvoir: "Sartre percebera em Cuba a verdade daquilo que Fanon dizia: o oprimido sorve na violência a sua humanidade. Concordava com o livro: um manifesto do Terceiro Mundo extremado, íntegro, incendiário, mas também complexo e sutil".[23]

Quando Lanzmann ficou sabendo que Fanon seguia para a Itália para um tratamento termal no início de agosto, ele o convidou para se encontrar com Sartre e Beauvoir em Roma, agora o refúgio do casal longe de Paris, onde Sartre recebera ameaças de morte da OAS. Depois de uma semana de tratamentos para reumatismo no balneário de Abano Terme, Fanon chegou a Roma em uma sexta-feira. Na estação de trem, Sartre e Beauvoir o avistaram carregando sua bagagem, com (nas palavras de Beauvoir) "gestos bruscos, o rosto agitado e o olhar à espreita".[24] No carro, ele "falou febrilmente", prevendo que nas próximas 48 horas o Exército francês invadiria a Tunísia, e que sangue seria derramado. Suas angústias não eram insensatas. No fim de julho, uma pequena guerra entre a França e a Tunísia irrompera em Bizerte, um porto estratégico no Mediterrâneo; cinco anos depois da independência o governo francês continuava a manter uma base naval como parte de suas operações dentro da Argélia. Depois que forças tunisianas bloquearam a base na esperança de obrigar a França a finalmente evacuar, o Exército francês lançou uma invasão em grande escala;[25] em três dias, 27 soldados franceses e mais de seiscentos tunisianos estavam mortos.

No almoço, Fanon e Sartre começaram sua discussão, enquanto Beauvoir e Lanzmann ouviam. A conversa foi até duas horas da manhã, quando Beauvoir gentilmente a interrompeu para que Sartre pudesse dormir um pouco. "Eu não gosto de pessoas que poupam energia", cutucou Fanon. Ele manteve Lanzmann acordado até as oito. Fanon ficou até o domingo, quando tomou o trem de volta para Abano Terme. Sartre, que estava acostumado a escrever diariamente, nunca apanhou a caneta nesses dias, tão fixado estava na companhia de Fanon; Lanzmann nunca o vira "tão encantado, tão cativado por um homem".

Fanon parece não ter poupado detalhes de sua história de vida, dos males que sofrera como vítima de racismo na faculdade de medicina a seu trabalho como psiquiatra em Blida, de seu envolvimento com a FLN em Túnis a suas aventuras no

Congo. Durante os três dias com o convidado de Túnis, Sartre e Beauvoir mal saíram do apartamento. No livro de memórias de Beauvoir *A força das coisas*, o encontro de Roma sugere uma cena de uma versão anticolonial da peça de Sartre *Entre quatro paredes*, cujos três personagens se veem trancados em um mesmo cômodo para sempre. Fanon nunca fora grande coisa como dramaturgo, mas se tornara ator em um palco muito maior e mantivera seu sentido teatral. Em Roma, fez a atuação de uma vida:[26] o monólogo de um revolucionário negro jovem e à beira da morte, encenado diante de um homem branco mais velho que compartilha de suas convicções mas se recusa a cortar seus laços com a sociedade que condena.

Parecia a Beauvoir — assim como a Manuellan — que Fanon estava assombrado pela consciência de sua própria morte. Sua visão política era catastrofista, ainda que as perspectivas da Argélia, admitia ele, não fossem inteiramente desoladoras. O nacionalista moderado Ferhat Abbas, observou ele com aprovação, fora substituído como presidente do GPRA pelo mais radical Benyoucef Benkhedda, ex-tenente de Abane. A independência era iminente; apenas seus termos ainda estavam por ser resolvidos pelas negociações em Évian. Mas ele previu que os dias por vir seriam terríveis, que meio milhão de pessoas, até 1 milhão, morreriam antes de a guerra terminar. Beauvoir sentiu que Fanon, "partidário da [mesma] violência" que "lhe causava horror",[27] estava em guerra consigo mesmo: "seus traumas alteravam-se quando ele evocava as mutilações infligidas pelos belgas aos congoleses, e pelos portugueses aos angolanos", mas também "quando falava das 'contraviolências' dos negros e dos duros acertos de contas que a Revolução Argelina implicara". Fanon, além disso, culpava-se por seu horror à violência, como se ela refletisse a fraqueza vergonhosa de um intelectual de classe média, ou talvez a máscara branca que ele ainda lutava para expurgar. Ele disse a Beauvoir que "tudo o que escrevera contra os intelectuais, escrevera-o contra si mesmo".

Como Harbi, Beauvoir ficou impressionada de como ele "desejava apaixonadamente enraizar-se". Ela escreveu: "Reafirmava sem tréguas o seu compromisso: o povo argelino era o seu povo [...] sobre as dissensões, as intrigas, as liquidações e as oposições que mais tarde iriam provocar tantas agitações, Fanon sabia muito mais do que podia dizer". Aqueles "segredos sombrios, e talvez também hesitações pessoais, davam às suas palavras um tom enigmático, obscuramente prático e atormentado". Às vezes, Sartre e Beauvoir tinham a impressão de que Fanon inflava suas contribuições e "falava como se o GPRA fosse ele só". Eles ficaram surpresos com sua jactância e não entendiam por que um homem de sua estatura no movimento argelino precisava recorrer à hipérbole. No entanto, Fanon não fazia segredo das fontes de sua culpa, ainda que estivesse pouco disposto a explicitar a natureza de sua responsabilidade. "Tenho na memória", disse ele, "duas mortes pelas quais não me perdoo: a de Abane e a de Lumumba." Se os tivesse forçado a seguir seu conselho, poderiam ainda estar vivos, ele acreditava.

Fanon parecia decididamente mais relaxado quando falava sobre questões filosóficas com Sartre. Mas não estava interessado em conversa fiada, e expressou indiferença, até irritação, quando Sartre e Beauvoir o levaram a uma trattoria onde esperavam que pudesse relaxar: o passado europeu, os confortos da vida burguesa, havia muito tinham deixado de ter importância para ele. Por mais que criticassem as ações de seu próprio governo, Sartre e Beauvoir continuavam ligados a um mundo a que ele renunciara. "Fanon, no entanto, não esquecia que Sartre era francês, censurando-o por não expiar suficientemente essa culpa", lembrou Beauvoir. Ele criticou Sartre por ter continuado no Brasil durante o julgamento de Jeanson, em vez de ter voltado para a França para se dirigir ao tribunal militar em pessoa e enfrentar a prisão. "Temos direitos sobre você", disse ele. "Como pôde continuar a viver normalmente, a escrever?" Ele se perguntava por que Sartre não podia seguir o exemplo dado por Fernand Iveton, um membro *pied-noir* da FLN que fora para a guilhotina na prisão de Barberousse em Argel em 1957.* Beauvoir teve a impressão de que Fanon "vivia num mundo diferente do nosso".

No entanto, apesar de todas as exigências que Fanon levantava, seu propósito não era acusar Sartre, mas conquistá-lo, uma vez que um prefácio do filósofo mais famoso do mundo faria maravilhas por seu livro. Dez dias depois do primeiro encontro entre eles, Fanon passou por Roma de novo e voltou a visitá-lo. Ele ainda estava ressentido por uma interação com uma camareira em seu hotel em Abano Terme. "É verdade o que dizem sobre você?", perguntara ela. "Que você odeia os brancos?" Mais valia tê-lo chamado de *nègre*. Tornar-se um argelino não o isolara das indignidades de ser um homem negro no Ocidente, nem todas as suas conquistas ou seu prestígio internacional. Em um momento ele estava falando com um filósofo distinto; no outro a pessoa que limpava seu quarto de hotel lhe pedia para prestar contas de si mesmo. Mais uma vez, seu ódio contra o racismo fora mal interpretado como ódio contra os brancos, quando o problema fundamental, disse ele a Sartre e Beauvoir, era que os brancos tinham "um horror fisiológico dos negros".

Na presença de Fanon, escreveu Beauvoir, "a vida parecia uma aventura trágica, muitas vezes horrível, mas de um valor infinito". Como Sartre, ela estava arrebatada por seu "poder

* "A vida do homem, minha própria vida, importa pouco", Iveton supostamente declarou antes de ser executado. "O que importa é a Argélia e seu futuro. E a Argélia estará livre amanhã. Estou convencido de que a amizade entre os franceses e os argelinos um dia será reparada."

de evocação, a rapidez e a audácia do seu pensamento". Lembrou ela: "Quando eu apertava sua mão febril, pensava tocar a paixão que o queimava". Fanon, por sua vez, estava um tanto irritado por ter de dividir Sartre com Beauvoir e Lanzmann — "Queria ter tido um momento sozinho com ele",[28] disse a Alice Cherki —, mas desfrutou de suas interações em Roma. Ele disse a Lanzmann: "Eu pagaria vinte mil francos para falar com Sartre da manhã à noite durante quinze dias".[29]

# 16.
# Voz dos condenados

Fanon terminou de ditar seu novo livro, ainda intitulado "Alger-Le Cap", a Marie-Jeanne Manuellan em julho de 1961. Um mês depois, ele escreveu para François Maspero lhe pedindo para "examinar com cuidado a questão da distribuição. Entre outras partes, para a África e para a América Latina. [...] Penso ser necessário publicar não menos do que 10 mil exemplares. Os *milieus* políticos do Terceiro Mundo estão esperando fervorosos esse livro".[1] Ele também revelou seu novo título: *Les Damnés de la terre* [*Os condenados da terra*]. Tinha sido tirado de um poema de Jacques Roumain, um marxista haitiano que morrera de uma doença em 1944, aos 37 anos — um ano mais velho do que Fanon era na época. O título do poema, "Sales nègres" [Negros imundos], expressava fortemente a raiva dos sujeitos colonizados da França depois dos sacrifícios que haviam feito na Segunda Guerra Mundial. Os negros, proclama Roumain, não tolerarão mais serem "seus *nègres*/ seus *niggers*" (palavra que usa em inglês), nem aceitarão mais ordens de atirarem em árabes na Síria, na Tunísia e no Marrocos, ou "camaradas brancos" que são "desprezados como nós". Em uma imagem de uma batalha final, ele visualiza uma "safra de vingança" se estendendo das "minas de ouro do Congo" às "plantações de algodão da Louisiana" e os "campos de cana-de-açúcar nas Antilhas", na qual aos negros se juntam indochineses, árabes, malaios, judeus e proletários igualmente "imundos":

*E cá estamos de pé*
*todos os condenados da terra*
*todos os justiceiros*
*marchando para atacar seus quartéis*
*e seus bancos*
*como uma floresta de tochas fúnebres*
*para acabar de*
*uma*
    *vez*
        *por*
            *todas*
*com este mundo*
*de negros*
*de niggers*
*de negros imundos.*[2]

Fanon pode ter se tornado um argelino em Túnis, mas continuou sendo um leitor atento de poesia antilhana, e ficou obviamente comovido com as cadências insurrecionais do poema de Roumain.\* Essa também era a voz de Fanon, em *Os condenados da terra*, e ela levava a marca de sua experiência antilhana, tanto em sua representação dos colonizados como os "escravos dos tempos modernos"[3] quanto em seu alerta de que sem uma revolução social, os outrora "nativos" nunca superariam "a supremacia dos valores brancos" — tal qual qualquer ex-escravizado das Antilhas depois da abolição. Em suas viagens na África Ocidental, Fanon tinha visto que a descolonização poderia resultar naquilo que ele chamou de "formalismo esterilizante", com uma elite nativa preenchendo os postos

---

\* Roumain certamente estava a par da alusão aos "condenados da terra" no hino revolucionário de 1871 "L'Internationale", um canto popular do movimento operário francês — uma ressonância extra que não poderia ter passado em branco por Fanon, no fundo, um jacobino negro de coração.

desertados pelos colonizadores e governando com mínima — e às vezes menos do que isso — preocupação com as massas. Aquele formalismo esterilizante tinha sido o destino das antigas colônias francesas, incluindo a Martinica. Ele escreveu *Os condenados da terra* para soar um alarme sobre esses "mimetismos nauseabundos" do governo colonial sob a bandeira da independência.

Sentado em sua cama em El Menzah, Fanon leu excertos do livro para Alice Cherki, Charles Geronimi, e Pierre e Claudine Chaulet. Mais tarde Claudine disse que as leituras à beira da cama de Fanon a lembravam de um "grande herói clássico que foi ferido em batalha". *Os condenados da terra* era seu último testamento, oferecendo mais elaborações sobre suas ideias com relação à consciência nacional e à Négritude; à luta armada e à "espontaneidade revolucionária" do campesinato; e, mais amplamente, à jornada difícil de libertação rumo à verdadeira liberdade. Ele era destinado a seus "irmãos" e pretendia ser um manifesto, mas refletia a personalidade tempestuosa e muitas vezes contraditória que Beauvoir e Lanzmann haviam evocado em suas descrições de Fanon. O livro unia ideias analíticas pungentes com teatralidade militante, alertas apocalípticos e projeções extremamente utópicas, uma fé apaixonada na violência como meio de conquistar liberdade, e uma consciência lúcida dos perigos que a violência apresentava à saúde mental e à minuciosa tarefa de desalienação do psiquiatra. Fanon não tentou resolver essas tensões em seu livro, não mais do que fez em sua vida. Acabou por se mostrar uma obra profética, mas nem sempre pelas razões que ele imaginava.

Como outros panfletos políticos — *Contrato Social* de Rousseau, *Senso comum* de Tom Paine, *Manifesto Comunista* de Marx e Engels — o livro de Fanon contava uma história. Seu tema era o despertar psicológico e político dos colonizados enquanto eles se tornavam um movimento (um grupo em fusão sartriano) sob a liderança de partidos revolucionários e se lançavam às armas em sua própria defesa. Fanon não foi o primeiro escritor a descrever a descolonização como uma luta de soma zero entre o colonizador e o nativo. Memmi, como vimos, apresentou um argumento semelhante em *Retrato do colonizado precedido do retrato do colonizador*. Mas Fanon interpretou essa luta com força incomparável, como uma luta épica e inexorável contra a "violência atmosférica" cujo resultado foi a destruição do mundo colonial dominado pelo Ocidente, e da cultura e dos valores que o sustentavam. Com seus "estômagos minguados",[4] Fanon escreveu, as massas do Terceiro Mundo haviam mapeado a "geografia da fome" e posto em evidência a opulência "escandalosa" do Ocidente, "construída sobre as costas dos escravos". Isso era inteiramente consistente com os argumentos de Sartre sobre colonialismo e escassez em *Critique*. Fanon continuou:

> A Europa é, literalmente, a criação do Terceiro Mundo [...]. E quando ouvimos um chefe de Estado europeu declarar, com a mão no coração, que tem o dever de ajudar os infelizes povos subdesenvolvidos, não estremecemos de gratidão. Ao contrário, dizemos a nós mesmos: "É uma reparação justa".[5]

Reparações tinham um precedente recente, observou ele: depois da Segunda Guerra Mundial, os governos das nações ocupadas pelos nazistas exigiram compensação financeira da Alemanha, bem como a restituição de "tesouros culturais, quadros, esculturas e vitrais". As antigas colônias, pilhadas por "capitalistas [europeus que] se comportaram no mundo subdesenvolvido como verdadeiros criminosos de guerra", também tinham reivindicações fortes: "A riqueza dos países imperialistas também é nossa riqueza".[6] Engavetando as dúvidas sobre o valor da justiça retroativa que expressara em *Pele negra, máscaras brancas*, Fanon insistiu que o Ocidente tinha a obrigação de apoiar o desenvolvimento de suas antigas colônias, não apenas para o bem delas mas para "reabilitar o homem, e fazê-lo triunfar por toda parte". A persistência das desigualdades originadas da escravidão e do colonialismo, não a rivalidade entre os blocos comunista e capitalista, era o "o problema fundamental da era contemporânea". A Guerra Fria, argumentou ele, era meramente um espetáculo secundário às margens de uma luta épica que prometia redimir séculos de exploração colonial. Onde Memmi descrevera o nascimento de novos Estados-nações, Fanon viu o despertar de um novo mundo.

Fanon tirou uma grande variedade de exemplos da África, da Ásia, da América Latina e, é claro, da Argélia. Nenhum foi explorado em detalhes, e o resultado em *Os condenados da terra* é uma representação geral de um Terceiro Mundo monolítico. Mas apesar de toda a perda no que diz respeito à especificidade, em compensação há uma representação coerente das revoltas anticoloniais como uma sequência histórica indivisível, da qual os combatentes da FLN foram a vanguarda, e os rebeldes negros das Antilhas, os precursores. *Os condenados da terra* é de muitas formas uma união em prosa dos dois lugares que formaram a imaginação política de Fanon: a Martinica e a Argélia. O que Beauvoir elogiara em Roma como o "poder de evocação" de Fanon nunca tinha sido exposto de forma tão magistral. *Os condenados da terra* foi o livro mais manifestamente polêmico de Fanon; também foi, por paradoxo, seu livro mais literário.

Ele começa com uma descrição instigante, rica em anáforas, da cidade colonial como uma confrontação maniqueísta entre suas duas *villes* (cidades) separadas. Fanon repete a palavra *ville*[7] nada menos do que dezoito vezes, em uma passagem que capta o abismo econômico entre colono e nativo, os espaços drasticamente segregados que ocupam, as subcorrentes eróticas de poder e inveja que definem a relação dos dois:

> A zona habitada pelos colonizados não é complementar à zona habitada pelos colonos. Essas duas zonas se opõem, mas não a serviço de uma unidade superior. Regidas por uma lógica puramente aristotélica, elas obedecem ao princípio de exclusão recíproca: não há conciliação possível, um dos termos está sobrando. A cidade do colono é uma cidade de material resistente, toda de pedra e de ferro. É uma cidade iluminada, asfaltada, em que as latas de lixo transbordam sempre de restos desconhecidos, jamais vistos, nem sonhados. Os pés do colono nunca estão à mostra, exceto talvez dentro do mar, mas ninguém jamais chega perto deles. São pés protegidos por calçados sólidos, enquanto as ruas da sua cidade são limpas, lisas, sem buracos, sem pedras. A cidade do colono é uma cidade farta, indolente, sua barriga está permanentemente repleta de coisas boas. A cidade do colono é uma cidade de brancos, de estrangeiros.
>
> A cidade do colonizado, ou pelo menos a cidade indígena, a aldeia dos pretos, a médina, a reserva, é um lugar mal-afamado povoado de homens mal-afamados. As pessoas ali nascem em qualquer lugar, de qualquer jeito. E as pessoas ali morrem em qualquer lugar, de qualquer coisa. É um mundo sem intervalos, os homens se apertam uns contra os outros, as cabanas umas contra as outras. A cidade do colonizado é uma cidade faminta, faminta de pão, de carne, de calçados, de carvão, de luz. A cidade do colonizado é uma cidade acocorada, uma cidade ajoelhada, uma

cidade estendida no chão. É uma cidade de pretos, uma cidade de *bicots*. O olhar que o colonizado lança à cidade do colono é um olhar de luxúria, um olhar de inveja. Sonhos de posse. Todos os modos de posse: sentar-se à mesa do colono, dormir na cama do colono, com a mulher do colono, se possível. O colonizado é um invejoso. O colono sabe disso, pois, quando lhe surpreende o olhar evasivo, constata amargamente, ainda que em estado de alerta: "Eles querem tomar o nosso lugar". É verdade: não há um único colonizado que não sonhe pelo menos uma vez por dia em se instalar no lugar do colono.[8]

Na explicação de Fanon, colono e nativo se conhecem muito bem; de fato, um não existiria sem o outro: "Assim como o racista cria seu inferior, é o colonizador que cria o 'nativo'". No mundo dicotomizado do colonialismo do colono, o que determina o lugar de alguém é "antes de mais nada o fato de pertencer a tal espécie, a tal raça. Nas colônias, a infraestrutura econômica é igualmente uma superestrutura. A causa é consequência: a pessoa é rica porque é branca, é branca porque é rica. É por isso que as análises marxistas devem ser sempre ligeiramente flexibilizadas a cada vez que se aborda o problema colonial".[9] Para o colonizado, o desejo não é simplesmente uma questão de querer o que não tem, o que Sartre chamou de "escassez". É uma questão de querer o que outros — os estrangeiros, os colonizadores — lhes tomaram, a começar por sua terra.

Em uma das passagens mais impressionantes do livro, Fanon argumenta que o colonialismo de povoamento não apenas priva as pessoas de suas terras mas também as transforma em uma característica desumanizada *da* terra. "Os argelinos, as mulheres de haique, os palmeirais e os camelos", escreve ele, "formam o panorama, o pano de fundo *natural* da presença humana francesa." A "natureza hostil, difícil, profundamente rebelde" da terra que foi ocupada é "representada nas colônias pela brousse, pelos mosquitos, pelos nativos e pelas febres. [...] Estradas de ferro através da brousse, drenagem dos pântanos, inexistência política e econômica do indigenato são, na realidade, uma única e mesma coisa". Todos estão sujeitos ao que Theodor Adorno e Max Horkheimer, no estudo clássico de 1947, *Dialética do esclarecimento*, chamaram de "razão instrumental", subjugados e transformados em objeto para o bem da produção, da eficiência e do lucro.

Em contraste com os pensadores lúgubres da Escola de Frankfurt, Fanon destacou as resistências ao raciocínio instrumental ou colonial, e as localizou, sobretudo, nos *corpos* dos colonizados. Na imaginação colonial, os nativos mal existiam a não ser como corpos exploráveis, no entanto, esses exatos corpos sabem algo que os colonizadores tenazmente negam: ou seja, que são mais do que corpos; são seres humanos, com histórias próprias e a mesma capacidade de liberdade que seus opressores. O que os colonos enxergam como "indolência" é, na verdade, "a sabotagem consciente da máquina colonial; é, no plano biológico, um sistema de autoproteção notável".

Em *Pele negra, máscaras brancas*, Fanon escrevera que na imaginação racista o negro representa "o biológico", uma proximidade a impulsos naturais que os brancos preferem negar. Aqui ele defendeu um argumento similar sobre a "animalização" dos nativos pela comunidade colonizadora. "A linguagem do colono, quando fala do colonizado, é uma linguagem zoológica",[10] escreve ele, evocando os "movimentos de reptação dos amarelos, às emanações da cidade indígena, às hordas, ao fedor, à pululação, ao fervilhamento, às gesticulações". Ao tentar descrever o colonizado, o colono está sempre lançando mão do "bestiário". Isso não é dizer que o colonizado internaliza ou "epidermaliza" essa visão deles mesmos, como Fanon havia sugerido sobre os antilhanos. Ao contrário, ele argumenta que o colonizado não tem ilusão alguma quanto ao que o colono pensa dele, e "dá uma boa risada a cada vez que se descobre como animal nas palavras do outro, pois ele sabe que não é um animal. E, precisamente, enquanto descobre sua humanidade, ele começa a polir suas armas para fazê-las triunfar".[11]

Quando a luta de independência irrompe, "O homem colonizado se liberta na e pela violência". A violência, nessa visão, não é simplesmente um instrumento, um meio para um fim; é uma ferramenta epistemológica. Quando o colonizado ataca o colonizador — como fizeram em Sétif e Philippeville — a selvageria da resposta colonial ergue o véu da ordem colonial impassiva, revelando a violência que mantém os "nativos" em seu lugar. É a violência que permite que os colonizados "decifrem a realidade social. [Ela] lhes dá a chave para essa decifração".

A atração de Fanon pela violência refletia seu histórico como ex-soldado e como antilhano que havia muito acreditava que a Martinica falhara em obter liberdade genuína porque a abolição havia sido oferecida pelos franceses, e não arrancada deles como no Haiti. Além do mais, a luta a que ele se unira na Argélia estava entre as guerras de libertação nacional mais violentas do século XX, emparelhada apenas com a do Vietnã. Mas o interesse de Fanon na violência também refletia sua formação em psiquiatria, especialmente sua leitura da obra de Adler sobre agressão. No trabalho com seus pacientes na Argélia, ele descobriu uma sociedade em que os instintos agressivos dos colonos tinham rédeas soltas, enquanto os dos nativos eram de todo minados. O colono era um "exibicionista" que constantemente lembrava os nativos de seu poder em mostras ou ameaças de violência; o nativo era um invejoso, um subalterno imobilizado cuja inabilidade de expressar raiva o deixava em um estado permanente de tensão muscular. Não era apenas a economia política do colonialismo que era injusta, mas também a economia libidinal.*

Se a violência não era um dos excessos do colonialismo de povoamento, mas sua essência e garantia máxima, e se o deslindar do sistema só podia ser um processo violento, o que poderia ser dito de útil sobre o desenvolvimento dos impulsos violentos no colonizado, sobre os desejos de vingança em seus devaneios de deflagrar uma luta armada organizada? É claro que não se tratava de uma agressão não provocada, mas isso não queria dizer que ela era inerentemente boa ou nobre. Fanon não tinha ilusões de que os colonizados eram por natureza mais virtuosos do que seus opressores: eles eram seres humanos com a mesma capacidade de agressão. "O colonizado é um perseguido", observa ele, "que sonha permanentemente em se tornar perseguidor."

A vida de sonho da opressão colonial, o inconsciente coletivo dos colonizados, é o tema de "Sobre a violência", o capítulo de abertura (e o mais conhecido) de *Os condenados da terra*:

> A primeira coisa que o nativo aprende é a ficar no seu lugar, a não ultrapassar os limites. Por isso, os sonhos do nativo são sonhos musculares, sonhos de ação, sonhos agressivos. Eu sonho que salto, que nado, que corro, que subo. Sonho que dou gargalhadas, que atravesso o rio de uma pernada, que sou perseguido por frotas de carros que nunca me alcançam. Durante a colonização, entre as nove da noite e as seis da manhã o colonizado não para de se libertar.[12]

---

* Fanon observa que um dos traços característicos "das sociedades subdesenvolvidas é que a libido é antes de tudo uma questão de grupo, de família" — prova, acrescenta ele, de que essas sociedades "atribuem uma grande importância ao inconsciente".

A agressividade do colonizado, "sedimentada nos seus músculos",[13] é inicialmente voltada para dentro, na violência e no crime contra seu próprio povo, em guerras entre "tribos" e outras "lutas tribais". O colonizado também perde de vista o inimigo, os colonos, ao encontrar refúgio na religião, no "fatalismo", ou participar de "danças que podem levar ao êxtase", uma "orgia muscular no decorrer da qual a agressividade mais aguda e a violência mais imediata são canalizadas, transformadas, escamoteadas". O colonialismo, observou Fanon, pode coexistir facilmente com cerimônias de possessão e superstição religiosa. E desde que esses crimes e violência estivessem confinados à "cidade do negro" ou à casbá, eles eram caso de polícia, não uma ameaça ao sistema: quando muito, ofereciam uma prova bem-vinda da criminalidade e primitividade inerente dos "nativos".

A certa altura, no entanto, "Depois de anos de irrealismo, depois de ter se deleitado nas fantasias mais surpreendentes",[14] o colonizado passaria a ter "uma consciência muito aguda do que não possui" — da penúria física e da alienação mental impostas pelo colonialismo — e pegaria em armas contra "as únicas forças que negavam seu ser: as do colonialismo". Crime, danças que levam ao êxtase, guerra tribal: todas essas distrações desaparecem sob a força desalienadora da luta. E assim, "por uma irônica inversão das coisas", agora é a vez do colonizado dizer que o colonizador "só entende a linguagem da força".[15]

Os estágios iniciais da descolonização, no prognóstico de Fanon, seriam atrapalhados e cruéis; o colonizado ataca cegamente qualquer um que pertencer à população colonizante (como fizeram em Philippeville). Aqueles que foram desprezados como *nègres* ou *bougnoules* imundos naturalmente entenderiam sua luta, a princípio, como uma guerra racial, e como uma guerra por todas as coisas que seus senhores brancos lhes negaram: terra, educação, o direito de afirmar suas línguas e culturas. "O racismo antirracista e a vontade de defender a própria pele que caracteriza a resposta do colonizado à opressão colonial", escreve ele, são, "é claro, razões suficientes para se engajar nessa luta."[16] Mas como a Négritude, eles representam um momento de passagem, porque "não se suporta uma repressão enorme, não se assiste ao desaparecimento de toda a sua família para que o ódio ou o racismo triunfe". Sob uma liderança revolucionária, o colonizado se daria conta de que nem todos os colonos são seus inimigos, e nem todos os nativos são seus aliados. Superar o "racismo antirracista" do colonizado não seria fácil, alerta ele: retaliações coloniais reintroduziriam "elementos emocionais na luta" e dariam "ao militante novos motivos de ódio, novas razões para partir em busca do 'colono para matar'". Mas uma liderança visionária se daria conta de que "o ódio não poderia constituir um programa". Uma luta nacional que era originalmente arraigada na estrutura de identidade do "nós e eles" e motivada por um desejo compreensível de acerto de contas evoluiria então para uma revolução social mais inclusiva, e um ataque a todas as formas de privilégio e ganhos ilícitos — incluindo os da burguesia nativa.

Como isso aconteceria, Fanon não explicou. Ele também não mencionou que em países muçulmanos colonizados por europeus, o islã — longe de ser colocado em seu lugar ou se dissolvido — havia assumido um significado maior como uma afirmação de identidade anticolonial. Mas ele deixou claro que nem os "escravos forros"[17] da classe média nativa (código para os políticos muçulmanos reformistas da Argélia) nem a classe trabalhadora urbana "relativamente privilegiada" (o grupo ungido pelo Partido Comunista) eram qualificados para liderar. As únicas forças revolucionárias eram aqueles mais oprimidos pelo colonialismo: o campesinato, e os párias das cidades, o lumpemproletariado, os desempregados, os criminosos. "As prostitutas, as criadas de 2 mil francos, as desesperadas, todos aqueles e todas aquelas que transitam entre a loucura e o suicídio [...] [iriam] se pôr em marcha e participar, de modo decisivo, da grande procissão da nação que desperta."[18] Diferente das classes trabalhadoras, eles são impérvios à "moral do colonizador". "Ao contrário, assumem sua incapacidade de entrar na cidade de outra forma a não ser pela força da granada ou do revólver."

Havia uma ponta de verdade nessa fantasia. Alguns líderes da FLN, em especial Ali La Pointe, um dos líderes da Batalha de Argel, haviam começado como ladrões ou cafetões. (Yacef Saadi, que recrutou La Pointe e outros membros do submundo para a FLN, acreditava que os "analfabetos e os criminosos" eram "as primeiras vítimas do colonialismo", como explicou em um documentário da BBC de 1984.) Mas as pessoas sem uma participação na sociedade raramente rendem os revolucionários mais confiáveis. Era do mesmo *milieu* que as milícias *harki* — argelinos que lutavam com o Exército francês — costumavam ser recrutadas. Ainda assim, em sua celebração dos condenados nas favelas de Argel, Fanon alcançou um lirismo alucinatório digno de Genet. (Não surpreende que os Panteras Negras prestariam muita atenção a essas páginas ao organizar o lumpemproletariado afro-americano no que eles chamavam de favelas internamente colonizadas das cidades americanas.)

O argumento de Fanon a favor da violência era, em parte, uma defesa da decisão histórica da FLN de lançar uma luta armada no dia 1º de novembro de 1954 em oposição a Messali Hadj. No entanto suas observações sobre violência costumavam ser ricas e sugestivas. Como sempre no caso de Fanon, elas eram baseadas em uma mistura de análise clínica e inspiração literária. Para reforçar seu ponto de que a violência liberta a pessoa colonizada de "seu complexo de inferioridade, de suas atitudes contemplativas ou desesperadas",[19] ele citou uma longa passagem da peça de Aimé Césaire sobre uma revolta de escravizados, *E os cães deixaram de ladrar*, em que o protagonista, Rebelde, lembra como matou seu senhor. Ao entrar no quarto do senhor, ele o tranquiliza de que "era eu, era eu, sim, [...] bom escravo, o fiel escravo, o escravo escravo".[20] Então, Rebelde diz: "De repente seus olhos se transformaram em duas baratas transtornadas em dias de chuva... Golpeei, o sangue esguichou: é o único batismo de que me recordo até hoje". Fundamentalmente, esse embate sanguinário provoca duas mortes: um homem escravizado mata seu opressor e seu eu escravizado, saindo um homem livre.

Ao mesmo tempo, Fanon discute os méritos da violência em termos mais amplos como uma força de coesão social, vinculando o colonizado a um grupo em fusão, contra as táticas de dividir para governar do colonialismo: "A violência, em sua prática, é totalizante, nacional. Por esse motivo, traz no seu íntimo o aniquilamento do regionalismo e do tribalismo".[21] A luta armada unifica a população colonizada — antes uma massa não diferenciada de "nativos" enredados em desespero e fatalismo — atrás de um objetivo comum: a libertação nacional. Em um adendo sobre a violência no contexto internacional, ele descreve como a luta armada transformou os colonizados em "animais políticos no sentido mais global do termo". Eles já não são povos oprimidos implorando por compaixão, mas insurgentes, representados por líderes que devem ser levados em conta pelas potências maiores. Os "povos recém-independentes" agora têm "uma diplomacia em movimento, em fúria, que contrasta estranhamente com o mundo imóvel, petrificado da colonização".[22] (Alguns líderes do mundo colonial como Fidel Castro, observa ele, aparecem em trajes militares na ONU, mas isso "não escandaliza os países subdesenvolvidos", que entendem que jovens nações revolucionárias surgem de uma "atmosfera de campo de batalha".) O jogo virou: confrontado com o dinamismo das insurgências do Terceiro Mundo, o Ocidente parece estagnado e sonolento.

A defesa que Fanon faz da violência pode, às vezes, ser alarmante. Em uma passagem aterradora sobre a revolta dos Mau-Mau contra os britânicos no Quênia (1952-1960), ele escreve que "trabalhar significa trabalhar pela morte do colono",[23] e sugere que a participação na matança se torna um meio de "aqueles que se extraviaram, aos que foram proscritos, retornar, reencontrar o seu lugar, se reintegrar. Dessa forma, a violência é compreendida como a mediação régia" — uma atividade coesa para os rebeldes e seus apoiadores entre as massas. Mas é difícil ler essa passagem hoje sem pensar nos *génocidaires* de Ruanda, um grupo em fusão cujos membros também falavam sobre matar como um trabalho. Aqui estamos bem longe do Fanon de 1959 que escreveu que, uma vez que o país deles fosse descolonizado, os argelinos desejariam "descobrir o homem por trás do colonizador".[24]

O autor de *Os condenados da terra* era apenas nove anos mais velho do que o autor de *Pele negra, máscaras brancas*, mas já soa como um novo homem: de tom assertivo, até oracular, não mais um observador da luta de um povo, mas um pleno participante. Ele descreve o processo revolucionário como se fosse unilinear — ou melhor, argelino. Existe, ao que parece, apenas um modo de fazer uma revolução adequada, e é o modo do autor — da FLN. A dúvida e a autoperscrutação que Fanon expressou em "A experiência vivida do negro" havia evaporado. A força retórica de *Os condenados da terra* é inegável. No entanto, ele também tem, às vezes, a atmosfera de um documento oficial: uma mensagem para o príncipe, entregue por seu conselheiro mais virtuoso, incorrigível e onisciente.

Muitos dos primeiros leitores da obra expressariam horror quanto ao elogio da violência por parte de Fanon. "Um livro atroz", o romancista François Mauriac, um dos primeiros críticos da tortura na Argélia, declarou na *Paris Match*. Em sua resenha na revista semanal *L'Express*, Jean Daniel parabenizou Fanon por ter "realizado o sonho de sua vida: dar uma voz revolucionária ao Terceiro Mundo", e comparou seu livro "às grandes páginas de Lênin em *O Estado e a revolução*". Mas em seus diários ele expressou uma opinião diferente:

> Se *Os condenados da terra* se tornar um livro de referência para os grandes agitadores ou líderes, todo o Terceiro Mundo cairá em convulsões. Depois de ter julgado necessário matar colonialistas, eles vão achar essencial matar aqueles entre os seus que hesitarem em matar. Assassinato redentor será pior do que os crimes lógicos dos stalinistas [...] um livro terrível, terrivelmente revelador, um prenúncio terrível de justiça bárbara. Os discípulos desses argumentos serão assassinos tranquilos, carrascos justificados, terroristas com nenhuma causa além de afirmarem a si mesmos ao assassinar os outros. Se o branco tem de morrer para que o negro possa viver, voltamos ao sacrifício do bode expiatório.[25]

Os intelectuais da esquerda anticolonial também fizeram objeções à crença de Fanon na violência como uma "práxis absoluta" de libertação. "Quando um povo colonizado abandona *l'arme de la critique* [a arma da crítica] em favor da *critique des armes* [a crítica das armas]",[26] o filósofo Jean-François Lyotard observou, "ele não muda simplesmente de estratégia.

Ele destrói a própria sociedade em que vive, no sentido de que a rebelião elimina a relação social constitutiva daquela sociedade." A própria classe que Fanon ungia como o sujeito da história, o campesinato, estava fraturada demais para superar a crise da sociedade rural. A perturbação violenta da vida rural tinha menos propensão a produzir uma sociedade revolucionária do que, nas palavras de Lyotard, "uma sociedade em descalabro".[27] O marxista vietnamita Nguyen Khac Vien (escrevendo sob o pseudônimo de Nguyen Nghe) afirmou que Fanon ignorara "uma verdade fundamental: a saber a luta armada, embora de importância capital, não passa de um momento, uma fase no movimento revolucionário que é antes de tudo lugar político".[28] Em seu livro de 1969 *Sobre a violência*, Hannah Arendt defenderia um argumento parecido ao observar que "nenhum relacionamento humano poderá ser mais passageiro"[29] do que a fraternidade experimentada na guerra, a qual "só pode realizar-se em condições de perigo mortal e imediato".

O desconforto de críticos como Lyotard e Khac Vien era compreensível. A evocação que Fanon faz da desintoxicação por meio da violência é tão vívida que às vezes é difícil dizer se ele está transmitindo a euforia dos colonizados ou a sua própria. Ele certamente se identificava com a raiva de seus sujeitos, diante da humilhação colonial e da repressão assassina por parte da França da revolta argelina. Mas se ele defende a lógica e a necessidade de contraviolência por parte dos colonizados, também é explícito em suas críticas a uma política baseada em vingança: a obrigação do movimento revolucionário é voltar os impulsos violentos dos colonizados para objetivos pragmáticos, não fomentar carnificina ou ameaçar todos os membros da comunidade de colonos como alvos legítimos.

A aparente exaltação da violência nas páginas iniciais de "Sobre a violência" abre espaço para uma posição mais matizada do que críticos como Daniel — ou admiradores como Sartre — entendiam. E talvez mais qualificada do que o próprio Fanon estava disposto a admitir: parte de sua retórica incendiária parece destinada a alienar as "belas almas" da esquerda francesa. Como muitas vezes na escrita dele, é difícil delimitar a fronteira entre diagnóstico e prescrição, prestando-se a uma série de interpretações no que diz respeito a suas intenções. "Sobre a violência" pode ser lido como um relato fenomenológico e psiquiátrico da experiência vivida da luta armada ou como uma defesa apaixonada da luta armada enquanto um caminho autêntico e exclusivo para a libertação coletiva e individual — ou, talvez, mais precisamente, como uma combinação instável de ambos.

"Sobre a violência" conta uma história com apenas dois personagens: colonos e nativos. Essa simplificação radical é um gesto deliberado da parte de Fanon. Seu ponto é que uma vez que uma insurreição anticolonial é deflagrada, cada habitante em uma sociedade colonial de povoamento é forçado a se posicionar com relação à contradição primária do colonizador e do colonizado: não há meio-termo. O binarismo inflexível de "Sobre a violência", com sua visão de antigos nativos desintoxicados experimentando um renascimento como homens sobre os cadáveres de seus algozes coloniais é, além do mais, uma fonte de seu inquietante poder como *literatura*.

De fato, o capítulo talvez seja melhor lido como uma parábola hegeliana, na qual a dialética do Senhor e do Escravo é transposta para a luta do colonizador e do colonizado. Esse é muito o Hegel das palestras de Alexandre Kojève em Paris nos anos 1930, que embasaram *Pele negra, máscaras brancas*, com o *colonisé* (colonizado) e o *colon* (colono) — Fanon quase sempre se refere a eles no singular — como arquétipos unidos em uma contradição fatal. Refletindo a leitura que Kojève fez de *Fenomenologia do espírito*, o colonizado de Fanon conquista a liberdade e a autoconsciência quando envolve o colono em uma luta mortal. O elogio que Fanon faz da violência como o único modo de desfazer a dialética senhor-escravo encontrava eco um século antes no relato de Frederick Douglass de sua briga com o brutal feitor Edward Covey. Douglass escreveu sobre sua batalha com Covey em seu livro de memórias de 1845, *Narrativa da vida de Frederick Douglass*:

> Reacendeu as últimas cinzas agonizantes da liberdade e reavivou dentro de mim um senso da minha própria masculinidade. Reconvocou a autoconfiança que me abandonara e me inspirou mais uma vez a determinação de ser livre. A gratificação que me valeu aquele triunfo era compensação suficiente por tudo que poderia advir, mesmo a própria morte. [...] Eu nunca tinha me sentido daquele jeito. Foi uma ressurreição gloriosa — da tumba da escravidão para o paraíso da liberdade.[30]

Depois do confronto, Douglass sabia que podia ser um "ainda [...] escravo pela letra, [mas] jamais voltaria a sê-lo em espírito". Ele falou de uma ressurreição, e não de um batismo, a partir da morte social da escravidão, mas é impressionante como suas evocações de catarse psicológica pela violência eram similares às de Fanon.[31]

Há ecos posteriores dessa catarse — não como um encontro real mas como uma fantasia compensatória — nos escritos de Jean Améry, filósofo natural de Viena, nascido Hans Maier, que lutou na resistência belga até ser capturado pela Gestapo em 1943 e mandado para um série de campos de concentração, incluindo Auschwitz. "O olhar que voltávamos para a cidade da SS era também um olhar de 'inveja' e de 'luxúria'", escreveu Améry em 1969 em um ensaio sobre Fanon.[32] "Assim como o colonizado de Fanon, cada um de nós sonhava pelo menos uma vez ao dia em tomar o lugar do opressor. No campo de concentração como em um vilarejo 'nativo', a inveja se transformou em agressão contra outros prisioneiros." A violência revolucionária que Fanon abraçava, argumentou ele, "cria uma igualdade negativa, uma igualdade no sofrimento. A violência repressiva é a negação da igualdade e do homem. A violência revolucionária é acima de tudo *humana*". Essa humanização da fúria pode ter sido o que os leitores de Fanon acharam tão perturbador com relação a "Sobre a violência". Não menos alarmante, talvez, tenha sido o fato de que o capítulo veio da pena de um negro. Como Malcolm X disse sobre os Estados Unidos: "As únicas pessoas de que se exige que sejam não violentas neste país são os negros".

Como uma obra de fenomenologia, descrevendo a experiência vivida da descolonização, "Sobre a violência" captou vividamente o despertar coletivo entre os colonizados nos primeiros dias de uma insurgência: o modo como sonhos musculares e alucinatórios de potência eram canalizados para uma resistência organizada e violenta e dotados de um modelo nacional mais amplo por um movimento revolucionário. Menos persuasiva era a fé professada de Fanon nos efeitos duradouros — e redentores — da violência. Como Jean Khalfa, estudioso de Fanon, nos lembra, ele via a violência como uma espécie de terapia de eletrochoque,[33] como a ECT que usava com alguns de seus pacientes. Uma vez a consciência do colonizado "iluminada pela violência", Fanon nos garante, eles resistirão a "qualquer pacificação", e toda a "mistificação" por parte do colonizador "torna-se [...] praticamente impossível". Sua crença nas propriedades curativas da violência revelava uma fé improvável na possibilidade de uma resolução que ia contra muito do que ele aprendera em suas leituras da bibliografia psicanalítica. Ela também estava em desacordo com suas descobertas como médico — tema do último capítulo de *Os condenados da terra*, "Guerra colonial e distúrbios mentais", que parece implicitamente oferecer uma refutação às passagens de abertura do livro.

Com base em seu trabalho como psiquiatra em Blida, Túnis e nos campos de treinamento da ALN na Tunísia e no Marrocos, Fanon fez um relato resoluto dos danos psicológicos da guerra. A "herança humana da França na Argélia",[34] ele previu, seria "toda uma geração de argelinos, banhada no homicídio gratuito e coletivo, com as consequências psicoafetivas que isso acarreta". Para os argelinos, a guerra muitas vezes assumira "a forma de um autêntico genocídio", aterrorizando até aqueles que mantinham distância da luta armada. Um dos pacientes de Fanon, um camponês de 37 anos do leste da Argélia, sobrevivera por pouco a um massacre no qual o exército executara sumariamente um grupo de 29 civis do sexo masculino à queima-roupa, em retaliação a uma emboscada da FLN. Recuperando-se de dois ferimentos de bala no hospital-dia em Túnis, o homem começou a atacar pessoas a sua volta; em uma fúria delirante, imaginando que os outros pacientes e os funcionários do hospital eram espiões franceses disfarçados de árabes, e implorou por uma metralhadora, dizendo que precisava "matar todo mundo".

O preço físico da guerra com a França — alucinações e rigidez muscular, ânsias suicidas e assassinas, depressão e apatia — é tão devastador, escreve Fanon, que "o militante por vezes tem a impressão exaustiva de que precisa fazer renascer todo o seu povo, tirá-lo do poço, da caverna". O uso da palavra *grotte* (caverna) pode ser uma alusão às cavernas das montanhas Aurès, um esconderijo para os rebeldes liderados pelo emir Abdalcáder durante a conquista francesa e, um século depois, para os "homens de 1954", os combatentes do interior. Desde a invasão romana, as cavernas eram um refúgio para grupos berberes, mas eram também um local de sofrimento inimaginável nas mãos de ocupantes estrangeiros: das *enfumades* da década de 1840 (em que milhares de argelinos que lá se abrigavam foram asfixiados por tropas que acenderam fogueiras na entrada) e das bombas de napalm da guerra de independência.

*La Grotte éclatée* [A caverna explodida], um romance de 1979 de Yamina Méchakra que se passa durante a guerra, toca em muitas das intuições de Fanon sobre o trauma argelino. No livro de Méchakra, a caverna é tanto um lugar de verdade quanto um espaço metafórico de refúgio, resistência e feridas irreparáveis. Como Fanon, Méchakra era psiquiatra de formação, nascida alguns anos antes da guerra de independência nas montanhas Aurès do norte. Quando era moça, viu seu pai ser amarrado ao cano de um tanque e ser torturado até a morte pelo exército. A narradora sem nome de seu romance devastador — um longo "poema em prosa",[35] nas palavras de Kateb Yacine — é uma enfermeira no *maquis* que trabalha em um hospital escondido dentro de uma caverna, onde cuida de argelinos feridos cujas confissões angustiadas são de impressionante semelhança às dos pacientes de Fanon. Depois que a caverna é descoberta pelos franceses e seu filho fica cego em um ataque de napalm, ela acaba no Hospital Psiquiátrico de Manouba em Túnis, onde Fanon trabalhou brevemente. Seu filho, ela diz a si mesma, "verá o país com as mãos de sua memória"[36] e "a terra irá renascer". Para os sobreviventes da guerra colonial, a independência é um nascimento atormentado do qual eles estão sempre lutando para se recuperar: "Nós não somos heróis, somos condenados".

A impressão sobrepujante deixada pelos casos de estudo de Fanon em *Os condenados da terra* é a de que os efeitos desintoxicantes da violência são, na melhor das hipóteses, passageiros. Longe de ilustrar a força redentora da luta armada, eles abordam as consequências da violência colonial extrema infligida a argelinos que sobreviveram a batidas brutais em vilarejos, escaparam de execuções em massa, definharam em campos de refugiados ou sobreviveram a interrogatórios impiedosos. Em um caso raro — nem sequer argelino — Fanon conta a história de um paciente cujo gesto revolucionário culminou em ansiedade prolongada. Esse paciente, ele nos conta, colocou uma bomba em um café que tinha a fama de ser um refúgio de extremistas coloniais, matando dez pessoas. Desde a independência no país não nomeado onde ele plantara a bomba, o paciente tinha forjado amizades com pessoas da antiga comunidade colonial que tinham apoiado sua luta. A cada ano, quando chegava o aniversário de sua ação, ele imaginava os mesmos amigos, ou pessoas como eles, arrasados por suas bombas. No relato de Fanon, ele estava atormentado por ansiedade, pavor, "ideias fixas de autodestruição".[37] Os soldados coloniais não eram os únicos cujo sono era perturbado por suas ações durante a guerra; o mesmo valia para homens e mulheres que ele celebrava como combatentes pela liberdade.

Ao contrário do início do capítulo sobre violência, no qual vemos a luta armada tirando as massas colonizadas de seu fatalismo e apatia, o capítulo de fechamento sugere que a guerra arrastou muitos argelinos de volta para uma espécie diferente de caverna e os abandonou à própria sorte. Não está claro se Fanon via isso como uma contradição — nem é provável que o fizesse: o colonizado, acreditava ele, não tinha opção além de lutar de volta; a sua própria existência, muito além do direito de autodeterminação, estava em jogo. Mas a litania sóbria dos estudos de caso injeta uma ambivalência impressionante em um trabalho de autoconfiança militante. Ao leitor, Fanon alerta: "Poderão parecer inoportunas e singularmente deslocadas em tal livro estas notas de psiquiatria. Nada podemos fazer a respeito".[38]

O sociólogo George Steinmetz identificou um "messianismo afoito demais em torno dos camponeses e do lumpemproletariado"[39] em *Os condenados da terra*, mas, acrescenta ele, os "argumentos questionáveis sobre violência como 'práxis absoluta' podem ser seccionados desse retrato brilhante de uma colônia tardia. Além do mais, eles não necessariamente seguem a partir dele". De fato, grande parte do poder do livro reside na atenção de Fanon às dificuldades que povos anteriormente colonizados enfrentariam depois da independência. Algumas eram resultado de forças externas, da devastação da escravidão, do colonialismo e do imperialismo (subdesenvolvimento, pobreza, baixos níveis de educação, escassez de profissionais formados etc.) à oposição das potências ocidentais aos programas de nacionalização (como a derrubada de Mossadegh no Irã e de Árbenz na Guatemala, e que a crise de Suez ilustrara recentemente). Mas Fanon passou mais tempo discutindo os obstáculos internos que nações outrora colonizadas enfrentavam ao lidar com os desafios da independência.

Em *Os condenados da terra*, o perigo de regressão é representado pelo que ele chama de "burguesia nacional" — classes profissionais assimiladas, de educação ocidental, pelas quais ele desenvolvera um desdém duradouro na Martinica. No capítulo intitulado "Desventuras da consciência nacional", Fanon atacou essas elites nativas pós-coloniais, para as quais "nacionalização [...] significa justamente transferir para os nativos os custos dos privilégios do período colonial":

> Por não ter ideias, por estar fechada em si mesma, apartada do povo, minada pela incapacidade congênita de pensar o conjunto dos problemas a partir da totalidade da nação, a burguesia nacional vai assumir o papel de gerente das empresas do Ocidente e praticamente organizar seu país como lupanar da Europa.

A burguesia nacional, ele continua, é uma "espécie de pequena casta de dentes afiados, ávida e voraz, dominada por uma mentalidade medíocre e acomodada", não exatamente uma "réplica da Europa, mas [...] sua caricatura". De acordo com Fanon, a "fragilidade quase congênita da burguesia nacional" não é apenas resultado de "mutilação" colonial mas de sua "indolência [...], de sua indigência" e da "formação profundamente cosmopolita de sua mentalidade". Enfeitiçada por modelos ocidentais, e aliada à burguesia ocidental, ela é fundamentalmente imitativa, parasitária e autoritária; ela "favorece a implantação e o reforço do racismo que caracterizava a era colonial". Quando a burguesia nacional exige a "negrificação" (Fanon usa o termo deliberadamente aviltante *négrification*) ou a "arabização" do serviço civil, seu motivo não é buscar um "empreendimento autêntico de nacionalização", mas sim servir-se de seu naco dos cofres públicos em nome da justiça. Não surpreende, observa ele, que as massas "apresentam em seu nível a mesma reivindicação, porém restringindo a noção de negro ou de árabe aos limites territoriais". Protestos violentos contra não nacionais — pessoas do Benin e de Burkina Faso na Costa do Marfim, ou maleses no Senegal — refletem o mesmo "retorno desesperador ao chauvinismo mais odioso, mais intratável".

Em algumas das passagens mais memoráveis do livro, Fanon previu que líderes de Estados africanos pós-coloniais — "o poder moral sob cuja proteção a burguesia [...] decide enriquecer" — se consolidariam ao apelar ao "ultranacionalismo [...] chauvinismo [...] ao racismo". Era uma antecipação surpreendente dos Mobutus e dos Mugabes do futuro, dos "grandes homens" que se paramentariam de trajes africanos, promoveriam uma forma folclórica de cultura negra e explorariam cinicamente a retórica do anticolonialismo — mesmo, nas ironias das mais amargas, invocando as próprias palavras de Fanon. Quando o escritor de Trinidad V. S. Naipaul visitou o Zaire de Mobutu — o antigo Congo Belga — em 1975, escreveu que os jornais oficiais, "diluindo a linguagem de Fanon e Mao, falam todos os dias da revolução e da radicalização da revolução. Mas é disto que se trata a revolução: majestade".[40]

Antes de o líder ser coroado, no entanto, escreve Fanon, o povo "confia espontaneamente nesse patriota", porque ele encarna suas aspirações à liberdade, independência e dignidade. Mas à medida que a independência não consegue realizar suas próprias promessas de terra e pão, "o líder vai revelar sua função íntima: ser o presidente geral da sociedade de aproveitadores impacientes que constitui a burguesia nacional". Em uma passagem que prefigura o ditador de Naipaul, inspirado em Mobutu, no romance de 1979 *Uma curva no rio*, Fanon escreve sobre o líder:

> Cada vez que se dirige ao povo, lembra-lhe sua vida, que frequentemente foi heroica, os combates que travou em nome do povo, as vitórias que obteve em seu nome, declarando assim às massas que elas devem continuar a confiar nele. [...] O líder apazigua o povo. Anos depois da independência, incapaz de convidar o povo para uma obra concreta, incapaz de abrir realmente o futuro para o povo, de lançar o povo na via da construção da nação, portanto de sua própria construção, vê-se o líder repetir continuamente a história da independência, lembrar-se da união sagrada da luta de libertação. O líder, porque se recusa a destruir a burguesia nacional, pede ao povo que retroceda ao passado e se orgulhe da epopeia que levou à independência. [...] Durante a luta de libertação, o líder despertava o povo e prometia-lhe uma marcha heroica e radical. Hoje ele multiplica os esforços para adormecê-lo e, três

ou quatro vezes por ano, pede-lhe que se recorde da época colonial e avalie o imenso caminho percorrido.

E qual é o papel do povo nessa ordem pós-colonial? Os de mais sorte ascendem nos quadros do único partido político, uma casca oca cujo propósito primário é supervisionar a "distribuição do bolo da independência". Mas para todas as outras pessoas — e até para os *apparatchiks* — a ordem que vem do alto é "seguir, seguir de novo e sempre", tal como haviam feito sob governantes estrangeiros. Enquanto isso, as massas rurais, em cujo nome a revolução foi feita, continuariam a viver na sordidez, ao passo que o "Exército e a polícia constituem os pilares do regime", assessorados por "especialistas" estrangeiros. Eventualmente, Fanon alerta, o regime irá regredir para uma "ditadura tribal"[41] na qual os oficiais do governo "são escolhidos na etnia do líder, às vezes até diretamente em sua família [...]. Esses chefes de governo são verdadeiros traidores da África, pois vendem o continente ao mais terrível dos inimigos: a ignorância".

Fanon não foi o único escritor a fazer esse alerta lúgubre sobre a ordem pós-colonial. Em seu relatório condenatório de 1962, *A África começa mal*, publicado apenas alguns meses depois de *Os condenados da terra*, o agrônomo francês René Dumont — neto de um camponês e conselheiro de diversos governos africanos depois da independência — descreveu os novos líderes do continente como "uma burguesia do serviço civil", "falsos revolucionários" que conversavam sem cessar sobre a revolução do povo enquanto se serviam de carros de luxo, motoristas e postos bem pagos do aparato estatal existente. Os fazendeiros africanos que ele entrevistou para seu livro lhe disseram que a independência não era para eles: era apenas para as classes médias das cidades, as mais ricas das quais tinham se mudado para vilas desertadas pelos colonos enquanto o povo da zona rural vivia em choças. Dumont, que admirava o livro de Fanon, considerava que os camponeses da África eram o "verdadeiro proletariado dos tempos modernos"; ele alertou que eles estavam seguindo rumo a uma forma ainda pior de colonialismo de classe, ainda que com uma elite nativa e bandeiras próprias. A "espontaneidade revolucionária" do campesinato pode ter sido uma ilusão; a necessidade de incluí-lo no processo de descolonização e independência era tudo, exceto isso. Se não lhe fosse dada uma participação, o futuro pelo qual os colonizados haviam dado suas vidas seria roubado.

Em seu livro de 1983, *The Intimate Enemy: Loss and Recovery of Self Under Colonialism* [O inimigo íntimo: Perda e recuperação do eu sob o colonialismo], o filósofo indiano Ashis Nandy, um leitor perspicaz de Fanon, descreve o colonialismo como "o roubo dos futuros".[42] Era isso também que Fanon entendia. Para ele, a ditadura da burguesia nacional era continuamente obrigada a invocar o passado às custas do futuro, fosse em suas comemorações revolucionárias (destinadas a legitimar o partido governante que levou o país à independência) ou em odes nostálgicas ao esplendor de civilizações pré-coloniais: uma resposta compreensível à difamação racista que em última instância serve a fins conservadores.

No capítulo em que expande seu discurso de 1959 em Roma, Fanon mais uma vez repreende as ideologias "racializadas" da Négritude e o arabismo por ignorar a cultura viva de cidadãos comuns e privilegiar tradições antiquadas que deixaram de praticar. "Não basta se reunir com o povo nesse passado no qual ele não está mais", escreve ele.[43] Mais tarde acrescenta, "os homens de cultura africanos"[44] que ainda lutam em nome da cultura negro-africana, que multiplicaram os congressos em nome da unidade dessa cultura, devem hoje se dar "conta de que sua atividade se reduziu a confrontar peças ou comparar sarcófagos". "Imaginar que se fará cultura negra é esquecer que os negros estão desaparecendo, uma vez que aqueles que os criaram estão assistindo à dissolução de sua supremacia econômica e cultural." O que importa, na análise final, é o "tipo de relações sociais" que os líderes pós-coloniais estabelecem, "a concepção que têm do futuro da humanidade. [...] Todo o resto é literatura e mistificação".

Curiosamente, a obra literária que Fanon escolheu para elogiar como um exemplo da cultura nacional revolucionária era sobre o passado, ainda que o passado recente. O poema em prosa "Alvorada africana", do escritor guineense Fodéba Keïta, conta a história de um jovem soldado de um vilarejo remoto no campo que se torna um herói durante a Segunda Guerra Mundial, apenas para ser atingido por uma bala das forças coloniais quando volta para casa. "Naman é Sétif em 1945, é Fort-de-France, Saigon, Dacar, Lagos", Fanon escreve em aprovação. Não surpreende que ele tenha ficado comovido com o poema: também ele era um herói de guerra negro que ficara decepcionado com o país que havia servido. Mas o autor desse longo (e bastante engessado) exemplo de *agitprop* não era um intelectual independente: Fodéba era o ministro do Interior de Sékou Touré, e chefiava o notório Campo Boiro, onde os supostos inimigos de Touré eram mantidos e em alguns casos executados. A romancista guadalupense Maryse Condé, que estava morando em Conacri em 1961, ficou chocada com o elogio de Fanon a Fodéba, ainda mais uma vez que o capítulo "Desventuras da consciência nacional" havia lhe parecido um retrato preciso do regime brutal que ela havia visto na Guiné. "Como é que eu poderia entender uma contradição dessas?",[45] ela se perguntou. Decidiu que por mais que Fanon fosse um pensador de força, "seu gosto em literatura deixava muito a desejar. Eu me senti livre para me tornar uma verdadeira fanoniana". Em 1969, o próprio Fodéba se tornou um prisioneiro do

Campo Boiro, sob acusações de conspirar contra Sékou Touré; ele foi fuzilado sem julgamento.

A contradição que Condé considerou tão perturbadora existia dentro do próprio Fanon. Apesar de acreditar tanto na liberdade individual quanto na coletiva, ele compartilhava a premissa fundamental das elites nativas que criticava que, depois da independência, os estados pós-coloniais seriam governados por regimes monopartidários. E ele permaneceu, até o fim, um soldado, alguém que acreditava na disciplina militar e que esperava que o exército serviria como "uma escola de guerra, mas uma escola de civismo, uma escola política", ajudando a "destribalizar, unificar" o povo. Sua objeção ao despotismo da burguesia nacional não era que ela suprimisse outros partidos mas que encarnava interesses de classe estreitos. Como Rousseau, Fanon tinha uma crença inabalável na vontade geral, e como Lênin, uma fé inabalável na habilidade do partido revolucionário de encarná-la, desde que ela fosse uma "expressão direta das massas". O papel "do partido" — *do* partido — é "despertar o espírito, fazer nascer o espírito. É, como dizia Césaire, 'inventar almas'". Em uma passagem estranha, ele acrescenta que "é preciso envolver a todos no combate em prol da salvação comum. Não há mãos limpas, não há inocentes, não há espectadores. Estamos todos com as mãos nos pântanos de nosso solo [...]. Todo espectador é um covarde ou um traidor".[46] Quando era estudante em Lyon, Fanon vira a peça *As mãos sujas*, de Sartre, sobre a execução de um suspeito de traição do Partido Comunista de um país ficcional da Europa do Leste. Mas no relato de Fanon não há nada da ambivalência ou da angústia de Sartre. Ele sabia o que queria dizer ter as mãos sujas, mas, se sentia qualquer peso na consciência, dispensava-o como escrúpulo de classe média.

Ainda assim, ler *Os condenados da terra* hoje é ser atingido pela presciência dos alertas de Fanon sobre os obstáculos para a liberdade pós-colonial: corrupção, regime autocrático, nacionalismo xenofóbico, as feridas insistentes da violência colonial, e a persistência do subdesenvolvimento e da fome — um "genocídio exangue"[47] responsável pela "segregação de 1,5 bilhão de homens".

Nas passagens de encerramento de *Pele negra, máscaras brancas*, Fanon se deixara levar por um estado de espírito de otimismo revolucionário, concluindo com uma oração a seu corpo e uma visão de um mundo livre do racismo, aliás, da própria ideia de raça. Apesar de seu inventário de armadilhas pós-coloniais, *Os condenados da terra* dá uma pirueta parecida, terminando com uma exortação inflamada a seus leitores — "camaradas" — para atentar a seus alertas, ampliar os limites da ambição política, e "inventar o homem total que a Europa foi incapaz de fazer triunfar".[48] Como sempre, para Fanon, a liberdade autêntica reside nas "verdadeiras invenções".

Com a descolonização, anuncia ele, um novo capítulo na história começou. Foi-se o tempo de lançar acusações íntegras contra o Ocidente ("jogos ultrapassados") por todos os seus crimes coloniais. "A Europa fez o que tinha de fazer e afinal o fez bem [...]. Não temos mais que temê-la; deixemos, portanto, de invejá-la. [...] Não, não queremos alcançar ninguém. Mas queremos caminhar todo o tempo, dia e noite, em companhia do homem, de todos os homens."[49] Com sua alusão ao "encontro marcado da conquista" do *Diário de um retorno ao país natal* de Césaire, a imagem de Fanon de "todos os homens" caminhando em direção à liberdade celebra a conquista utópica da alienação. Mas como nasce esse homem desalienado, livre do "esquartejamento patológico de suas funções e do esfacelamento de sua unidade" que a Europa havia provocado? E por que a nova "aventura espiritual" que ele propôs seria mais bem sucedida em restaurar à humanidade um sentido pleno de si mesma do que a Europa havia sido? Ele não disse. Tal qual *Pele negra, máscaras brancas*, *Os condenados da terra* termina com um belo sermão, tão vago quanto inspirador. Como observou o sociólogo francês Philippe Lucas, Fanon soa como se implorasse a seus companheiros revolucionários para "agir *como se* a Europa não existisse, *como se* o mundo não tivesse uma história, *como se* ela fosse algo a ser inventado".[50] Essa era uma ordem altiva. O relato que ele fez da violência e da humilhação do colonialismo — e dos transtornos da descolonização — parecia ir de encontro enormemente às suas esperanças. Por mais que tentasse parecer um homem severo, Fanon continuava um sonhador.

## 17.
## No país dos linchadores

Em 3 de outubro de 1961, François Maspero escreveu para Fanon ("F. Farès") com "boas notícias. O prefácio de Sartre está pronto, lindo, violento e útil".[1]

Era certamente violento. Em seu prefácio a *Áden, Arábia*, de Paul Nizan, Sartre escrevera que "suas palavras de ódio [de Nizan] eram de ouro puro, as minhas eram moeda falsa". Seu prefácio ao livro de Fanon deixou uma impressão parecida de um homem se esforçando para emular — mas no fim apenas parodiando — a fúria retórica de um rebelde que ele admirava e que poderia até ter invejado. Dançando em torno de seu tema como "um satirozinho excitado",[2] como observou o jornalista americano Harold Isaacs, Sartre escreveu:

> [...] a loucura assassina é o inconsciente coletivo dos colonizados. [...] abater um europeu é matar dois coelhos de uma cajadada só, é suprimir ao mesmo tempo um opressor e um oprimido: restam um homem morto e um homem livre; o sobrevivente, pela primeira vez, sente um solo *nacional* sob a planta dos pés. [...] éramos homens à custa dele, ele se faz homem à nossa custa. Um outro homem: de melhor qualidade. [...] A violência, como a lança de Aquiles, pode cicatrizar as feridas que causou.[3]

Sartre parecia ter lido apenas o capítulo sobre a violência, e não com muita atenção. Apesar de toda a garra de Fanon ao evocar a carnificina da luta anticolonial — o momento batismal em que a inveja, a tensão muscular e outras emoções e impulsos frustrados irrompem em violência —, ele se colocou a tarefa de explicar como esses impulsos poderiam ser canalizados para uma luta armada disciplinada, apresentando um projeto que abarcava todos os que apoiavam a independência, e promovendo uma ordem política que não era habitada nem por nativos nem colonos, mas por cidadãos iguais perante a lei. Fanon também estava ciente, apesar de sua própria crença na violência, de que algumas feridas que ela deixava para trás nunca sarariam. Como Hannah Arendt apontaria em seu livro de 1969, *Sobre a violência*, ele "tem muito mais dúvidas sobre a violência do que seus admiradores".[4]

"Mas que masturbação verbal!",[5] escreveu Jean Daniel sobre o prefácio de Sartre em seus diários. "Que frivolidade maçante!" Em seu perfil de Fanon, Alice Cherki afirma que ele não viu o prefácio com bons olhos, mas tudo que ela nos diz como evidência é que Fanon ficou "extremamente calado" com relação a ele. No entanto é difícil imaginar que Fanon não tenha ficado de algum modo honrado, até lisonjeado, com a homenagem. Apesar de sua celebração imprudente da sangria, o prefácio é um momento notável que registra o impacto da descolonização radical como mais um golpe devastador — a revolução Bolchevique foi o primeiro — contra as suposições humanistas do intelectual ocidental.

"Não faz muito tempo, a Terra contava 2 bilhões de habitantes, dos quais 500 milhões de homens e 1,5 bilhão de nativos. Os primeiros dispunham do Verbo, os outros tomavam-no emprestado."[6] Aqueles que o tinham de empréstimo, aqueles que tinham "na boca sonoras mordaças", respondiam à colonização de maneiras diferentes. Alguns tentavam imitar a cultura de seus opressores (uma "idade de ouro" para estes); outros invocavam o "humanismo" ocidental para lançá-lo de volta à cultura colonial para expor sua "desumanidade". Mas ao empunhar armas contra seus governantes, os colonizados já não estavam repetindo as habituais palavras emprestadas sobre os ideais liberais do Ocidente na vã esperança de negociar sua liberdade. Em vez disso, eles se faziam ouvir em uma nova linguagem — uma linguagem da violência articulada "como reação" à violência do colonialismo. Essa, para Sartre, era a última chamada ao palco para as pretensões ocidentais aos valores humanistas — valores que ele mesmo celebrara em sua palestra de 1945 "O existencialismo é um humanismo" e que fora travestido nas colônias. Nos escritos de Fanon ele havia descoberto um eco do espírito da história de Hegel: na luta entre o colonialismo humanista hipócrita e suas insatisfações autênticas, a dialética nunca parecera mais clara. "O Terceiro Mundo *se* descobre",[7] proclamou ele, "e *se* expressa por meio dessa voz."

O que quer que Fanon tivesse achado do texto de Sartre, essa teria sido a menor de suas preocupações quando o leu. Seu estado tinha de repente se deteriorado depois de seu retorno de Roma, e o tipo de tratamento de que ele precisava urgentemente não estava disponível no Norte da África. Como ele não podia ir à França, sua única alternativa, a FLN o convenceu, eram os Estados Unidos; M'hammed Yazid já estava em contato com um diplomata americano com isso em mente. Em 2 de outubro, Fanon foi levado ao aeroporto de El Aouina, quase sem conseguir falar e se movendo convulsivamente. Não existiam voos diretos entre Túnis e os Estados Unidos, e durante a escala em Roma, que ele passou em um hospital, Sartre visitou-o por algumas horas. No dia seguinte ele tomou o voo para Nova York.

Em *Os condenados da terra*, Fanon descrevera os Estados Unidos como "um monstro onde as taras, as doenças e a desumanidade da Europa atingiram dimensões assustadoras".[8]

O fato de que ele acabou por morrer no "país dos linchadores", como o chamava, foi uma das grandes incongruências de sua vida. Ainda mais estranho foi a CIA ter ajudado a providenciar seu tratamento. Elaine Klein, amiga de Fanon, mostrou-se horrorizada com a possibilidade de que ele "pudesse ter sido ludibriado" pela CIA, no entanto há pouca dúvida de que a viagem de Fanon havia sido possibilitada em parte pelo intermediário americano de Yazid, Oliver Iselin, um jovem membro da agência que vinha de uma família de banqueiros suíço-americanos. Enquanto chefiava o escritório da CIA no Norte da África em Tânger, Iselin desenvolvera afinidades pró-nacionalistas. Quando o Marrocos se tornou independente em 1956, ele voltou sua atenção para a Argélia. Fazia visitas regulares aos campos de treinamento da ALN no Marrocos, entregando suprimentos hospitalares, cigarros e isqueiros com uma bandeira argelina e os dizeres "Argélia Livre". Em 1960, ele já havia recrutado dois informantes, um dos quais se tornou uma figura influente depois da independência. Os americanos queriam garantir que a Argélia não cairia sob a influência de Moscou e estavam ávidos para demonstrar as boas intenções que tinham em relação aos futuros governantes.

A doença de Fanon oferecia justamente uma oportunidade para isso. A ideia fora levantada em dezembro de 1960, quando o eloquente Yazid, que a princípio havia pautado Kennedy às vésperas de seu discurso na ONU sobre a Argélia, alertara Iselin quanto à gravidade do estado de Fanon. Na época, Fanon optou por ir para um hospital da União Soviética, mas os benefícios de seu tratamento, de início impressionantes, duraram pouco. Em uma entrevista com o historiador americano Thomas Meaney, Iselin contou como se encontrou com Fanon em seu avião no aeroporto de Idlewild, e como seguiu com ele até a Virginia. "Ele era um homem enfermo",[9] lembrou Iselin. "Quando eu lhe disse que íamos [...] pousar na

Virginia e precisávamos seguir para o distrito de Columbia, ele achou que se tratava de outra fronteira: 'Ah, meu Deus, outra fronteira'." Fanon estava de fato extremamente mal: ele mais tarde disse a Klein que "era um mistério, até para ele mesmo",[10] como, ao chegar em Washington, ele "havia conseguido ir do aeroporto para um hotel".

Só depois de 10 de outubro Fanon foi capaz de deixar seu hotel e ir para o National Institutes of Health em Bethesda, Maryland, onde Josie e Olivier se juntariam a ele. A semana seguinte deve ter parecido interminável, e ele estava compreensivelmente zangado. Tanto Beauvoir quanto Lanzmann alegariam que ele fora "largado para apodrecer" sem cuidados médicos; outros insinuariam que o atraso era uma conspiração da CIA para acelerar sua morte. O mais provável é que tenha havido obstáculos burocráticos obstruindo a internação de Fanon. O que os americanos ganhariam ao negligenciar o atendimento de um dos principais intelectuais da FLN, quando o objetivo de recebê-lo em Washington era criar uma abertura amigável ao futuro governo da Argélia? E ainda que Fanon não fosse exatamente um amigo dos interesses americanos, não era, em todos os aspectos, um adversário. Em *Os condenados da terra*, ele descreveu os Estados Unidos como um herdeiro dos impérios coloniais europeus e previu, corretamente, que sua paixão inicial por movimentos anticoloniais — uma paixão que Iselin encarnava — seria curta, à medida que Estados recém-independentes abraçassem o socialismo ou se negassem a se alinhar a qualquer uma das superpotências da Guerra Fria.

No entanto os americanos que organizaram sua viagem aos Estados Unidos estavam com certeza a par de que Fanon não via com bons olhos o comunismo de estilo soviético e o Partido Comunista Francês — e, pode-se seguramente afirmar, também estavam a par de sua amizade com o líder anticomunista angolano Holden Roberto, que era um dos que o visitaram em Bethesda e o qual depois se tornou um dos contatos de Iselin quando ele supervisionou as operações da agência em Angola. Apesar de toda sua insistência de que a Guerra Fria era uma distração do drama mais amplo da descolonização e da ascensão do Terceiro Mundo, Fanon não podia deixar de se enredar nos tentáculos da rivalidade entre os Estados Unidos e a União Soviética pelo apoio das nações recém-independentes.

Ele não fora ludibriado, muito menos seduzido, pela CIA. Ele era um homem à beira da morte que desejava o melhor tratamento médico que pudesse conseguir, mesmo que isso significasse estar em um país onde a dita miscigenação ainda era ilegal em dezesseis estados, onde famílias como a sua própria eram obrigadas a viver em segredo. Maryland, a menos de meia hora de carro da capital, era um deles. Iselin afirmou ter inventado uma história de fachada de modo que Olivier Fanon (que ele descreveu como "muito escuro") pudesse frequentar o jardim de infância da Universidade Howard como filho de um diplomata árabe.

Não está claro se Fanon — *aka* Farès, *aka* o "diplomata árabe" Ibrahim Omar Fanon (como seu passaporte o identificava) — sabia do trabalho de Iselin nos bastidores. Iselin disse que evitava falar de política com ele, ciente da "desconfiança [de Fanon] quanto a nossa motivação", e se concentrava em deixá-lo "o mais confortável possível". Se ele teve qualquer ideia sobre conquistar a esposa de Fanon, ela logo se dissipou: "Se Frantz era de esquerda", ele disse a Meaney, "ela era ainda mais". De acordo com Josie, Fanon alertou seu cuidador americano de que o governo dos Estados Unidos logo enfrentaria insurreições dos americanos negros nas cidades e movimentos de guerrilha na América do Sul. Ele raramente baixava a guarda e nos momentos mais desoladores e solitários era tomado por alucinações aterrorizantes em que os médicos tentavam clarear sua pele — para restaurar, de fato, a máscara que ele havia tirado —, colocando-o em uma máquina de lavar. No mais fundo de sua psique, a luta por libertação andava de mãos dadas com a defesa de sua própria negritude, a armadura de sua pele.

Fanon recebeu visitas de Abdelkader Chanderli, o chefe da delegação de Nova York do GPRA, bem como de diplomatas africanos e ativistas americanos negros. Durante seus períodos de remissão, ele falava sobre os livros que esperava escrever: um tratado sobre a inveja, uma história do Exército de Libertação Nacional Argelino, e um livro de memórias sobre sua própria doença, com o título provisório de *O paciente com leucemia e seu duplo* — uma alusão a *O teatro e seu duplo*, de Antonin Artaud. Confinado a uma cama de hospital quando deveria estar no exercício de seus deveres revolucionários, ele costumava falar muito de Túnis e de seus companheiros, os homens que ele chamava de *les frères* (os irmãos), com saudade e, talvez, uma sensação de inquietude. Uma vez, quando estava sozinho com Klein, ele se recostou e exclamou: "Não é nada mal morrer pelo próprio país". Ele falava da Argélia, mas se tivesse havido um modo de morrer pela Martinica, Fanon o teria encontrado.

Os irmãos de Fanon estavam a um passo de alcançar seus objetivos: em 18 de março de 1962, o governo francês do GPRA assinaria os Acordos de Évian, que acabariam com a guerra e levariam à independência em julho. Mas no outono e no inverno de 1961, enquanto Fanon jazia à beira da morte, a violência se intensificou. A OAS aumentava seus ataques contra os civis argelinos e as autoridades francesas. Uma de suas vítimas seria o escritor e professor cabila Mouloud Feraoun, sequestrado e assassinado com cinco de seus colegas, três dias antes do cessar-fogo. Foi o terrorismo da OAS nos estágios finais da guerra, ainda mais do que as bombas da FLN durante a Batalha de Argel, que acabaram com qualquer esperança de coexistência muçulmana-europeia em qualquer futuro previsível. Depois da independência, mais de 1 milhão de colonos foram "repatriados" para a França, país que a maioria deles mal conhecia.

Dentro da França, a FLN e a polícia francesa se envolveram em conflitos violentos no período que antecedeu a paz. Uma semana depois da chegada de Fanon ao hospital em Maryland, a polícia de Paris interveio em uma manifestação da FLN, que havia tomado as ruas em protesto contra um toque de recolher imposto exclusivamente aos moradores argelinos da cidade. Centenas foram assassinados, alguns afogados no Sena, outros espancados até à morte em delegacias. O arquiteto do massacre de 17 de outubro[11] foi o chefe da polícia de Paris, Maurice Papon, que havia torturado suspeitos da FLN no departamento de Constantina, na Argélia.

Em suas visitas ao hospital em Bethesda, Klein achou Fanon "lúcido, logo percebendo quem dentre seus visitantes acreditava em sua recuperação e quem não acreditava; seu discurso mudava de acordo com essa percepção".[12] Quando um ministro americano negro foi ao hospital e se ofereceu para orientá-lo caso ele se deparasse com qualquer problema racial, Fanon respondeu que podia tomar conta de si mesmo. Klein ajudou a família levando Olivier para Nova York em um passeio turístico: o carrossel no Central Park, o Empire State Building, a balsa de Staten Island. Antes de partirem, Olivier pediu a Klein para escrever o nome dela na janela coberta de gelo do quarto de Fanon, depois o copiou. "Ele está fazendo transferência", observou o pai de seu leito de morte, como se descrevesse um de seus pacientes.

Claude Lanzmann foi de avião de Paris com notícias de um médico francês que tivera algum êxito com um tratamento pioneiro para leucemia. Já era tarde demais. "O que me deixa chocado aqui nesta cama, à medida que vou ficando mais fraco", Fanon escreveu em uma carta para seu amigo Roger Taïeb em Túnis,

> não é o fato de eu estar morrendo, mas o fato de eu estar morrendo em Washington de leucemia quando eu poderia ter morrido em batalha contra o inimigo três meses atrás. Não somos nada na Terra se não formos, em primeiríssimo lugar, escravos de uma causa, a causa do povo, a causa da justiça, a causa da liberdade.

Seu último desejo foi ser enterrado na Argélia.

Em 3 de dezembro de 1961, um amigo argelino levou para Fanon um exemplar de *Os condenados da terra*. Josie leu para ele a resenha elogiosa de Jean Daniel na *L'Express*, o qual guardara suas reservas para si. O deleite de Fanon foi encoberto por seu prognóstico: "Isso não vai me trazer de volta minha medula óssea", disse ele. Três dias depois Fanon morreu de uma broncopneumonia bilateral enquanto a polícia de Paris recolhia exemplares de *Os condenados da terra* das livrarias. Ele tinha 36 anos de idade.

Beauvoir escrutinou uma foto de Fanon na capa da *Jeune Afrique*, "mais jovem, mais calmo do que eu o vira, e mais belo. Sua morte pesava muito, porque ele a carregara com toda a intensidade de sua vida".[13] Em seus diários, Jean Daniel comparou Fanon ao físico J. Robert Oppenheimer, pai da bomba atômica, filho de imigrantes judeus alemães "cuja máscara me impressionou em Princeton";[14] ele lembrou de seu aperto de mão forte, que sempre parecia "carregar uma mensagem", e de seu "jeito incisivo ainda que indulgente de devolver um olhar. Você sempre hesitava alguns segundos para saber se havia sido admitido no universo exigente para o qual ele havia se retirado [...] para pensar na condição de seu povo, a qual, de sua perspectiva, ainda não era a condição humana".

O corpo de Fanon foi levado de avião para Túnis. Quando Josie e Olivier voltaram, foram morar um tempo com os Manuellan. Marie-Jeanne levou Josie de carro a El Menzah para esvaziar o apartamento onde ela e Frantz tinham morado. Como os outros apartamentos dos dois, lembrou Marie-Jeanne, ele parecia menos uma casa do que um acampamento improvisado. "Estas são as cartas de Sartre",[15] disse Josie, amassando-as e jogando-as na lata de lixo. Apontou para uma carteira preta que Abane Ramdane tinha deixado e que Fanon guardara como lembrança do amigo e do último encontro dos dois. Enquanto Marie-Jeanne limpava o apartamento, Josie soluçava. "O que vai ser da gente, o que vai ser do filho negro dele?" Durante alguns anos ainda, ela diria a Olivier que o pai estava viajando. (A filha dele na França, Mireille, ficou sabendo de sua morte apenas ao se deparar com a fotografia do pai na *Paris Match*.) Josie temia que os irmãos da FLN tentassem casá-la de novo. Ainda assim, por mais desesperada que estivesse, "nunca expressou o desejo, ou a ideia, 'de não voltar à Argélia'". O plano era todos eles partirem depois da independência.

No fim das contas, Fanon — ou seus restos mortais — chegou primeiro.

Em 11 de dezembro, uma cerimônia de recepção foi realizada na *salle d'honneur* do aeroporto de El Aouina, em Túnis. Representantes do GPRA rodearam seu caixão, coberto por uma bandeira da Argélia. Mais tarde naquele dia, houve um velório no quartel-general da missão argelina. Michel Martini, colega de Fanon no Hospital Charles Nicolle, venceu seu "pavor dessas cerimônias"[16] e se demorou duas horas, conversando com o companheiro de Fanon da FLN Omar Oussedik e refletindo sobre a "vaidade das coisas mundanas". Às nove horas da manhã seguinte, Krim Belkacem, cuja vida fora salva por Fanon naquele mesmo ano, fez um discurso fúnebre — "muito bem escrito, mas muito mal proferido", de acordo com Martini — no qual elogiou as qualidades de Fanon como revolucionário bem como seu trabalho como psiquiatra e intelectual. A independência pela qual Fanon lutara tanto estava apenas a algumas semanas de distância, disse ele. "A Argélia não o esquecerá", prometeu. Naquela noite, a liderança da ALN organizou um jantar em sua memória. Iselin foi um dos convidados. Quando a notícia de sua presença no funeral foi divulgada na imprensa tunisiana, ele partiu imediatamente para o Marrocos.

Depois do discurso de Krim, Roger Taïeb e Pierre Chaulet, dois dos amigos mais próximos de Fanon, acompanharam o comboio que levou o corpo de Fanon de Túnis para Ghardimaou, uma cidade no noroeste junto da fronteira argelina, em um cortejo de cerca de duas dúzias de veículos. Meio-dia e meia, o comboio chegou a seu destino. A essa altura, um grupo de soldados da ALN levou seu caixão em uma longa marcha em meio à mata, em silêncio sob um céu resplandecente, cruzando a fronteira — um momento carregado de significado — e seguindo em direção ao cemitério dos *chouhada* (mártires de guerra), na área havia pouco libertada de Aïn Kerma. O caixão foi baixado em uma cama de galhos cortados de uma aroeira. Outro discurso fúnebre foi proferido, desta vez em árabe, pelo comandante da ALN Ali Mendjeli, que prometeu "uma Argélia livre, independente, democrática e social, em que os direitos humanos serão respeitados", como se em compensação pelo comprometimento de Fanon com esses ideais. A única mulher presente era Josie Fanon. Ela ficou imóvel, mal capaz de se mexer, encarando o horizonte atrás de seus óculos escuros.

Apesar de toda a solenidade da ocasião, como a romancista Assia Djebar observou em suas reflexões sobre sua vida, Fanon foi pranteado pelos líderes do exterior que "o adotaram como um dos principais pensadores, ao passo que, se tivesse ressuscitado dez anos depois, ele teria voltado as costas para eles".[17] Ainda assim, admitiu Djebar, "esses bonapartistas de um Estado militar emergente [...] tinham um sentido de atuação digno de uma Argélia progressista e secular", a causa à qual Fanon dedicara sua vida. Enterrado debaixo de uma sobreiro em Aïn Kerma, ele foi devolvido a seu tão amado interior. Cherki ouviu mais tarde de um dos enlutados que a travessia da mata e a cerimônia haviam sido "imbuídas de grande serenidade e estranha beleza".[18] Martini lembrou a si mesmo: "A vida continuava, e ninguém é realmente indispensável".[19]

A elegia mais forte foi publicada na *Jeune Afrique*, uma semana depois da morte de Fanon. O autor era seu poeta favorito, Aimé Césaire, o mais velho distinto que, ao contrário dele, voltara para a Martinica e liderara sua departamentalização. A vida de Fanon havia sido um "desvio"[20] — como concebia Édouard Glissant — das Antilhas. Césaire, ao contrário, encarnava a ideia de "retorno": eles tinham tomado caminhos muito diferentes, mas Césaire deixou suas diferenças de lado em uma homenagem comovente. "Se a palavra 'comprometimento' tem significado",[21] escreveu ele, "é em Frantz Fanon que ele se encontra." Ele continuou:

> Um tipo violento, foi dito a seu respeito. E é bem verdade que Fanon se estabeleceu como um teórico da violência, a única arma, acreditava ele, do colonizado contra a barbárie colonialista. Mas sua violência era, sem paradoxo, a do não violento; quero dizer a violência da justiça, da pureza, da intransigência. Entendamos: sua revolta era ética, e sua abordagem, de generosidade. Ele não aderia a uma causa. Ele entregava-se a ela. Inteiro. Sem reticências. Sem medida. Com o absoluto da paixão. [...] Um teórico da violência, sem dúvida, porém ainda mais da ação. Por ódio da conversa fiada. Por ódio da covardia. Ninguém era mais respeitoso das ideias, mais responsável diante de suas próprias

ideias, mais exigente em relação à vida, que ele não imaginava que pudesse ser qualquer outra coisa que não ideias vividas. [...] Frantz Fanon foi um "paracleto". E é por isso que sua voz não está morta. Além-túmulo, ela ainda chama os povos à liberdade e o homem à dignidade.

Em suas memórias, Serge Michel relembrou 1961 como o ano que havia começado com o assassinato de Patrice Lumumba e terminado com o "funeral militante de Fanon". Oito meses depois, em 5 de julho de 1962, a Argélia declarou sua independência. Agora, a mais preciosa — e derradeira — das propriedades africanas da França, tomada havia exatos 132 anos quando uma força expedicionária francesa desembarcou na cidade costeira de Sidi Ferruch, era de pleno direito a República Argelina Democrática e Popular. Um capítulo da história, algumas das linhas mais memoráveis das quais foram registradas por Fanon, havia sido encerrado; o próximo seria escrito por outros. Fanon, que gostava de pensar em si mesmo como um humilde servo da revolução, poderia ter ficado grato ao saber que, na terra de "1 milhão de mártires",* como a Argélia pós-independência veio a se conceber, ele não era considerado mais importante do que os milhares de homens e mulheres que haviam dado suas vidas à causa: era simplesmente mais um argelino. E no entanto, à medida que a memória oficial da luta evoluía, ele seria redefinido como um simpatizante estrangeiro, sua influência e prestígio mundiais

---

* O número real de mortes de argelinos — estimado em 200 mil a 250 mil pelo historiador francês Charles Robert-Ageron, e em 430 mil pelo demógrafo argelino Kamel Kateb — foi de menos de 1 milhão, mas ainda assim imenso para um país com menos de 10 milhões de pessoas. Por volta de 24 mil soldados franceses morreram, assim como ligeiramente menos de 3 mil civis europeus. Dezenas de milhares de argelinos — nunca se saberá o número exato — foram mortos por outros argelinos.

vagamente ressentidos por alguns de seus antigos companheiros. E mesmo que o Hospital Psiquiátrico de Blida-Joinville tenha sido rebatizado de Hospital Psiquiátrico Frantz Fanon, as pessoas que lhe eram próximas ficaram entristecidas pela rapidez com que seus vestígios pareciam desaparecer, à medida que os argelinos passavam a se dedicar à reconstrução de um país devastado por oito anos de guerra, e os franceses faziam de tudo para enterrar a memória de uma terra que consideraram por muito tempo parte da França.

Marie-Jeanne e Gilbert Manuellan se mudaram para Argel em 1963. Durante os quatro anos que passou na terra adotiva de Fanon, Marie-Jeanne quase nunca ouviu o nome dele ser mencionado. Ela tentou encontrar Josie, que estava morando com um oficial dos serviços de inteligência — um dos irmãos —, mas ninguém podia lhe dizer o lugar. Então, um dia, enquanto comprava hena em uma perfumaria, Marie-Jeanne ouviu a voz de Josie às suas costas. Elas se lançaram em um abraço, trocaram números de telefone e prometeram se encontrar logo. Quando Josie estava indo embora, mencionou que seu telefone não estava funcionando e que era melhor Marie-Jeanne não tentar ligar, Josie entraria em contato, mas ela nunca telefonou. Quando os Manuellan voltaram para a França, no verão de 1967, nenhum de seus amigos esquerdistas de Paris encaravam Fanon como "qualquer coisa além de um louco, quando não era descrito como um maluco sanguinário. O mais esclarecido entre eles havia lido o prefácio de *Os condenados da terra*, uma vez que o autor era Sartre, e folheado o resto do livro".[22] A reedição do manifesto de Fanon por François Maspero durante os eventos de Maio de 1968 reativou brevemente o interesse em sua obra por parte da esquerda francesa,[23] mas, no panteão de ícones radicais, ele estava bem atrás de Mao e Che Guevara. Ele era um filho nativo que tomara parte em uma guerra que a maioria dos franceses preferia deixar para trás. Até os radicais franceses preferiam falar ou sobre o Vietnã ou sobre os Panteras Negras do que sobre *la guerre sans nom* (a guerra sem nome).

Em um ensaio sobre a Argélia publicado em 1974, o antropólogo britânico Ernest Gellner observou com bastante presunção que "embora praticamente nenhum cidadão comum saiba o nome de Fanon, é de esperar que ele saiba o nome de outro pensador, Ben Badis — o qual, no entanto, é de todo desconhecido no exterior, a não ser por especialistas".[24] Mas, ao contrário do líder da Associação dos Ulemás Muçulmanos Argelinos, Fanon nunca buscou formatar o *conteúdo* do nacionalismo argelino, algo que, em todo caso, nenhum estrangeiro poderia ter feito. (Sua aparente falta de interesse nas raízes religiosas e culturais do nacionalismo argelino era, em parte, expressão da humildade de um estrangeiro.) E ainda que ele tenha abraçado a luta argelina, a revolução que imaginara em *Os condenados da terra* não terminava nas fronteiras da Argélia — ou, aliás, em nenhuma fronteira. Ao longo de suas lutas contra o racismo na França, o colorismo e o autodesprezo nas Antilhas, a dominação colonial na Argélia e na África, e o confinamento nas alas psiquiátricas, Fanon era impulsionado pelo mesmo compromisso irrepreensível com a desalienação e a liberdade. Ele desnudou as pretensões de um universalismo francês que só havia existido de nome nas colônias, e imaginou um futuro em que diferentes culturas nacionais — emancipadas de colonizadores estrangeiros, de suas próprias elites nativas, de formas de sofrimento social e psicológico — conviveriam "no encontro marcado da conquista" de Césaire.

Essa visão, nutrida em partes iguais por raiva e esperança, nunca fora concebida unicamente para a Argélia, nem sequer apenas para as lutas de libertação nacional. Era dirigida ao mundo. E depois de sua morte, as ideias de Fanon viajariam pelo mundo, onde conquistariam uma influência, um elã e, de fato, uma universalidade que ultrapassariam a do próprio Sartre. A vida de Fanon como teórico, profeta e ícone da libertação havia apenas começado.

# Epílogo
# Espectros de Fanon

### Pedaços de um homem

"Eu não gosto de ver Fanon sendo cortado em pedaços", Marie-Jeanne Manuellan costumava me dizer. Aqueles que veem apenas um aspecto de sua obra e de sua personalidade, defendia ela, deixavam passar o todo indissolúvel: psiquiatra e revolucionário, escritor e homem de ação, antilhano e francês, argelino e africano. O fato de que a obra de Fanon estava sendo dissecada com devoção exegética em seminários universitários a divertia e exasperava na mesma medida. "Aqueles eram panfletos!", protestava ela: textos escritos a serviço de um movimento político, não obras de reflexão filosófica.

Manuellan falava a partir de sua experiência pessoal, é claro, e em seus últimos anos, ela compartilhou suas memórias de Fanon com todos que a visitaram na casa de repouso em que ela vivia no 14º Arrondissement de Paris. Na entrada de seu quarto imaculado havia uma citação emoldurada do poeta esquerdista turco Nâzim Hikmet: "A esperança está no homem", uma crença que Fanon também tivera e que continuara a inspirar Manuellan em seu trabalho como ativista em defesa de refugiados, imigrantes e palestinos sob ocupação. Francesa branca com cabelo grisalho revolto, ela foi uma porta-voz improvável do legado de Fanon, mas ouvi-la era sentir-se mais próximo do homem que escreveu *Os condenados da terra*. "Marie-Jeanne é a única pessoa que traz meu pai de volta à vida, para mim, a única pessoa que o retratou como algo além de um ícone desencarnado", Mireille Fanon Mendès-France, a filha de Fanon, me disse em Paris no verão de 2018.[1] "A única coisa pela qual a repreendo é o fato de que ela vai morrer." Marie-Jeanne faleceu um ano depois, aos 91 anos de idade.

Ao escrever este livro, conversei com muita gente próxima a Fanon, mas aprendi mais com Manuellan do que com qualquer outra pessoa sobre o Fanon inteiro. Entendi por que ela preferia o homem que conhecera em detrimento dos pedaços em que sua obra fora dividida, e fiz de tudo para voltar a juntá-los da melhor forma possível. Mas os fragmentos — as sobrevidas influentes de Fanon na política, na teoria, na cultura e na psiquiatria — também são uma parte vital de sua história.

Hoje, Fanon é uma celebridade intelectual cuja escrita é empregada em nome de uma gama de pautas muitas vezes contraditórias: nacionalistas negras e cosmopolitas, panafricanas e panárabes, seculares e islamitas, marxistas e liberais, defensoras de políticas identitárias e críticas de políticas de identidade. Ele foi acusado de ser misógino por sugerir que algumas mulheres brancas que temem homens negros secretamente desejam ser violadas por eles, e elogiado como um feminista precoce do Terceiro Mundo por seus escritos sobre as combatentes argelinas. Intelectuais de direita o atacaram como o pai fundador do terrorismo moderno e da teoria crítica da raça, mas também se inspiraram em sua obra: o escritor e político francês Éric Zemmour, um judeu de origem argelina e defensor da teoria da conspiração racista da "grande substituição", citou observações de Fanon sobre o desejo do colonizado de tomar o lugar de seus colonizadores. Fanon é agora uma figura intelectual canônica que inspira respeito até de seus inimigos.

O dramaturgo *manqué* é também parte da cultura radical tanto quanto John Berger, James Baldwin ou Audre Lorde, e, como tal, um símbolo do hipsterismo de esquerda: na recente série televisiva *The White Lotus*, uma jovem negra conscientizada lê *Os condenados da terra* em um resort havaiano onde está tramando contra os pais super-ricos de sua melhor amiga branca, que a convidaram para as férias. A atriz Jamie Lynn Spears, irmã de Britney, postou citações de Fanon em sua conta no Instagram. Em seu projeto de 2022 para a exposição Documenta, em Kassel, na Alemanha, o artista britânico bangladeshiano Hamja Ahsan fixou um letreiro em que se lia "Fanon Fried Chicken: Fast Food para os condenados da terra" sobre um restaurante halal. (Não é provável que Fanon teria aprovado essa dieta por motivos culinários, de saúde ou, aliás, ambientalistas.) É difícil encontrar outro pensador de meados do século XX com potência de estrelato tão duradoura, exceto talvez Hannah Arendt, cujo ensaio de 1969 sobre a violência foi em parte uma resposta à voga de Fanon entre radicais da Nova Esquerda.[2] E o fascínio por Fanon só cresceu em uma era intelectual[3] preocupada com a supremacia e o privilégio brancos, antinegritude, colonialismo de ocupação e indigenidade. Na introdução de *Pele negra, máscaras brancas*, Fanon declarou: "Não chego armado de verdades categóricas".[4] No entanto muitos de seus admiradores, depois de sua morte, recorreriam a ele precisamente por esse tipo de sabedoria atemporal.

## O fantasma de Fanon

Ninguém ficou mais irritado com o culto que se formou em torno de Fanon do que Albert Memmi, seu contemporâneo nascido na Tunísia e rival na explicação da condição colonial. Ele invejava o prestígio de Fanon entre a esquerda e o considerava um extremista um tanto perigoso. E em um ensaio fascinante publicado na *Esprit* por ocasião do décimo aniversário de sua morte, "La Vie impossible de Frantz Fanon" [A vida impossível de Frantz Fanon], Memmi tentou acertar as contas com ele — na verdade, afastar seu fantasma. A vida de Fanon, ele afirmava, fora uma busca frustrada por pertencimento e uma fuga ilusória de suas raízes martinicanas. "A tragédia particular de Fanon",[5] escreveu Memmi, foi que, ao contrário de Aimé Césaire, "ele nunca tornara a retornar à Négritude e às Antilhas". Fanon transferira, sim, sua identificação ferrenha com o país que o rejeitara para os rebeldes muçulmanos da Argélia, os quais nunca o aceitariam como um dos seus. Uma vez que a Argélia muçulmana se provou "particularista" demais, ela foi englobada por algo ainda maior: o continente africano, o Terceiro Mundo e, no fim das contas, o sonho de "um homem totalmente sem precedentes, em um mundo totalmente reconstruído". O "verdadeiro problema" de Fanon, insistia Memmi, não era como ser francês ou argelino, mas "como ser antilhano".

O relato que Memmi faz da vida de Fanon, e de seus esforços para definir a si mesmo, é sugestivo, e lancei mão dele neste livro. O que eu não aceito é a acusação implícita de que Fanon abandonou seus irmãos e irmãs negros ao aliar-se aos muçulmanos norte-africanos. A impossibilidade vital de Fanon não foi apenas sua tragédia; foi também sua glória. Alice Cherki escreveu em resposta a Memmi: "O projeto de identificar-se exclusivamente com sua própria origem estaria em desacordo com a concepção de Fanon do que significava ser um sujeito livre".[6]

Fanon nunca repudiou suas raízes martinicanas, ou seu amor pelos escritos de Césaire, do qual tirou suas imagens da revolta de escravizados em *Os condenados da terra*. E em nenhuma outra parte Fanon foi mais antilhano do que em seus escritos sobre a Argélia e a África, nos quais transpôs a experiência da plantation antilhana para todo o Terceiro Mundo.

(Não é por acaso que a exploração laboral tenha um papel muito maior em seu relato do colonialismo francês do que o conflito "civilizacional" ou religioso entre a Europa cristã e o islã do Norte da África.) Ele não havia esquecido seu povo ou seu passado, mas passou a ver ambos como parte de uma história mais ampla que o ligava a outros povos e outros passados. Os argelinos podiam não ser racialmente negros, mas eram vítimas do mesmo sistema que levara seus ancestrais em navios negreiros para as Antilhas. Ele havia deixado a Martinica, mas ela nunca o deixara. Só um antilhano poderia ter escrito *Os condenados da terra*.

Para Memmi, um judeu norte-africano desiludido com o nacionalismo árabe (e excomungado por alguns de seus antigos companheiros por ter abraçado o sionismo), identidade era destino, e Fanon, um ponto fora da curva, se não um fracasso, por desafiar seus ditames. Mas foi precisamente o fato de Fanon desafiar as alegações da identidade, seu comprometimento nômade com as causas de outros povos e com uma forma de universalismo radical e anticolonial, que lhe permitiu mexer com leitores muito além da Martinica, da França e da Argélia, desde Jean Améry, sobrevivente belga ao Holocausto, e o místico católico Thomas Merton ao jovem Barack Obama (que discutia Fanon noite adentro no quarto de seu dormitório no Occidental College), e o prisioneiro político Albert Woodfox, um pantera negra que passou 43 anos em regime de confinamento solitário na notória prisão Angola, na Louisiana, por um assassinato que não cometeu.

## Profeta do Terceiro Mundo

Houve, é claro, comentaristas mais matizados do que Fanon sobre a luta argelina e o tema da descolonização. Diversos deles — Mouloud Feraoun, Mohammed Harbi, Pierre Bourdieu,

Jean-François Lyotard — figuraram nestas páginas, oferecendo um contraponto, e ocasionalmente um corretivo, ao furor muitas vezes febril, ainda que sedutor, de Fanon. Mas mesmo que suas contribuições para o conhecimento histórico fossem às vezes mais informadas e mais sutis, a publicação de *Os condenados da terra* foi um *acontecimento* histórico. O livro de Fanon transmitiu, como nenhum outro tinha feito, o drama psíquico — e muitas vezes a paixão trágica — da revolução anticolonial. Para seus leitores nos campos de treinamento das organizações de libertação nacional nos anos 1960 e 1970, Fanon não era apenas um teórico da descolonização mas também um companheiro em quem confiavam, e a aura sagrada de seu manifesto, a bíblia do Terceiro Mundo, foi lustrada por sua morte prematura. Alguns poucos anos depois de sua publicação, *Os condenados da terra* seria lido em espanhol por guerrilhas latino-americanas em uma tradução cubana encomendada por Che Guevara; em inglês por rebeldes do CNA na África do Sul; em português por combatentes anticoloniais em Angola, Guiné-Bissau e Moçambique; em farsi por marxistas iranianos e revolucionários islâmicos; e, não menos importante, em árabe por fedayin palestinos em campos de treinamento na Jordânia, no Líbano e na Síria.

As primeiras traduções em árabe da última obra de Fanon, que apareceram nas livrarias de Beirute em 1963, ajudaram a formatar a ideologia da resistência palestina emergente contra Israel. Em seu livro de memórias de 1981, *My Home, My Land*, o líder da Organização pela Libertação da Palestina Abu Iyad (*nom de guerre* de Salah Khalaf) escreve que Fanon, um de seus autores favoritos, ensinou-lhe que "apenas um povo que não teme as armas e os tanques do inimigo é capaz de lutar pela revolução até o fim".[7] Abu Iyad sabia que a OLP nunca seria capaz de derrotar Israel no campo de batalha, mas esperava que a luta armada "pudesse angariar as massas para o movimento popular que estamos tentando criar". Em 1968, os combatentes palestinos defenderam a cidade jordaniana de Karameh contra uma incursão do Exército de Israel. Suas perdas foram pesadas (cinco vezes maiores do que do lado de Israel), mas eles mantiveram sua posição e até conseguiram matar duas dúzias de soldados inimigos. A lenda de Karameh — "dignidade" em árabe — havia nascido. Antes da batalha, o Fatah tinha 2 mil combatentes; três meses mais tarde, tinha 15 mil. Em uma frase que poderia ter tirado de *Os condenados da terra*, Yasir Arafat observou, logo depois de Karameh, que a luta armada transformara os palestinos de "refugiados abatidos" em "combatentes incitados". Seu alvo não era tanto o Exército de Israel quanto a psique ferida palestina: a violência era uma terapia coletiva, um modo de criar o "novo homem", de forjar uma nação e de anunciar a existência de um povo palestino no palco mundial.

Na África subsaariana, revolucionários estudavam a obra de Fanon com a mesma atenção aguçada. Entre eles estavam o influente revolucionário guineense Amílcar Cabral,[8] o qual ele conheceu no fim da década de 1950; Steve Biko, o fundador do movimento da Consciência Negra da África do Sul, que foi espancado até a morte em 1977 por agentes do regime de apartheid; e um jovem líder de guerrilha chamado Yoweri Museveni, futuro ditador de Uganda, cuja dissertação de 1971 se intitulava "A teoria de Fanon sobre a violência: Sua verificação no Moçambique libertado". (Seus oponentes da oposição democrática de Uganda mais tarde citariam Fanon contra Museveni.) Walter Rodney, historiador marxista guianense e líder pan-africano, citou Fanon em sua crítica das "armadilhas da consciência nacional africana",[9] de início uma "força libertadora" que, alertou ele, "pode se transformar em antolhos e constituir uma barreira para um entendimento mais aprofundado do mundo real". Ao contrário de Memmi, os revolucionários africanos viam Fanon não como um homem negro afastado de seu povo mas como um companheiro soldado na guerra tanto contra o colonialismo quanto contra a exploração neocolonialista.

## Fanon e a "cultura nacional"

Fanon exerceu uma influência ainda mais poderosa sobre os escritores, artistas e cineastas da África, os criadores da "cultura nacional", que encontraram em sua obra um guia para a psicologia dos oprimidos — e, cada vez mais, para os governos autoritários e corruptos que agora estão no poder em seu nome. Como salientou o romancista queniano Ngũgĩ wa Thiong'o, a literatura africana dos anos imediatamente posteriores à independência "foi na verdade uma série de notas de rodapé imaginativas para Frantz Fanon".[10] O próprio Ngũgĩ leu pela primeira vez *Os condenados da terra* (em uma das primeiras traduções para o inglês intitulada *The Damned*) em 1965, pouco depois de chegar à Universidade de Leeds. O Quênia havia conquistado sua liberdade do domínio britânico dois anos antes, e Ngũgĩ já conseguia "sentir uma discordância entre as promessas dos movimentos anticoloniais e a independência". Compreender a política "em termos do negro e do branco" fazia sentido nas colônias de povoamento, onde "o branco era poder, privilégio, riqueza; o negro era impotência, opressão e pobreza. Mas o que dizer do Estado africano pós-colonial na esteira do Estado dos colonos brancos? Os termos branco e negro se tornaram inadequados, até mesmo confusos". Quando leu o capítulo sobre as armadilhas da consciência nacional, sentiu que Fanon descrevia o Quênia: "Foi Fanon quem de fato nos deu o vocabulário para compreender e exprimir o caráter da era pós-colonial". O que os romancistas africanos, de Ngũgĩ e Chinua Achebe a Nadine Gordimer e Abdulrazak Gurnah, compreenderam sobre Fanon foi que sua obra era muito mais que um conjunto de catecismos sobre luta armada e anti-imperialismo, o léxico do fanonismo vulgar. Suas ideias psicológicas sobre as humilhações do domínio colonial, as fantasias violentas (e eróticas) dos colonizados, e a arrogância da burguesia nacional não eram apenas agudas como também ricas em potencial dramático.

Em sua exploração dos impulsos inconscientes — e distintamente menos nobres — desencadeados pelo colonialismo, talvez o mais fanoniano dos romancistas pós-coloniais tenha sido V. S. Naipaul. Naipaul não lançava muito mão das políticas libertadoras de Fanon: em seu relatório de 1975 sobre o Zaire de Mobutu para a *New York Review of Books*, ele zombou da "versão diluída de Fanon" que tinha se tornado a língua franca dos jornais oficiais. No entanto, Fanon não teria tido dificuldades em reconhecer os protagonistas feridos, ressentidos e invejosos dos romances de Naipaul — "homens mímicos" que se sentem, como seu narrador, Salim, em *Uma curva no rio*, possuídos pela "fúria colonial",[11] cruelmente privados da sua "virilidade, ou de parte dela". Como observou James Wood, "o pessimismo radical de Naipaul encontra o otimismo radical de Fanon no ponto em que o corte da culpa colonial, a que os dois homens resistiram com fúria, converte-se na ferida da vergonha colonial".[12]

Em Fanon, a fúria colonial leva, em última análise, à insurreição anticolonial; já em Naipaul, ela não tinha para onde ir, porque as revoluções que Fanon abraçou tinham ou cessado de repente; ou se transformado em paródias grotescas (e assassinas) de si mesmas; ou levado a regimes tirânicos como o de Mobutu, a inspiração para o país sem nome de *Uma curva no rio*. A obra-prima de Naipaul foi lançada em 1979, um ano depois de Edward Said ter publicado sua crítica emblemática das representações ocidentais do Oriente, *Orientalismo*.

Ambas, de modos muito diferentes, refletiam o fim da era anticolonial e o nascimento da pós-colonial. As lutas de libertação nacional no Sul da África continuariam por aproximadamente mais uma década; a luta palestina entraria em uma nova fase, centrada na resistência popular na Cisjordânia ocupada e na Faixa de Gaza. Mas o mundo adentrava em um novo ciclo histórico no qual os temas fanonianos da luta armada, da espontaneidade rural e do nacionalismo secular perderiam muito da sua atualidade. Em 1978, Deng Xiaoping adotou o mercado capitalista e declarou que "enriquecer é glorioso". Um ano depois, o Irã foi varrido pela Revolução Islâmica, infundida com a espiritualidade política de Ali Shariati, que Fanon rechaçara, por mais que Shariati o elogiasse. Nesse mesmo ano, forças russas invadiram o Afeganistão, colocando em marcha uma série de acontecimentos que culminariam no colapso do bloco soviético e na propagação de insurreições islamistas sunitas contra os governos nacionalistas árabes, inclusive o da Argélia. Os países do Sul Global — o antigo Terceiro Mundo — seriam cada vez mais dominados pelo capitalismo autoritário e pelo nacionalismo, muitas vezes com uma forte dose de devoção religiosa.

## Pós-colonialismo e os descontentes

A Argélia foi um desses países. É improvável que Fanon, caso tivesse sido curado da leucemia, encontrasse ali um lar duradouro. Logo nos primeiros anos da independência, o espírito revolucionário de solidariedade ainda perdurou. Numa mensagem desafiante ao Exército francês ainda estacionado na Argélia,* Ahmed Ben Bella, primeiro presidente da Argélia

---

* A gendarmaria (polícia militar) de Provost permaneceu na Argélia até 1964, para assistir o novo governo na manutenção da ordem.

independente, prometeu que os direitos dos desertores do Exército francês que tinham se refugiado no país seriam defendidos como se eles fossem argelinos. Quando um grupo de gendarmes franceses[13] tentou prender um desertor que dava aulas na escola de um vilarejo próximo a Blida, os moradores pegaram em armas para protegê-lo e obrigaram os gendarmes a partir. Mas o país se voltava progressivamente para si mesmo. "Nós somos árabes, árabes, árabes", proclamou Ben Bella, ignorando a substancial minoria de berberes argelinos que havia feito grandes sacrifícios durante a guerra e cuja língua, o amazigh, só seria reconhecida pelo Estado duas décadas depois. Em 1963, observar o Ramadã se tornou obrigatório, e uma lei que restringia a nacionalidade argelina aos cidadãos de origem muçulmana foi aprovada. A maioria dos amigos de Fanon — os Manuellan, Alice Cherki, André Mandouze — decidiu que era hora de ir embora.

A paixão de Claude Lanzmann pela Argélia terminou de forma ainda mais abrupta, quando Ben Bella anunciou sua intenção de mandar 100 mil soldados para ajudar os palestinos a libertar sua terra de Israel. Sionista convicto, Lanzmann dirigiu o documentário épico sobre o Holocausto, *Shoah*, e outros filmes sobre a experiência judaica, incluindo um louvor ao Exército israelense, *Tsahal*. Ainda assim, mesmo repudiando o terceiro-mundismo revolucionário, ele se manteve curiosamente leal a seu profeta; a certa altura, se aferrou à ideia de publicar uma antologia dos escritos de Fanon com Maspero — projeto vetado por Josie Fanon, que não gostava dele. Tanto em *Tsahal* como em *Sobibor*, seu documentário sobre a revolta judaica nos campos de concentração, Lanzmann apresentou uma defesa distintamente fanoniana da violência, argumentando que os judeus haviam se refeito como povo ao pegar em armas e lutar contra seus opressores. É improvável que Fanon tivesse aprovado a paixão de Lanzmann pelo último Estado colonial de povoamento do mundo. Ainda assim, em *Tsahal* e *Sobibor* havia um tributo peculiar à influência dele.

O primeiro longa-metragem de um cineasta africano, *A negra de...*, que estreou em 1966, ilustrava as ideias de Fanon sobre racismo e resistência em uma cinematografia em preto e branco de força poética e cativante. Seu diretor foi Ousmane Sembène, um *tirailleur sénégalais* da Segunda Guerra Mundial que descobriu o marxismo enquanto trabalhava nas docas de Marselha no fim dos anos 1940 e se tornou um ávido leitor de Fanon. No filme de Sembène, uma jovem de Dakar vai trabalhar para uma família branca em Antibes, na Côte d'Azur, sonhando com uma vida melhor na *métropole*, mas acaba sujeitada a humilhações racistas e a feridas psicológicas. Ela acaba se suicidando, mas não sem antes reclamar a máscara africana que deu de presente à família que a recebera. Em um final assombroso, a máscara se torna um símbolo de seu espírito, e da resistência africana: tal como o véu no ensaio de Fanon sobre as mulheres argelinas, o significado desse objeto tradicional é transformado na luta, infundido com força insurrecional. Em seus filmes posteriores, Sembène satirizou as elites dominantes do Senegal com uma irreverência muitas vezes deliciosamente fanoniana.

Lanzmann e Sembène não foram os únicos cineastas a serem impactados pela visão de Fanon da revolta enquanto afirmação de humanidade. O cinema terceiro-mundista da década de 1970, desde o estudo da Nouvelle Vague de Med Hondo sobre a alienação e a fúria negra e árabe na França, *Soleil Ô*, ao Cinema Novo no Brasil, à representação de Ivan Dixon do gueto americano como uma zona de guerra fanoniana em *The Spook Who Sat by the Door* [O fantasma que se sentou à porta], foi um tributo à sua influência. Mas o maior filme fanoniano já feito foi, de longe, *A Batalha de Argel* (1966), um relato em estilo *vérité* dos acontecimentos de 1956 e 1957 dirigido por Gillo Pontecorvo, um judeu italiano radical que reverenciava Fanon. (Serge Michel, colega de Fanon no *El Moudjahid*, trabalhou para a Casbah Films, que o coproduziu.) O filme de Pontecorvo contou com a participação de não atores que haviam sido testemunha da Batalha de Argel, e em alguns casos participado dela, incluindo o líder da FLN na casbá, Yacef Saadi, que interpretou a si mesmo e coproduziu o filme. Várias das sequências — os planos que contrastam os bairros abastados europeus e a casbá empobrecida; as cenas de mulheres argelinas tirando os véus, vestindo-se como europeias e plantando bombas em cafés e aeroportos franceses — foram diretamente inspiradas nos escritos de Fanon. E o herói do filme, Ali La Pointe, ex-criminoso recrutado para a causa nacionalista na prisão, era um clássico pária fanoniano, com uma raiva fervente pela humilhação colonial.

Fanon com certeza teria admirado a insistência de Pontecorvo na necessidade da violência para derrotar as forças do colonialismo e sua celebração dos rebeldes do interior. Ainda assim, a realização do filme contribuiu inadvertidamente para selar a vitória final do exército das fronteiras. Em 19 de junho de 1965, enquanto Pontecorvo rodava o filme, a população de Argel foi levada a acreditar que os tanques estacionados nas ruas da capital eram parte da cenografia. Na realidade, o coronel Houari Boumediene estava lançando mão deles para tirar Ben Bella do poder.

Sob Boumediene, a Argélia tornou-se líder do Movimento Não Alinhado, e Argel, a meca dos revolucionários estrangeiros. E no verão de 1969 a visão que Fanon tinha de uma cultura revolucionária[14] — e da unidade argelino-africana contra o imperialismo — recebeu um tributo fascinante na capital, quando Nina Simone, Miriam Makeba, o saxofonista de free jazz Archie Shepp, o poeta beat Ted Joans, os Panteras Negras e representantes de outros movimentos de libertação nacional chegaram para o Festival Pan-Africano — o Woodstock do Terceiro Mundo. A amiga americana de Fanon, Elaine Klein, que se estabelecera em Argel depois da independência, participou da organização. "Ainda somos negros e estamos de volta. *Nous sommes revenus*", proclamou Joans do palco. "O jazz é uma potência africana! O jazz é música africana!" O festival durou dez dias; nunca mais houve nada com a mesma ambição e o mesmo tamanho. Ainda assim, as ausências também foram reveladoras. A cantora berbere cabila Taos Amrouche, irmã do poeta Jean Amrouche, não foi convidada a se apresentar, apesar do seu apoio à FLN durante a guerra. A afirmação de Amrouche de suas raízes berberes, de suas origens como filha de convertidos ao cristianismo, e de seu apego à língua francesa foi malvista pelas autoridades, que encaravam a expressão do multiculturalismo como uma ameaça à unidade árabe-islâmica. Fanon insistira que o país acolheria, como companheiro argelino, qualquer um que apoiasse a independência do país, mas essa ideia já não parecia se aplicar nem a nativos nascidos argelinos.

Josie Fanon continuou na Argélia, onde trabalhou como jornalista e criou o filho dela e de Frantz, Olivier, que se tornou diplomata argelino. Segundo Elaine Klein, Josie teve uma *liaison* longa e insatisfatória com um argelino que alegava ter sido comandante das forças de libertação. Mas voltar a se casar estava fora de cogitação para uma mulher que se intitulava viúva de um grande homem. Quando Klein participou com ela de uma conferência política em Havana, viu Josie ser cortejada[15] por um belo jovem cubano, mas não o deixou entrar em seu quarto, onde mantinha uma fotografia do falecido marido junto de sua cama, "como um guarda-costas". Ela defendeu seu legado com paixão e sem concessões. Quando Jean-Paul Sartre se colocou do lado de Israel durante a guerra de 1967, ela exigiu que François Maspero "suspendesse imediatamente a publicação do prefácio" de *Os condenados da terra*, uma vez que "suas atitudes pró-sionistas eram incompatíveis com a obra de Fanon".

Em 1978, Josie foi para os Estados Unidos pela primeira vez desde a morte de Frantz, a convite de uma comissão da ONU sobre o apartheid. Durante a estadia, falou no Centro Afro-Americano da Universidade de Howard, perto do jardim de infância que Olivier havia frequentado enquanto o pai estava à beira da morte. Quando lhe perguntaram sobre a produção literária relativa à vida e à obra do marido, ela respondeu que, embora ainda houvesse muito a ser escrito sobre ele, não esperava que nada viesse de "intelectuais ocidentais" que "não entenderam plenamente sua obra". Só na África e na comunidade afro-americana dos Estados Unidos, disse, seriam produzidas "obras válidas" sobre o legado do marido.

## Fanon na América negra

De acordo com a perspectiva de Josie Fanon, os intelectuais e ativistas afro-americanos abraçaram Fanon com um fascínio equivalente ao interesse que Richard Wright e Chester Himes haviam despertado nele. A devoção à obra de Fanon refletia, em parte, o entusiasmo que a luta argelina tinha suscitado nos círculos negros progressistas. Angela Davis, que mais tarde elogiaria Fanon como o "mais premente teórico do racismo e do colonialismo"[16] do século XX, descobriu a questão argelina quando era estudante da Sorbonne, em 1962, ao se deparar com "expressões racistas pichadas nas paredes de toda a cidade ameaçando argelinos de morte" e ver a polícia ("tão cruel quanto os polícias caipiras de Birmingham") dispersando uma manifestação pró-independência com jatos de água de alta potência.

Dois anos depois, Malcolm X comemorou seu aniversário de 39 anos em Argel, onde falou com veteranos da FLN que lhe pareceram "verdadeiros revolucionários, que não tinham medo de morrer".[17] Numa entrevista pouco antes de sua morte, Malcolm explicou que o encontro com um oficial da FLN que, "ao que tudo parecia", era um homem branco, o levou a reexaminar sua compreensão do nacionalismo negro e a adotar uma perspectiva mais internacionalista da luta contra o racismo. William Gardner Smith teve uma revelação semelhante ao fazer a cobertura da Guerra da Argélia a partir de Paris e, no seu romance de 1963, *The Stone Face* [O rosto de pedra], descreveu os afro-americanos nos guetos dos Estados Unidos como "os argelinos da América".[18] Em uma visita ao país, alguns anos depois, os jovens militantes que conheceu lhe lembraram os jovens dirigentes da FLN.

Quando a Grove Press publicou a tradução de *Os condenados da terra* em 1965, o livro teve repercussão imediata com os jovens militantes negros do Comitê de Coordenação Estudantil Não Violenta (Student Nonviolent Coordinating Committee, SNCC), que desenvolviam um interesse cada vez maior pelos movimentos de independência africanos. Sob a influência de Bob Moses, um leitor de Camus, os ativistas do SNCC tinham sido formados por uma ética de ação moral. Mas os espancamentos que sofreram e a intensidade da resistência branca puseram profundamente à prova esse compromisso. Os ativistas do movimento negro sofriam de níveis especialmente altos de fadiga, medo e ansiedade, sintomas que o psiquiatra Robert Coles ligou à neurose de guerra e ao estresse pós-traumático. Já em 1965, o SNCC havia passado para uma ênfase na autodeterminação, na dignidade e no empoderamento psicológico dos negros; um ano depois, Stokely Carmichael, um leitor de Fanon, fez soar o chamado do Black Power. Andrew Young, um dos representantes do dr. Martin Luther King Jr., lamentou a crescente influência de Fanon e atribuiu-a a "uma crise de fé".

Pode ter sido o caso: a paciência com o modelo gandhiano de resistência estava acabando. Mas o crescente interesse por Fanon também refletia o sentimento, entre uma geração mais jovem de ativistas dos direitos civis negros, de que sua obra ajudava a iluminar a crise nos Estados Unidos, sobretudo nas cidades do Norte, que não eram legalmente segregadas mas que ainda assim pareciam a cidade colonial violentamente dividida de *Os condenados da terra*. Essa convicção só foi reforçada pelas revoltas urbanas em Watts, Newark, Detroit e outras cidades americanas — e pela reação brutal da polícia e da Guarda Nacional. O que era a polícia senão agentes de um "colonialismo interno"[19] implacável, para usar uma expressão que se tornou comum na sociologia americana no fim dos anos 1960? Também os radicais brancos estavam começando a questionar se a sociedade americana poderia ser transformada, e a Guerra do Vietnã, terminada, através de meios pacíficos.

Em um fórum público em dezembro de 1967 em Nova York, Hannah Arendt apontou que as perspectivas de Fanon sobre a violência eram mais matizadas do que as de Sartre, mas *Os condenados da terra* era amplamente lido através do prisma do prefácio incendiário de Sartre. As professoras Aristide Zolberg e Vera Zolberg escreveram em 1967: "O espectro que hoje assombra os Estados Unidos é o Fanon do primeiro capítulo de *Os condenados da terra*".[20] Elas acrescentaram um tanto agitadamente que "isso não serve como uma alegoria da nossa situação", mas durante os verões quentes do fim da década de 1960, era fácil pensar diferente, e o tom urgente e apocalíptico de Fanon parecia senso comum entre seus leitores de círculos militantes negros.[21]

Fanon foi adotado por LeRoi Jones (posteriormente conhecido como Amiri Baraka) e o Black Arts Movement como teórico tanto da libertação cultural quanto da política — um Malcolm X francófono. Ele também atraiu o interesse de médicos negros,[22] como o psiquiatra de Harvard Alvin Poussaint, que encontrou um tesouro de ideias nos escritos de Fanon sobre a psique negra numa sociedade dominada por brancos. Conhecer Fanon se tornou símbolo de militância radical e às vezes de superioridade intelectual: em seu poema de 1970, "Brother", Gil Scott-Heron se queixou dos "aspirantes a revolucionários negros" que "liam Mao ou Fanon", enquanto ignoravam o sofrimento das pessoas de suas próprias comunidades.

Os discípulos mais enérgicos de Fanon na política negra dos Estados Unidos foram os Panteras Negras, que se identificavam como marxistas-leninistas e se apresentavam como um movimento americano análogo aos movimentos de libertação nacional da África, da Ásia e do Oriente Médio. Como disse o chefe do estado-maior dos Panteras, David Hilliard, "Fanon — e a Revolução Argelina — nos ofereceu nosso modelo teórico mais importante". Em 1969, o líder dos Panteras, Eldridge Cleaver, e sua mulher, Kathleen, se exilaram em Argel, onde seu contato com as autoridades argelinas era Elaine Klein.[23] Cleaver louvou *Os condenados da terra* como "a bíblia negra" e disse que "qualquer irmão em qualquer terraço" seria capaz de citá-lo. A crítica de Fanon à assimilação a modelos brancos, seu desprezo pelas elites nativas, sua crença de que a autodefesa tinha valor terapêutico: todos esses temas repercutiam nos Panteras. Assim como a fé de Fanon nas massas e sua convicção de que os pequenos infratores e os párias tinham mais a contribuir para a revolução do que os intelectuais urbanos assimilados, que dirá a burguesia negra. Malcolm X defendera um ponto de vista parecido[24] em seu discurso sobre a diferença entre os "negros do campo" rebeldes e os "negros de casa" dóceis e adoradores dos brancos, e alguns dos Panteras — incluindo Cleaver e Huey P. Newton, líder do partido em Oakland — eram eles mesmos ex-condenados que tinham se refeito como revolucionários na prisão. Como marxistas, eles se identificavam fortemente com o desdém de Fanon pelo nacionalismo cultural, ou aquilo a que chamavam "nacionalismo porkchop", em seus confrontos muitas vezes violentos com a Us Organization, um grupo afrocêntrico liderado por Maulana Karenga, inventor do Kwanzaa e inimigo amargo dos Panteras.

Os Panteras também fizeram amplo uso dos escritos de Fanon sobre medicina. As práticas médicas racistas e desumanizadoras que ele descreveu na França e na Argélia poderiam ter ocorrido nas favelas americanas, onde os cuidados de pior qualidade e o desprezo dos médicos eram difundidos, e os negros haviam sido sujeitos a esterilização e outros experimentos invasivos. Como a socióloga Alondra Nelson demonstrou, os Panteras aplicaram a crítica de Fanon ao poder biomédico nas comunidades negras pobres por todos os Estados Unidos. Em resposta à discriminação médica, os Panteras criaram clínicas de saúde gratuitas em comunidades urbanas pobres e designaram leituras de Fanon aos médicos com quem trabalhavam. Em Fanon, escreve Nelson, eles encontraram "um modelo intelectual para a crítica do Partido à medicina"[25] como "instrumento de controle social".

### Em busca de Fanon

Para um dos membros do Partido dos Panteras Negras, Fanon se tornou uma obsessão para a vida toda. Vale a pena contar sua história, pois ela capta o encanto que Fanon exerceu sobre uma geração de intelectuais revolucionários negros. James Forman, um líder do SNCC que se tornou ministro das Relações Internacionais dos Panteras Negras, começou a fazer pesquisas para uma biografia de Fanon em 1968, entrevistando Joby Fanon em Paris e levando Aimé Césaire para fazer um tour no Harlem. Ele tinha quarenta anos, um homem velho para os padrões do movimento, e era suscetível a mudanças de humor repentinas, oscilando entre a confiança revolucionária e o desespero, enquanto conduzia seu projeto.

A memória de Fanon, temia ele, corria o risco de ser profanada. Um jornalista branco, Peter Geismar, estava trabalhando em uma biografia de Fanon que Forman considerou um exemplo de "imperialismo branco na escrita".[26] (O interesse pelo radicalismo negro parecia ser de família: o pai de Geismar, o crítico literário Maxwell Geismar, havia escrito a introdução de *Soul on Ice*, de Cleaver.) E em fevereiro de 1969, o colunista do *Washington Post* Joseph Alsop, um anticomunista que havia usado seu status de comentarista de política internacional para ajudar a conseguir informações de inteligência para a CIA, revelou o papel da agência na transferência de Fanon para Washington, D.C., para realizar seu tratamento médico. Fanon, se gabou Alsop, havia morrido "literalmente nos braços da CIA" — uma "difamação", na opinião de Forman. A narração da história de Fanon, na perspectiva de Forman, era agora um campo de batalha na luta entre o establishment da Guerra Fria e as forças insurgentes do Black Power.

Na verdade, as linhas de batalha eram mais complicadas do que Forman imaginava. Numa estranha reviravolta, Alsop, gay que não saíra do armário e entusiasta da Guerra Fria, e Geismar, membro da Nova Esquerda que publicava na revista marxista *Monthly Review*, tinham começado a trabalhar juntos num longo filme sobre a vida de Fanon. O script era bastante marcado pelas obsessões de Alsop com a raça, a sexualidade, a negritude do corpo de Fanon e o tamanho do seu pênis. O script suscitou a curiosidade do produtor Melville Tucker da Universal Studios, mas em uma carta para Alsop, Tucker disse que ele e seus colegas queriam saber mais sobre Fanon: ele tinha senso de humor? Demonstrava alguma tendência à violência? Como eram suas relações com as mulheres? Ele gostava de dançar? Geismar disse a Alsop que responderia a todas as perguntas, exceto "a mais idiota, que era se Fanon gostava de dançar (sim, ele sapateava e gostava de comer melancia)". O filme nunca foi levado a cabo, e Geismar morreu de câncer aos 31 anos, em agosto de 1970, logo depois de receber as provas de sua biografia de Fanon.

A essa altura, Forman já estava profundamente envolvido em sua própria biografia. No outono de 1969, ele fez sua primeira viagem a Argel para entrevistar Josie Fanon. Sua tradutora — Forman não falava francês — foi a filha de Richard Wright, Julia, que ele havia conhecido em Paris. Ela lhe mandou as transcrições de suas entrevistas, assim como cópias das fitas, mas ele nunca recebeu o material e suspeitava que o serviço secreto francês ou a CIA as tivessem confiscado. Independente de seus materiais de pesquisa terem sido interceptados ou apenas se perdido nos correios, Forman começou a desenvolver uma identificação excepcionalmente intensa com seu objeto de estudo, e parecia acreditar que, apenas por escrever sobre Fanon, estava envolvido em uma batalha contra o império americano tão perigosa quanto aquela em que Fanon estivera contra a França.

Forman ficou intrigado com a ambição de Fanon de escrever um estudo sobre a inveja: também ele vinha pensando sobre suas discussões com outros líderes dos Panteras, e sobre o problema do ego nos movimentos sociais. Durante sua viagem de três semanas à Martinica no inverno de 1969, ele pareceu reviver a volta de Fanon à ilha, em 1952, ao atacar a falta de espírito revolucionário dos martinicanos, sua aparente predileção por "prazer, rum e banalidades". Ele insistia com os martinicanos que conhecia que era um confrade "africano", mas eles pareciam não ligar. Quando disse à mãe de Fanon que as conquistas do filho deviam ser usadas para promover a causa da libertação negra, ela reagiu lhe mostrando uma das lembranças de que tinha mais orgulho: a menção de Fanon por seu serviço no Exército francês na Segunda Guerra Mundial. A máscara francesa, se não a branca, continuava firme no lugar.

Depois de voltar da Martinica, Forman criou uma fundação sem fins lucrativos, o Instituto Frantz Fanon. Em 1971, em uma conferência da Liga de Trabalhadores Negros Revolucionários, ele proclamou que a humanidade dos oprimidos "será restaurada quando eles afundarem suas baionetas no coração de seus opressores" e "dispararem seus rifles contra os agentes à espreita do colonialismo". Mas enquanto Forman trabalhava em sua biografia de Fanon, voltou a atenção para outro projeto de livro inspirado por sua visita à Martinica: "Um retrato de um militante negro — já não tão jovem — que foi à Martinica conhecer a realidade da vida no país e criar um livro sobre Frantz Fanon". O título que ele propôs para essa autoficção foi "Pele negra, máscaras brancas, 1970". A Macmillan rejeitou o manuscrito. Mas Forman continuou obcecado por Fanon, escrevendo sobre ele em seus diários e pedindo a Sékou Touré suas opiniões sobre Fanon — assim como doações para o instituto. Não há nenhum indício de que o líder da Guiné tenha respondido, mas Forman acabou conseguindo convencer Marion Barry, prefeita de Washington, D.C., a declarar o dia 8 de dezembro de 1997 como o "Frantz Fanon Memorial Day". Na cerimônia, Ramtane Lamamra, embaixador argelino nos Estados Unidos, deu uma explicação incomum para a morte de Fanon na capital:

> A tradição anticolonial americana e o compromisso declarado deste país com os direitos inalienáveis à vida, à liberdade e à busca da felicidade atraíram Fanon para Washington, D.C., onde ele faleceu aos 36 anos, como se um destino providencial desejasse que ele tivesse, também, um lugar no patrimônio histórico americano.[27]

## A americanização de Frantz Fanon

Fanon, como sabemos, não ficou absolutamente satisfeito com o "destino providencial" que o levara a passar os seus últimos dias nos Estados Unidos. E o "patrimônio histórico americano" também nunca o abraçou de fato. Quando a acadêmica Simone Browne escreveu para a CIA e o FBI em 2011 para solicitar, de acordo com a Lei de Acesso a Informação, qualquer material relativo à visita de Fanon, a CIA respondeu que não podia "confirmar nem negar a existência ou a não existência de registros correspondentes a seu pedido".[28] No entanto, Lamamra estava certo em relação a algo: Fanon tinha, sim, um destino americano, ou ao menos anglo-americano.

Com o declínio do terceiro-mundismo revolucionário no fim dos anos 1970, Fanon passou a ser amplamente encarado como uma figura histórica, de interesse sobretudo para estudantes de movimentos radicais de libertação negra e da descolonização africana. Seus livros pareciam correr o risco de se tornar relíquias, vendidos em sebos junto com exemplares de *Ideologia da sociedade industrial* de Herbert Marcuse e *Alma no exílio* de Eldridge Cleaver. Mas nas décadas de 1980 e 1990, Fanon obteve reconhecimento como um pensador de significância mundial, inspirando algumas das obras mais empolgantes em crítica literária e estudos culturais na academia anglo-americana. *Pele negra, máscaras brancas*, havia sido muito ofuscado por *Os condenados da terra*, e recebeu seu devido reconhecimento como um estudo fenomenológico sofisticado do racismo na obra de teóricos do "Atlântico Negro" como Stuart Hall, Sylvia Wynter e Paul Gilroy — e no filme de 1995 *Frantz Fanon: Black Skin, White Mask*, um documentário elegante, ainda que um tanto superficial, do artista negro britânico Isaac Julien.

Talvez não surpreenda que o defensor mais fervoroso da produção argelina de Fanon na universidade americana tenha sido um homem para quem a luta anticolonial nunca terminara: o crítico literário americano palestino Edward Said, que se juntou à OLP não muito depois da Batalha de Karameh e que em 1968 se tornou um dos conselheiros de Arafat. Segundo o próprio Said, Fanon o libertou do pessimismo implacável dos estudos sobre poder de Michel Foucault, ao mostrar que os oprimidos podiam apresentar contranarrativas, tomar seu destino nas próprias mãos e contestar os sistemas de dominação. Ele ficou deslumbrado com a descrição que Fanon fez da libertação como (nas palavras de Said) "um *processo*, e não um objetivo alcançado automaticamente pelas novas nações independentes",[29] e com a sua insistência de que a revolução anticolonial deve ser social e não apenas nacional em seu caráter. Ele ficou igualmente impressionado com a "força anti-identitária" do entendimento de Fanon do nacionalismo argelino, o qual ressaltava o que Said chamou de "afiliação", fidelidade consciente, em vez de "filiação", pertencer em virtude de afinidade. Por que derrubar o domínio francês na Argélia, ou a ocupação de Israel nas terras palestinas, se o resultado seria meramente uma transferência de riqueza e poder de uma elite colonial para uma elite nativa? Para Said, assim como para Fanon, o objetivo final da luta não era reclamar a posse da terra, ou restaurar uma identidade ancestral reprimida, mas sim estabelecer uma sociedade mais justa e criar "novas almas".

Said era árabe palestino e, portanto, uma pessoa mais de dentro de seu movimento do que Fanon no seu. Mas como cristão protestante criado em um ambiente abastado no Cairo e educado no Ocidente, ele nunca se encaixou totalmente entre seus companheiros, alguns dos quais se referiam a ele como "o professor americano". Como Fanon, ele era um porta-voz diplomático, não um tomador de decisões, cujo papel era articular os objetivos e a visão do movimento para audiências estrangeiras. Said acabou deixando a OLP devido aos Acordos de Oslo, que ele considerava um "Versalhes palestino". Mas em sua defesa da luta palestina, ele repercutiu muitos dos temas de Fanon, insistindo no caráter nacionalista secular da causa palestina diante do teor cada vez mais islâmico da política palestina; denunciando a corrupção e a autocracia de seus antigos companheiros que confundiam bandeiras (e mansões particulares) com independência; e defendendo uma concepção radicalmente inclusiva de cultura nacional como uma abertura para o "Outro" — incluindo judeus israelenses que se comprometeram com a descolonização. Fanon, escreveu ele elogioso, "quer de algum modo unir o europeu e o nativo numa nova comunidade não antagônica de consciência e anti-imperialismo". Essa era a perspectiva de Said de um futuro em que árabes e judeus autóctones que originalmente haviam chegado como colonos poderiam viver juntos como cidadãos de um Estado binacional, livres das definições binárias, das hierarquias raciais e das exclusões impostas pelo sionismo.

A redescoberta de Fanon na academia americana assumiu, algumas vezes, um caráter mais sectário (e de reverência) acompanhado de reinterpretações imaginativas, se não até de invenções generalizadas. Henry Louis Gates Jr. observou secamente que o "fanonismo crítico" muitas vezes tinha pouco interesse no Fanon histórico, sendo, sim, "um tipo de quadro de narcisismo, com o próprio Fanon como o Outro que só pode refletir e consolidar o eu crítico".[30] Em uma das leituras mais influentes do "fanonismo crítico", Fanon foi retratado como teórico angustiado e conhecedor da "ambivalência colonial",[31] e não como crítico revolucionário do colonialismo. As relações que tinham mais significância para ele — Sartre, Césaire, Tosquelles, Abane — foram convenientemente ignoradas em prol de suas ostensivas ligações com Lacan, Foucault, Derrida e outros pensadores franceses cujas obras tinham se espalhado pelos departamentos de literatura nas décadas de 1970 e 1980. Fanon, que participou de uma guerra contra o colonialismo francês, renasceu então como um teórico francês. Em outra reviravolta irônica, muitos de seus intérpretes pós-coloniais foram descendentes da burguesia nacional que Fanon havia atacado por sua imitação do Ocidente, por seu carreirismo e sua ganância. Como o marxista sul-asiático Aijaz Ahmad sugeriu, responder para o Ocidente[32] — ou para os acadêmicos rivais — em uma linguagem fanoniana se tornaria um caminho acadêmico convencional.

Na última década, o estilo de fanonismo mais em voga — e curioso — a emergir no mundo acadêmico foi a escola de pensamento conhecida como "afropessimismo". Para os afropessimistas como Frank B. Wilderson III, o Fanon autêntico é de *Pele negra, máscaras brancas*, antes de ter abraçado a causa argelina e deixado a negritude para trás: um eco notável da acusação de Albert Memmi. Os afropessimistas selecionaram as passagens mais sombrias dos escritos de Fanon sobre a condição negra e a vulnerabilidade do corpo negro para apresentar um projeto desafiador, ainda que estranhamente apolítico, de recusa existencialista, e rejeitar políticas de coalizão com aliados não negros, incluindo os palestinos, os quais Wilderson retratou como "sócios minoritários"[33] da supremacia branca. Para os afropessimistas, a força da supremacia branca (ou "antinegritude") é imutável, e não há como os negros alcançarem o status de "humano", uma categoria baseada, tal como a da "universalidade", em sua eterna exclusão.

Na iteração mais extrema do afropessimismo, os negros continuam a ser escravos, independente de seu status legal, vítimas de uma "morte social" perpétua: bem diferente da insistência de Fanon de que ele não era "escravo da escravidão que desumanizou meus pais". Os críticos do afropessimismo têm apontado que sua ontologia da negritude é antitética[34] à crítica que Fanon fez do racialismo, a seu humanismo indomável e à sua esperança de que a descolonização traria um futuro além da raça. Fanon foi tanto um crítico feroz da universalidade quanto um pensador profundamente universalista. Ainda assim, o uso que o afropessimismo faz de Fanon capta uma disposição pervasiva, um sentimento soturno de raiva, pesar e desesperança diante dos assassinatos de negros por parte da polícia, como Eric Garner, Breonna Taylor e George Floyd.

Além do mais, interpretações errôneas são um testamento da aura de Fanon — e da força emocional da sua escrita. Essa força permitiu que seus escritos viajassem por toda parte, adquirindo novos significados enquanto ainda retinham seu poder de provocar. Hoje, é quase tão provável que um aluno de uma universidade americana ou britânica encontre a obra de Fanon em uma matéria sobre arte moderna, o império russo ou filosofia continental quanto em uma matéria sobre o Norte da África, descolonização ou a tradição radical negra. Em uma das interpretações mais originais de sua obra, o ecologista radical sueco Andreas Malm defendeu que Fanon entendia que a divisão do mundo colonial entre colonizadores brancos e "nativos" não brancos se tornara possível pela "difusão violenta de tecnologias para dominar a natureza",[35] e que as conquistas da terra e de seu povo andavam de mãos dadas. Citando a defesa de Fanon da violência como estratégia para libertar os oprimidos do "desespero e da inação", Malm escreve:

> Poucos processos produzem tanto desespero quanto o aquecimento global. Imagine que, um dia, os reservatórios dessa emoção acumulada no mundo todo — no Sul Global em particular — encontrem suas válvulas de escape. Já houve uma época para um movimento climático gandhiano; talvez possa haver um tempo para um movimento fanoniano. A destruição de cercas pode um dia ser vista de fato como uma contravenção muito pequena.[36]

## Retorno à terra natal

E quanto ao legado de Fanon na Martinica e na Argélia, sua terra natal e sua terra adotiva?

Ao refletir sobre o legado de Fanon numa reunião da Unesco no Panamá, em 1979, Édouard Glissant observou que era "difícil para um antilhano ser irmão, amigo, ou até simplesmente companheiro ou compatriota de Fanon",[37] porque ele foi "o único que passou de fato à ação". Glissant foi um dos muitos que tentaram seguir o exemplo de Fanon. Em abril de 1961, ele se uniu a um grupo de ativistas das Antilhas (incluindo o amigo de infância de Fanon, o advogado martinicano radical Marcel Manville) para criar a Frente Antilhano-Guianense para Autonomia, uma organização que visava a libertação do domínio político e cultural da França e o estabelecimento de uma federação autônoma das ilhas ultramarinas. O governo francês, que então contemplava sua iminente retirada da Argélia, reagiu à demanda de autonomia dissolvendo a organização e colocando Glissant em prisão domiciliar.

Quando ele voltou à Martinica, se viu em um país onde, como James Forman descobriu, a independência era encarada em grande medida como um sonho impossível e Fanon como um traidor que havia lutado contra a França e dado as costas para sua terra natal antilhana. Com o tempo, a hostilidade das Antilhas com relação a Fanon abrandaria, abrindo espaço para o orgulho pelo renome internacional de um filho nativo, e em 1982 sua vida foi celebrada em uma importante conferência em Fort-de-France. Mas, enquanto os defensores revolucionários da independência das Antilhas continuavam citando Fanon como inspiração, Glissant, seu mais significativo herdeiro intelectual das Antilhas, passou a acreditar que o radicalismo de Fanon era incompatível com o que ele chamou de "ambiguidade da condição antilhana", e que um caminho alternativo para a liberdade precisava ser encontrado.

Glissant encontraria seu caminho — e um desvio das exigências impositivas de Fanon — em uma estética lírica e elusiva que desviava do apelo à libertação anticolonial e à soberania nacional, exaltando, sim, a polinização cruzada de culturas no coração da "Créolité". Ele chamou esse programa de pensamento criolizado de "poética da relação" e o desenvolveu em uma obra deslumbrante, ainda que um tanto obscura, que abrange poesia, filosofia e romance. As sociedades criolas das Antilhas, defendeu ele, eram avessas às doutrinas revolucionárias, aos nacionalismos excludentes e à "precisão ideológica" de Fanon; sua originalidade residia em sua *métissage* cultural, em sua vibrante mistura de tradições autóctones, africanas e francesas, em sua abertura àquilo a que Glissant chamou de *tout-monde*, o mundo em sua globalidade. Ainda assim, enquanto marcava seu afastamento, ele continuou a homenagear Fanon por ter inspirado em si mesmo e em outros antilhanos uma "vontade de autoemancipação". Como disse Glissant, a "mais bela homenagem" que os antilhanos podem prestar a Fanon é imitar não suas palavras, mas sim "a paixão que o movia".

Um dos amigos de Glissant, o trompetista franco-martinicano Jacques Coursil, fez as duas coisas, em seu oratório de jazz de 2007 *Clameurs*, com textos de *Pele negra, máscaras brancas* e o poema de Glissant "L'Archipel des grands chaos" [O arquipélago do grande caos], que evoca a selvageria da chegada do homem branco à África. Linguista e filósofo, bem como músico, Coursil descobriu a obra de Fanon no fim da década de 1960, viajando pela África Ocidental como parte da comitiva de Léopold Sédar Senghor. Na faixa "Black Skin, White Masks 1952", Coursil evoca a insistência de Fanon na liberdade e na autoinvenção, e seu repúdio não só ao racismo mas à própria categoria de raça. "O negro não existe. Não mais que o branco", declama ele, transformando a conclusão do primeiro livro de Fanon em verso poético. "Sou um homem [...]/ A guerra do Peloponeso é tão minha quanto a descoberta da bússola [...]/ Não sou um prisioneiro da História. [...]/ Não existe missão negra; não existe fardo branco." Coursil me disse: "Todo mundo reivindica Fanon, mas eu fico incomodado quando dizem exatamente o contrário do que Fanon escreve. Fanon rompeu foi com o pensamento racialista. Mas vá tentar dizer isso nos Estados Unidos!".

Outro ilustre *protégé* martinicano de Glissant, o romancista Patrick Chamoiseau, teve uma epifania parecida ao ler Fanon. Na juventude, Chamoiseau havia passado por uma fase apaixonada de exaltação de sua negritude, como se ela fosse sua única caraterística definidora. Mas quando leu a crítica de Fanon à Négritude em *Pele negra, máscaras brancas*, se deu conta de que tinha vestido uma "máscara negra", a qual oferecia certo conforto, mas "acabava por ocultar o abismo já escancarado de outra complexidade"[38] — tanto suas origens crioulas e mestiças, quanto sua voz individual como romancista. Com Fanon, ele aprendeu que "as demandas impostas à nossa vontade de humanidade são mais sutis e complexas do que uma simples descolonização". O "sol da independência", afinal de contas, poderia resultar em "outra forma de dependência", ornada com "um hino nacional, uma bandeira, fronteiras e fervor nacionalista". No entanto, como Glissant, Chamoiseau não estava convencido de que o tipo de luta de libertação que Fanon defendia na Argélia e na África fizesse sentido no departamento francês da Martinica: "Nosso sopro de libertação exige uma visão diferente de mundo, outro imaginário".

A resposta de figuras como Glissant, Coursil e Chamoiseau tem sido a de ressaltar a contribuição caribenha ao *tout-monde*, mostrando que as ilhas estão na vanguarda do pensamento mundial sobre fronteiras, identidade e culturas subalternas. O que a Négritude foi para Césaire, a Créolité é para eles: uma identidade local de significância global, que desafia o ímpeto homogeneizante — e o racismo — do Estado francês. Enquanto pareciam se afastar do sonho de Fanon de uma federação independente, eles o preservaram em segredo, no que Glissant chamou de "opacidade".[39] A questão é em que tipo de política, se é que em alguma, esse imaginário pode se traduzir.

As odes cativantes e ensolaradas de Glissant e Chamoiseau à Créolité, à "poética da relação" e às tradições antilhanas de narrativas não podem esconder o fato de que a Martinica continua sendo um interior subdesenvolvido da República, valorizado sobretudo como destino turístico e tratado com descaso neocolonial. Em 2018, foi revelado que por duas décadas, a clordecona, um pesticida ligado ao câncer, foi pulverizada nas plantações de banana com a permissão do governo francês. A clordecona está presente no metabolismo de quase todos os habitantes adultos da Martinica e de Guadalupe, e grande parte da terra já não pode ser usada para cultivar frutas e legumes. Alguns martinicanos descreveram os efeitos da clordecona na saúde pública, no meio ambiente e na economia como uma forma moderna de escravidão.[40]

Nos últimos anos, a fúria em relação ao escândalo da clordecona, ao desemprego e ao poder duradouro dos *békés* brancos aumentou, gerando manifestações às vezes violentas. Em 2020, ativistas locais da Martinica, inspirados pelo Black Lives Matter e pelo Rhodes Must Fall, derrubaram estátuas da esposa *béké* de Napoleão, a imperatriz Joséphine, e de Victor Schœlcher,* o arquiteto da abolição nas antigas colônias, o homem branco benevolente que o jovem Fanon foi ensinado

---

* Essas estátuas são discutidas no capítulo 1.

a venerar. Fanon poderia ter tirado esperança dessa explosão de ira popular, como fez com os tumultos antigovernamentais de 1959 em Fort-de-France, que reavivaram sua fé no espírito de luta da sua ilha natal. Mas a fúria das Antilhas francesas muitas vezes se expressa de modos que teriam com certeza confirmado o desespero dele, em especial um tempestuoso movimento antivacina e um flerte, entre radicais mais jovens, com Kémi Séba, um teórico da conspiração franco-beninense que se aproximou do ex-presidente iraniano Mahmoud Ahmadinejad e do russo ultranacionalista Aleksandr Dugin. E em 2022, em grande medida devido à frustração com o neoliberalismo do presidente Emmanuel Macron, mais de 60% dos eleitores da Martinica e de Guadalupe deram seus votos à líder de extrema direita Marine Le Pen. Como Fanon sem dúvida teria notado, os eleitores de Le Pen nas Antilhas não podiam ser todos *békés*.[41]

### Ainda estrangeiro

Na Argélia hoje, há poucos sinais visíveis da presença de Fanon, além do Hospital Frantz Fanon em Blida e das ruas batizadas em homenagem ao *docteur Fanon* em Argel e outras cidades. O Estado argelino fez pouco para cultivar sua memória. Ele era, afinal de contas, um estrangeiro, um não muçulmano, e como morreu em um hospital, não podia figurar entre os mártires da Argélia. Joby, irmão de Fanon, ficou pasmo com o "clima de segredo"[42] que cercou o local de sepultamento de Fanon quando foi a Argel visitar o túmulo do irmão e ver se conseguia realizar o pedido da mãe de levar os restos mortais dele de volta para a Martinica. O presidente Boumediene lhe disse que as autoridades não sabiam onde ele estava enterrado e que, de qualquer modo, a área estava repleta de minas.[43] "Fiquei impressionado com sua reticência", escreve Joby.

"Considerei que sua ignorância professada sobre o destino do corpo de Frantz era falsa, mas eu não entendia suas razões."*

Escritores, pintores e poetas abraçaram Fanon por sua defesa do modernismo cultural e por ele ser um símbolo dos ideais internacionalistas da Revolução Argelina, para os quais o Estado tinha voltado as costas. Mas, no início dos anos 1970, Fanon foi alvo de crescentes — e não de todo inexatas — críticas por parte de intelectuais argelinos próximos do regime, que apontaram sua falta de interesse pelo islã, pelas tradições argelinas e pela história do nacionalismo árabe.[44] O grande teórico da descolonização se tornou uma vítima da versão de descolonização do Estado argelino, que implicava a rejeição de modelos estrangeiros — incluindo o de Fanon, que se revelara tão útil durante a guerra. A crença de Fanon na cidadania multiétnica e seus ataques ao autoritarismo pós-colonial também estavam fora de sintonia com um regime fundado sobre a identidade árabe muçulmana e ainda amplamente influenciado pelos serviços de inteligência criados por Abdelhafid Boussouf durante a guerra.

Em outubro de 1988, os jovens argelinos nascidos depois da independência tomaram as ruas para protestar contra o desemprego, a alta nos preços e o regime autoritário da FLN. Mais de quinhentos manifestantes foram mortos na repressão que se seguiu. Observando os protestos desde seu apartamento em El Biar, um bairro próspero no alto dos montes de Argel, Josie Fanon se lembrou dos condenados da terra que seu falecido marido havia evocado. Depois de ter sofrido por anos com depressão, ela foi ficando cada vez mais desanimada. No início

---

* Os restos mortais de Fanon foram exumados e voltaram a ser sepultados no Cemitério dos Mártires, na comuna de Aïn Kerma, em julho de 1965, pouco depois do golpe de Boumediene. Um pequeno busto de Fanon foi erguido duas décadas depois. Mas o túmulo ficou em mal estado e em 2020 o *wali* local instruiu as autoridades a restaurá-lo.

do verão de 1989, viajou até o local de sepultamento do marido pela primeira vez desde seu enterro e em seguida para Túnis, em uma peregrinação que englobou todos os locais onde os dois tinham vivido. Quando voltou, arrumou todas as suas coisas — as cartas de Frantz, os poemas que ela mesma havia escrito, as fotografias — e se internou em uma clínica psiquiátrica. Seis dias depois, em 12 de julho, ela voltou para casa para regar as plantas e dar um olá para os vizinhos. Na manhã seguinte, bem cedo, pulou da janela do quarto andar onde morava. Sua amiga, a romancista Assia Djebar, escreveu: "Em sua queda, Josie não machucou ninguém. Só ela explodiu".[45]

Dois anos mais tarde, o sistema político argelino entrou em crise, depois de o partido fundamentalista Frente Islâmica de Salvação (Front Islamique du Salut, FIS) ter vencido o primeiro turno das eleições legislativas em dezembro de 1991. O FIS se apresentava como o verdadeiro herdeiro da FLN dos tempos da guerra. (FIS, em francês, tem a mesma pronúncia de *fils*, "filho".) Aterrorizando as classes médias urbanas com seu slogan "O Alcorão é a nossa Constituição", o FIS parecia certo de que ganharia o segundo turno. Sempre desconfiado do experimento democrático que teve início depois do Outubro Negro, o Exército cancelou as eleições, baniu o FIS e declarou estado de emergência.

Dentro de um ano, a Argélia estava de novo em guerra, só que dessa vez não contra o ocupante estrangeiro. Tratava-se de uma guerra entre argelinos, que opunha islamistas radicais às forças de segurança. Os islamistas da Argélia afirmavam estar lutando contra os agentes da França e realizando uma limpeza tardia de todos os elementos estrangeiros na Argélia: uma segunda descolonização, por assim dizer. Os colegas de Fanon do *El Moudjahid*, Redha Malek e Pierre Chaulet, agora velhos aliados do regime, se mantiveram do lado dos militares de linha dura, ou "erradicadores". Mais de 100 mil argelinos perderiam a vida na Década Negra, alguns em massacres islamistas, alguns em decorrência da repressão do Estado. A Argélia mal tinha se recuperado dos transtornos mentais da guerra colonial quando enfrentou outro ciclo de luta armada e repressão, e sofreu o também severo estresse psicológico da guerra civil.

Mais uma vez, a Argélia enfrentou a questão da violência e o significado da descolonização. Em seu ensaio sobre guerra colonial e transtornos mentais, Fanon alertara que a violência da descolonização poderia assombrar a Argélia por gerações. Mas ele também contribuíra para a exaltação da luta armada como uma necessidade política e psicológica. Será que uma retórica como a de Fanon ajudara a reforçar o recurso à violência para resolver problemas políticos? O celebrado romance de Kamel Daoud de 2013, *O caso Meursault*, parecia sugeri-lo, sem nunca citar Fanon. Daoud, um jornalista de Orã que cobrira os massacres islamistas da Década Negra, publicou seu romance em resposta a Albert Camus, que não havia nomeado o árabe morto por Meursault, narrador de *O estrangeiro*. O narrador de Daoud é o irmão do árabe morto. Desde então, ele é assombrado pelo apagamento do nome da vítima de Meursault (Moussa, no romance). Ficamos sabendo que o narrador de Daoud, assim como Meursault, também tem um homicídio na consciência: incitado pela mãe, ele assassinara um colono aleatório, em retaliação à morte do irmão, no fim da guerra. Ele se tranquiliza dizendo a si mesmo que "não foi um assassinato, mas uma restituição", ainda que não acredite, e se vê consumido pelo remorso: "Matei um homem e, desde então, a vida já não é sagrada a meus olhos".[46] Em vez de recuperar seu sentimento de individualidade, ele apenas tem uma sensação pervasiva de "estranheza" em um país onde as únicas pessoas que parecem ter importância são os veteranos de guerra ou os mártires.

Essa sensação de estranheza pode parecer um eco de Camus, no entanto não se trata da mesma estranheza que sente Meursault. Ela é política e psicológica, não metafísica. O que Daoud descreve é o sentimento, difundido entre os argelinos, de que, ainda que vivam na Argélia, ela não lhes pertence, de que sua autodeterminação e sua liberdade foram confiscadas por outros: primeiro os franceses, depois o Estado pós-independência.[47] Em seu estudo investigativo *Colonial Trauma*, a psicanalista argelina Karima Lazali se baseia nos escritos psiquiátricos de Fanon para defender que os argelinos não conseguiram se libertar porque ainda não superaram a "parte colonizada" de sua personalidade. Com isso, ela não quer dizer que os muçulmanos argelinos não tenham conseguido erradicar as influências da cultura francesa, mas sim que continuam presos a um complexo de "despossessão" e de inveja que se arraigou sob o colonialismo, tanto em suas relações uns com os outros como em suas relações com o poder político. Depois de terem sido libertados da despossessão colonial, os argelinos se deixaram ocupar por outra força, a do Estado pós-colonial — "possuídos", diz ela, como que por um djim. Mesmo hoje, suas psiques estão atravessadas pelo "espírito do colonialismo", que os deixou incapazes de assumir a responsabilidade por seus atos ou de vivenciar a liberdade como sujeitos individuais. O apelo do islã radical, sugere ela, não reside no desejo de "descolonizar" a Argélia dos traços da sua herança colonial, mas sim em um apego persistente à despossessão, e no medo da liberdade. Como ela formula: "O sujeito fascinado por sua despossessão se refugia nas origens e em um narcisismo do qual luta para fugir". O livro de Lazali termina com uma homenagem comovente a Fanon e um lamento por ele não ser ensinado a especialistas em saúde mental na Argélia e na França. "O pensamento de Fanon", escreve ela, "oferece uma reflexão clínica inestimável sobre a liberdade, tanto em nível pessoal como em nível coletivo."[48]

O Hospital Psiquiátrico Frantz Fanon em Blida-Joinville há muito deixou de praticar a desalienação. Mas em 2018, o psiquiatra Miloud Yabrir, nascido em 1984, lançou um projeto para restaurar a casa de Fanon no terreno do hospital e transformá-la em museu. Como muitos jovens intelectuais argelinos, Yabrir buscou os escritos de Fanon não por suas ideias sobre violência ou espontaneidade camponesa, mas por sua crítica pré-científica dos fracassos da independência — e seu compromisso com a emancipação pessoal e coletiva. Ele também ficou comovido com a extraordinária decisão de Fanon, um estrangeiro não muçulmano, um negro das Antilhas, de se unir à luta argelina. O envolvimento de Fanon foi, é claro, um símbolo lisonjeiro da importância da luta argelina para a esquerda internacional, mas para Yabrir também era a reminiscência de uma época em que um homem com as origens de Fanon podia imaginar que também ele poderia se tornar — e ser aceito como — um argelino. Como Yabrir me disse, o exemplo de Fanon levanta "a questão no cerne da identidade argelina: é possível ser argelino por opção, e que tipo de argelino nós seríamos se isso fosse possível?".

## O mesmo em Paris?

Uma pergunta parecida está sendo feita pelos leitores de Fanon hoje na França: existe um lugar igual para os cidadãos cujos ancestrais foram sujeitos coloniais, ou eles sempre serão vistos como *indigènes*, não inteiramente franceses, de algum modo menos do que isso? O historiador Benjamin Stora, que nasceu na cidade argelina de Constantina em 1950, me disse que quando era jovem no movimento trotskista, *Pele negra, máscaras brancas* lhe ensinou que ele podia ser tanto francês quanto judeu argelino, e que ele não tinha que repudiar suas raízes étnicas para se envolver em organizações de esquerda. Mas para os cidadãos franceses das antigas colônias — as Antilhas, a África Ocidental e, acima de tudo, o Norte da África muçulmano — insistir nas origens ancestrais é correr o risco de ser acusado de deslealdade à República, em especial se ousar criticar o passado colonial, ou a brutalidade policial, a discriminação e outras práticas racistas na França de hoje. E recusar-se a comer carne de porco ou beber vinho pode ser suspeito de rejeitar a *laïcité* (secularismo). Mulheres de *hijabs* não foram obrigadas a tirar seus véus nas ruas, como em 1958 em Argel, mas são proibidas de usá-los em escolas públicas, e as que usam *burkinis* foram expulsas das praias pela polícia como se fossem uma ameaça à ordem pública.

Nos últimos anos, o governo francês tem realizado uma ofensiva contra o que chama de islamoesquerdismo na vida intelectual — termo tão mal definido e (propositadamente) indiscriminado quanto a teoria crítica da raça nas alucinações da direita americana. Ele também tem se oposto ao ensino da teoria pós-colonial inspirada por Fanon: um incitamento, afirmam, a uma forma perigosa de política identitária, se não de terrorismo. Os pavorosos ataques cometidos por islamistas radicais contra os editores do *Charlie Hebdo* e o teatro Bataclan em 2015 são uma razão para esse pânico moral, mas não explicam por que o governo francês está levando a cabo uma purga de ideias que considera subversivas — ou fazendo tanto para que milhares de seus cidadãos se sintam tão indesejados. A França parece estar sendo acossada por um intenso mal-estar em relação a sua identidade, e uma de suas expressões é uma fixação em qualquer coisa que pareça ameaçá-la: a imigração (ainda que não tenha aumentado); os perigos das *banlieues* negras e não brancas; a recusa dos muçulmanos franceses em abdicar do que os torna "outros" aos olhos dos franceses.

Os escritos de Fanon sobre racismo, identidade, o véu e a hipocrisia do universalismo francês — e sua decisão de se alinhar ao "inimigo" na Guerra da Argélia — apresentam um lembrete inquietante dessa insegurança. Como resultado, o pensador negro francês mais influente do pós-guerra resiste à neutralização simbólica da diferença que a França chama de integração. Enquanto Aimé Césaire foi homenageado com um afresco, uma placa e uma cerimônia comemorativa no Panthéon, Fanon continua sendo encarado com desconfiança e medo. Em dezembro de 2018, o conselho municipal de Bordeaux propôs batizar ruas com os nomes de Fanon e Rosa Parks, provocando uma comoção de organizações de *pieds-noirs*. Existe hoje uma Rue Rosa Parks em Bordeaux, um dos principais portos do comércio transatlântico de escravizados do século XVIII. Mas Alain Juppé, prefeito da cidade, suspendeu indefinidamente a criação da Rue Frantz Fanon. "Dar nomes às ruas de nosso município deve ser uma oportunidade para homenagear pessoas que encarnam nossos valores comuns", explicou ele.[49]

Fanon não carece de admiradores na França. Em 2000, Alice Cherki publicou um perfil biográfico apaixonado de seu amigo, que foi tema de diversas obras em francês, incluindo uma HQ sobre seu encontro em Roma com Sartre e Beauvoir. Entre seus seguidores mais proeminentes estão a cineasta Claire Denis, uma mulher branca que cresceu em Camarões, onde seu pai foi funcionário público simpatizante do anticolonialismo. Quando Denis, que nasceu em 1946, era moça, ela foi testemunha de um confronto violento entre um grupo de camaroneses e a polícia. Um jovem que conhecia — o cozinheiro da família — foi morto com um tiro ao seu lado. Quando ela leu *Os condenados da terra* no fim da adolescência, teve "uma sensação quase física"[50] de reconhecimento, "não porque eu fosse particularmente politizada, mas porque senti coisas que me eram muito próximas. Quando você lê Fanon, sente no corpo o sintoma de que ele está falando. Está longe da beleza de Césaire, mas existe alguma coisa ali que corta a pele". A obra de Fanon a levou a Argel em 1969 para o Festival Pan-Africano, e influenciou bastante a exploração sobre raça em seus filmes, muitos dos quais se passam em *milieus* negros na África e nos subúrbios parisienses. Mas quando ela decidiu incluir uma referência a Fanon em uma cena de sala de aula em seu filme de 2008, *35 doses de rum*, um professor que ela consultou dispensou Fanon como "totalmente *passé*". Ela me disse que seguiu em frente com a ideia mesmo assim. "E foi sobre o que todo mundo acabou falando", disse ela. "Mas ainda há uma resistência quanto a ele na França. As pessoas preferem Césaire porque ele as deixa menos desconfortáveis. Outra razão para a resistência é o trauma argelino. Mas às vezes eu me pergunto, por que estamos falando sobre Hannah Arendt? Por que não estamos falando sobre Fanon?"

De fato, Fanon emergiu *sim*, ao longo das últimas décadas, como um herói de escritores, artistas e ativistas franceses de origem negra e árabe, muitos dos quais citam seus aforismos do modo como intelectuais negros nos Estados Unidos citam James Baldwin ou Malcolm X. O rapper francês conhecido como Rocé (José Kaminsky)[51] — filho do falecido Adolfo Kaminsky, que falsificou passaportes para a FLN durante a guerra, e de mãe negra argelina — me disse que quando leu pela primeira vez as descrições de Fanon da cidade colonial em *Os condenados da terra*, lembrou-se na mesma hora das *banlieues*, cujos residentes vivem em habitações públicas precárias nas periferias de Paris, onde são assediados com frequência pela polícia. O Partido dos Povos Indígenas da República, um grupo pequeno mas influente de intelectuais e ativistas radicais, sobretudo de origem norte-africana, invocou Fanon como pai espiritual.[52] Como os afropessimistas nos Estados Unidos, pode-se dizer, os líderes do partido transformam sua condição de vítimas "nativas" do racismo neocolonial em uma ontologia essencialista e imutável. Mas também essa extremidade retórica deve muito a Fanon, que gostava de provocar e desfrutava o que chamava de "carga" das palavras.

### Fanonismo clínico

Os escritos de Fanon também exerceram influência crescente na instituição que deu origem a seu pensamento maduro: a clínica rebelde, na qual médicos politicamente engajados tratam os sintomas da doença mental e da angústia como formas de sofrimento social. Um dos primeiros psicanalistas[53] a aceitar a importância da obra de Fanon foi Félix Guattari, que, em *O anti-Édipo*, um manifesto de 1972 em coautoria com o filósofo Gilles Deleuze, atribuiu a Fanon a responsabilidade de ajudar a derrubar a ênfase da psiquiatria freudiana no "romance familiar" (relações entre pais e filhos na família nuclear) em detrimento das raízes políticas do trauma. Por volta da mesma época, Francis Jeanson, editor de Fanon e líder dos *porteurs des valises*, fez uma nova formação como psiquiatra radical no início dos anos 1970, como se estivesse retraçando os passos de Fanon.[54]

Ao longo das décadas seguintes, começou a emergir o que podemos chamar de fanonismo clínico, amplamente desenvolvido por psiquiatras, terapeutas e especialistas em saúde pública que trabalhavam no Sul Global. Os praticantes mais fiéis do fanonismo clínico hoje são psiquiatras de Israel e da Palestina, onde a ocupação afetou gravemente a saúde mental dos cidadãos palestinos e a guerra colonial produziu uma profusão de transtornos mentais tanto entre palestinos como entre israelenses. O próprio Fanon nunca abordou a questão da

Palestina.* Mas, como o psiquiatra palestino Samah Jabr diz: "suas ideias proféticas continuam sendo uma fonte de inspiração para os palestinos",[55] uma vez que ele entendeu que a "subjugação [colonial] não é apenas política, econômica ou militar", mas também "profunda e inerentemente psicológica", e que a "luta por justiça e a luta por saúde mental" são inseparáveis. Em suas aplicações de Fanon, Jabr e sua colega israelense, a psiquiatra Ruchama Marton, fundadora da organização israelense Médicos pelos Direitos Humanos, também fizeram uma crítica contundente à psiquiatria israelense, expondo sua cumplicidade com o Exército de Israel e suas suposições racistas sobre a mente árabe. Em um artigo que lembra os ensaios de Fanon sobre a psiquiatria francesa na Argélia, Marton argumentou que os psiquiatras israelenses a quem se solicita que forneçam avaliações sobre palestinos com transtornos mentais em tribunais militares israelenses têm sistematicamente os "diagnosticado como impostores e manipuladores",[56] negando-lhes seu "direito à loucura". Incapazes de ver que estão "aceitando acriticamente a visão do mundo do governo", eles se imaginam como cientistas apolíticos e objetivos, e atacam qualquer um que questione seus diagnósticos como "uma ação por 'motivos políticos' que contestam a 'pureza' da profissão do psiquiatra". Como na Argélia, ela salienta, a "objetividade" psiquiátrica na relação Israel-Palestina é projetada para apoiar as autoridades de ocupação.

---

\* Fanon se refere a Israel apenas duas vezes em sua obra: em seu diário de viagem do Mali, no qual evoca "Israel reclamando o deserto" em uma breve lista de potências ocidentais procurando influenciar o rumo do mundo colonial; e em uma passagem sobre reparações para o colonialismo em *Os condenados da terra*, na qual ele discute o pagamento por parte da Alemanha ao Estado judeu de "enormes quantias que devem servir de compensação pelos crimes nazistas". Em nenhum dos casos ele menciona a Palestina.

O fanonismo clínico também encontrou aplicações inventivas — ainda que menos flagrantemente militantes — no Ocidente. Na Itália, onde a obra de Fanon tem gozado de um prestígio extraordinário, ele inspirou uma clínica batizada em sua homenagem, o Centro Frantz Fanon, em Turim, cujos pacientes são em sua maioria imigrantes e refugiados, muitas vezes vítimas de tráfico ou de tortura. A abordagem terapêutica do centro pode ser reportada ao psiquiatra esquerdista Franco Basaglia, que nasceu em 1924 em uma família veneziana abastada. Mergulhado no existencialismo e na fenomenologia, Basaglia ficou conhecido em 1961, ano da morte de Fanon, ao destrancar as alas do famoso hospício de Gorizia, na fronteira italiana com a Iugoslávia comunista, onde havia sido nomeado diretor. Ao recusar a "lógica absurda e vergonhosa do hospício",[57] Basaglia se inspirou no exemplo do trabalho de Fanon em Blida. Mas enquanto "Fanon pôde escolher a revolução", observou Basaglia, ele e seus colegas não puderam:

> Nós, por razões objetivas, fomos impedidos de fazê-lo. Na nossa realidade, ainda precisamos continuar experimentando as contradições do sistema que nos sobredetermina, administrando uma instituição que negamos, exercendo um cuidado terapêutico que rechaçamos, impedindo que a instituição [...] continue a ser *apenas* funcional para o sistema.

Basaglia estava ciente do "absurdo dessa aposta", mas determinado a "manter seus valores vivos, enquanto a falta de direitos, a desigualdade e a morte cotidiana do homem se transformam em princípios legislativos".

O psiquiatra Roberto Beneduce e seus colegas fizeram uma aposta similar no centro em Turim, que foi criado em meados dos anos 1990 em resposta à crescente população de imigrantes africanos e árabes e de pessoas em busca de atendimento psiquiátrico. Sua abordagem clínica é embasada em uma consciência, nas palavras de Beneduce, "das relações de força entre nações colonizadas e nações colonizadoras", bem como nas raízes etnopsiquiátricas do poder colonial. Na entrada fica uma fotografia de Fanon — um alerta para os funcionários, de acordo com Beneduce, de que "as representações e os estereótipos se tornam máscaras, imagos que podem prender e capturar a nós e aos outros; que as representações obliteram pessoas, objetos, práticas e experiências".

Os psiquiatras do Centro Frantz Fanon foram ainda mais longe do que Fanon na combinação de rituais culturais e práticas de cuidado de seus pacientes com a medicina ocidental tradicional, com o propósito de criar um espaço não hierárquico de troca. Como a antropóloga Cristiana Giordano observou em um estudo sobre o trabalho do centro, os relatos que os pacientes fazem de sua dor tendem a ser "mais complexos do que os diagnósticos psiquiátricos ('episódio psicótico') ou a categoria estatal ('vítima') podem abarcar e explicar".[58] Embora os pacientes do centro não sejam sujeitos coloniais, a maioria deles sofreu com racismo, marginalização e medo de ser detida e expulsa pela polícia (em operações às vezes chamadas de "caçada a negros" ou "limpeza étnica"). Em seus esforços para conquistar reconhecimento e um refúgio, eles costumam incrementar suas trajetórias ou contar histórias que têm o objetivo de ganhar compaixão e garantir abrigo.

Os médicos franceses que Fanon descreveu em "A 'síndrome norte-africana'" poderiam ter atribuído essas narrativas a uma propensão para a mendacidade ou a uma incapacidade congênita de distinguir entre verdade e mentira. Mas para Beneduce, que também atuou como antropólogo médico na África, essas narrativas são "mentiras reveladoras"[59] que refletem o contexto político de sua composição. "Poderíamos parafrasear Fanon e afirmar que a objetividade de hoje, a das medidas de identificação, das impressões digitais e das medidas ósseas usadas para calcular a 'verdadeira' idade, sempre se volta contra os imigrantes", escreve ele, da mesma forma que a objetividade colonial trabalhou sempre contra os nativos. As mentiras que seus pacientes lhe contam são muitas vezes "sua única resposta possível às hipocrisias que regulam a migração, ou às leis sobre direitos humanos".

Como Basaglia, Beneduce e seus colegas são reformadores radicais, mais do que revolucionários. Mas como Fanon e Jabr, eles respondem às necessidades de seus pacientes com sensibilidade em relação à identidade e à diferença, consciência das dimensões políticas das doenças mentais e crença inabalável na indivisibilidade da humanidade. Insistir na especificidade política e cultural do sofrimento de uma pessoa, para eles, não é um obstáculo ao universal, mas sim seu aliado secreto e indispensável.

## Rumo a um "homem novo"

A retórica de universalismo passa por tempos difíceis. A persistência do racismo nas sociedades ocidentais — e a recrudescência da supremacia branca explícita, a qual teria chocado até Fanon, que acreditava que apelos abertos ao racismo estavam dando abertura para um racismo cultural mais sutil e insidioso — é uma das razões. Falar de uma humanidade comum pode parecer estranho, se não fraudulento — uma manobra retórica de ativistas de direita que reivindicam o manto do daltonismo e invocam padrões universais como um cassetete em sua oposição à justiça racial. Um amigo nigeriano me escreveu de Munique:

> Viver na Europa hoje é acordar todos os dias com a batida da hostilidade racial nua e crua, com políticos e seus apoiadores juntando a todos nós, pobres almas negras, como os miseráveis e a escória da terra, vermes para quem não existe qualquer proteção legal ou até empatia. Para onde quer que nos voltemos, somos um negativo, um objeto constante de desumanização e despersonalização. Estou farto da alegação de humanidade comum. Essa coisa de humanidade comum não existe.[60]

Meu amigo, o finado curador e crítico Okwui Enwezor, era um admirador de Fanon, mas considerava ingênuo, até ofensivo, invocar a ideia de uma humanidade comum quando ela havia sido traída — e então abandonada — por grande parte do Ocidente.

No entanto, nem muros nem o racismo puseram um ponto-final ao que V. S. Naipaul chamou de o "grande movimento dos povos". Hoje, é mais provável que os povos do antigo mundo colonial busquem entrar no Ocidente do que lutar contra ele. Eles tornaram as sociedades do Ocidente muito mais diversificadas, e seus filhos têm dupla identidade. Ainda que a diversidade das sociedades ocidentais mal tenha gerado igualdade, ela demonstrou que pessoas de históricos diferentes podem trabalhar em projetos comuns e encabeçar aquilo que Fanon chamou, em uma linguagem que envelheceu, de o futuro do "homem". No entanto, a cidadania de povos do mundo pobre — e até sua própria presença, seu direito de cruzar fronteiras e de existir como iguais — tem encontrado uma resistência feroz do Ocidente que, na era colonial, afirmava desejar civilizá-los.

Embora tenha aberto suas portas a refugiados (brancos) da Ucrânia, a Europa — a Alemanha é uma notável exceção — as fechou a refugiados de pele mais escura da África e do Oriente

Médio. A crise econômica e a mudança climática levaram a uma espécie de acumulação: de recursos, de vacinas, de espaço de vida. A questão da escassez, que Sartre identificou estar na raiz da luta política, voltou com uma vingança. Impulsionado pelo ressentimento branco, um movimento internacional de extrema direita angariou crescente influência e entrou no mainstream político. Volátil e furioso, ele invoca a linguagem da vitimização íntegra — de uma luta justa contra ser "colonizado"[61] pelo antigo colonizado, ou o que o escritor francês antimuçulmano Renaud Camus, muito admirado por Éric Zemmour, chama de "grande substituição".

Em países da Europa do Leste e Central, o desencanto com a democracia liberal (e com o neoliberalismo) provocou uma rebelião popular contra a "imitação" que seus líderes fazem do Ocidente[62] — como Ivan Krastev e Stephen Holmes defenderam, citando as observações de Fanon em *Os condenados da terra* — e nutriram as forças da xenofobia e do populismo autoritário.

Os Estados Unidos, enquanto isso, passaram a parecer ainda mais o sucessor monstruoso do imperialismo europeu que Fanon evocou em *Os condenados da terra*. Figuras influentes do Partido Republicano se envolveram em seu próprio tipo de imitação, adotando a teoria da grande substituição e se aproximando de Viktor Orbán e Vladimir Putin. Ouvir um discurso de Trump, de Zemmour ou de Orbán é se perguntar se o colonialismo e o imperialismo não foram, no fim das contas, mais prejudiciais a seus expoentes no Ocidente do que àqueles que eles antigamente dominaram, como sugeriu o filósofo indiano Ashis Nandy,[63] um dos herdeiros mais originais de Fanon.

Será que Fanon teria se surpreendido? Provavelmente não. Ele compartilhava a visão desoladora de Enwezor com relação à Europa e nunca esqueceu sua experiência de ser chamado de *nègre* por uma criança na França. Ainda assim, insistiu que se existia futuro para o mundo, ele residia na luta por uma humanidade comum. Como os líderes do Ocidente haviam falhado nessa tarefa e obrigado o restante da humanidade a pagar um preço alto e sangrento para "cada uma das memórias de seu espírito",[64] era hora de outros tentarem ter êxito. Esse foi seu projeto para o Terceiro Mundo, "tentar criar um homem novo": "se quisermos que a humanidade avance para um estágio superior, se quisermos levá-la a um nível diferente daquele em que a Europa a revelou, então é preciso inventar, é preciso descobrir".

Hoje, o projeto de Fanon para o mundo pós-colonial está em ruínas. A cruzada antimuçulmana de Narendra Modi na Índia transformou a maior democracia do mundo em um regime sectário cada vez mais feio. A China esteve à frente das taxas de crescimento mais extraordinárias do mundo e tirou centenas de milhares de pessoas da pobreza. Mas a liberdade de expressão é inexistente, e as minorias tibetana e uigur têm sido sujeitas a níveis extremos de repressão. Na República Democrática do Congo e em outras partes da África, a China tem feito prospecção de minério como as potências ocidentais imperialistas do passado, ainda que sem uma missão civilizadora. A rede corrupta de oficiais e empresários franceses e de autocratas africanos conhecida como Françafrique foi eclipsada pela Chinafrique — e pelo Grupo Wagner,[65] uma empresa de segurança particular respaldada pela Rússia, cujos mercenários, muitas vezes brutais, expandiram sua presença na República Centro-Africana e no Mali, e são recebidos por muitos africanos como uma força estabilizadora. As monarquias e ditaduras do mundo árabe resistiram aos desafios das revoltas árabes, e em diversos países, incluindo a Argélia, se tornaram ainda mais duras na supressão de aspirações democráticas. O patriarcado — apoiado pelas forças do tradicionalismo islâmico — deixou as mulheres em um estado deplorável, incapazes de gozar dos frutos cada vez mais parcos da independência. O tratamento dado aos imigrantes subsaarianos na África do Sul e aos negros que buscam atendimento psiquiátrico no Magrebe não é melhor, e em alguns aspectos é pior, do que o dos imigrantes africanos nas cidades ocidentais. A consciência nacional na África se revelou forte o bastante para se prestar a pogroms, mas não o suficiente para evitar guerras de recursos assassinas ou conflitos étnicos internos.

Nosso mundo não é o de Fanon, mas sua crítica ao poder e às relações internacionais mantém muito de sua força. As divisões raciais e as desigualdades econômicas contra as quais ele protestou não foram liquidadas, mas reconfiguradas. A ordem política de hoje não é menos dividida entre Norte e Sul, não é menos moldada pela exploração, pela violência e pela compaixão seletiva, como mostrou a guerra na Ucrânia. Será que Fanon teria simpatizado com os ucranianos sob ataque russo ou encarado a guerra como um espetáculo à parte, uma querela familiar na Europa branca? Um proeminente historiador da Europa do Leste descreveu a resistência ucraniana como uma luta anticolonial fanoniana.[66] Mas Fanon não poderia ter deixado de notar que a efusão de simpatia por parte do Ocidente pelos refugiados da Ucrânia nunca se estendeu aos outros refugiados de guerras igualmente brutais no Iêmen e na Síria. Alguns corpos, algumas vidas, continuam tendo mais importância do que outros. As fronteiras que separam o Ocidente do resto do mundo, e de seus outros internos, foram retraçadas desde a morte de Fanon, mas não desapareceram: elas se multiplicaram, na verdade.

Nos Estados Unidos, os assassinatos de negros desarmados pela polícia deram origem a um novo gênero de reality show. Um presidente americano acolheu o apoio dos supremacistas brancos, proibiu a entrada de cidadãos de sete países de maioria muçulmana e prometeu construir um muro entre os Estados Unidos e o México, tudo para manter os *"bad hombres"* longe. A era dos fatos alternativos e do hipernacionalismo tem sido um terreno fértil para os medos racializados que Fanon diagnosticou tão brilhantemente. Os condomínios fechados, as câmeras de vigilância e as prisões do Ocidente liberal criaram cidades quase tão compartimentadas como a Argel de Fanon.

Quando concluí *A clínica rebelde* no inverno de 2022, esperava que meu livro fosse lido pelo prisma dos protestos contra o assassinato de George Floyd e dos debates do movimento que vinha acontecendo em torno de identidade racial e da experiência de ser negro sob a supremacia branca. Afinal, Fanon — em particular o jovem Fanon de *Pele negra, máscaras brancas* — estava sendo invocado cada vez mais por escritores dos círculos do movimento Black Lives Matter. Mas esse contexto interpretativo mudou dramaticamente em 7 de outubro de 2023, quando combatentes liderados pelo movimento islamista palestino Hamas irromperam pela fronteira de Gaza com o sul de Israel, matando cerca de quatrocentos soldados israelenses e mais de setecentos civis, além de fazer 250 reféns. Cinco dias depois, o acadêmico palestino Saree Makdisi escreveu no *The Nation* que "ver combatentes palestinos vigiando soldados israelenses desarmados foi como assistir a eventos tirados das páginas da obra anticolonial de Frantz Fanon *Os condenados da terra*". "O que é que vocês achavam que queria dizer descolonização?", a escritora somali-americana Najma Sharif perguntou no X. "Boas energias? Artigos? Ensaios? Babacas." De acordo com alguns dos seguidores mais militantes de Fanon, os jovens israelenses massacrados na rave Tribe of Nova mereceram o que sofreram: o que esperavam quando fizeram uma festa a alguns quilômetros da fronteira com Gaza? Essa leitura de Fanon — de fato, uma leitura originalmente proposta por Sartre — foi repercutida por seus detratores. De acordo com um crítico de *A clínica rebelde*, os ativistas pró-palestinos que vandalizaram pôsteres de crianças sequestradas e levadas para Gaza estavam se prestando a uma atitude "puramente fanoniana". Desde 7 de outubro, Fanon tem assombrado a conversa sobre Gaza, à custa de ser reduzido a uma caricatura — um profeta inflamado da violência, fosse para ser celebrado ou vilificado.

Os paralelos entre Israel-Palestina de hoje e a Argélia de meados dos anos 1950 provavelmente não teriam passado batido para Fanon. Um ataque chocante que destruiu o senso de invencibilidade de Israel, a "Inundação de Al-Aqsa" foi uma reminiscência impressionante do levante de 1955 de Philippeville — o "ponto de não retorno" da Guerra Franco-Argelina, como ele disse. O assassinato de participantes da rave e de moradores de kibutz — seguido pela postagem calculada de vídeos das matanças nas contas de redes sociais das vítimas — fez lembrar a observação de Fanon de que "O colonizado é um perseguido que sonha permanentemente em se tornar perseguidor".[67] Em 7 de outubro, esse sonho foi realizado por aqueles que cruzaram para o sul de Israel: enfim os israelenses sentiram a impotência e o terror que povo de Gaza conheceu a vida inteira.

Determinado a superar sua humilhação pelo Hamas, Israel seguiu a cartilha do Exército francês em Philippeville, lançando mão de uma campanha de bombardeio massivo, limpeza étnica e fome que levantou acusações difundidas de genocídio na comunidade de direitos humanos. No momento em que escrevo, o Exército já matou por volta de 40 mil palestinos em Gaza, deslocou quase a população inteira e destruiu a maior parte da infraestrutura residencial e todas as universidades. "Estamos combatendo humanos animalescos, e vamos agir de acordo", explicou o ministro de Defesa de Israel, Yoav Gallant, confirmando a observação de Fanon de que "a linguagem do colono, quando fala do colonizado, é uma linguagem zoológica" que "refere-se constantemente ao bestiário".[68] O establishment político e intelectual do Ocidente, tão pronto a escoriar antigas colônias por não se enfileirarem em apoio à Ucrânia diante da agressão russa, fez pouco para acabar com o massacre de Israel, quando não foi levado a defendê-lo. Não surpreende que sejam os países do Sul global, com suas próprias histórias de dominação racial e colonial — notavelmente a África do Sul pós-apartheid, que acusaram Israel de genocídio na Corte Internacional de Justiça —, que têm procurado responsabilizar Israel. Durante a guerra em Gaza, o mundo parece tão "cindido em dois" quanto pareceu a Fanon na época da Guerra da Argélia e da Crise de Suez.

Mas isso significa que Fanon teria apoiado o ataque de 7 de outubro, como tantos sugeriram? É verdade, evidentemente, que ele defendeu a luta armada contra o colonialismo, por razões psicológicas e políticas: a primeira tarefa dos rebeldes anticoloniais era superar o senso de impotência e futilidade que a opressão colonial criara nos colonizados. A fase inicial da Inundação de Al-Aqsa — o ataque a postos militares israelenses — poderia ter recebido sua aprovação: os soldados de uma nação ocupada usaram sua engenhosidade para furar as defesas do ocupante, para virar a mesa sobre seus opressores e para colocar a causa de seu próprio povo de volta em pauta quando ela estava em risco de ser esquecida pelo mundo. Além do mais, como psiquiatra, Fanon não teria tido problemas em entender por que palestinos pegaram em armas contra o país que despejou seus ancestrais de suas terras, impôs um bloqueio punitivo a Gaza e bombardeou suas casas ao custo de milhares de vidas em pequenas batalhas descritas pelos estrategistas de guerra israelenses como "cortar a grama". Era lógico, escreveu ele, que "esse povo, a quem sempre disseram que só compreendia a linguagem da força, decide se expressar pela força".[69] Ele também não teria se surpreendido com o espetáculo de júbilo palestino em relação ao 7 de Outubro, ou com as negações posteriores de que o Hamas havia intencionalmente matado civis. Em guerras coloniais, enfatizou ele, "o bem é simplesmente aquilo que *lhes* faz mal".[70]

E, no entanto, Fanon não encarava todas as formas de violência anticolonial como igualmente legítimas: ele criticou rebeldes argelinos que cometeram atrocidades com "a brutalidade quase psicológica que séculos de opressão nutriram e provocaram".[71] E em uma passagem que costuma ser negligenciada, alertou que

> o racismo, o ódio, o ressentimento, o "desejo legítimo de vingança" não podem alimentar uma guerra de libertação. Esses lampejos na consciência que jogam o corpo em caminhos tumultuosos, que o lançam num onirismo quase patológico, em que a face do outro me convida à vertigem, em que meu sangue chama o sangue do outro, em que minha morte por simples inércia chama a morte do outro, essa grande paixão das primeiras horas se desloca, caso pretenda alimentar-se de sua própria substância. É verdade que as intermináveis exigências das forças colonialistas reintroduzem elementos emocionais na luta, dão ao militante novos motivos de ódio, novas razões para partir em busca do "colono para matar". Porém o dirigente se dá conta, dia após dia, de que o ódio não poderia constituir um programa.[72]

A visão de Fanon da descolonização abarcava não apenas muçulmanos colonizados libertando-se do jugo da opressão colonial, mas membros de minorias europeias e judeus (eles mesmos um antigo grupo indígena na Argélia), desde que se juntassem à luta de libertação. Em *L'An V de la révolution algérienne*, ele homenageou não muçulmanos na Argélia que, juntamente com seus companheiros muçulmanos, imaginaram um futuro no qual a identidade e a cidadania argelinas seriam definidas por ideais comuns, não etnia ou fé. A ideia de que a verdadeira liberdade reside na criação de um Estado devoto baseado na lei islâmica — o programa da Irmandade Muçulmana e seus braços, incluindo o Hamas — era um anátema para ele; assim como a ideia de que nascer de pais europeus condenava uma pessoa a ser um eterno colono. As identidades de "colono" e "nativo" — como as de "negro" e "branco" — não eram identidades fixas e essenciais; eram invenções de um sistema opressivo e desapareceriam uma vez que esse sistema fosse desmantelado. Depois da independência, os colonizados descobririam "o homem por trás do colonizador" — e vice-versa. Fanon sabia tudo isso por experiência própria, tendo sido recrutado para a FLN por aliados europeus da luta argelina.

Hoje, a ideia de ir além da raça, da etnia ou da religião parece fantasiosa, e para alguns nem sequer desejável. Mas Fanon acreditava que os cárceres da raça e do colonialismo, em que milhões de homens e mulheres haviam sido confinados, eram feitos por seres humanos, e podiam portanto ser desfeitos por eles. Ninguém evocou o mundo dos sonhos da raça e do colonialismo — os modos como a opressão se infiltrou na psique das pessoas — com tanta força desoladora quanto Fanon. É uma razão importante para ele ser tão popular atualmente. Mas Fanon também era, paradoxalmente, e em claro contraste com alguns pensadores e ativistas radicais de hoje, um otimista.

Para as vítimas da escravidão e do colonialismo, a história tinha sido cruel, mas ela não era, na visão dele, um destino inescapável: "Não sou escravo da Escravidão que desumanizou meus pais",[73] declarou ele em *Pele negra, máscaras brancas*, acrescentando por precaução que a "densidade da História não determina nenhum dos meus atos".[74] Ele depositou sua fé na capacidade de renascimento e inovação da humanidade, e na possibilidade de novos inícios na história: o que ele chamou de "o salto de invenção".[75]

Se houve um "salto de invenção" fanoniano desde 7 de outubro, não foi a Inundação de Al-Aqsa, um ataque que provocou a mais brutal ofensiva militar de Israel desde 1948, tanto quanto a emergência de um movimento internacional de base ampla pela liberdade palestina, lançado por estudantes de todo grupo racial e toda fé. Ao rejeitar as mentiras e racionalizações de seus mais velhos, esses jovens exigiram o fim de uma das guerras mais assassinas do novo século, e o fim dos vínculos financeiros de suas universidades com Israel, muitas vezes diante de repressão policial. "Somos todos palestinos", entoavam, uma expressão de solidariedade e identificação imaginativa que, por mais desejosa, Fanon poderia ter apreciado. Quando visitei o acampamento na Bard College, onde leciono, passei por mais de um estudante que lia *Os condenados da terra*. Eu me perguntei que lições eles tiravam do manifesto de Fanon — e o que Fanon teria achado de seu apelo duradouro a jovens radicais. Será que teria ficado lisonjeado com a circulação de seu livro, ou aflito por ele permanecer tão relevante? "Não chego armado de verdades categóricas",[76] insistiu em *Pele negra, máscaras brancas*. Certamente, seu desejo mais profundo era o de que sua mensagem de luta, intransigência e desafio se tornasse obsoleta por meio da criação de um mundo novo e mais justo, e de uma nova humanidade.

Mas ainda temos que construir esse mundo, e até que o façamos, a visão inspiradora e muitas vezes perturbadora de Fanon continuará sendo uma bússola essencial.

# Uma nota sobre as fontes

Eu era adolescente quando vi pela primeira vez uma fotografia de Frantz Fanon, na quarta capa da edição do meu pai de *Pele negra, máscaras brancas*, a original de 1967 da Grove, em capa dura. Ele aparecia em paletó de tweed, camisa branca recém-engomada e gravata listrada, com uma sombra de barba por fazer e uma expressão intensa e um tanto velada. Parecia lançar um desafio ou talvez um aviso de que se as suas palavras não fossem ouvidas, haveria um inferno na Terra. *Quem é esse homem?*, eu me lembro de pensar. Eu não fiquei menos intrigado com *onde* havia encontrado *Pele negra, máscaras brancas* e *Os condenados da terra*, este descrito com frequência como a bíblia da descolonização. Na pequena biblioteca de literatura radical que meu pai mantinha em nosso porão, os livros de Fanon estavam, apropriadamente, bem entre a *Autobiografia de Malcolm X* e *O judeu não judeu*, de Isaac Deutscher: o primeiro, um livro de memórias clássico do nacionalismo negro; o segundo, um ensaio sobre o internacionalismo socialista.

Seria um exagero, mas apenas ligeiro, dizer que foi Fanon quem despertou meu interesse pela história da Argélia ocupada pelos franceses. Em 2000, resenhei a magistral biografia que David Macey fez de Fanon para o *The New York Times*. Dois anos depois, cheguei a Argel, quarenta anos após a independência, para fazer uma reportagem sobre a "Década Negra", ou guerra civil, para a *The New York Review of Books*. Voltei para mais uma longa estada para uma reportagem em 2015, que observava as conquistas, mas também as ruínas, da luta de independência a que Fanon dedicara os últimos anos da sua vida. Conheci jovens intelectuais argelinos que eram fascinados por Fanon e nostálgicos da era que ele encarnava, que eles mesmos nunca haviam visto. Eu tinha esperança de voltar para retraçar os passos de Fanon em Blida, mas o governo argelino, diante de uma onda de protestos semanais conhecida como Hirak (movimento), rejeitou meu pedido de visto em duas ocasiões diferentes. Ainda assim, minhas lembranças da Argélia e de seu povo, e minhas conversas com amigos argelinos, moldaram fortemente este livro.

Ao traçar os movimentos e encontros da vida itinerante de Fanon, eu me baseei amplamente no relato de Macey, bem como no comovente perfil biográfico de Alice Cherki e nas memórias de Mohammed Harbi, Marie-Jeanne Manuellan, Elaine Klein Mokhtefi, Jean Daniel, Michel Martini e Serge Michel. Minhas entrevistas com Cherki, Harbi, Manuellan, Mokhtefi e Daniel — e com Guy Sitbon e Herbert Weiss — me ajudaram a ter uma imagem mais íntima de Fanon como indivíduo. (Tanto Daniel quanto Manuellan faleceram durante a escrita deste livro.) Todas essas pessoas enriqueceram incomensuravelmente a minha percepção de Fanon: o festeiro e o asceta, o rebelde e o psiquiatra diligente, o empenhado ambicioso e o militante altruísta, o intelectual urbano que romantizava o campesinato, o opositor da França que acreditava ardentemente em suas tradições jacobinas revolucionárias, o nômade que nunca parou de procurar um lar.

A fonte principal continua a ser os próprios escritos de Fanon, o repositório dos seus tormentos e esperanças, das suas ideias e inovações, das suas profecias e alucinações. Ainda que às vezes eu cite as traduções inglesas de suas obras — as de Richard Philcox são as mais recentes —, cito os originais franceses, e muitas vezes ajustei as traduções para melhor me aproximar do significado de suas palavras no francês. Fanon ditava a sua escrita, mas era exato, e incisivo, no que dizia respeito às palavras que usava, sobretudo quando se tratava de termos filosóficos e psiquiátricos, ou designações raciais para povos colonizados e oprimidos. As sutilezas e nuances da escrita de Fanon — e sua poderosa dívida com os idiomas da Négritude, da psicanálise, do existencialismo e da fenomenologia — muitas vezes se perdem nas traduções e, sempre que possível, procurei recuperá-las.

Fanon não era um escritor autobiográfico; desprezava livros de memórias como um passatempo burguês e costumava se esconder por trás de suas identidades profissionais: a máscara do médico ou a máscara do porta-voz, dependendo da ocasião. No entanto, todos os seus livros — *Pele negra, máscaras brancas*; *L'An V de la révolution algérienne*; *Os condenados da terra*; e os artigos reunidos postumamente em *Por uma revolução africana* — contém uma abundância de apartes, muitas vezes alguns ocultos, sobre sua "experiência vivida" e o raciocínio que ela inspirou. Em 2015, os acadêmicos Jean Khalfa e Robert J. C. Young fizeram um trabalho inestimável reunindo as obras não publicadas de Fanon em um volume de tirar o fôlego, *Alienação e liberdade*, que inclui suas duas peças de teatro do tempo de estudante que sobreviveram, assim como os artigos psiquiátricos que ele escreveu ou de que foi coautor enquanto esteve na Argélia e na Tunísia. A maioria desses documentos também pode ser encontrada nos arquivos Fanon do Instituto de Arquivos Editoriais Contemporâneos (Institut Mémoires de l'Édition Contemporaine, Imec), que fica na abadia de Ardenne, próximo a Caen, na Normandia, onde li o extraordinário diário que Fanon escreveu durante sua expedição ao Mali, localizado no mesmo arquivo que o *vrai faux* passaporte emitido pelo governo líbio.

Exige-se, no entanto, uma certa dose de conjectura na interpretação dos escritos de Fanon, e eu seria o primeiro a admitir que este livro é, em parte, uma obra de imaginação. Fanon cresceu em uma ilha na qual a liberdade era quase sinônimo de segredo e fuga do cativeiro desde os tempos da *marronage*: sua vida interior sempre nos eludirá. Minha leitura de sua obra procura ser sintomática: atenta às lacunas, aos silêncios, às tensões e às contradições; o traço apenas visível, na prosa vigorosa de Fanon, da distância entre o mundo que ele herdou e o mundo que ele e muitos outros esperavam criar depois do colapso dos impérios da Europa. Como observou o escritor judeu tunisino Albert Memmi, Fanon, enquanto ateu antilhano em um movimento de libertação nacional liderado por muçulmanos, levou uma "vida impossível". Mas sua vida impossível, e a obra que ela inspirou, foi o presente do estrangeiro para o mundo.

# Notas

### Prólogo [pp. 9-22]

1. Frantz Fanon, "Essa África que está por vir", *Por uma revolução africana: Textos políticos*. Trad. de Carlos Alberto Medeiros. São Paulo: Zahar, 2021, p. 259.
2. C. L. R. James, *The Black Jacobins: Toussaint L'Ouverture and the San Domingo Revolution*. 2. ed. Nova York: Random House, 1963.
3. Georg Simmel, "The Stranger". Trad. de Ramona Mosse, *The Baffler*, n. 30, pp. 176-9, mar. 2016. (Reimpressão do ensaio original de 1908.)
4. Ver Ralph Ellison, "Richard Wright's Blues", em *The Collected Essays of Ralph Ellison*. Nova York: Modern Library, 1994, p. 135.
5. Fredric Jameson, *The Political Unconscious: Narrative as a Socially Symbolic Act*. Ithaca: Cornell University Press, 1981, p. 102.
6. Frantz Fanon, *Pele negra, máscaras brancas*. Trad. de Raquel Camargo e Sebastião Nascimento. São Paulo: Ubu, 2020, p. 22.
7. Jean-Paul Sartre, prefácio de Frantz Fanon, *Os condenados da terra*. Trad. de Ligia Fonseca Ferreira e Regina Salgado Campos. Rio de Janeiro: Zahar, 2022, p. 355.
8. Orlando Patterson, "Frantz Fanon: My Hope and Hero", *New World Journal* (Edição independente da Guiana), 1966, p. 95.
9. Jean Améry, "L'Homme enfanté par l'esprit de la violence", *Les Temps Modernes*, v. 1-2, n. 635-6, pp. 175-89, 2006.
10. As citações neste e no parágrafo seguinte são de Frantz Fanon, *Pele negra, máscaras brancas*, op. cit.
11. Ibid., p. 22.
12. Ibid., p. 242.
13. Ronald David Laing, *The Divided Self: An Existential Study in Sanity and Madness*. Londres: Tavistock, 1960, p. 95.
14. Antonio Gramsci, *Cadernos do Cárcere*. 6. ed. Trad. de Carlos Nelson Coutinho. Rio de Janeiro: Civilização Brasileira, 2014, p. 187.

Parte I: Filho nativo
1. Um lugar pequeno [pp. 25-42]

1. Jamaica Kincaid, *A Small Place*. Nova York: Farrar, Straus and Giroux, 1988, p. 81.
2. Aimé Césaire, *Diário de um retorno ao país natal*. Trad. de Lilian Pestre de Almeida. São Paulo: Edusp, 2012, p. 13.
3. Joby Fanon, *Frantz Fanon, My Brother: Doctor, Playwright, Revolutionary*. Trad. de Daniel Nethery. Lanham: Lexington, 2014, pp. 10-2.
4. Derek Walcott, *Dream on Monkey Mountain and Other Plays*. Nova York: Farrar, Straus and Giroux, 1970, p. 9.
5. Édouard Glissant, *La Lézarde*. Paris: Seuil, 1958, p. 18. *Lézarde* significa "fenda" ou "racha", mas o romance foi publicado em inglês com o título *The Ripening* [O amadurecimento].
6. Alice Cherki, *Frantz Fanon: Um retrato*. Trad. de Rainer Patriota. São Paulo: Perspectiva, 2022, p. 33.
7. Joby Fanon, op. cit., p. 12.
8. Robin Blackburn, *The Overthrow of Colonial Slavery, 1776-1848*. Londres: Verso, 1988, pp. 492-506.
9. Victor Hugo, *Choses vues*, tomo I, *Oeuvres complètes*.
10. Robin Blackburn, *The Overthrow of Colonial Slavery*, op. cit., p. 506.
11. Frantz Fanon, *Os condenados da terra*, op. cit., p. 48.
12. Id., *Pele negra, máscaras brancas*, op. cit., p. 38.
13. Ibid., p. 226.
14. Id., *Os condenados da terra*, op. cit., p. 92.
15. Joby Fanon, op. cit., p. 18.
16. Ibid., p. 18. O escritor de Barbados George Lamming, que trabalhou em um romance sobre Fanon, ainda que nunca o tenha terminado, defendia que o acontecimento definitivo de sua formação, e a origem de suas "feridas", foi a "posse fascista da Martinica" por parte do governo de Vichy. Ver David Scott, "The Sovereignty of the Imagination: An Interview with George Lamming", *Small Axe*, v. 6, n. 2, pp. 72-200, set. 2002.
17. Frantz Fanon, *Pele negra, máscaras brancas*, op. cit., p. 177.
18. Édouard Glissant, *La Lézarde*, op. cit., p. 20.
19. Ver Julius S. Scott, *The Common Wind: Afro-American Currents in the Age of the Haitian Revolution*. Londres: Verso, 2018, p. 38.
20. David Macey, *Frantz Fanon: A Life*. Londres: Granta, 2000, p. 171.
21. Frantz Fanon, *Pele negra, máscaras brancas*, op. cit., p. 64.
22. As citações deste parágrafo são de Joby Fanon, op. cit., p. 22.
23. Joby Fanon, op. cit., p. 23.

24. Durante a infância de Fanon, a palavra francesa *nègre* costumava possuir conotações altamente negativas e podia, em alguns casos, ser traduzida como *nigger*. Em um ensaio de 1927, "A palavra 'Nègre'", o marxista senegalês Lamine Senghor a descreveu como "a palavra suja [...] pela qual alguns de nossos irmãos de raça já não desejam ser chamados". Para Senghor, o propósito da palavra *nègre* era dividir as pessoas negras em três grupos: *hommes de couleur* (pessoas de cor), muitas vezes mestiços, que não se viam como negros; *noirs*, negros de classe média que se consideravam superiores aos *nègres*; e por fim os *nègres*, os "refugos" da sociedade. Mas, como muito bem veremos, a palavra *nègre*, às vezes em caixa-alta, foi recuperada nos anos 1930 pelo movimento da Négritude, muito como "queer" seria pelo movimento moderno pelos direitos LGBTQIA+. Como resultado, o significado da palavra dependeria cada vez mais do uso, da inflexão e do contexto: às vezes é simplesmente um termo antiquado para alguém com ascendência africana, como "negro"; às vezes é um epíteto racista; e às vezes é uma afirmação de orgulho racial e consciência negra. Fanon usava a palavra em todos os três sentidos, ainda que sobretudo nos dois primeiros. Por essa razão, eu decidi deixar a palavra *nègre* não traduzida ao longo deste livro, apenas ocasionalmente traduzindo-a para "negro".
25. Os fuzileiros senegaleses se originaram como um exército de escravizados que haviam sido comprados em 1857 pelo Exército francês sob a ordem de Louis Faidherbe, o governador do Senegal. Recrutados em massa na Primeira Guerra Mundial, eles eram louvados por seu valor e coragem, e por terem uma suposta maior resistência à dor, um tropo comum do discurso racista a respeito de pessoas negras. Eles costumavam ser os primeiros a serem vistos nas linhas de frente, porque, como Georges Clemenceau, o chefe do governo da França na Primeira Guerra Mundial, explicou, já fora derramado "sangue francês" o suficiente.
26. Frantz Fanon, *Pele negra, máscaras brancas*, op. cit., p. 176.
27. David Macey, op. cit., p. 88.
28. Joby Fanon, op. cit., p. 24.
29. Ibid., p. 25.
30. Édouard Glissant, *Le Discours antillais*. Paris: Gallimard, 1997, p. 48.
31. David Macey, op. cit., p. 92.

## 2. Mentiras dos tempos de guerra [pp. 43-60]

1. Frantz Fanon para sua família, 12 de abril de 1945, em Joby Fanon, op. cit., p. 34.

2. Os *Français d'Algérie* — os colonos europeus francófonos da Argélia — passaram a ser conhecidos como *pieds-noirs*, "pés pretos", perto do fim da Guerra Argelina. Vou me referir a eles na maioria das vezes como "argelinos europeus" ou "colonos", porque o termo *pied-noir*, cuja origem permanece um mistério, só passou a ser amplamente usado no fim da década de 1950.
3. Não era difícil se deparar com cenas como essa na Argélia; Camus escreveu sobre episódios parecidos em "Misère de la Kabilie" [Miséria na Cabília], seu relato de 1939 para o jornal comunista *Alger Républicain*.
4. Frantz Fanon, *Pele negra, máscaras brancas*, op. cit., p. 116.
5. Harold Cruse, *Rebellion or Revolution?*. Minneapolis: University of Minnesota Press, 2009, pp. 168-92.
6. Apud Joby Fanon, op. cit., p. 28.
7. Frantz Fanon, *Pele negra, máscaras brancas*, op. cit., p. 40.
8. Joby Fanon, op. cit., p. 32.
9. Ibid., p. 38.
10. Marcel Manville, *Les Antilles sans fard*. Paris: Harmattan, 1992, p. 48.
11. Frantz Fanon para sua família, em 12 de abril de 1945, em Joby Fanon, op. cit., pp. 34-5.
12. Apud Joby Fanon, op. cit., p. 36.
13. Frantz Fanon, *Pele negra, máscaras brancas*, op. cit., p. 136.
14. Romuald Fonkoua, *Aimé Césaire*. Paris: Perrin, 2013, pp. 29-30.
15. Léopold Sédar Senghor, "Poème liminaire", *Hosties noires* [1948], em *Œuvre poétique*. Paris: Seuil, 1990, pp. 55-6.
16. Léon-Gontran Damas, "Pour sûr", apud Lilyan Kesteloot, *Black Writers in French: A Literary History of Negritude*. Trad. de Ellen Conroy Kennedy. Washington: Howard University Press, 1991, p. 136.
17. Lilyan Kesteloot, op. cit., p. 141.
18. Romuald Fonkoua, op. cit., p. 48.
19. Ao usar a expressão "país natal" no título de seu poema, Césaire queria evocar seu local de nascimento, não abusar de suas origens "nativas" como homem negro colonizado; "país de origem" pode ser uma tradução mais fiel do que "terra natal".
20. Ver Fonkoua, op. cit., p. 51.
21. Aimé Césaire, *Diário de um retorno ao país natal*. Trad. de Lilian Pestre de Almeida. São Paulo: Edusp, 2012, p. 65.
22. Ver os textos reunidos em Léopold Sédar Senghor, *Liberté 1, Négritude et humanisme*. Paris: Seuil, 1964.
23. Frantz Fanon, "Antilhanos e africanos", em *Por uma revolução africana*, op. cit., p. 65.

24. Ina Césaire, "Suzanne Césaire, minha mãe", em *A grande camuflagem: Escritos de dissidência*. Trad. de Júlio Castañon Guimarães. Rio de Janeiro: Papéis Selvagens, 2022.
25. Aimé Césaire, "Presentation", *Tropiques*, n. 1, abr. 1941.
26. Fonkoua, op. cit., p. 72. Fonkoua especula que a *Tropiques* pode ter sido protegida da censura por Georges Pelorson, o editor do poema épico de Césaire, que se tornara chefe dos serviços de propaganda da juventude do regime de Vichy na Zona de Ocupação.
27. Apud Daniel Maximin, "Introdução do editor", em *A grande camuflagem: Escritos de dissidência*, op. cit.
28. Suzanne Césaire, "Mal-estar de uma civilização", ibid., p. 54.
29. Ibid., p. 32.
30. Ibid., p. 62.
31. Joby Fanon se lembrava de que quando eles visitaram a Bibliothèque Sainte-Geneviève, Frantz mostrou pouco interesse em ler o texto original do infame Code Noir de 1685. Englobando sessenta artigos que regulavam o tratamento dos escravizados nas colônias, o "Código Negro" autorizava tortura, amputação e decapitação em casos de revolta, e incentivava "todos os nossos oficiais a expulsar de nossas ilhas judeus que tenham estabelecido residência aqui". Fanon foi atraído, sim, para a seção dedicada ao *Discurso do método para bem conduzir a própria razão e procurar as verdades na ciência* de Descartes. Ver Joby Fanon, op. cit., p. 74.
32. Ibid., p. 44.

### 3. Homem negro, cidade branca [pp. 61-80]

1. Frantz Fanon, *Pele negra, máscaras brancas*, op. cit., p. 106.
2. Joby Fanon, op. cit., p. 45. Fanon ganhou fama de ter um comportamento irritadiço e agressivo, mas Nicole Guillet, uma de suas amigas mais próximas na faculdade de medicina, acreditava que as mostras de raiva de Fanon eram uma defesa contra sentimentos de insegurança, quando não uma resposta a incidentes explícitos de racismo.
3. Este incidente é relatado por Simone de Beauvoir no segundo volume de suas memórias, *A força das coisas* (Trad. de Maria Helena Franco Martins. Rio de Janeiro: Nova Fronteira, 2021), p. 575.
4. Frantz Fanon, *Pele negra, máscaras brancas*, op. cit., p. 231.
5. Ibid., pp. 152-3.
6. Ver o capítulo "A experiência vivida do negro", em Frantz Fanon, *Pele negra, máscaras brancas*, op. cit., pp. 125-54.

7. James Baldwin, "Stranger in the Village", em *Collected Essays*. Org. de Toni Morrison. Nova York: Library of America, 1998, p. 119.
8. Frantz Fanon, *Pele negra, máscaras brancas*, op. cit., p. 125.
9. Ibid., p. 129.
10. James Baldwin, *Da próxima vez, o fogo*. Trad. de Nina Rizzi. São Paulo: Companhia das Letras, 2024, p. 15.
11. Joby Fanon, op. cit., p. 111.
12. Ibid., p. 54.
13. A peça provavelmente tomou o título, *La Conspiration*, do romance epônimo de Paul Nizan sobre uma célula de estudantes revolucionários em Paris, publicado em 1938.
14. James Baldwin, *Da próxima vez, o fogo*, op. cit., p. 94.
15. Baseio esse relato em minha conversa com a filha de Fanon, Mireille Fanon Mendès-France. David Macey, em *Frantz Fanon: A Life* (Londres: Granta, 2000), alega que Fanon deixou Weyer quando ela engravidou.
16. Joby Fanon, op. cit., p. 55.
17. Elaine Mokhtefi, *Algiers, Third World Capital: Freedom Fighters, Revolutionaries, Black Panthers*. Londres: Verso, 2018, p. 46.
18. David Macey, op. cit., p. 134.
19. Apud ibid., p. 134.
20. Ver Paul Balvet, "La Valeur humaine de la folie", *Esprit*, pp. 289-305, set. 1947.
21. Frantz Fanon, *Por uma revolução africana*, op. cit., p. 42.
22. Em *The Practice of Diaspora: Literature, Translation, and the Rise of Black Internationalism* (Cambridge: Harvard University Press, 2003, p. 52), Brent Hayes Edwards diz: "O *petit nègre* é um dos legados mais estranhos da Primeira Guerra Mundial: era uma versão simplificada e deformada do francês que os militares codificaram e deliberadamente *ensinaram* a soldados africanos quando iam lutar na Europa, como modo de infantilizá-los e de controlar suas formas de interação com os comandantes franceses, em sua maioria brancos".
23. Frantz Fanon, *Pele negra, máscaras brancas*, op. cit., p. 47.
24. Id., "Le 'Syndrome nord-africain'", *Esprit*, fev. 1952. O artigo foi publicado como parte de uma seção especial sobre o proletariado norte-africano na França, e reimpresso em Fanon, *Por uma revolução africana*, op. cit., pp. 37-8.
25. Michel Foucault, *The Birth of the Clinic: An Archaeology of Medical Perception*. Trad. de Alan Sheridan-Smith. Londres: Routledge, 2003, p. xi.
26. Frantz Fanon, *Alienação e liberdade: Escritos psiquiátricos*. Trad. de Sebastião Nascimento. São Paulo: Ubu, 2020, p. 370.

## 4. Rumo a um existencialismo negro [pp. 81-108]

1. Hannah Arendt, "What Is This New Philosophy They Call 'Existentialism'?", *The Nation*, 23 fev. 1946.
2. O livro de memórias de 1945 de Wright, *Black Boy*, foi publicado em série em seis edições da *Les Temps Modernes* em 1946 e 1947.
3. Maurice Merleau-Ponty, *Fenomenologia da percepção*. Trad. de Carlos Alberto Ribeiro de Moura. São Paulo: Martins Fontes, 1999, p. 278.
4. Ibid., p. 152.
5. Ibid., p. 114.
6. Jean-Paul Sartre, *Portraits*. Trad. de Chris Turner. Calcutá: Seagull, 2009, pp. 269-70.
7. A teórica da literatura Hortense Spillers usa esse termo no documentário de 2013 de Arthur Jafa, *Dreams Are Colder Than Death*. Descrevendo a dor que um parente continuava a sentir em seu membro amputado, ela sugere que a opressão física e as Jim Crow se imprimiram no inconsciente coletivo (e nos corpos "fenomenais") dos afro-americanos. A psicanalista argelina Karima Lazali apresenta um argumento parecido em seu estudo de 2018, *Le Trauma colonial: Une Enquête sur les effets psychiques et politiques contemporains de l'oppression colonial en* Algérie (Paris: La Découverte, 2018). A conquista violenta da Argélia, escreve ela, o assassinato de civis argelinos e o apagamento da identidade árabe e muçulmana do país, infligiram "uma dor comparável à de uma pessoa mutilada: esta experimentou a dor de um 'membro fantasma' a ponto de ignorar o fato de que o membro desapareceu". A luta por independência, sugere ela, era "um meio de apagar o desaparecimento, de fazê-lo desaparecer".
8. Frantz Fanon, *Pele negra, máscaras brancas*, op. cit., p. 153.
9. O próprio Merleau-Ponty tomou esse termo emprestado do neurologista francês Jean Lhermitte.
10. Meu argumento sobre a reformulação por parte de Fanon de Merleau-Ponty se deve muito ao ensaio do filósofo Gayle Salamon, "The Place Where Life Hides Away: Merleau-Ponty, Fanon, and the Location of Bodily Being", em *Differences*, v. 17, n. 2, pp. 96-112, set. 2006.
11. Frantz Fanon, *Pele negra, máscaras brancas*, op. cit., pp. 125-6.
12. Derrida se referia à razão ocidental e não ao imperialismo ou à dominação racial; foram os teóricos do pós-colonialismo que deixaram claro o que estava apenas implícito no termo. Escreveu ele: "A metafísica — mitologia branca que reúne e reflete a cultura do Ocidente: o homem branco toma a sua própria mitologia, indo-europeia, o seu *logos*, isto é, o *mythos* de seu idioma, pela forma universal do que deve ainda querer

designar por Razão". [*Margens da filosofia*. Trad. de Joaquim Torres Costa e António M. Magalhães. Campinas: Papirus, 1991, p. 253.]

13. Ver Jean-Paul Sartre, *Anti-Semite and Jew* (Trad. de George J. Becker. Berlim: Schocken, 1948), especialmente pp. 13, 22, 48, 53-4, 76-7, 78-9, 83, 117-9, 134-6, 146, 153-4.
14. Ibid., p. 69: "É o antissemita que cria o judeu".
15. Ibid., p. 75.
16. W. E. B. Du Bois, *W. E. B. Du Bois: Writings*. Nova York: Library of America, 1986, pp. 364-5.
17. Frantz Fanon, *Pele negra, máscaras brancas*, op. cit., p. 193.
18. Ibid., p. 131.
19. Ibid., p. 178.
20. Ibid., p. 136.
21. Jean-Paul Sartre, *Anti-Semite and Jew*, op. cit., p. 146.
22. Id., "Black Orpheus", em *"What Is Literature?" and Other Essays*. Cambridge: Harvard University Press, 1988, p. 291.
23. Sartre estava canalizando a ideia de Hegel de que a liberdade reside no reconhecimento da necessidade e na aceitação de responsabilidades que a história impusera.
24. Sartre foi alvo de duras críticas por suas conclusões em "Orfeu negro". Nas palavras de David Marriott, estudioso de Fanon: "A teoria branca [...] como um mágico experiente ou um impostor, assim que vê a experiência negra começa instintivamente a corrigir sua postura, sua linguagem e seu discurso". Mas a natureza da relação de Sartre com Fanon, como veremos, era menos de apropriação ou tutelagem e mais de troca, influência recíproca e solidariedade política.
25. Frantz Fanon, *Pele negra, máscaras brancas*, op. cit., p. 151.
26. Ibid..
27. Ibid., p. 148.
28. Ibid., p. 151.
29. Ibid., p. 173.
30. James Baldwin, "Down at the Cross", em *Collected Essays*. Org. de Toni Morrison. Nova York: Library of America, 1998, p. 341.
31. Frantz Fanon, *Pele negra, máscaras brancas*, op. cit., pp. 181-2.
32. Ibid., pp. 226-7.
33. Ibid., p. 107.
34. Ibid., p. 117.
35. Ver a discussão de Livio Boni e Sophie Mendelsohn sobre Mannoni em *La Vie psychique du racism*. Paris: La Découverte, 2021.
36. Frantz Fanon, *Pele negra, máscaras brancas*, op. cit., p. 221.
37. Ibid., p. 167.

38. Stuart Hall, "The After-Life of Frantz Fanon: Why Fanon? Why Now? Why *Black Skin, White Masks*?". In: *The Fact of Blackness: Frantz Fanon and Visual Representation*. Org. de Alan Read. Winnipeg: At Bay Press, 1996, p. 30.
39. Apud Gabriel N. Mendes, *Under the Strain of Color: Harlem's Lafargue Clinic and the Promise of an Antiracist Psychiatry*. Ithaca: Cornell University Press, 2015, p. 22.
40. Richard Wright, *Black Boy*. Nova York: Harper Perennial Modern Classics, 2007, p. 284.
41. Frantz Fanon, *Pele negra, máscaras brancas*, op. cit., p. 152.
42. Meu relato da Clínica Lafargue foi construído pelas seguintes obras: Gabriel N. Mendes, *Under the Strain of Color...* (op. cit.); Jay Garcia, *Psychology Comes to Harlem: Rethinking Race Questions in Twentieth-Century America* (Baltimore: Johns Hopkins University Press, 2012); e Eli Zaretsky, *Political Freud: A History* (Nova York: Columbia University Press, 2015).
43. Gabriel N. Mendes, op. cit., p. 86.
44. Ralph Ellison, *The Collected Essays of Ralph Ellison*. Nova York: Modern Library, 1995, pp. 322-3.
45. Id., *Homem invisível*. Trad. de Mauro Gama. Rio de Janeiro: José Olympio, 2020, p. 29.
46. Frantz Fanon, *Pele negra, máscaras brancas*, op. cit., p. 127.
47. Ralph Ellison, *Homem invisível*, op. cit., p. 30.
48. A expressão "grande miragem negra" aparece pela primeira vez em Frantz Fanon, "Antilhanos e africanos", em *Por uma revolução africana: Textos políticos*, op. cit., pp. 31-6. Fanon argumenta que "depois do grande engano branco", o antilhano "está a caminho de viver agora na grande miragem negra". O que, pergunta ele, "poderia ser mais grotesco que um homem instruído, um diplomado [...] afirmando que sua pele era bela e que o 'grande buraco negro' é uma fonte de verdade?".

5. A recusa da máscara [pp. 109-37]

1. Frantz Fanon, "Um caso de doença de Friedreich com delírio de possessão: alterações mentais, modificações de caráter, distúrbios psíquicos e déficit intelectual na heredodegeneração espinocerebelar", em *Alienação e liberdade: Escritos psiquiátricos*, op. cit., pp. 297-386.
2. Ibid., p. 313.
3. O primeiro livro de Jeanson, *Le Problème moral et la pensée de Sartre* (Paris: Myrte, 1947), foi um estudo da obra de Jean-Paul Sartre.

4. Francis Jeanson, "Cette Algérie conquise et pacifiée", *Esprit*, pp. 841-61, abr. 1950.
5. Uma longa citação do relato de Jeanson na *Esprit* aparece em Frantz Fanon, *Peau noire, masques blancs*. Paris: Seuil, 1952.
6. Francis Jeanson, prefácio à primeira edição de Frantz Fanon, *Peau noire, masques blancs*, op. cit.
7. Ver Francis Jeanson, posfácio da edição de 1965 de Frantz Fanon, *Pele negra, máscaras brancas*, op. cit., pp. 267-92. Genet e Fanon nunca se conheceram, mas Genet incluiu uma nota introdutória impressionantemente fanoniana em sua peça de 1958 *Les Nègres*, sugerindo que "máscaras brancas fossem distribuídas aos espectadores negros ao entrarem no teatro. E se os negros se recusassem a usar as máscaras, que se usassem manequins".
8. Apud Robert J. C. Young, introdução a Frantz Fanon, *Écrits sur l'aliénation et la liberté*, Jean Khalfa and Robert J. C. Young (Orgs.). Paris: La Decouverte, 2015, p. 49.
9. Frantz Fanon, *Pele negra, máscaras brancas*, op. cit., p. 213.
10. Walter Benjamin, "A imagem de Proust". *Magia e técnica, arte e política: ensaios sobre literatura e história da cultura*. Obras escolhidas, v. 1. 2. ed. Trad. de Sergio Paulo Rouanet. São Paulo: Brasiliense, 1986, p. 36.1.
11. Frantz Fanon, *Pele negra, máscaras brancas*, op. cit., p. 26.
12. Aimé Césaire, *Diário de um retorno ao país natal*, op. cit., p. 43 apud *Peles negras, máscaras brancas*, op. cit., p. 111.
13. Michel Leiris, *Race and Culture*. Paris: Unesco, 1951, p. 7.
14. Ver Claude Lévi-Strauss, *Race et histoire* (Paris: Unesco, 1952), especialmente capítulos 2, 3 e 10.
15. James Baldwin, *Collected Essays*. Nova York: Library of America, 1998, p. 129.
16. Simone de Beauvoir, *O segundo sexo*. v. 2. Trad. de Sérgio Milliet. Rio de Janeiro: Nova Fronteira, 2009, p. 11.
17. Ver Matthieu Renault, "Le Genre de la race: Fanon, lecteur de Beauvoir", *Actuel Marx*, v. 1, n. 55, pp. 36-48, 2014. A única menção a Beauvoir na obra de Fanon aparece em *Pele negra, máscaras brancas*, quando ele menciona que ela foi importunada uma vez em Nova York por uma idosa branca americana que a repreendeu por caminhar junto de um homem negro — seu amigo, o romancista Richard Wright. Ver Frantz Fanon, *Pele negra, máscaras brancas*, op. cit., p. 195.
18. Ver Frantz Fanon, "Antilhanos e africanos", em *Por uma revolução africana*, op. cit., pp. 54-66.
19. Aimé Césaire, *Discurso sobre o colonialismo*. Trad. de Anísio Garcez Homem. São Paulo: Letras Contemporâneas, 2010, p. 15.

20. Ibid., p. 17.
21. Frantz Fanon, *Pele negra, máscaras brancas*, op. cit., p. 26.
22. Ver Karen E. Fields e Barbara J. Fields, *Racecraft: The Soul of Inequality in American Life*. Londres: Verso, 2014.
23. Frantz Fanon, *Pele negra, máscaras brancas*, op. cit., p. 35.
24. Ibid., p. 50.
25. Ibid., p. 106.
26. William B. Cohen, *The French Encounter with Africans: White Responses to Blacks, 1530-1880*. Bloomington: Indiana University Press, 1980. Ver especialmente capítulo 3, "The Philosophes and Africa".
27. Entre os filósofos, Rousseau destacou-se por sua condenação da "missão civilizatória". Ele escreveu: "Se eu fosse o chefe de um dos povos da África Negra instalaria na fronteira forcas em que sem misericórdia enforcaria o primeiro europeu que ousasse entrar e o primeiro cidadão que tentasse partir" (apud William B. Cohen, *The French Encounter with Africans*, op. cit., p. 179). No entanto Rousseau nunca exigiu que a França se retratasse de suas expedições na costa da África Ocidental, onde fora ativa desde o fim do século XVII, ou de suas posses nas Antilhas.
28. William B. Cohen, *The French Encounter with Africans*, op. cit., p. 33.
29. Frantz Fanon, *Pele negra, máscaras brancas*, op. cit., p. 29.
30. Ibid., p. 189. No original em francês, "brancos" está em caixa-alta.
31. Ibid., p. 83.
32. Ver René Ménil, "The Situation of Poetry in the Caribbean", em *The Refusal of the Shadow: Surrealism and the Caribbean*. Org. de Michael Richardson. Trad. de Michael Richardson e Krzysztof Fijalkowski. Londres: Verso, 1996, pp. 127-33. Fanon parece ter localizado a observação de Ménil não na *Tropiques*, mas sim em um ensaio do etnógrafo Michel Leiris.
33. William B. Cohen, *The French Encounter with Africans*, op. cit., p. 57.
34. Frantz Fanon, *Pele negra, máscaras brancas*, op. cit., p. 230.
35. Simone de Beauvoir, *O segundo sexo*. v. 1., op. cit., p. 344.
36. Frantz Fanon, *Pele negra, máscaras brancas*, op. cit., p. 231.
37. Ibid., p. 161.
38. Ibid., p. 38.
39. Ibid., p. 137.
40. Ibid., p. 198.
41. Ibid., p. 237.
42. Ibid., p. 240.
43. Para a resenha de Chastaing, ver *Esprit* (pp. 556-9, out. 1952); para a de Balandier, ver *L'Année Sociologique* (v. 4, 1951, pp. 169-71).

44. Apud prefácio de Francis Jeanson à edição de 1965 de *Pele negra, máscaras brancas*, op. cit.
45. Apud David Macey, op. cit., p. 13.
46. Relato de Maryse Condé a respeito da primeira vez que se deparou com a obra de Fanon, tirado de suas memórias *What Is Africa to Me?: Fragments of a True-to-Life Autobiography*. Disponível em: <www.frieze.com/article/maryse-condes-first-encounter-frantz-fanons-black-skin-white-masks>. Acesso em: 13 jul. 2024.

### 6. A prática da desalienação [pp. 138-52]

1. Joby Fanon, op. cit., pp. 69-70.
2. Frantz Fanon, *Alienação e liberdade*, op. cit., p. 243.
3. Id., *Pele negra, máscaras brancas*, op. cit., p. 33.
4. Meu relato sobre Saint-Alban vem de Camille Robcis, *Disalienation: Politics, Philosophy, and Radical Psychiatry in Postwar France* (Chicago: University of Chicago Press, 2021); Julian Bourg, *From Revolution to Ethics: May 1968 and Contemporary French Thought* (2. ed. Quebec: McGill-Queen's University Press, 2017); e Didier Daeninckx, *Caché dans la maison des fous* (Paris: Bruno Doucey, 2015).
5. François Tosquelles, *Uma política da loucura e outros textos*. Trad. de Anderson Santos. São Paulo: Ubu, 2024, p. 61.
6. Ibid., p. 53.
7. Ibid.
8. Camille Robcis, *Disalienation*, op. cit., p. 35.
9. François Tosquelles, "Frantz Fanon. Saint Alban", *Sud/Nord*, v. 1, n. 22, pp. 9-14, 2007.
10. Id., "Frantz Fanon et la psychothérapie institutionnelle", *Sud/Nord*, v. 1, n. 14, pp. 167-74, 2001.
11. Frantz Fanon, *Alienação e liberdade*, op. cit., p. 265.
12. Ibid., pp. 102-24.
13. Ibid., p. 261.
14. Frantz Fanon para Richard Wright, 6 de janeiro de 1953, documentos de Richard Wright, Biblioteca Beinecke de Livros e Manuscritos Raros, Universidade de Yale.

### Parte II: O argelino
### 7. Um mundo cindido em dois [pp. 155-84]

1. Joby Fanon, op. cit., p. 73.

2. A controvérsia em torno do romance de Maran é examinada no estudo de Brent Hayes Edwards, *The Practice of Diaspora: Literature, Translation, and the Rise of Black Internationalism* (Cambridge: Harvard University Press, 2003).
3. Frantz Fanon, *L'An V de la révolution algérienne* [1959]. Paris: La Découverte, 2011, p. 35.
4. Mohammed Harbi, *Une Vie debout: Mémoires politiques*. Paris: La Découverte, 2001, p. 33.
5. Frantz Fanon, *Os condenados da terra*, op. cit., p. 37.
6. Apud Alistair Horne, *A Savage War of Peace: Algeria 1954-1962* [1978]. Nova York: New York Review of Books Classics, 2006, p. 29.
7. Apud Karima Lazali, *Le Trauma colonial: Une enquête sur les effets psychiques et politiques contemporains de l'oppression colonial en Algérie*. Paris: La Découverte, 2018, p. 51.
8. Frantz Fanon, *Os condenados da terra*, op. cit., p. 50.
9. Como a historiadora Muriam Haleh Davis afirmou, os franceses justificaram os confiscos de terras com o argumento de que a terra pertencia não a seus proprietários originais mas aos que sabiam como desenvolvê-la ("*la mettre en valeur*") com técnicas superiores de exploração. Ver Muriam Haleh Davis, *Markets of Civilization: Islam and Racial Capitalism in Algeria*. Durham: Duke University Press, 2022, pp. 25-6.
10. A lei que garantia cidadania francesa a antigos sujeitos coloniais era conhecida como "Lei Lamine Guèye", em homenagem ao político socialista Amadou Lamine-Guèye, que (junto com seu colega deputado Léopold Sédar Senghor) representou o Senegal na Assembleia Nacional. Ver Laure Blévis, "La Citoyenneté française au miroir de la colonisation: Étude des demandes de naturalisation des 'sujets français' en Algérie coloniale", *Genèses*, v. 53, pp. 25-47, 2004.
11. Mohammed Harbi, *Une Vie debout*, op. cit., p. 67.
12. Como as origens etimológicas desses insultos são difíceis de retraçar, é quase impossível fazer traduções unívocas em inglês: *bicot* costuma ser interpretado como uma aférese de *arbicot* (árabe); diz-se que *bougnoule* vem do wolof *ñuul* (negro).
13. Apud Malika Rahal, *Ali Boumendjel: Une affaire française, une histoire algérienne*. Paris: La Découverte, 2022, p. 82.
14. Alistair Horne, *A Savage War of Peace*, op. cit., p. 28.
15. As reações de Kateb Yacine, Ferhat Abbas e Simone de Beauvoir ao massacre de Sétif são citadas em Alistair Horne, *A Savage War of Peace* (op. cit.), pp. 27-8. O romance clássico de Kateb Yacine, *Nedjma* (Paris: Seuil, 1956), era permeado pelo trauma desse suplício. Ele o terminou no início dos anos 1950; porém, disse: "[Os editores franceses] não paravam

de me dizer: 'Mas como você tem ovelhas tão bonitas na Argélia, por que não escreve sobre elas?'".
16. Apud Alistair Horne, *A Savage War of Peace*, op. cit., p. 46.
17. Frantz Fanon, *Os condenados da terra*, op. cit., p. 13.
18. Ibid., p. 81. O mundo colonial oferecia a ilustração perfeita da famosa observação de Walter Benjamin de que "não há um documento da cultura que não seja ao mesmo tempo um documento da barbárie".
19. Antoine Porot e Jean Sutter, "Le 'Primitivisme' des indigènes nord-africains. Ses incidences en pathologie mentale", *Sud Medical et Chirurgical*, 15 abr. 1939.
20. Frantz Fanon, *Alienação e liberdade*, op. cit., p. 235.
21. John Berger, com o fotógrafo Jean Mohr, *A Fortunate Man: The Story of a Country Doctor* [1967]. Nova York: Vintage, 1997, p. 75.
22. Ver artigo de Fanon na edição de 17 de março de 1955 da circular para a equipe *Notre Journal*, republicado em Fanon, *Écrits sur l'aliénation et la liberté*, op. cit., p. 279.
23. Alice Cherki, *Frantz Fanon: Um retrato*, op. cit., p. 119.
24. Frantz Fanon, *L'An V de la révolution algérienne*, op. cit., p. 122.
25. Id., *Écrits sur l'aliénation et la liberté*, op. cit., p. 295.
26. Ibid., p. 263.
27. Ibid.
28. Ibid., pp. 282-3.
29. Ibid., p. 262.
30. Ibid., p. 291.
31. Ibid., pp. 266-7.
32. Fanon teria tido a mesma experiência em qualquer país colonizado. No romance *The Grass Is Singing* [A canção da relva] (Londres: M. Joseph, 1950), ambientado na Rodésia do Sul sob domínio inglês, Doris Lessing escreve: "Quando antigos colonos dizem: 'é preciso entender o país', o que querem dizer é: 'você tem que se acostumar com nossas ideias sobre os nativos'. Estão dizendo, de fato: 'Aprenda nossas ideias, ou vá embora: não o queremos aqui'. A maioria desses jovens rapazes foi criada com ideias vagas sobre igualdade. Ficaram chocados, durante a primeira semana ou pouco mais, com o modo como os nativos são tratados. Revoltaram-se uma centena de vezes por dia com o modo casual como se referiam a eles, como se fossem mero gado; ou com um bufar, ou um olhar. Eles haviam sido preparados para tratá-los como seres humanos. Mas não podiam bater de frente com a sociedade a que se uniam. Não demorou para que eles mudassem".
33. Alice Cherki, *Frantz Fanon: Um retrato*, op. cit., p. 115.

34. Frantz Fanon e Jacques Azoulay, "A socioterapia numa ala de homens muçulmanos: dificuldades metodológicas", em *Alienação e liberdade*, op. cit., pp. 171-193.
35. Frantz Fanon, *Écrits sur l'aliénation et la liberté*, op. cit., pp. 270-1.
36. Para a carta de Gambs e a resposta de Fanon, ver Ibid., pp. 270-1.
37. Fanon também supervisionava dois jovens colegas muçulmanos, a dr. Ziza e o dr. Slimane Asselah, em suas pesquisas sobre medicina argelina.
38. Frantz Fanon, *Alienação e liberdade*, op. cit., pp. 203.
39. Os artigos psiquiátricos discutidos neste capítulo estão nos arquivos de Fanon do Institut Mémoires de l'Édition Contemporaine (daqui em diante Imec), na abadia de Ardenne, na Normandia, França; também podem ser lidos em Frantz Fanon, *Alienação e liberdade*, op. cit.
40. Ver Frantz Fanon, "Atitude do muçulmano magrebino diante da loucura", em *Alienação e liberdade*, op. cit., pp. 245-50.
41. Tillion, que foi presa em Ravensbrück por suas atividades na resistência, seria conselheira do governo francês durante a Revolução Argelina, e se tornaria seu contato com os líderes da FLN em Argel.
42. Frantz Fanon, "Introdução aos transtornos da sexualidade do norte-africano", em *Alienação e liberdade*, op. cit., p. 199.
43. Id., *Alienação e liberdade*, op. cit., p. 215.
44. Ibid., p. 240.
45. Apud Alistair Horne, *A Savage War of Peace*, op. cit., p. 49.

## 8. A explosão argelina [pp. 185-228]

1. Fala de Jean Aymé, feita em 28 de setembro de 1999, na Martinica, nos arquivos de Fanon no Imec.
2. Os argelinos se referem à guerra ou como *"guerre de libération"* (guerra de libertação), ou como a Revolução Argelina; os historiadores franceses se referem a ela como *"guerre d'Algérie"*, guerra argelina. Eu uso "guerra argelina" ao me referir à batalha em si, "guerra de independência argelina" ao descrever a luta da Argélia por libertação do domínio francês, e "Revolução Argelina" ao evocar o projeto político de revolucionários como Fanon e seus companheiros.
3. Os rebeldes tinham apenas algumas centenas de armas de fogo no Dia de Todos os Santos. Portanto, com frequência, recorriam a cortar a garganta dos soldados franceses. O dito sorriso cabila se tornaria uma eficaz arma psicológica, apavorando os soldados franceses que encontravam os companheiros com as gargantas cortadas (e muitas vezes os genitais enfiados na boca), mas inicialmente era a FLN fazendo da necessidade uma virtude.

4. O comunicado oficial da FLN é reproduzido em Martin Evans e John Phillips, *Algeria: Anger of the Dispossessed* (New Haven: Yale University Press, 2007), pp. 56-8.
5. Os *harkis*, que lutavam em unidades auxiliares móveis (*harka* significa "móvel" em árabe), raramente eram partidários da *Algérie française*. A maioria ou fora conscrita à força no Exército francês ou tinha ficado do lado da França para proteger seus vilarejos do assédio ou da extorsão da FLN. Independente de suas motivações, dezenas de milhares seriam executados como colaboradores em purgas depois da independência; alguns eram embrulhados em bandeiras francesas e queimados vivos diante de multidões exultantes.
6. A FLN — e Fanon — classificaria os oficiais eleitos da Argélia como *béni- -oui-oui* (homens do sim). Mas a historiadora Malika Rahal defende que os deputados muçulmanos do segundo colégio eleitoral "se recusavam a ser rebaixados nas relações que eram marcadas pelo orientalismo e pelo controle paternalista" e trabalhavam para promover reformas genuínas, muitas vezes diante de insultos racistas de legisladores europeus. Ver Malika Rahal, *Ali Boumendjel: Une Affaire française, une histoire algérienne*, op. cit., p. 25.
7. Apud Malika Rahal, *Ali Boumendjel*, op. cit., p. 25.
8. Fanon estava sempre mais à vontade entre pessoas de ideias seculares, mas nunca foi um secularista — e uma das razões talvez seja que ele muitas vezes tenha considerado os progressistas religiosos aliados mais confiáveis das lutas que ele apoiava.
9. Frantz Fanon, *Os condenados da terra*, op. cit., p. 39.
10. Ver André Mandouze, *Mémoires d'outre-siècle: D'Une Résistance à l'autre*. Paris: Éditions du Cerf, 1998.
11. André Mandouze, "Impossibilités algériennes ou le mythe des trois départements", *Esprit*, pp. 10-30, jul. 1947.
12. Id., "Manifeste", em *Un Chrétien dans son siècle: De Résistance en résistances*. Org. de Olivier Aurenche e Martine Sevegrand. Paris: Karthala, 2007, pp. 109-10. Para mais sobre Mandouze e o anticolonialismo católico na Argélia, ver Darcie Fontaine, *Decolonizing Christianity: Religion and the End of Empire in France and Algeria*. Cambridge: Cambridge University Press, 2016.
13. André Mandouze, discurso em uma celebração da vida de Fanon em 1982 ocorrida na Martinica, nos arquivos de Fanon no Imec.
14. No fim da guerra em 1962, mais da metade dos profissionais médicos da Argélia acabariam trabalhando para os serviços de saúde fundados pela FLN e a ALN. Quando o embaixador americano William Porter visitou uma das clínicas da FLN em Argel pouco antes da independência, ele a

descreveu como "impecável", até "alegre". Apud Malika Rahal, *Algérie 1962: Une Histoire populaire*. Paris: La Découverte, 2022, p. 182.
15. Apud Adam Shatz, "An Interview with Alice Cherki", *Historical Reflections/Réflexions Historiques*, v. 28, n. 2, pp. 293-300, 2002.
16. Alice Cherki, *Frantz Fanon: Um retrato*, op. cit., p. 28.
17. Apud Joby Fanon, op. cit., pp. 78-9.
18. Ibid., p. 80.
19. Para um relato dos acontecimentos em Philippeville, ver Alistair Horne, *A Savage War of Peace*, op. cit., pp. 118-22.
20. Apud documentário de cinco partes de Peter Batty, *The Algerian War: 1954-1962*, produzido pela BBC em 1984.
21. Mohammed Harbi, 1954, *La Guerre commence en Algérie*. Bruxelas: Complexe, 1998, pp. 148-9. Em Philippeville, observa Harbi, "a impulsividade reinava" — uma "impulsividade bem arraigada" entre as massas rurais, para as quais o tradicionalismo islâmico oferecera um escudo contra a opressão colonial.
22. Apud Alistair Horne, *A Savage War of Peace*, op. cit., p. 125.
23. Apud Conor Cruise O'Brien, "Camus, Algeria, and 'The Fall'", *New York Review of Books*, 9 out. 1969.
24. Anexo I em Frantz Fanon, *L'An V de la révolution algérienne*, op. cit., p. 161.
25. As críticas nacionalistas de Abbas nunca deixariam de lembrá-lo das dúvidas que ele expressou, em 1936, quanto à existência de uma nação argelina: "Se eu tivesse descoberto a nação argelina, seria um nacionalista [...]. No entanto, não vou morrer pela nação argelina, porque sei que ela não existe. [...] Não se pode construir a partir do vento". Apud Alistair Horne, *A Savage War of Peace*, op. cit., p. 40.
26. Alistair Horne, *A Savage War of Peace*, op. cit., p. 141.
27. Apud Karima Lazali, *Le Trauma colonial: Une Enquête sur les effets psychiques et politiques contemporains de l'oppression colonial en Algérie*, op. cit., p. 138.
28. Apud Jean Daniel, *La Blessure*. Paris: Grasset, 1992, p. 126.
29. Mouloud Feraoun, *Journal 1955-1962: Reflections on the French-Algerian War*. Trad. de Mary Ellen Wolf e Claude Fouillade. Lincoln: University of Nebraska Press, 2000, pp. 42-3.
30. Mouloud Feraoun, *Journal 1955-1962*, op. cit., p. 45.
31. Frantz Fanon, *Os condenados da terra*, op. cit., p. 87.
32. Ibid., p. 192.
33. Ibid., pp. 88-9.
34. Ibid., pp. 136-42.
35. Claude Bourdet, "Votre Gestapo d'Algérie", *L'Observateur*, 13 jan. 1955.
36. Frantz Fanon, *Os condenados da terra*, op. cit., pp. 275-8.

37. Ibid., p. 269.
38. Ibid., p. 251.
39. Id., *L'An V de la révolution algérienne*, op. cit., p. 5.
40. Foi só em 1992, três décadas depois do cessar-fogo, que o Estado francês ofereceu indenização aos soldados que sofriam de questões psicológicas relacionadas à guerra.
41. David Macey, op. cit., p. 272.
42. Esse incidente é contado na autobiografia de André Mandouze, *Mémoires d'outre-siècle: D'Une Résistance à l'autre* (op. cit.), bem como em seu artigo não publicado pelo colega de Fanon, Charles Geronimi, "Fanon à Blida".
43. Romuald Fonkoua, op. cit., p. 227.
44. As citações deste e dos quatro parágrafos seguintes são de Frantz Fanon, "Racismo e cultura", em *Por uma revolução africana*, op. cit., pp. 69-84.
45. Frantz Fanon, *Os condenados da terra*, op. cit., p. 217.
46. Mohammed Harbi, *Une Vie debout*, op. cit., p. 262.
47. Alistair Horne, *A Savage War of Peace*, op. cit., p. 132.
48. Mouloud Feraoun, *Journal 1955-1962*, op. cit., p. 138.
49. Alistair Horne, *A Savage War of Peace*, op. cit., p. 186.
50. Frantz Fanon, *L'An V de la révolution algérienne*, op. cit., p. 40.
51. Ver Frantz Fanon, "Carta a um francês", em *Por uma revolução africana*, op. cit., p. 87.
52. Frantz Fanon, "Carta ao ministro residente", em *Alienação e liberdade*, op. cit., pp. 292-4.

### Parte III: O exílio
### 9. Vertigem em Túnis [pp. 231-61]

1. Gabriel García Márquez, "From Paris, with Love", em *The Scandal of the Century and Other Writings*. Org. de Cristóbal Pera. Trad. de Anne McLean. Nova York: Knopf, 2019, pp. 279-80. [Ed. bras.: *O escândalo do século*. Trad. de Joel Silveira, Léo Schlafman e Remy Gorga Filho. São Paulo: Record, 2020.]
2. Até sua morte em 2006, Vidal-Naquet liderou a campanha por reconhecimento pela responsabilidade da República da França pelo assassinato e desaparecimento do matemático comunista Maurice Audin, que foi preso em junho de 1957 e nunca mais visto. Em 2018, o presidente Emmanuel Macron admitiu que Audin tinha sido torturado e executado pelo Exército.

3. De acordo com Alice Cherki, Fanon descreveu Aron, que ele conheceu em Túnis, como "um homem inteligente e erudito que não quer saber nada sobre alienação, nem sequer a sua própria".
4. Sarah Kaminsky, *Adolfo Kaminsky, une vie de faussaire*. Paris: Calmann-Lévy, 2009, p. 250. De acordo com Kaminsky, foi em grande parte graças aos *porteurs des valises*, e especialmente à intervenção de Francis Jeanson, que a Fédération de France da FLN limitou seus ataques dentro da França a alvos militares, policiais e industriais.
5. Frantz Fanon, *Os condenados da terra*, op. cit., p. 324.
6. Hocine Aït-Ahmed, um dos presos em La Santé, observaria anos depois que o sequestro havia salvado inadvertidamente a FLN de uma "crise terrível", uma vez que Ben Bella, que ficava no Cairo, estivera em desacordo com a liderança dentro da Argélia.
7. A lembrança de Yousfi de Fanon está nos arquivos de Fanon no Imec.
8. Marie-Jeanne Manuellan, correspondência com o autor, 2018.
9. Frantz Fanon, *Os condenados da terra*, op. cit., p. 74.
10. Guy Sitbon, conversa com o autor, Paris, verão de 2019. Fanon e Sitbon tiveram a mesma amante por um breve tempo, uma jovem médica judia norte-africana. "Um dia", lembra Sitbon, "estávamos fazendo amor quando Fanon chegou no apartamento dela. Ela fechou a porta e saiu. Eu fiquei meia hora esperando, escondido no quarto."
11. O filme de 1958 de René Vautier, *Algérie en flammes*, documentário de vinte minutos rodado nas montanhas de Aurès, foi o primeiro a retratar a guerra de libertação nacional da perspectiva da FLN. Provocou tamanho escândalo, mesmo antes de ser lançado, que Vautier foi obrigado a ir para a clandestinidade por dois anos. O filme só foi exibido na França em 1968, durante a revolta estudantil.
12. Mouloud Feraoun, *Journal 1955-1962*, op. cit., p. 169.
13. Ver Frantz Fanon, "Os intelectuais e democratas franceses diante da Revolução Argelina", em *Por uma revolução africana*, op. cit., p. 128.
14. Apud Adam Shatz, "On Albert Memmi", *London Review of Books*, v. 42, n. 16, 13 ago. 2020. Disponível em: <www.lrb.co.uk/the-paper/v42/n16/adam-shatz/on-albert-memmi>. Acesso em: 13. jul. 2024.
15. Albert Memmi, *The Colonizer and the Colonized* [1957]. Trad. de Howard Greenfield. Londres: Souvenir, 2016, p. 3.
16. Ibid., p. 64.
17. Ibid., pp. 77-88.
18. Ibid., p. 81.
19. Albert Memmi, *La Statue de sel*. Paris: Gallimard, 1966, p. 137.
20. Ibid., p. 301.
21. Id., *Tunisie, An I*. Org. de Guy Dugas. Paris: CNRS, 2017, p. 148.

22. Mohammed Harbi, conversa com o autor, Paris, 2017.
23. Ver Matthew Connelly, *A Diplomatic Revolution: Algeria's Fight for Independence and the Origins of the Post-Cold War Era*. Oxford: Oxford University Press, 2003.
24. John F. Kennedy, "Remarks of John F. Kennedy in the Senate, Washington, D.C., July 2, 1957". Disponível em: <www.jfklibrary.org/archives/other-resources/john-f-kennedy-speeches/united-states-senate-imperialism-19570702>. Acesso em: 13 jul. 2024.
25. Frantz Fanon, *Os condenados da terra*, op. cit., p. 32.
26. Ibid., p. 47.
27. Mohammed Ben Smaïl ficou conhecido como *le journaliste fellagha* por ser um simpatizante pró-FLN. Sou grato a seu neto, o historiador Youssef Ben Ismail, por me indicar a reportagem de Ben Smaïl sobre Melouza.
28. Mouloud Feraoun, *Journal 1955-1962*, op. cit., p. 223.
29. Frantz Fanon, *L'An V de la révolution algérienne*, op. cit., p. 6.
30. A existência dos campos de reassentamento foi revelada pela primeira vez em 1959 em um relatório contundente, logo vazado para a imprensa, do político socialista Michel Rocard, um inspetor de finanças, então com 28 anos, da Argélia francesa.
31. Ver Raphaëlle Branche, *Papa, qu'as-tu fait en Algérie?: Enquête sur un silence familial*. Paris: La Découverte, 2020; e meu ensaio sobre o livro de Branche: Adam Shatz, "Dynamo Current, Feet, Fists, Salt", *London Review of Books*, v. 43, n. 4, 18 fev. 2021.
32. Refletindo sobre o massacre de Melouza em suas memórias, Mohammed Harbi escreve, em *Une Vie debout* (op. cit.), sobre ter "se visto em uma organização [...] onde o autoritarismo inculcou em todos a ideia de que o mal podia ser convertido em bem se ele fosse feito em nome da revolução". No entanto, como Fanon, Harbi continuou na FLN ao longo da guerra.
33. Para um relato sobre a vida de Serge Michel, ver Émile Carme, "Serge Michel — amour, anarchie, Algérie", *Ballast*, 8 fev. 2015. Disponível em: <www.revue-ballast.fr/serge-michel>. Acesso em: 13 jul. 2024.
34. Serge Michel, *Nour le voilé: De la Casbah au Congo, du Congo au desert: La Révolution*. Paris: Seuil, 1982, p. 121.
35. Alice Cherki, *Frantz Fanon: Um retrato*, op. cit., p. 154.
36. O psicanalista Karima Lazali atribuiu o rechaço da FLN à liderança carismática à agressão do colonialismo contra a autoridade paternal autóctone. Como seus pais haviam sido humilhados (e em alguns casos mortos) pelo Estado francês, os homens que formavam a FLN se constituíam como uma irmandade e encaravam qualquer um que reivindicasse o cetro de autoridade como um pai ilegítimo que deveria ser eliminado para

que eles mesmos pudessem manter o poder e para que "o lugar do pai" permanecesse vago.

### 10. Desalienar a psiquiatria [pp. 262-76]

1. As citações neste e nos dois parágrafos seguintes são de Michel Martini, *Chroniques des années algériennes 1946-1962* (Paris: Bouchène, 2002), pp. 368-75.
2. Joby Fanon, op. cit., pp. 95-6.
3. As citações neste parágrafo e no seguinte são de Frantz Fanon, "A internação diurna na psiquiatria: valor e limites", em *Alienação e liberdade*, op. cit., p. 83.
4. A crítica de Fanon tinha um semelhança notável com o estudo de 1962 de Erving Goffman *Asylums: Essays on the Social Situation of Mental Patients and Other Inmates* (Nova York: Anchor, 1961), bem como com o de Michel Foucault, *Naissance de la Clinique: Une Archéologie du regard medical* (Paris: Presses universitaires de France, 1963).
5. Ver as notas de Lilia Ben Salem em Frantz Fanon, *Alienação e liberdade*, op. cit. pp. 268-91.
6. Ibid., p. 284.
7. Ibid., p. 290.
8. Ver Gwen Bergner, "Who Is That Masked Woman?: Or, the Role of Gender in Fanon's *Black Skin, White Masks*", PMLA, v. 110, n. 1, pp. 75--88, jan. 1995.
9. Ver Alice Cherki, *Frantz Fanon: Um retrato*, op. cit.
10. Apud Frantz Fanon, *Écrits sur l'aliénation et la liberté*, op. cit., p. 435.
11. Ver Frej Stambouli, "'When I Was a Student of Fanon': An Interview with Frej Stambouli", *Review of African Political Economy*, 2 jun. 2021. Disponível em: <roape.net/2021/06/02/when-i-was-a-student-of-fanon--an-interview-with-frej-stambouli>. Acesso em: 13 jul. 2024.
12. Essa história me foi contada pela filha de Dridi, a jornalista Daikha Dridi.
13. Das lembranças de Youcef Yousfi sobre Fanon nos documentos sobre Fanon no Imec.
14. Claude Lanzmann, *The Patagonian Hare: A Memoir*. Trad. de Frank Wynne. Londres: Atlantic, 2009, p. 341.
15. As citações neste e nos próximos parágrafos são de Frantz Fanon, "Guerra colonial e distúrbios mentais", em *Os condenados da terra*, op. cit., pp. 249-55. A análise que Fanon faz do trauma resultante da Guerra da Argélia era também presciente. Na época, os médicos franceses desdenhavam de relatos de sofrimento psicológico entre veteranos da Guerra Argelina afirmando que um paciente que padecia era "falante,

pretensioso e feliz consigo mesmo e com suas histórias incontroláveis". Só em 1992 os veteranos teriam direito a compensação por traumas infligidos pela guerra. De acordo com um artigo do *Le Monde* publicado em 2000, até 350 mil veteranos sofreram de Tept. Ver Raphaëlle Branche, op. cit., 2020.

## 11. O "gravador" de Fanon [pp. 277-310]

1. A escritora feminista Susan Brownmiller denunciou Fanon como um "homem que odiava mulheres" obcecado por estupro, como se o tivesse confundido com o líder do Partido dos Panteras Negras Eldridge Cleaver, que se gabava de estuprar mulheres brancas como uma forma de resistência política. Ver Susan Brownmiller, *Against Our Will: Men, Women, and Rape*. Nova York: Simon & Schuster, 1975, p. 250.
2. Marie-Jeanne Manuellan, conversas com o autor, 2017-2019.
3. Todas as citações daqui até a página 285 são de Marie-Jeanne Manuellan, *Sous la dictée de Fanon*. Coarze: L'Amourier, 2017.
4. Ibid., p. 126
5. Ibid., p. 93.
6. Ibid., p. 96.
7. Ibid., p. 123.
8. Ibid., pp. 132-3.
9. Assisti à única cópia sobrevivente desse documentário no Imec.
10. Roland Barthes, *A câmara clara: Notas sobre a fotografia*. Trad. de Júlio Castañon Guimarães. Rio de Janeiro: Nova Fronteira, 1984, p. 46.
11. Marie-Jeanne Manuellan, op. cit., p. 67.
12. Ibid., p. 76.
13. Ibid., p. 111.
14. Ibid., pp. 114-5.
15. Neil MacMaster, *Burning the Veil: The Algerian War and the "Emancipation" of Algerian Women, 1954-62*. Manchester: Manchester University Press, 2010.
16. Frantz Fanon, *L'An V de la révolution algérienne*, op. cit., p. 21.
17. Ibid., p. 23.
18. Ibid., p. 24.
19. Ibid., pp. 25-8.
20. A firme determinação das argelinas de não serem vistas pelos soldados franceses foi memoravelmente documentada por Marc Garanger, um jovem conscrito que tirou fotos para carteiras de identidade nos campos de reassentamento em 1960. Obrigadas a tirar o véu para Garanger,

elas encaravam desafiadoras (nas palavras dele) "a primeira testemunha de seu protesto calado e calcinante".
21. Frantz Fanon, *L'An V de la révolution algérienne*, op. cit., p. 29.
22. Ibid.
23. Id., "Lettre à Ali Shariati", em *Écrits sur l'aliénation et la liberté*, op. cit., pp. 543-4.
24. Id., *L'An V de la révolution algérienne*, op. cit., p. 94.
25. Ibid., pp. 34-5.
26. Ibid., p. 41.
27. Ibid., p. 32.
28. Ibid., pp. 67-8, 73.
29. Ibid., p. 123.
30. Ibid., p. 132.
31. Ibid., p. 93.
32. Ibid., p. 98.
33. As lembranças de Safia Bazi estão nos documentos sobre Fanon no Imec.
34. Ver Neil MacMaster, *Burning the Veil*, op. cit.
35. Mouloud Feraoun, *Journal 1955-1962*, op. cit., p. 242.
36. Ver o ensaio de Gayatri Chakravorty Spivak, "Can the Subaltern Speak?", em *Marxism and the Interpretation of Culture*. Orgs. Cary Nelson e Lawrence Grossberg. Nova York: Macmillan, 1988.
37. Frantz Fanon, *L'An V de la révolution algérienne*, op. cit., p. 145.
38. Ibid., p. 146.
39. Jacques Derrida mais tarde falaria de suas raízes "africanas" e prestaria homenagem a Fanon em uma palestra de 1981 sobre "geopsicanálise". Mas, durante a guerra, ele se opôs à independência e lamentou a violência da FLN, como Camus. "Qualquer tentativa de justificar ou condenar qualquer um dos grupos não é apenas obscena, apenas o modo de abrandar a própria consciência, mas também abstrata, 'vazia'", escreveu ele a um amigo que, enquanto servia o Exército, foi testemunha da tortura de um adolescente árabe. Ver Edward Baring, "Liberalism and the Algerian War: The Case of Jacques Derrida", *Critical Inquiry*, v. 36, n. 2, inverno 2010, pp. 239-61.
40. A revogação do Decreto de Crémieux em 1940 também levou líderes muçulmanos como Ferhat Abbas à conclusão de que os "nativos" da Argélia deveriam criar seu próprio país, em vez de defender a integração: afinal de contas, se a cidadania dos judeus podia ser revogada pelos franceses de uma hora para a outra, a dos muçulmanos também podia.
41. Frantz Fanon, *L'An V de la révolution algérienne*, op. cit., p. 14.
42. Frej Stambouli, op. cit.

43. Carta de François Maspero a Fanon, 24 set. 1960, republicada em Frantz Fanon, *Écrits sur l'aliénation et la liberté*, op. cit., p. 559.
44. Albert Memmi, *Les Hypothèses infinies: Journal 1936-1962*. Org. de Guy Dugas. Paris: CNRS, 2021, p. 1228. Em uma entrada de 23 de novembro de 1959, Memmi escreve que inicialmente ficou "um pouco irritado" por Fanon ter tomado emprestado "um certo número" de seus argumentos em *Retrato do Colonizado precedido do retrato do colonizador* sem lhe dar os créditos. Então, passando pelo escritório da Seuil, ele viu um exemplar de *Pele negra, máscaras brancas* e se deu conta de que ele havia sido publicado cinco anos antes de seu próprio livro. Constrangido com sua irritação, ele se perguntou inconscientemente se havia tirado algumas ideias das de Fanon.
45. Marie-Jeanne Manuellan, op. cit., p. 119.
46. Ibid., pp. 140-4.
47. Ibid., p. 39.
48. Ibid., p. 148.
49. Ibid., pp. 153-7.
50. Ibid., p. 155.
51. Claude Lanzmann faz essa afirmação em seu livro de memórias *The Patagonian Hare: A Memoir*, op. cit.
52. Marie-Jeanne Manuellan, op. cit., pp. 155-6.
53. Mohammed Harbi, em *Une Vie debout: Mémoires politiques* (op. cit.), relata ser seguido pelos serviços de inteligência de Boussouf quando trabalhou para o GPRA em Túnis.

## 12. Argélia negra [pp. 311-46]

1. Frantz Fanon, *Os condenados da terra*, op. cit., p. 362.
2. Id., *Écrits sur l'aliénation et la liberté*, op. cit., p. 257.
3. Julian Jackson, *A Certain Idea of France: The Life of Charles de Gaulle*. Nova York: Penguin, 2018, p. 490.
4. Frederick Cooper, *Citizenship Between Empire and Nation: Remaking France and French Africa, 1945-1960*. Princeton: Princeton University Press, 2014, p. 36. Sou imensamente grato ao relato sutil e revelador de Cooper do debate sobre a descolonização e a cidadania na África Ocidental Francesa.
5. Ibid., p. 203.
6. Ibid., p. 285.
7. Ibid., p. 308.

8. Ver a reconstituição intricada de Cooper do discurso de Sékou Touré durante a visita de De Gaulle, em *Citizenship between Empire and Nation*, op. cit., pp. 314-7.
9. Mohammed Harbi, *Une Vie debout*, op. cit., pp. 341-2.
10. Apud Susan Williams, *White Malice: The CIA and the Covert Neocolonisation of Africa*. Londres: Hurst, 2021, p. 13.
11. Peter Worsley, "Frantz Fanon: Evolution of a Revolutionary", *Monthly Review Press*, v. 21, n. 1, maio 1969.
12. Serge Michel, op. cit., pp. 139-41, 150-2.
13. Frantz Fanon, "A Argélia em Acra", *El Moudjahid*, 24 dez. 1958, republicado em Frantz Fanon, *Por uma revolução africana*, op. cit., pp. 218-20.
14. Moumié foi um líder da União das Populações do Camarões (UPC); em 1959, a UPC seria rebatizada de Armée de Libération Nationale du Kamerun (ALNK).
15. Jean-Paul Sartre, "The Political Thought of Patrice Lumumba", em *Colonialism and Neocolonialism* [1964]. Trad. de Azzedine Haddour, Steve Brewer, e Terry McWilliams. Londres: Routledge, 2006.
16. Frantz Fanon, *Por uma revolução africana*, op. cit., p. 269.
17. Para um relato do histórico de Holden Roberto, ver Susan Williams, op. cit., p. 49.
18. Herbert Weiss, conversa com o autor, p. 2019.
19. Frantz Fanon, *Os condenados da terra*, op. cit., pp. 241-2. Aqui há ecos do ensaio clássico de Walter Benjamin sobre o contador de histórias, no qual ele descreve a tradição desaparecida da contação de histórias como uma "forma artesanal de comunicação" que promove "instrução" e "lembrança épica", e conecta os ouvintes a gerações passadas. Mas Fanon não está falando de modo elegíaco, e seu argumento sobre a transformação da contação de histórias na revolução lembra mais "O autor como produtor", um texto de Benjamin proferido como discurso em Paris em 1934. A "missão" do escritor revolucionário, argumentou Benjamin, "não é relatar, mas combater, não ser espectador, mas participante ativo". Como Benjamin, Fanon defendeu que os artistas tinham o dever de participar diretamente da luta e de criar suas obras em uma interação dialética com seu público.
20. Fanon foi criticado por sua tendência modernista, em especial pela acadêmica decolonial Françoise Vergès, que afirmou que Fanon diminui as "memórias" como "grilhões do progresso e do impulso" e oferece pouco mais do que "virilidade militarizada". Mas se Fanon tivesse desprezado tanto a memória como fundamento da cultura nacional, ele poderia ter evitado o exemplo do contador de histórias. Ver Vergès, "Chains of Madness, Chains of Colonialism: Fanon and Freedom", em *The Fact*

*of Blackness: Frantz Fanon and Visual Representation*. Org. de Alan Read. Londres: Bay Press, 1996, pp. 46-75.
21. Achille Mbembe, *Necropolitics*. Trad. de Steve Corcoran. Duke University Press, 2019, p. 141. [Texto consta na ed. bras.: *Políticas da inimizade*. Trad. de Sebastião Nascimento: Antígona, 2017.]
22. Frantz Fanon, *Os condenados da terra*, op. cit., p. 243.
23. Apud Joby Fanon, op. cit., p. 90.
24. António Tomás, *Amílcar Cabral: The Life of a Reluctant Nationalist*. Oxford: Oxford University Press, 2021, p. 109.
25. De acordo com o acadêmico Wilbert J. Roget, Glissant e seu amigo Albert Béville, escritor que publicava sob o pseudônimo de Paul Niger, tiveram outro encontro em Roma com Fanon e Césaire no qual eles discutiram a criação de uma organização política antilhana que faria campanha para a autonomia do Caribe francês, mas isso parece improvável, dadas as diferenças entre Fanon e Césaire quanto ao status político da Martinica. Ver Roget, "Édouard Glissant and Antillanité" (tese de doutorado, University of Pittsburgh, 1975).
26. Assia Djebar, *Le Blanc de l'Algérie*. Paris: Albin Michel, 1995, p. 113.
27. Mohammed Harbi, *Une Vie debout*, op. cit., p. 29.
28. A discussão de Verthe em relação às visões de Bourdieu quanto a Fanon está em Michael Buroway, *Symbolic Violence: Conversations with Bourdieu*. Durham: Duke University Press, 2019, pp. 76-93.
29. Albert Camus, *O primeiro homem*. Trad. de Teresa Bulhões Carvalho de Fonseca e Maria Luiza Newlands Silveira. Rio de Janeiro: Nova Fronteira, 2022, p. 295.
30. Serge Michel, op. cit., pp. 131-3.
31. Esta e as outras citações deste parágrafo são de Mohammed Harbi, *Une Vie debout*, op. cit., pp. 297-8.
32. Edward Said, *Reflections on Exile and Other Essays*. Harvard University Press, 2000, p. 449. [Ed. bras.: *Reflexões sobre o exílio e outros ensaios*. Trad. de Pedro Maia Soares. São Paulo: Companhia das Letras, 2003.]
33. Patrick Chamoiseau, *Écrire en pays dominé*. Paris: Gallimard, 1997, p. 249.
34. Ver meu ensaio sobre o tema: Adam Shatz, "Outcasts and Desperadoes: Richard Wright's Double Vision", *London Review of Books*, v. 43, n. 19, 7 out. 2021.
35. Ver Frantz Fanon, "*Écoute homme blanc!* de Richard Wright", em *Écrits sur l'aliénation et la liberté*, op. cit., pp. 524-7.
36. "Albert Camus face à la question algérienne, par Christiane Chaulet Achour", *Histoire coloniale et postcoloniale*, 28 ago. 2013. Disponível em: <histoirecoloniale.net/Albert-Camus-face-a-la-question.html>. Acesso em: 13 jul. 2024.

37. Jean Amrouche, carta para J. Falcou-Rivoire, *Expressions Maghrébines*, v. 9, n. 1, pp. 165-9, verão 2010.
38. Mouloud Feraoun, *Journal 1955-1962*, op. cit., p. 244.
39. Albert Camus, *Carnets III: Mars 1951-Décembre 1959*. Paris: Gallimard, 1989, p. 301.
40. Camus morreu antes de *O primeiro homem* ser concluído de modo que o satisfizesse, e o livro só foi publicado em 1994. Catherine Camus, sua filha, transcreveu o manuscrito escrito à mão, que foi encontrado na lama no local de seu acidente de carro.
41. Albert Camus, *O primeiro homem*. Trad. de Teresa Bulhões Carvalho de Fonseca e Maria Luiza Newlands Silveira. Rio de Janeiro: Nova Fronteira, 2022, p. 302.

Parte IV: O africano
13. África fantasma [pp. 349-64]

1. Fanon também disse a Martini que depois da independência ele planejava tornar Geronimi chefe do centro de psiquiatria de Orã, como se tivesse o poder de distribuir postos — certamente um caso de "delírio fanoniano", achou Martini, se perguntando se Fanon poderia indicá-lo como reitor da universidade de Orã.
2. Guy Sitbon, em conversa com o autor, Paris, 2019.
3. Marie-Jeanne Manuellan, op. cit., p. 161.
4. Elaine Mokhtefi, *Algiers, Third World Capital: Freedom Fighters, Revolutionaries, Black Panthers*. Londres: Verso, 2018, p. 6.
5. Ibid., p. 39.
6. Malcolm X fez essa declaração sobre Patrice Lumumba em 28 de junho de 1964, em um comício organizado pela Organization of Afro-American Unity, no Audubon Ballroom.
7. Os sentimentos eram mútuos. Quando um jornalista perguntou a Lumumba sobre seu adido de imprensa branco, ele respondeu: "Aquele cara? Ele tem um coração negro. Ele é africano".
8. Serge Michel, op. cit., pp. 213-4. Como muitos livros de memórias na França, *Nour le voilé* foi publicado como um *roman* (romance), em grande parte devido a seu estilo e voz. Michel, como Norman Mailer, escreve sobre si mesmo na terceira pessoa e se refere a seu personagem como "Troisième-Collège" (Terceiro Colégio), uma alusão ao colégio eleitoral duplo que dividia argelinos nativos e europeus na Assembleia Nacional da França, e uma indicação de sua posição como um observador externo. Ainda assim, *Nour le voilé* é uma obra de não ficção.

9. Meu relato dos encontros de Herbert Weiss com Fanon é baseado em inúmeras conversas com Weiss, por telefone e e-mail, de 2019 a 2022.
10. Weiss publicou seus achados na monografia *Political Protest in Congo: The Parti Solidaire Africain During the Independence Struggle*. Princeton: Princeton University Press, 1967.
11. Frantz Fanon, *Os condenados da terra*, op. cit., pp. 123-4.
12. Em 18 de setembro de 1961, Hammarskjöld morreu em um acidente de avião a caminho de uma negociação de cessar-fogo entre as tropas da ONU e as forças separatistas de Moïse Tshombe em Catanga. A causa do acidente nunca foi desvendada.
13. As citações neste parágrafo e no seguinte são de Serge Michel, op. cit., p. 239.
14. Susan Williams, op. cit., p. 457.

### 14. "Criar o continente" [pp. 365-80]

1. De acordo com Mohammed Harbi, que mais tarde representou o GPRA na Guiné, outro obstáculo à unidade afro-árabe na época era a questão de Israel e da Palestina. Muitos dos líderes africanos que ele conheceu "tendiam a achar que o destino dos judeus era idêntico ao dos negros", ao passo que para os árabes a recuperação da Palestina árabe era "primordial".
2. Simone de Beauvoir, *A força das coisas*, op. cit., p. 576.
3. Frantz Fanon, *Os condenados da terra*, op. cit., p. 161.
4. Id., *Por uma revolução africana*, op. cit., p. 250-1.
5. Ibid., p. 253.
6. As citações deste e dos dois parágrafos seguintes são do diário de viagem "Essa África que está por vir", em Frantz Fanon, *Por uma revolução africana*, op. cit., pp. 253-4.
7. A Federação do Mali, que era ligada às colônias francesas do Senegal e do Sudão Francês (Mali) sob os auspícios da Comunidade Francesa, foi fundada em 20 de junho de 1960, mas imediatamente explodiram tensões entre os sudaneses, que defendiam um governo mais centralizado com um Executivo forte, e os senegaleses, que temiam que o Sudão, com quase o dobro da população, dominasse o Estado. Léopold Sédar Senghor também promovia uma relação mais próxima com a França, o que levou Modibo Keïta a acusá-lo de tentar "colonizar" o Senegal e "devolver o Mali para a França".
8. Frantz Fanon, *Por uma revolução africana*, op. cit., p. 251.
9. Ibid., p. 258.
10. Ibid., p. 260.

11. Id., *Pele negra, máscaras brancas*, op. cit., p. 239.
12. Hannah Arendt, "The Freedom to Be Free", *New England Review*, v. 38, n. 2, p. 60, 2017.
13. Frantz Fanon, *Por uma revolução africana*, op. cit., p. 260.
14. Uma inversão similar nas dinâmicas de poder do interior e do exterior aconteceria no movimento nacional da Palestina no fim da década de 1980, quando a liderança exilada da OLP — sediada em Túnis como a FLN — foi recuperada pela Primeira Intifada, quando os palestinos na Cisjordânia e na Faixa de Gaza irromperam uma revolta popular, caracterizada por ataques, alvejamento de soldados israelenses com pedras e outros atos de desobediência civil.
15. Frantz Fanon, *Écrits sur l'aliénation et la liberté*, op. cit., p. 506.
16. Julian Jackson, *A Certain Idea of France: The Life of Charles de Gaulle*. Londres: Allen Lane, 2018, p. 511.
17. Frantz Fanon, *Écrits sur l'aliénation et la liberté*, op. cit., p. 540.
18. As citações deste parágrafo e do seguinte são de Frantz Fanon, "A morte de Lumumba: poderíamos ter agido de outra forma?", em *Por uma revolução africana*, op. cit., pp. 269-75.
19. Marie-Jeanne Manuellan, op. cit., p. 164.
20. Ver Michel Martini, op. cit., pp. 319-20, 367-7.
21. Marie-Jeanne Manuellan, op. cit., p. 165.

Parte V: O profeta
15. Caminhos para a liberdade [pp. 383-404]

1. Apud Marie-Jeanne Manuellan, op. cit., p. 166.
2. Apud Alice Cherki, *Frantz Fanon: Um retrato*, op. cit., p. 228.
3. Michel Martini, op. cit., pp. 319-21.
4. As citações deste parágrafo são de Michel Martini, op. cit., pp. 373-4.
5. Marie-Jeanne Manuellan, op. cit., p. 166.
6. A anatomia impiedosa de René Dumont sobre os primeiros dias da independência, *L'Afrique noire est mal partie* (traduzido para o inglês como *False Start in Africa*), foi publicada em 1962, um ano depois de *Os condenados da terra*, e citava o livro de Fanon com admiração.
7. As citações deste parágrafo são da carta de Frantz Fanon a François Maspero, 20 de julho de 1960, reproduzida em *Écrits sur l'aliénation et la liberté*, op. cit., p. 557.
8. Edward Said levantou a hipótese de que o relato de Fanon da revolta anticolonial era inspirado na obra de 1923 do filósofo marxista húngaro Georg Lukács, *História e consciência de classe* (Trad. de Rodnei Nascimento. São Paulo: WMF Martins Fontes, 2018). Mas o livro de Lukács — uma

descrição virtuosa de como a classe trabalhadora supera a paralisia da "reificação" em uma sociedade de dominação de classe e a comoditização e como ela alcança uma autoconsciência revolucionária — foi traduzido para o francês apenas em 1960, e é improvável que Fanon o tenha lido. A explicação de Said pode ter sido inspirada por traduções equivocadas para o inglês que capitulam *chosification* (coisificação), um termo que Fanon tomou da explicação de Césaire sobre a desumanização colonial, como "reificação".

9. Jean-Paul Sartre, *Critique of Dialectical Reason*, v. 1. Org. de Jonathan Rée. Trad. de Alan Sheridan-Smith. Londres: Verso, 2004. Ver especialmente a seção sobre escassez, pp. 122-52. [Ed. bras.: *Crítica da razão dialética*. Trad. de Guilherme João de Freiras Teixeira. Rio de Janeiro: DP&A, 2002.]
10. Id., *Áden, Arábia*. Trad. de Bernadette Lyra. São Paulo: Estação Liberdade, 2003, p. 12.
11. Ver Jean-Paul Sartre, "Fraternity and fear", em *Critique of Dialectical Reason*, op. cit., pp. 428-44.
12. Para um relato da vida de Claude Lanzmann, ver minha resenha de seu livro de memórias: Adam Shatz, "Nothing He Hasn't Done, Nowhere He Hasn't Been", *London Review of Books*, v. 34, n. 7, 5 abr. 2012.
13. As citações deste parágrafo e do seguinte são de Claude Lanzmann, *The Patagonian Hare: A Memoir*, op. cit., pp. 328-52.
14. Simone de Beauvoir, *A força das coisas*, op. cit., p. 364.
15. Jérôme Lindon, editor de Alleg nas Éditions de Minuit, publicara livros clássicos de escritores da Resistance durante a ocupação nazista.
16. As citações deste e dos dois parágrafos seguintes são de Jean-Paul Sartre, "Une Victoire", *L'Express*, v. 350, 6 mar. 1958.
17. Simone de Beauvoir, *A força das coisas*, op. cit., p. 364.
18. Ibid., p. 342.
19. Ibid., p. 477.
20. De acordo com Benyoucef Benkhedda, que substituiu Ferhat Abbas como presidente do GPRA em agosto de 1961, Sartre prestou enormes serviços à causa argelina durante o tempo que passou no Brasil: quando Benkhedda foi ao país no outono de 1961, as autoridades queriam mandá-lo de volta, mas estudantes esquerdistas apareceram em massa para recebê-lo — e eles falaram imediatamente sobre Sartre. Ele deixou o aeroporto em triunfo.
21. Simone de Beauvoir, *A força das coisas*, op. cit., p. 530.
22. Frantz Fanon em carta para François Maspero, 7 de abril de 1961, reproduzida em *Écrits sur l'aliénation et la liberté*, op. cit., p. 560.
23. Simone de Beauvoir, *A força das coisas*, op. cit., p. 574.

24. Ibid.
25. Depois do combate, Fanon tinha ido a Bizerte em nome da FLN para visitar um dos feridos: o jornalista Jean Daniel estava se recuperando de um tiro de metralhadora, que quase o matara. Daniel, que admirava a coragem e o carisma de Fanon ainda que discordasse de seu elogio da luta armada, gostou da visita. Fanon, ao que parece, estava apenas realizando uma de suas responsabilidades oficiais.
26. O encontro em Roma inspirou uma HQ do escritor Frédéric Ciriez e do ilustrador Romain Lamy, *Frantz Fanon*, publicada em 2020 pelas Éditions de la Découverte, a sucessora de Maspero.
27. Simone de Beauvoir, *A força das coisas*, op. cit., p. 577.
28. Alice Cherki, *Frantz Fanon: Um retrato*, op. cit., p. 236.
29. Apud Simone de Beauvoir, *A força das coisas*, op. cit., p. 574.

### 16. Voz dos condenados [pp. 405-36]

1. Frantz Fanon, *Écrits sur l'aliénation et la liberté*, op. cit., p. 562.
2. Jacques Roumain, "Sales nègres", 14 jun. 2017. Disponível em: <afropoesie.com/2017/06/14/sales-negres: Acesso em: 13 jul. 2024.
3. As citações deste parágrafo são de Frantz Fanon, *Os condenados da terra*, op. cit., p. 70.
4. Ibid., p. 84.
5. Ibid., p. 97.
6. Ibid., p. 97.
7. Na tradução de Richard Philcox, *ville* (cidade) ficou "setor". [Na tradução publicada pela Zahar, *ville* às vezes foi traduzido por "zona habitada" ou apenas "zona".]
8. Frantz Fanon, *Os condenados da terra*, op. cit., pp. 35-6.
9. Ibid., p. 36.
10. Ibid., p. 39.
11. Ibid.
12. Ibid., p. 48.
13. Ibid.
14. Ibid., p. 54.
15. Ibid., p. 81.
16. Ibid., p. 136.
17. Ibid., p. 57.
18. Ibid., p. 127.
19. Ibid., p. 89.
20. Ibid., p. 85.
21. Ibid., p. 89.

22. Ibid., pp. 74-5.
23. Ibid., p. 82.
24. Frantz Fanon, *L'An V de la révolution algérienne*, op. cit., p. 14.
25. Jean Daniel, op. cit., p. 81.
26. Jean-François Lyotard, mais conhecido por seus escritos posteriores sobre pós-modernismo, lecionou em Constantina no início dos anos 1950 e publicou uma série de ensaios cortantes sobre a Guerra de Independência da Argélia para o coletivo Socialismo ou Barbárie.
27. Ver Jane Hiddleston, "Lyotard's Algeria: Experiments in Theory", *Paragraph*, v. 33, n. 1, pp. 52-69, mar. 2010; e Jean-François Lyotard, *La Guerre des Algériens: Écrits 1956-1963*. Paris: Galilée, 1989.
28. Nguyen Nghe, "Frantz Fanon et les problèmes de l'indépendance", *La Pensée*, v. 107, pp. 23-36, fev. 1963.
29. Hannah Arendt, *On Violence*. Harvest/HBJ, 1969, p. 69. [Ed. bras.: *Sobre a violência*. Trad. de André Duarte. Rio de Janeiro: Civilização Brasileira, 2022.]
30. Frederick Douglass, *Narrativa da vida de Frederick Douglass e outros textos*. Trad. de Odorico Leal. São Paulo: Penguin-Companhia, 2021, cap. 10.
31. Devo essa ideia a Margaret Kohn, "Frederick Douglass's Master-Slave Dialectic", *Journal of Politics*, v. 67, n. 2, pp. 497-514, 2005. Como aponta Kohn em seu ensaio perspicaz, Douglass não parece ter lido Hegel, mas seu argumento de que "os escravizados preferem a morte à inumanidade da escravidão" era uma reescrita de Kojèvian de Hegel avant la lettre.
32. Jean Améry, "L'Homme enfanté par l'esprit de la violence", *Les Temps Modernes*, v. 1-2, n. 635-6, pp. 175-89, 2006.
33. Jean Khalfa, "Fanon, psiquiatra revolucionário", em Frantz Fanon, *Alienação e liberdade*, op. cit., pp. 21-56.
34. Frantz Fanon, *Os condenados da terra*, op. cit., p. 371.
35. Em seu prefácio ao romance de Méchakra, Kateb Yacine declarou que "uma mulher que escreve equivale a seu peso em pólvora".
36. Yamina Méchakra, *La Grotte éclatée*. Argel: Enag, 2000, pp. 27, 102.
37. Frantz Fanon, *Os condenados da terra*, op. cit., p. 254.
38. Ibid., p. 251.
39. George Steinmetz, "An Oblique Encounter with Sociology: Frantz Fanon's *Les Damnés de la terre*", *Soziopolis*, 12 jun. 2021. Disponível em: <https://www.soziopolis.de/an-oblique-encounter-with-sociology.html>. Acesso em: 13 jul. 2024.
40. V. S. Naipaul, "A New King for the Congo", *New York Review of Books*, 26 jun. 1975.
41. Frantz Fanon, *Os condenados da terra*, op. cit., p. 182.

42. Ashis Nandy, *The Intimate Enemy: Loss and Recovery of Self Under Colonialism*. Oxford: Oxford University Press, 1983, p. 119.
43. Frantz Fanon, *Os condenados da terra*, op. cit., p. 227.
44. Ibid., p. 235.
45. Maryse Condé, "How to Become a Fanonian", em *What Is Africa to Me?: Fragments of a True-to-Life Autobiography*. Trad. de Richard Philcox. Calcutá: Seagull, 2021.
46. Frantz Fanon, *Os condenados da terra*, op. cit., p. 198.
47. Ibid., p. 237.
48. Ibid., p. 325.
49. Ibid., p. 327.
50. Philippe Lucas, *Sociologie de Frantz Fanon, contribution à une anthropologie de la libération*. Argel: SNED, 1971, p. 21.

17. No país dos linchadores [pp. 437-52]

1. Frantz Fanon, *Écrits sur l'aliénation et la liberté*, op. cit., p. 561.
2. Harold R. Isaacs, "Portrait of a Revolutionary", *Commentary*, jul. 1965.
3. Jean-Paul Sartre, prefácio a Frantz Fanon, *Os condenados da terra*, op. cit., pp. 343-55.
4. Hannah Arendt, op. cit., p. 14.
5. Jean Daniel, op. cit., pp. 80-1.
6. Jean-Paul Sartre, prefácio a Frantz Fanon, *Os condenados da terra*, op. cit., p. 331.
7. Ibid., p. 335.
8. Frantz Fanon, *Os condenados da terra*, op. cit., p. 325.
9. Apud Thomas Meaney, "Frantz Fanon and the CIA Man", *American Historical Review*, v. 124, n. 3, pp. 983-95, jun. 2019.
10. Elaine Mokhtefi, *Algiers, Third World Capital: Freedom Fighters, Revolutionaries, Black Panthers*, op. cit., p. 43.
11. Mais de três décadas depois, Maurice Papon foi condenado em um tribunal francês por cumplicidade com os nazistas, por seu papel na organização da deportação de mais de 1600 judeus sob Vichy.
12. Elaine Mokhtefi, *Algiers, Third World Capital*, op. cit., p. 44.
13. Simone de Beauvoir, *A força das coisas*, op. cit., p. 588.
14. Jean Daniel, op. cit., p. 79.
15. Marie-Jeanne Manuellan, op. cit., 2017, p. 171.
16. Michel Martini, op. cit., p. 367.
17. Assia Djebar, *Le Blanc de l'Algérie*. Paris: Albin Michel, 1995.
18. Alice Cherki, *Frantz Fanon: Um retrato*, op. cit., p. 244.
19. Michel Martini, op. cit., p. 367.

20. Édouard Glissant, *Le Discours antillais*, op. cit., pp. 55-7.
21. Aimé Césaire, "La Révolte de Frantz Fanon, par Aimé Césaire", *Jeune Afrique*. Disponível em: <www.jeuneafrique.com/178228/politique/la-r--volte-de-frantz-fanon-par-aim-c-saire>. Acesso em: 13 jul. 2024.
22. Marie-Jeanne Manuellan, op. cit., pp. 172-3.
23. O estudo mais impressionante que emergiu da redescoberta de Fanon na França foi *Sociologie de Frantz Fanon, contribution à une anthropologie de liberation*, publicado em 1971 pelo sociólogo Philippe Lucas, um aluno do filósofo marxista judeu romeno Lucien Goldmann. Enfatizando a dimensão trágica da busca de Fanon por uma política de libertação para além da Négritude, Lucas ficou impressionado com os paralelos entre sua explicação da descolonização e da interpretação marxista hegeliana que Georg Lukács faz da luta de classes — tema que Edward Said retomaria duas décadas depois.
24. Ernest Gellner, "The Unknown Apollo of Biskra: The Social Basis of Algerian Puritanism", *Government and Opposition*, v. 9, n. 3, pp. 277-310, jul. 1974.

Epílogo: Espectros de Fanon [pp. 453-507]

1. Mireille Fanon Mendès-France, que tem uma semelhança impressionante com o pai, cresceu na clínica psiquiátrica experimental conhecida como La Borde, uma sucessora de Saint-Alban, onde sua mãe, Michèle Weyer, que se casara com um psiquiatra, trabalhava como administradora. Ainda que os livros de Fanon estivessem na casa deles, sua mãe nunca falava dele. "Eu fiquei completamente no escuro", me contou Mireille. Foi só na adolescência, depois da morte de Fanon, que ela leu sua obra, e mesmo então, era uma herança difícil. "Eu não entendia o que estava lendo", disse ela. "Levei anos para entender." Enquanto seu meio-irmão, Olivier, foi criado em Argel à sombra de um grande homem, Mireille cresceu em um país em que muitas pessoas ainda encaravam seu pai como um inimigo. Durante anos, quando adulta, ela usou apenas o sobrenome do segundo marido, Bernard Mendès-France, o filho de Pierre Mendès-France, que liderou as retiradas da República da Indochina, do Marrocos e da Tunísia — mas não da Argélia. Em anos mais recentes, no entanto, ela abraçou o legado do pai com orgulho e veemência, criando uma fundação em seu nome.
2. Ver Hannah Arendt, *Sobre a violência*, op. cit.
3. Ver, por exemplo, a aplicação das ideias de Fanon à situação dos povos originários em Glen Sean Coulthard, *Red Skin, White Masks: Rejecting*

*the Colonial Politics of Recognition*. Minneapolis: University of Minnesota Press, 2014.
4. Frantz Fanon, *Pele negra, máscaras brancas*, op. cit., p. 21.
5. Albert Memmi, "La Vie impossible de Frantz Fanon", *Esprit*, pp. 248--73, set. 1971.
6. Alice Cherki, *Frantz Fanon: Um retrato*, op. cit., p. 278.
7. Abu Iyad e Éric Rouleau, *My Home, My Land: A Narrative of the Palestinian Struggle*. Nova York: Times, 1981, pp. 34-5.
8. Como Fanon, Cabral defendia um nacionalismo inclusivo e baseado em classes como um modo de superar divisões internas de etnicidade e povoados que poderiam ser exploradas pelas autoridades coloniais — no caso dele, a muitas vezes amarga desconfiança entre os nativos guineenses e a minoria cabo-verdiana mais rica, que chegara ali como administradores coloniais para os portugueses e ainda era amplamente encarada como colonizadora. Em 1973, Cabral, filho de pais cabo-verdianos, tornou-se uma vítima da "fraternidade-terror" assassinado por militantes de seu próprio partido. De acordo com seu biógrafo António Tomás, seus assassinos foram parcialmente motivados por ressentimento étnico. Ver António Tomás, *Amílcar Cabral*, op. cit.
9. Walter Rodney, *Decolonial Marxism: Essays from the Pan-African Revolution*. Org. de Asha Rodney, Patricia Rodney, Ben Mabie e Jesse Benjamin. Londres: Verso, 2022, pp. 86-7. Rodney fez esta afirmação nos Estados Unidos, em um discurso sobre Angola no qual defendeu o MPLA marxista, liderado por angolanos de ascendência portuguesa, incluindo *mestiços*, contra a Unita, liderada por negros, e alertou sua audiência majoritariamente afro-americana a não se deixar enganar pelos apelos de Savimbi à consciência negra: "Declarar-se a favor da negritude é uma das coisas mais fáceis de fazer [...]. Se quisermos entender Angola e o complexo de relações entre estratos sociais e raça, e assim por diante, devemos então entender Angola. Não podemos estar parados em Washington ou em Detroit e imaginar que o que estamos vendo pelo quarteirão é a sociedade angolana". Rodney foi assassinado em um atentado a bomba de carro em 1980.
10. As observações de Ngũgĩ wa Thiong'o sobre Fanon são tiradas de seu livro *Moving the Center: The Struggle for Cultural Freedoms* (Oxford: James Currey, 1993), e de uma troca de e-mails de 2018 com o autor.
11. V. S. Naipaul, *A Bend in the River*. Nova York: Vintage, 1979, p. 171 [Ed. bras.: *Uma curva no rio*. Trad. de Carlos Graieb. São Paulo: Companhia das Letras, 2004.]
12. James Wood, "Wounder and Wounded", *The New Yorker*, 1 dez. 2008.

13. Malika Rahal, *Algérie 1962: Une Histoire populaire*. Paris: La Découverte, 2022, p. 251.
14. Ensaio de Vermy sobre o legado do Festival Panafricano de 1969: Adam Shatz, "Rapping with Fanon", *The New York Review of Books*, 22 jan. 2019. Disponível em: <www.nybooks.com/online/2019/01/22/rapping-with-fanon>. Acesso em: 14 jul. 2024.
15. Elaine Klein Mokhtefi, conversa com o autor, Nova York, 2019.
16. Angela Davis, *An Autobiography*. Chicago: Haymarket Books, 2022, pp. 104-55. [Ed. bras.: *Uma autobiografia*. Trad. de Heci Regina Candiani. São Paulo: Boitempo, 2019.
17. *Autobiography of Malcolm X as Told to Alex Haley*. Nova York: Grove, 1965, p. 366.
18. William Gardner Smith, *The Stone Face* [1963]. Nova York: The New York Review Books, 2021, p. 204.
19. O conceito foi desenvolvido pelo sociólogo Robert Blauner em um artigo de 1969, "Internal Colonialism and Ghetto Revolt", no periódico *Social Problems*. Em seu ensaio de 1969 "Looking for the Meat and Potatoes — Thoughts on Black Power", Norman Mailer citou Fanon extensivamente e declarou que não havia "força na África, na Ásia ou na América Latina que precisamos pensar como tendo uma perspectiva mais essencialmente colonial do que o negro americano". Ver Norman Mailer, *Mind of an Outlaw: Selected Essays*. Nova York: Penguin, 2013, p. 252.
20. Aristide Zolberg e Vera Zolberg, "The Americanization of Frantz Fanon", *Public Interest*, p. 51, outono 1967.
21. Um grupo de jovens membros da Comissão Kerner, estabelecida pelo governo Johnson para investigar as revoltas urbanas de 1968, escreveu um artigo comparando os agitadores aos argelinos combatendo o colonialismo francês, e foram dispensados da comissão.
22. *Pele negra, máscaras brancas* costumava ser lido como um volume que acompanhava a obra *Black Rage* (Nova York: Basic Books, 1968), de autoria dos psiquiatras negros William H. Grier e Price M. Cobbs.
23. Elaine Klein, que se mudou para Argel depois da independência, trabalhou para o Ministério da Informação e se casou com um veterano de guerra, o ex-operador de sinais da ALN Mokhtar Mokhtefi. Em 1973, ela foi expulsa pelas autoridades quando se recusou a delatar sua amiga Zohra Sellami, esposa do presidente deposto Ahmed Ben Bella.
24. Malcolm X, "Message to the Grassroots", *Black Past* [1963], 16 ago. 2010. Disponível em: <www.blackpast.org/african-american-history/speeches-african-american-history/1963-malcolm-x-message-grassroots>. Acesso em: 14 jul. 2024.

25. Alondra Nelson, *Body and Soul: The Black Panther Party and the Fight Against Medical Discrimination*. Minneapolis: University of Minnesota Press, 2011, pp. 67-87.
26. Todas as citações de Forman são dos James Forman Papers na Biblioteca do Congresso, Washington, D.C.
27. James Forman Papers, Biblioteca do Congresso, Washington, D.C.
28. Simone Browne, *Dark Matters: On the Surveillance of Blackness*. Durham: Duke University Press, 2015, p. 9.
29. As citações deste parágrafo e do seguinte são de Edward Said, *Cultura e imperialismo*. Trad. de Denise Bottmann. São Paulo: Companhia de Bolso, 2011.
30. Henry Louis Gates Jr., "Critical Fanonism", *Critical Inquiry*, v. 17, n. 3, pp. 457-70, primavera 1991.
31. Ver Homi K. Bhabha, *The Location of Culture*. Londres: Routledge, 1994.
32. Ver Aijaz Ahmad, *In Theory: Nations, Classes, Literatures*. Londres: Verso, 1992.
33. Em *Afropessimismo* (Trad. de Rogério W. Galindo e Rosiane Correia de Freitas. São Paulo: Todavia, 2021), pp. 20-1, Frank B. Wilderson III escreve sobre um amigo palestino que lhe disse que a "vergonha e a humilhação" de ser revistado "são ainda maiores se o soldado israelense for um judeu etíope". Wilderson conclui: "No inconsciente coletivo, os insurgentes palestinos têm mais em comum com o Estado e com a sociedade civil israelenses do que com os negros".
34. Traduções imprecisas de Fanon contribuíram para esse tipo de concepções errôneas das visões dele sobre raça. Em 1996, o Instituto de Arte Contemporânea de Londres publicou uma antologia de escritos sobre "Fanon e a representação visual" intitulado *The Fact of Blackness*, uma tradução equivocada de "a experiência vivida do negro".
35. Andreas Malm e Zetkin Collective, *White Skin, Black Fuel: On the Danger of Fossil Fascism*. Londres: Verso, 2021, p. 390.
36. Andreas Malm, *How to Blow Up a Pipeline*. Londres: Verso, 2021, p. 161.
37. Édouard Glissant, *Le Discours antillais*, op. cit., p. 56. Para um relato fascinante das trajetórias política e intelectual de Glissant, ver Andrew M. Daily, "'It is too soon… or too late': Frantz Fanon's Legacy in the French Caribbean", *Karib — Nordic Journal for Caribbean Studies*, v. 2, n. 1, p. 3, 2015. Disponível em: <www.researchgate.net/publication/314717415_It_is_too_soon_or_too_late_Frantz_Fanon's_Legacy_in_the_French_Caribbean>. Acesso em: 14 jul. 2024.
38. Patrick Chamoiseau, *Écrire dans un pays domine*. Paris: Gallimard, 1997, pp. 249-55.

39. O "direito à opacidade", Édouard Glissant defendeu, oferece um escudo protetor aos oprimidos contra o olhar intrusivo de pessoas de fora.
40. Tim Whewell, "The Caribbean Islands Poisoned by a Carcinogenic Pesticide", *BBC News*, Martinica, 20 nov. 2020. Disponível em: <www.bbc.com/news/stories-54992051>. Acesso em: 14 jul. 2024.
41. Quando o pai de Marine Le Pen, Jean-Marie Le Pen, foi para a Martinica em 1987, manifestantes se reuniram no aeroporto para impedir que seu avião pousasse, o que o obrigou a pousar em Guadalupe.
42. Joby Fanon, op. cit., pp. 104-5.
43. O Exército francês deixou para trás por volta de 10 milhões de minas antipessoal, sobretudo nas regiões fronteiriças.
44. Por volta da mesma época, Fanon foi criticado por seu antigo colega da FLN Mohammed Harbi, hoje dissidente exilado em Paris. Harbi, conselheiro do presidente Ben Bella, havia sido preso em 1965 por se recusar a apoiar o golpe de Estado de Boumediene. Em 1973, ele fugiu da prisão domiciliar e foi para a Suíça, antes de se estabelecer na França, onde publicou uma série de obras históricas que derrubavam os mitos da FLN, incluindo as ideias de Fanon sobre a revolução rural.
45. Assia Djebar, *Le Blanc de l'Algérie*, op. cit., pp. 184-6. Djebar fez amizade com Frantz e Josie Fanon em Túnis, onde ela foi estudar depois de publicar seu primeiro romance *La Soif* (intitulado *The Mischief* na tradução em inglês).
46. Kamel Daoud, *The Meursault Investigation*. Nova York: Other, 2015, pp. 75, 91, 97.
47. Alguns remontariam ainda mais. O escritor Nabile Farès, em sua autoficção de 1971, *A Passenger from the West*, sonhou com uma revolução pagã que recuperaria a Argélia das "muitas conquistas" que conheceu, incluindo a conquista islâmica. "A islamização da Argélia", escreveu ele, "não é um fenômeno divino, mas, como qualquer fenômeno, é um fenômeno histórico."
48. Karima Lazali, *Colonial Trauma: A Study of the Psychic and Political Consequences of Colonial Repression in Algeria*. Newark: Polity, 2021, pp. 194-218.
49. Claire Mayer, "Il n'y aura finalement pas de rue Frantz-Fanon à Bordeaux", *Le Monde*, 15 fev. 2019.
50. Claire Denis, conversa com o autor, Paris, verão de 2018.
51. Em 2019, Rocé lançou uma antologia de 24 faixas musicais de música popular anticolonial, gravada entre 1969 e 1988, com o título explicitamente fanoniano, *Par les Damnées de la terre* [Aos condenados da terra].
52. Ver Houria Bouteldja, *Os brancos, os judeus e nós: Rumo a uma política do amor revolucionário*. Trad. de Erick Araujo e Vladimir Moreira Lima. São Paulo: Papéis Selvagens, 2023.

53. Gilles Deleuze e Félix Guattari, *Anti-Oedipus: Capitalism and Schizophrenia*. Minneapolis: University of Minnesota Press, 1983, pp. 117-8. [Ed. bras.: *O anti-Édipo: Capitalismo e esquizofrenia*. Trad. de Luiz B. L. Orlandi. São Paulo: Editora 34, 2010.]
54. Nos anos 1970, Jeanson obteve um diploma em "estudos psiquiátricos especializados" na Universidade de Lyon e começou a trabalhar em hospitais e hospícios na região da Aquitânia, cultivando uma abordagem psiquiátrica que prestaria uma homenagem implícita — talvez inconsciente — à de Fanon. A psiquiatria levou Fanon a suas políticas de libertação; as políticas de libertação levaram Jeanson de volta à psiquiatria. Por mais estranho que pareça, Jeanson nunca menciona Fanon em seu livro de 1979, *Éloge de la psychiatrie* [Elogio à psiquiatria]. Seus sentimentos com relação a Fanon eram uma mistura complexa de admiração e mágoa. E depois dos horrores da Revolução Argelina, ele pode ter desejado se dissociar de uma figura ligada à violência na mente dos franceses. Em uma notável aparição como ele mesmo no filme de Jean-Luc Godard, *A chinesa* (1967), Jeanson tenta dissuadir uma jovem maoista de levar a cabo atos de terrorismo. Ela fica perplexa, devido a seu trabalho com a FLN, mas ele insiste que suas ações "não levarão a nada se não forem apoiadas por uma classe ou um grupo grande o bastante de pessoas", como na Argélia. "Você pode participar de uma revolução, mas não pode inventá-la."
55. Samah Jabr, "Fanon, the Struggle for Justice and Mental Health". *Daraja Press*, 24 ago. 2021. Disponível em: <www.youtube.com/watch?v=h_6TMJnqb3A>. Acesso em: 14 jul. 2024.
56. Ruchama Marton, *The Right to Madness: Les Luttes contre la psychiatrie institutionelle en Israël*, Université Paris Diderot, Centre de Sociologie des Pratiques et des Représentations Politiques. Disponível em: <http://www.csprp.univ-paris-diderot.fr/IMG/pdf/marton.pdf>. Acesso em: 14 jul. 2024.
57. Apud Mike Jay, "'I'm Not Signing'", *London Review of Books*, v. 38, n. 17, 8 set. 2016.
58. Cristiana Giordano, *Migrants in Translation: Caring and the Logics of Difference in Contemporary Italy*. Berkeley: University of California Press, 2014. cap. 2. Agradeço a Giordano por discutir o trabalho do centro comigo.
59. Roberto Beneduce, "The Moral Economy of Lying: Subjectcraft, Narrative Capital, and Uncertainty in the Politics of Asylum", *Medical Anthropology*, v. 34, n. 6, pp. 557, 562, 2015.
60. Okwui Enwezor, troca de e-mails com o autor, 2018.

61. Éric Zemmour não é o único leitor de extrema direita de Fanon. Um conservador adjacente ao MAGA invocou "o conceito de Fanon do intelectual colonizado" em um ataque no Twitter ao colunista conservador David French: "Ele é um intermediário que traduz o colonizado para o colonizador, na língua do colonizador e para os propósitos políticos, sociais e culturais do colonizador".
62. Ver Ivan Krastev e Stephen Holmes, *The Light That Failed: Why the West Is Losing the Fight for Democracy*. Nova York: Pegasus, 2020.
63. Ashis Nandy, *The Intimate Enemy: Loss and Recovery of Self Under Colonialism*. Oxford: Oxford University Press, 1983, p. 11. De acordo com Nandy, o colonialismo "prejudica o colonizador muito mais do que o colonizado".
64. Frantz Fanon, *Os condenados da terra*, op. cit., p. 324.
65. Ver Roger Cohen, "Putin Wants Fealty, and He's Found It in Africa", *The New York Times*, 24 dez. 2022.
66. Timothy Snyder, "The War in Ukraine Is a Colonial War", *The New Yorker*, 28 abr. 2022. Disponível em: <www.newyorker.com/news/essay/the-war-in-ukraine-is-a-colonial-war>. Acesso em: 14 jul. 2024. Para uma intensa refutação do argumento de Snyder, e para o paradigma da descolonização aplicado à Ucrânia, ver Volodymyr Ishchenko, "Ukrainian Voices", *New Left Review*, p. 138, nov./dez. 2022. Disponível em: <https://newleftreview.org/issues/ii138/articles/volodymyr-ishchenko-ukrainian-voices>. Acesso em: 14 jul. 2024.
67. Frantz Fanon, *Os condenados da terra*, op. cit., p. 49.
68. Ibid., p. 39.
69. Ibid., p. 80.
70. Ibid., p. 47.
71. Frantz Fanon, *L'An V de la révolution algérienne*, op. cit.
72. Frantz Fanon, *Os condenados da terra*, op. cit., p. 136.
73. Frantz Fanon, *Pele negra, máscaras brancas*, op. cit., p. 241.
74. Ibid.
75. Ibid., p. 240.
76. Ibid., p. 21.

# Agradecimentos

Durante os seis anos que passei pesquisando e escrevendo *A clínica rebelde*, tive uma aliada leal e determinada em Sarah Chalfant da Wiley Agency, que defendeu incansável o projeto desde sua concepção. A ideia para o livro foi sugerida originalmente por meu amigo Pankaj Mishra, escritor de imenso talento com o qual nunca deixei de aprender. É conhecido que Miles Davis instruiu seus companheiros músicos a "tocar o que vocês sabem, e então tocar para além disso". Alex Star, meu editor na Farrar, Straus and Giroux e sinônimo de integridade intelectual no mercado editorial, tem um dom raro, quase mágico de inspirar seus autores a escrever para além do que eles sabem. Trabalhar com Alex, que editou meu texto para *Lingua Franca* no fim dos anos 1990, foi a realização de um antigo sonho. Suas sugestões editoriais e ideias fizeram deste um livro imensamente melhor.

*A clínica rebelde* desenvolveu-se a partir de um ensaio que publiquei pela primeira vez na *London Review of Books* em 2017. Gostaria de agradecer Mary-Kay Wilmers por encomendar aquele artigo, e a Alice Spawls e Jean McNicol por me oferecer um generoso sabático que me permitiu terminar o livro. Obrigado também a Jackson Lears da *Raritan*, Isabelle Saint-Saens da *Vacarme*, e Matt Seaton da *The New York Review of Books*, os quais publicaram trechos do manuscrito não finalizado.

Agradeço a Alice Kaplan, que recebeu minha fala "The Americanization of Frantz Fanon" em Yale, e a Nasser Rabat do MIT, Sean Jacobs da New School, e Tom Keenan da Bard College, por me convidarem para dar palestras sobre a vida e o legado de Fanon.

Quando dei início a minha pesquisa sobre o livro, qualquer dúvida que eu pudesse ter tido em relação à urgência contemporânea da obra de Fanon foram dissipadas pela experiência de ensinar sobre seu trabalho a um grupo de homens encarcerados no Eastern Correctional Facility em Ulster County, Nova York. Agradeço a Max Kenner por ter me convidado para fazer parte da Bard Prison Initiative e aos meus alunos de Eastern por seu engajamento inspirador com o trabalho de Fanon e por suas ideias sobre a experiência vivida do racismo e do confinamento.

Uma porção substancial deste livro foi escrita durante a pandemia, com uma bolsa do Leon Levy Center do CUNY Graduate Center. Agradeço a Shelby White, Kai Bird e Thad Ziolkowski do centro, e aos maravilhosos bolsistas, que, em suas leituras dos capítulos iniciais, combinaram crítica e apoio na medida ideal. Julián González de León Heiblum e Sarah Weber, meus assistentes de pesquisa, foram extraordinariamente engenhosos e me mantiveram abastecido com livros, artigos e entusiasmo pelo projeto. Meus colegas biógrafos do centro foram um modelo de camaradagem intelectual, combinando crítica e apoio na medida certa. Agradeço também a Misha Glenny, Ivan Krastev, Ayşe Çağlar e ao pessoal do Instituto de Ciências Humanas de Viena, onde tive a oportunidade de terminar meu manuscrito num ambiente de tranquilidade e charme do Velho Mundo que não poderia ter sido mais propício à reflexão.

Se tive êxito em devolver a uma figura icônica a condição que o mundo branco lhe negou, a de um homem, é em grande medida graças a Alice Cherki, Mohammed Harbi, Elaine Klein Mokhtefi, Guy Sitbon e Herbert Weiss, que partilharam todos suas memórias e impressões sobre Fanon. Minha compreensão de Fanon e sua obra também foi enriquecida por conversas com Fazia Aitel, Sid Ahmed Semiane, Claire Denis, Daikha e Fatima Dridi, Brent Hayes Edwards, Paul Gilroy, Sofiane Hadjadj, Selma Hellal, Youssef Ben Ismail, Jean Khalfa, Pierre-Étienne Manuellan, Mireille Fanon Mendès-France, Malika Rahal, Benjamin Stora, Ngũgĩ wa Thiong'o, Enzo Traverso, John Edgar Wideman, Miloud Yabrir e Eli Zaretsky.

Sou grato a Jeanne Sauvage, que fez a checagem da obra completa com precisão exemplar, e a Caroline Abu-Sada, Roane Carey, Arun Kapil, Jessica Loudis, Brian Morton, Gregory Pierrot, Marc Saint-Upéry e Joan Scott, que fizeram leituras de versões iniciais do manuscrito. Seus comentários astutos me ajudaram a evitar erros factuais e infelicidades estilísticas, ao mesmo tempo que me incentivaram em meus esforços. Obrigado também a Yves Chevrefils Desbiolles e Hélène Favard, que me orientaram com graça pelos arquivos de Fanon no Imec-Abbaye d'Ardenne.

Jeremy Harding, meu colega da *London Review of Books* e um escritor de talentos invejáveis, foi meu interlocutor indispensável durante todo o processo de escrita deste livro. Com a sua experiência com reportagem no Norte da África e na África subsaariana, seu conhecimento da história intelectual e da política francesa, sua paixão pelo drama da descolonização e a sua sensibilidade invulgar às exigências políticas e éticas desse tema, Jeremy foi um leitor ideal para *A clínica rebelde* e o aperfeiçoou de grandes e pequenas maneiras. Dizer que sou grato a ele seria um eufemismo; este é um livro diferente por causa de sua contribuição extraordinária e altruísta.

Um obrigado especial aos amigos cujo acolhimento e risadas me apoiaram ao longo da escrita deste livro: Sasha Abramsky, Alžběta Ambrožová, Ratik Asokan, Leonard Benardo, Carl Bromley, Tammy Kim, James Lasdun, Jordan

Mintzer, Eyal Press, Nermeen Shaikh, Clifford Thompson, Kelvin Williams e Richard Woodson. Um agradecimento especial a minha marabuto pessoal, Lisa Grey, que ajudou a exorcizar o djinn que me possuiu quando dei início a este projeto.

Por último, mas não menos importante, agradeço a minha amada família: Leslie e Stephen Shatz, meus pais; Sarah Shatz, minha irmã; Ella Shatz, minha filha; e Sayeeda Moreno, cuja desconfiança do machismo de Fanon nunca entravou o caminho de seu apoio a este livro.

# Índice remissivo

I Congresso de Escritores e Artistas Negros (Paris, 1956), 377
II Congresso de Escritores e Artistas Negros (Roma, 1959), 325, 330
"1943: O surrealismo e nós" (Césaire), 59

## A

Abane, Ramdane, 194, 217-23, 225-6, 228, 237, 241, 250, 257-61, 272-3, 303, 311, 317, 367, 375, 390, 401-2, 446, 477; assassinato de, 260-1, 303, 384
Abbas, Alloua, 198
Abbas, Ferhat, 111, 164, 189, 198, 202, 252, 258-60, 305, 401, 525, 535, 542
Abdalcáder, emir, 160, 164, 425
Abidjan (Costa do Marfim), 132, 369
Accra (Gana), 10, 318-9, 322-3, 349-51, 353-4, 357, 363, 367-9, 373, 377-9, 391
Achebe, Chinua, 460
Achiary, André, 211
*Áden, Arábia* (Nizan), 43, 388, 437, 542
Adler, Alfred, 102, 282, 413
Adorno, Theodor, 412

Afeganistão, 462
África, 12, 46, 51, 53, 56, 108, 110, 120, 122, 155, 157, 213-4, 251, 261, 264, 313, 315, 318-9, 321, 329, 341, 360, 363, 368, 370-2, 385, 405, 409, 431, 439, 451, 456-7, 460, 467, 470, 479, 481, 492, 496, 498, 500, 548; Associação dos Ulemás Norte-Africanos, 293, 294; colônias francesas na, 11, 96, 149, 313, 407, 540; Comunidade Francesa da, 313, 315, 329, 369, 373, 540; conferência de líderes africanos (Léopoldville, República do Congo, 1930), 353-4; Congresso Nacional Africano, 321; consciência nacional na, 501; identificação de Fanon com a, 320; independência africana, 10, 213, 312, 325, 353, 357, 358, 372; latina, 157-8; negra, 312, 349-50, 366; Norte da África/ norte-africanos, 42, 46, 51, 53, 73-5, 77, 110, 112, 155, 167, 203, 211, 219, 231, 241, 249, 261, 263, 313, 439, 456-7, 479, 490; obstáculos para a independência na, 10; Ocidental, 11, 96, 349, 406, 481, 490, 523, 536; pan-africanismo, 135, 212, 241, 318, 331, 356, 369,

459, 466, 492; política africana, 357, 359; subsaariana, 155, 238, 312-3, 360, 390, 459; Sul da, 331, 462; *ver também* Argélia
África do Sul, 17, 320, 458, 459, 501, 504; Consciência Negra (movimento), 17, 459
*Afrique Action* (revista pan-africana), 241, 254, 277, 378, 379
*Afrique noire est mal partie, L'* (Dumont), 541
afro-americanos/ americanos negros, 10, 83, 106, 150, 217, 268, 328-9, 417, 442-4, 467-8; Grande Migração de negros sulistas para as cidades do Norte dos EUA, 104, 342; movimento dos direitos civis (anos 1960), 469
afro-otimismo, 373
afropessimismo, 373, 478-9, 493
*Agar* (Memmi), 246
Agostinho, Santo, 157, 191
Ahmad, Aijaz, 478, 549
Ahmadinejad, Mahmoud, 484
Ahsan, Hamja, 455
Aït-Ahmed, Hocine, 250, 531
Ajaas (Association de la Jeunesse Algérienne pour l'Action Sociale — Associação da Juventude Argelina para Ação Social), 192-3, 195
Alcorão, 181, 486
Alemanha, 35, 48, 110, 117, 234, 333, 350, 408, 455, 494, 498; *ver também* nazismo
Alleg, Henri, 393-4, 542
"Alma revoltada, A" (Jeanson), 110
*Almas do povo negro, As* (Du Bois), 88

ALN (Armée de Libération Nationale — Exército de Libertação Nacional, ala armada da FLN), 11, 186, 189-90, 204, 218-9, 228, 244, 253, 255, 259-61, 270-3, 312, 323, 333-6, 338-9, 357, 366, 368-9, 371, 373, 392, 425, 440, 447, 528, 548; *ver também* FLN (Front de Libération Nationale — Frente de Libertação Nacional); Guerra da Argélia (1954-1962)
Alsácia, 29, 43, 110, 246
Alsop, Joseph, 472
"Alvorada africana" (Keïta), 433
Amado, Jorge, 396
América Latina, 17
América do Sul, 442
Améry, Jean, 18, 423, 457, 513, 544
"amor paralelo", 310, 319
amputação, 84, 184, 266, 309, 379, 517; "membro fantasma", 83-4, 184, 519
Amrouche, Jean, 202-3, 248, 344, 466, 539
Amrouche, Taos, 466
*An V de la révolution algérienne, L'* (Fanon), 223, 254, 288-9, 291, 298-300, 303-5, 337, 339, 343, 352, 385, 387, 391, 505, 511, 525-6, 529-30, 532, 534-5, 544, 552
anarquismo, 142
Ancien Régime (França), 25, 234
Andrade, Mário Coelho Pinto de, 324, 331
Angola, 320, 323-4, 332, 363, 442, 457-8, 547; MPLA (Movimento Popular de Libertação de Angola), 323-4, 331, 547; União dos Povos de Angola (UPA), 323-4, 363-4

"animalização" dos nativos pelos colonizadores, 412-3
anticolonialismo, 95-6, 99, 192, 200, 246, 360, 367, 376, 391, 429, 491, 528
*Anti-Édipo, O* (Deleuze e Guattari), 493, 551
Antilhas/ antilhanos, 13, 21, 25, 27-8, 30-1, 33-4, 37, 40, 42, 44-5, 47-9, 51-2, 55, 57, 59, 61, 67, 91, 97-8, 102-3, 115, 119, 122, 124-30, 135-7, 150, 151, 155, 169, 183, 243, 263, 278, 304, 306, 312, 314, 321, 365, 384, 392, 413, 453, 456-7, 480-1, 512, 521; *ver também* Caribe; Martinica
antissemitismo, 86-9, 100, 121, 169, 248, 263, 302, 391, 520; análise de Sartre, 86-9; Fanon sobre, 86-9; Holocausto e, 18, 86-7, 391, 457, 463; *ver também* judeus; racismo
apartheid, 161, 320, 459, 467, 504
árabes, 35, 44-6, 62, 86, 89, 92, 96, 120, 122, 123, 158, 160, 162, 166, 170, 180, 184, 199, 201, 206, 216, 218, 223, 228, 248, 263, 268, 280, 301, 303, 346, 366, 371, 376, 405, 425, 462-3, 477, 496, 500, 540; mundo árabe, 233, 349, 500
Arafat, Yasir, 459, 476
Aragón (Espanha), 142-3
Árbenz, Jacobo, 428
"Archipel des grands chaos, L'" (Glissant), 481
Arendt, Hannah, 81, 108, 120, 188, 372, 421, 438, 455, 469, 492, 519, 541, 544-6
Argel (Argélia), 47, 155-6, 159, 161, 167, 169-70, 179, 191, 193, 195, 200, 207, 209, 221-3, 22-8, 237-8, 290, 294, 303, 335, 344, 368-9, 373-4, 377, 393-5, 403, 417, 450, 465-7, 470, 484, 485, 490, 527-8, 546, 548; Batalha de Argel (1956-7), 227-8, 233, 238, 244, 247, 251, 258-9, 417, 443, 464-5; consulado dos Estados Unidos em, 252; Festival Pan-Africano (1969), 465-6, 492
Argélia: anexação francesa e departamentalização da (1848), 31-2, 45, 247; argelinos muçulmanos, 182, 192; Associação dos Ulemás Muçulmanos Argelinos, 111, 184, 300, 337, 451; Bertrand na, 157; Camus e, 45, 111, 201, 344; colonos europeus na, 12, 44, 157, 200, 516; como colônia francesa, 31-2, 45, 247; Comunidade Francesa da África como modelo para a, 313, 315, 373; comunidades rurais na, 335; Conferência de Soummam (1956), 217-9, 221, 258, 303; conquista francesa e "pacificação" da (1830), 159-60; crenças populares na, 181; crianças argelinas, 151, 193, 343; criminosos argelinos, 182; doença mental na, 179; europeus da, 44, 344, 374, 394; experiência dos tempos de guerra de Fanon na, 73, 256; expulsão de Fanon da (1957), 12, 226, 237; Fanon tomado por argelino na, 62; Festival Pan-Africano (Argel, 1969), 465-6, 492; FIS (Front Islamique du Salut — Frente Islâmica de Salvação) na, 486; Guelma,

massacre de (1945), 164, 199, 272; guerra civil na, 255, 487, 509; Guerra da Argélia (1954-1962), 38, 200, 395-8, 468, 491, 504, 516, 527, 533; Igreja católica na, 190; independência argelina, 12-3, 112, 184, 193, 216, 231, 244, 259, 260, 288, 351-2, 375, 377, 379, 385, 394, 397-8, 527; islamização da, 550; judeus argelinos, 220, 225, 301-2, 490; Linha Morice (cerca de arame farpado nas fronteiras argelinas), 259, 286, 311, 367; massacres de Sétif e Guelma (1945), 163-5, 176, 198-9, 211, 224, 272, 413, 433, 525; medicina argelina, 180-1, 527; muçulmanos argelinos, 46, 111, 161, 167, 177-9, 184, 189-90, 192, 199, 249, 253, 300, 302, 337, 342, 344, 375, 394, 488; mudança de Fanon para a (1953), 151-2, 157; mulheres argelinas, 292, 294; nacionalismo argelino, 11, 73, 162, 184, 191, 200, 212, 234, 252, 300, 335, 351, 451, 476; ocupações estrangeiras da, 159; ONU (Organização das Nações Unidas) e, 251; Partido Comunista da Argélia, 191; Partido do Povo Argelino, 163; Plano Challe (para reconquistar o interior argelino), 311-2, 394; pós-independência, 260, 303, 449, 488; programa de "integração" para a, 161, 198, 215; rádio na, 240, 289, 296-7, 300; referendo de autodeterminação na (1961), 383; refugiados argelinos, 273; regime militar na, 390; repatriação " de colonos para a França, 346, 444; retirada francesa da, 233, 376-7, 395, 480; rural, 180-1, 200, 255, 311, 335; Sétif, massacre de (1945), 163-5, 176, 198, 199, 211, 224, 413, 433, 525; "terceira via" de De Gaulle para a, 373; Universidade de Argel, 190, 196, 248; visita de De Gaulle à (1960), 373-4

Aron, Raymond, 233, 376, 530
Artaud, Antonin, 443
Asselah, Slimane, 227, 527
Assembleia Mundial da Juventude (WAY, na sigla em inglês), 351, 353
Assembleia Nacional da França, 119
Associação dos Ulemás Muçulmanos Argelinos, 111, 184, 300, 337, 451
Associação dos Ulemás Norte-Africanos, 293-4
ataxia de Friedreich, 79, 109
ativistas do movimento negro, 468
"Atlântico negro" (conceito de Gilroy), 108, 475
Audin, Maurice, 227, 530
Aurès, montanhas de (Argélia), 11, 179, 186, 199, 237, 425-6, 531
Auschwitz (campo de concentração), 18, 233, 423
Áustria, 29, 357
Aymé, Jean, 185, 527
Azoulay, Jacques, 169, 173-5, 178, 180, 526

# B

Bábel, Isaac, 275
bacongo (povo africano), 323, 363
Balandier, Georges, 135, 523
Baldwin, James, 22, 65-6, 70, 98, 118, 213, 217, 340, 454, 492, 518, 520, 522
Balvet, Paul, 72-3, 85, 139-41, 143, 145, 518
Bamako (Mali), 11, 326, 349, 366, 369-70
banana, plantações de (Martinica e Guadalupe), 483
Bandungue, Conferência de (Indonésia, 1955), 212-3, 340
Baraka, Amiri (LeRoi Jones), 22, 329, 469
Barrault, Jean-Louis, 69, 287
Barry, Marion, 474
Barthes, Roland, 116, 161, 286, 534
Basaglia, Franco, 495, 497
Bataclan, ataque terrorista no teatro (Paris, 2015), 490
Batalha de Argel (1956-7), 227-8, 233, 238, 244, 247, 251, 258-9, 417, 443, 464-5
*Batalha de Argel, A* (filme de 1966), 464
*Batouala* (Maran), 156
Baudelaire, Charles, 53
Bazi, Safia, 299, 535
Beauvoir, Simone de, 21, 58-9, 62, 82, 83, 118-9, 128-9, 164, 200, 210, 235, 237, 261, 309-10, 363, 389, 391-6, 398-404, 407, 409, 441, 445, 491, 517, 522-3, 525, 540, 542-3, 545
*békés* (antilhanos brancos), 26, 28, 36-7, 42, 102, 119, 483-4
Bélgica, 304, 354-5, 360
Belkacem, Krim, 218, 220, 228, 252, 258-61, 318, 337, 368, 384, 446-7
Ben Badis, Abdel-Hamid, 451
Ben Bella, Ahmed, 188, 238, 250, 322, 369, 462-3, 465, 531, 548, 550
Ben M'hidi, Larbi, 225, 272, 322
Ben Salem, Lilia, 270, 533
Ben Smaïl, Mohamed, 254, 532
Ben Soltane, Tahar, 262-3
Bencherchali, Mustapha, 194
Beneduce, Roberto, 495-7, 551
Benjamin, Walter, 115, 522, 526, 537
Benkhedda, Benyoucef, 225-6, 228, 237, 401, 542
Bentobbal, Lakhdar, 198, 258-60
berberes, 12, 62, 158, 160, 162, 169, 179-80, 184, 194, 202, 218, 245, 248, 300-1, 303, 335, 344, 376, 425, 463, 466
Berger, John, 168, 454, 526
Berque, Jacques, 203, 300
Bertrand, Louis, 157, 191
Biblioteca Schœlcher (Fort-de-France, Martinica), 30, 33, 36
Bigeard, Marcel, 227
Bigger Thomas (personagem), 64, 105
Biko, Steve, 459
Bini, Lucio, 149
Bishop, Shelton Hale, 105
*Black Boy* (Wright), 15, 105, 340, 519, 521
Black Lives Matter (movimento norte-americano), 483, 502
Black Power (movimento), 25, 468, 472, 548
Blackburn, Robin, 32, 514
Blanchot, Maurice, 397

Blida (Argélia), 156, 166-70, 172, 176-7, 181, 186, 194, 207-9, 218, 228, 234, 244, 249, 262-3, 265, 267, 280, 288, 292, 303, 306, 338, 359, 400, 425, 484, 495, 510; *ver também* Hospital Psiquiátrico de Blida-Joinville (Hospital Frantz Fanon — Argélia)
blues, 268, 307
*Blues People* (Jones), 329
*Bodas em Tipasa* (Camus), 191
Bonnafé, Lucien, 78, 104, 145-6, 148
Bordeaux (França), 13, 51, 110, 125, 185, 491, 550
Boudiaf, Mohamed, 250
Bouhired, Djamila, 222-3, 299, 322
Boukri, Amar, 333
Boulahrouf, Taïeb, 333-4
Boulez, Pierre, 397
Boulogne-Billancourt (França), 82
Boumediene, Houari, 272, 303, 332, 337, 465, 484-5, 550
Boumendjel, Ahmed, 318
Boumendjel, Ali, 227, 244, 318, 525, 528
Boupacha, Djamila, 299, 395
Bourdet, Claude, 206, 529
Bourdieu, Pierre, 179, 256, 334-5, 457, 538
*Bourgeois gentilhomme, Le* (Molière), 176
Bourguiba, Habib, 219, 231, 241, 249, 357
Boussouf, Abdelhafid, 258-60, 262, 272, 333, 389-90, 485, 536
Bouteflika, Abdelaziz, 368, 373
Brady, Thomas F., 243
branquitude, 126, 131, 134, 183, 341; "olhar branco", 27, 85, 91, 214; supremacia branca, 45, 92-3, 167, 318, 341, 478, 497, 501-2

Brasil, 396-7, 402, 464, 542; Cinema Novo, 464
Breton, André, 89, 148
Browne, Simone, 475, 549
Brownmiller, Susan, 534
Buchenwald (campo de concentração), 206
Buñuel, Luis, 150
"burguesia nacional" (conceito de Fanon), 428-30, 432, 434, 461, 478
*Burning the Veil* (MacMaster), 289, 534-5

# C

Cabília (Argélia), 62, 160, 178, 217-8, 221, 335, 337, 516; povo cabila, 62, 73, 160, 179-80, 185, 194, 202-3, 213, 217-8, 240, 259, 301, 335, 443, 466, 527
Cabo Verde, 332
Cabral, Amílcar, 325, 331, 459, 538, 547
*Cahiers du Témoignage Chrétien* (revista católica), 191
Camarões, 313, 318, 322, 491, 537
campesinato, 178-9, 204, 225, 283, 324, 334-5, 337-8, 359, 392, 407, 416, 421, 432, 510
campos de concentração, 18, 87, 120, 206, 233, 423, 463; Auschwitz, 18, 233, 423; Buchenwald, 206
Camus, Albert, 45, 81-3, 110, 158, 162, 182, 191, 200-2, 207, 244, 247, 336, 342-6, 374, 468, 487, 488, 516, 529, 535, 538-9
Camus, Renaud, 499

Canguilhem, Georges, 78, 140
Capécia, Mayotte (pseudônimo de Lucette Céranus Combette), 37-8, 40, 126, 298
capitalismo, 57, 82, 128, 179, 409, 462; capitalistas europeus, 408; colonial, 32
Caribe, 103, 126-7, 538; *ver também* Antilhas/ antilhanos; Martinica
Carmichael, Stokely, 468
casbás (cidadelas do Norte da África), 166, 193, 221-3, 227-8, 298
*Caso Meursault, O* (Daoud), 487
Castro, Fidel, 389, 418-9
Catalunha, 142, 147; nacionalismo catalão, 141
Catanga (Congo), 354-6, 358, 378, 540
catolicismo *ver* Igreja católica
Catroux, Georges, 210-1
Césaire, Aimé, 26-7, 51-8, 60, 67, 81, 86, 89, 91, 93, 95, 113-4, 116-7, 119-21, 127, 131, 139, 148, 183, 212-3, 214, 239, 277, 301, 304, 308, 312, 325, 329-31, 340, 373, 418, 434-5, 448, 451, 456, 471, 477, 483, 491-2, 514, 516-7, 522, 538, 542, 546
Césaire, Suzanne, 57-60, 517
Cézette, Charles, 49
CGT (Confédération Générale du Travail — Confederação Geral do Trabalho, França), 171
Challe, Maurice, 311-2; Plano Challe (para reconquistar o interior argelino), 311-2, 394
Chamoiseau, Patrick, 339, 482-3, 538, 549
Chanderli, Abdelkader, 251, 443
Charles X, rei da França, 159

*Charlie Hebdo* (revista), 490
Chastaing, Maxime, 135, 523
Chaulet, Claudine, 193, 221, 228, 240-1, 407
Chaulet, Pierre, 193-5, 206, 221, 223, 225, 228, 237, 240-1, 407, 447, 486, 538
Chawki (major da ALN), 11-2, 318, 368
Chérif, Mahmoud, 259-60
Cherki, Alice, 29-30, 195-6, 221, 225, 241, 248, 263, 269, 278, 280, 302, 350, 404, 407, 438, 448, 456, 463, 491, 510, 514, 526, 529, 531-3, 541, 543, 545, 547, 554
China, 280, 335, 500; mercado capitalista na, 462
CIA (Central Intelligence Agency), 324, 355-6, 362-4, 440-2, 472-3, 475, 537, 545
cinema: Cinema Novo, 464; Nouvelle Vague, 464
circuncisão, 264
civilização, 47, 52, 56, 114, 116, 120, 123-4, 133, 155, 181, 183, 217, 340, 376; missão civilizadora, 500
*Clameurs* (oratório de jazz de Coursil), 481
classe, colonialismo de, 432
Cleaver, Eldridge, 470, 472, 475, 534
Clínica de Saúde Mental Lafargue (Harlem, Nova York), 105-6, 521
clordecona (pesticida), 483
CNPJ (Centre Neuropsychiatrique de Jour — Centro Diurno de Neuropsiquiatria, Túnis), 264, 266, 280, 282, 285, 350
*Code Noir* ("Código Negro", regulamento sobre escravidão nas colônias francesas), 517

Código Civil (França), 161
Cohen, William B., 31, 123, 523
Cohen-Solal, Annie, 396
Coles, Robert, 468
Colin, Michel, 63, 95
*Colonial Trauma* (Lazali), 488, 550
colonialismo, 10, 16, 20, 22, 32, 46, 53, 77, 99, 101-2, 104, 116, 119-21, 131, 149, 158, 166, 175, 181, 184, 186, 190, 195, 200, 203, 249, 255, 288, 290, 292, 297, 299-300, 303, 313, 318, 322, 325-6, 330, 332, 352, 366, 371-2, 379, 387, 392-3, 408-9, 411, 414-8, 428, 432, 436, 439, 455, 457, 460-2, 465, 467, 469, 474, 477-8, 488, 494, 499, 504, 506, 519, 522, 532, 548, 552; Adler sobre, 102; "animalização" dos nativos pelos colonizadores, 412-3; anticolonialismo, 95-6, 99, 192, 200, 246, 360, 367, 376, 391, 429, 491, 528; belga, 323, 354-5, 358-9, 361, 378, 401, 423; britânico, 25, 38, 318, 323, 419, 460; capitalismo colonial, 32; colonos europeus na Argélia, 12, 44, 157, 200, 516; culturas nativas e, 215; de classe, 432; dominação colonial, 15, 102, 119, 181, 216, 246, 294, 326, 374, 399, 451; francês, 11, 25, 32, 96, 149, 186, 200, 292, 313, 407, 457, 478, 540, 548; "indolência" e, 28, 412, 429; injustiça colonial, 193; "interno", 469; luta anticolonial, 437-8; nazismo e, 42, 121; neocolonialismo, 52, 354, 373, 460, 483, 493; português, 320, 323-4, 331-2, 364, 401, 458, 547; teoria pós-colonial, 490; *ver também* descolonização; imperialismo
*Color Curtain, The* (Wright), 212
Comitê de Libertação Martinicano, 41
complexo de Édipo, 103
Comunidade Francesa da África, 313, 315, 329, 369, 373, 540
comunismo, 53, 82, 111, 190-1, 227, 279, 323-4, 329, 335, 351, 362, 363, 389, 441; anticomunismo, 111, 119, 324, 364, 441, 472; *ver também* União Soviética
Conacri (Guiné), 316-7, 326, 349-50, 365, 369, 392, 433
Condé, Maryse, 136, 433-4, 524, 545
*Condenados da terra, Os* (Fanon), 16-7, 103, 121, 137, 151, 190, 205, 217, 236, 252, 275, 311-2, 317, 326-7, 353, 359, 365, 369, 372, 385, 387, 390, 392, 399, 405-7, 409, 419-20, 425-6, 428, 431, 434-6, 439, 441, 445, 450-1, 453, 455-60, 467-70, 475, 491-2, 494, 499, 502, 507, 509, 511, 514, 525-6, 528-9, 531-3, 536-8, 540-1, 543-5, 552; "burguesia nacional" em, 428-9; cultura nacional em, 326; estudos de caso em, 275; "Guerra colonial e distúrbios mentais" (capítulo final), 275-6; Igreja católica em, 190; prefácio de Sartre para, 16-7, 466-7; publicação de, 458; radicalismo agrário em, 359; violência em, 16, 399, 414, 421-2, 424, 479
Conferência de Soummam (Argélia, 1956), 217-9, 221, 258, 303
Congo, 356-8, 361-3, 372, 378-9, 500, 532

Congo Belga, 318, 323, 430
Congresso dos Povos Africanos (Accra, 1958), 318
Congresso Nacional Africano, 321
Connelly, Matthew, 251, 532
*Consciences Algériennes* (revista), 192
*Consciences Maghrébines* (revista), 167, 192-3
consciência: "consciência dual" criada pelo racismo, 88, 340; nacional, 330, 338, 407, 428, 433, 459-60, 501; negra, 94, 131, 183, 515, 547
Consciência Negra (movimento sul-africano), 17, 459
*Conspiração, A* (peça teatral de Fanon), 69
Cooper, Frederick, 314-5, 536-7
corpo: Fanon sobre, 84-5; "membro fantasma", 83, 84, 184, 519; Merleau-Ponty sobre, 83, 84
Corrèze (França), 278-9, 306-7
Córsega, 160
Costa do Marfim, 369, 429
Costa do Ouro, 318
Coursil, Jacques, 481-2
Covey, Edward, 423
Créolité, 481, 483
crianças: argelinas, 151, 193, 343; judias, 87, 302
*Crisis of the Negro Intellectual, The* (Cruse), 46
*Crítica da razão dialética* (Sartre), 386
Croácia, 55
Cruse, Harold, 46, 516
Cuba, 31, 396, 399; Revolução Cubana (1959), 396
cultura: francesa, 114, 177, 247, 249, 338, 488; nacional, 326, 330, 433, 460, 477, 537; nativa, 215; "racismo cultural" (conceito de Fanon), 215, 217, 377, 497
*Curva no rio, Uma* (Naipaul), 430, 547

# D

d'Arboussier, Gabriel, 315
Damas, Léon-Gontran, 53-4, 89, 148, 516
Daniel, Jean, 195, 243-4, 254, 420, 438, 445, 510, 529, 543-5
Daoud, Kamel, 487-8, 550
Davis, Angela, 467, 548
De Gaulle, Charles, 38, 41, 49-50, 191, 211, 232, 290, 311-8, 343, 355, 367, 373-7, 394-5, 536-7, 541
Dechaume, Jean, 71, 95, 109
Declaração dos Direitos do Homem e do Cidadão, 41
Dehilès, Slimane, 194
Deleuze, Gilles, 493, 551
Deng Xiaoping, 462
Denis, Claire, 491, 550
"departamentalização" das colônias francesas, 51-2
*Déracinement, Le* (Bourdieu e Sayad), 256
Derrida, Jacques, 86, 302, 477, 519, 535
desalienação (conceito de Fanon), 20, 22, 113, 121, 130, 132, 134, 138, 157, 172, 177, 250, 265, 267, 281, 294, 298, 327, 338, 353, 407, 451, 489, 524
Descartes, René, 119, 248, 517
descolonização, 18, 21, 38, 51, 204, 213, 217, 234, 240, 268, 278, 289,

299, 318, 327, 340, 386, 388,
406, 408, 415, 424, 432, 435-
6, 438, 442, 457-8, 475, 477, 479,
482, 485-7, 502, 505, 509, 536,
546, 552; departamentalização
como alternativa à, 51-2;
"descolonização da mente"
(conceito de Fanon), 18;
*ver também* colonialismo;
imperialismo
Deutsch, Helen, 282
Deutscher, Isaac, 509
Devlin, Larry, 355
*Dialética do esclarecimento* (Adorno
e Horkheimer), 412
"dialética do senhor e do escravo"
(conceito de Hegel), 127-8, 422-
3; *ver também* escravidão
*Diário de um retorno ao país natal*
(Césaire), 55, 89, 117, 139, 435,
514, 516, 522
Diderot, Denis, 124
Diop, Alioune, 101, 120, 212, 326
Diop, Cheikh Anta, 325
direita política, 490; extrema
direita, 484, 499, 552
*Direito à preguiça, O* (Lafargue), 105
*Discurso do método* (Descartes), 517
*Discurso sobre o colonialismo*
(Césaire), 120, 522
Dissidence (membros das Forças
Francesas Livres ), 38, 44
Dixon, Ivan, 464
Djebar, Assia, 332, 447-8, 486, 538,
546, 550
Djebel Amar, favela de (Túnis),
279-80
Djerbal, Daho, 374
djims (gênios nas crenças
islâmicas), 178-9, 297

doenças mentais, 73, 77, 79, 99,
104-5, 116, 140, 146, 175, 179,
493, 497; esquizofrenia, 149,
156, 283; *ver também* loucura;
psiquiatria
Dôle (França), 95-6
Domenach, Jean-Marie, 95, 110
Dominica, 37-9, 41
Douglass, Frederick, 423, 544
Drareni, Mohamed, 193
Dreyfus, Alfred, 233, 397
Dridi, Abderrahmane, 270-1, 533
Drif, Zohra, 222-3, 299
Du Bois, W. E. B., 88, 120, 213, 340,
520
Dugin, Aleksandr, 484
Dumont, René, 385, 431-2, 541
Duras, Marguerite, 397
Duval, Raymond, 164

# E

*E os cães deixaram de ladrar*
(Césaire), 418
ECT (terapia eletroconvulsiva) em
psiquiatria, 149, 176, 266, 285,
424
Éditions du Seuil (editora de Paris),
110
Egito, 232, 320
Eiminder, Sándor, 141
Eisenhower, Dwight, 355
El Kebir, Sidi Ahmed, 165
El Suyuti, Jalal Eddin, 181
Ellison, Ralph, 15, 106, 513, 521
El-Mokrani, Cheikh, 160, 178
Éluard, Paul, 140, 146, 148
Engels, Friedrich, 407

"Ensaio sobre alguns problemas relativos ao normal e ao patológico" (Canguilhem), 78
*Entre quatro paredes* (Sartre), 401
Enwezor, Okwui, 498-9, 551
*Erlebnis* ("experiência vivida", conceito de Fanon), 72, 84, 246, 511
Escola de Frankfurt, 412
escravidão, 17, 27-9, 31, 33, 36, 56-7, 70, 97, 112, 124, 127, 135, 316, 325, 365, 409, 423, 428, 478, 483, 506, 544; abolição definitiva na França (1848), 37; dialética do senhor e do escravo, 127-8, 422-3; insurreições de escravizados, 28, 127; "mocamaus" (escravizados fugidos), 37; Passagem do Meio e, 37, 56; restaurada por Napoleão, 36-7; Schœlcher e, 129, 314, 483
Espanha, 110, 141, 143, 145, 160, 165, 395, 398; Guerra Civil Espanhola (1936-9), 142-3
*Esprit* (revista), 72, 75, 94, 95, 101, 110-1, 135-6, 140, 181, 190, 192, 455, 518, 522-3, 528, 547
*Esquecidos, Os* (filme), 150
esquerda política, 70, 78, 105, 169, 185, 190, 199, 202, 234-5, 242, 244, 246-9, 257, 259, 324, 335, 338-40, 349, 358, 375, 387, 391, 397-8, 420, 442, 450, 453, 455, 489-90, 495, 542; esquerda católica, 72, 95, 110, 360; esquerda europeia, 399; esquerda francesa, 111, 245-6, 248, 250, 277, 385, 394, 399, 422, 450; esquerda radical, 233; Nova Esquerda, 399, 455, 472;

políticas identitárias, 90, 454, 490
esquizofrenia, 149, 156, 283
Estados Unidos, 10, 35, 67, 83, 150, 213, 234, 251-2, 268, 271, 329, 340, 354-5, 357, 364, 380, 439, 441-2, 467-71, 474-5, 482, 492, 499, 501-2, 547; afro-americanos/ americanos negros, 10, 83, 106, 150, 217, 268, 328-9, 417, 442-4, 467, 468; Black Lives Matter (movimento), 483, 502; CIA (Central Intelligence Agency), 324, 355-6, 362-4, 440-2, 472-3, 475, 537, 545; consulado americano em Argel, 252; direita americana, 490; Grande Migração de negros sulistas para as cidades do Norte dos, 104, 342; Malcolm X sobre os, 424; movimento dos direitos civis (anos 1960), 469; Panteras Negras, 17, 417, 451, 465, 470-1, 534; Partido Republicano, 499
*Estátua de sal, A* (Memmi), 247-8
*Estrangeiro, O* (Camus), 162, 182, 207, 487
"Estrangeiro, O" (Simmel), 13, 513
"Estranho na aldeia, Um" (Baldwin), 65
estresse pós-traumático, 468
Étoile Nord-Africaine (Estrela Norte-Africana, organização anticolonial), 163
Europa, 9, 34, 39, 58-9, 81, 117, 120, 158, 164, 234, 236, 245, 251, 267, 311, 331, 344, 350, 408, 428-9, 434-6, 439, 457, 498-501, 512, 518; eurocentrismo, 118
*Evénement, L'* (jornal), 31

Évian, Acordos de (França, 1962), 384, 401, 443
*Exército de cavalaria, O* (Bábel), 275
Exército francês, 13, 54, 198, 203, 206-7, 251, 255, 272, 294, 335-6, 375, 393, 400, 462-3, 474, 503, 515, 528, 550
Exército português, 324
existencialismo, 81-3, 110, 134, 135, 177, 246, 289, 304, 386, 398-9, 439, 478, 495, 511, 519
"experiência vivida" (*Erlebnis*, conceito de Fanon), 72, 84, 246, 511
*Express, L'* (jornal), 243, 393-4, 420, 445, 542
*False Start in Africa* (Dumont), 541

# F

Fanon, Eléonore Félicia Médélice (mãe de Frantz), 28-30, 34, 40, 48, 51, 109, 138, 306
Fanon, Félix Casimir (pai de Frantz), 28, 30, 34, 36, 40-1, 44, 50-1, 68, 104, 150, 306; morte de, 51, 68
Fanon, Félix (irmão de Frantz), 38
Fanon, Frantz: acidente em uma estrada no Marrocos (1959), 333; "amor paralelo" e, 310; análise do antissemitismo feita por Sartre e, 86-9; ancestrais de, 29; apelidado de "o feiticeiro" na Martinica, 138; campesinato e, 335; como cientista visionário da alma moderna, 116; como embaixador da GPRA (Gouvernement Provisoire de la République Algérienne — Governo Provisório da República Argelina), 349; como escritor, 288, 294, 338, 343, 463, 465, 470-1, 478, 489, 491, 493, 510, 511; como médico, 9, 12, 14-6, 22, 45, 74-5, 79, 95, 109, 138, 168-9, 179, 189-90, 208, 238, 262, 264, 267, 272, 276, 306, 350, 424-5; como psiquiatra *ver* psiquiatria, trabalho de Fanon em; condecorado com a Croix de Guerre, 48, 227, 307, 395; consultório de Fanon na Martinica, 138; crença na "verdadeira" França, 41; desdém pelos jornalistas ocidentais, 242-3; desgosto de Fanon pela França, 41, 237; diário de, 9, 304, 366, 369-70, 372-3, 494, 511; e "a experiência vivida do negro", 85; educação de, 30, 44, 46, 51-2; enterro de, 484-6; *Erlebnis* ("experiência vivida", conceito de Fanon), 72, 84; estudos de medicina de, 60, 62, 64, 71, 85, 94-5, 125, 146, 179; éthos da prática de Fanon como psiquiatra, 283; experiência dos tempos de guerra na Argélia, 73, 256; expulso da Argélia (1957), 12, 226, 237; fanonismo clínico, 493-5; Frantz Fanon Memorial Day" (Washington, D.C., 8 de dezembro de 1997), 474; *Frantz Fanon: Black Skin, White Mask* (documentário de 1995), 475; funeral de, 447-9; histórico familiar de, 28-30; identificação de Fanon com a África, 320; infância de, 28-9; influência de,

278, 335, 468-9, 535; legado de, 453, 480; leucemia de, 11, 377, 380, 444-5, 462; morte de (1961), 11, 448, 474, 495, 501, 546; mudança para a Argélia (1953), 151-2, 157; na conferência de líderes africanos (Léopoldville, República do Congo, 1930), 353-4; nascimento de (1925), 29; obras de ver *An V de la révolution algérienne, L'* (Fanon); *Condenados da terra, Os* (Fanon); "Lamento do negro: A experiência vivida do negro, O" (Fanon); *Pele negra, máscaras brancas* (Fanon); "'Síndrome norte-africana', A" (Fanon); "Sobre a violência" (Fanon); origens alsacianas do nome "Frantz", 29; palestras e falas de, 42, 148, 224, 239, 283, 349, 391-2; passaportes e nomes falsos de, 9, 197, 239, 318, 333, 370, 442, 511; peças teatrais escritas por, 69; raça na visão de, 121; "racismo cultural" e, 215, 217, 377, 497; rolo de tecido roubado do pai, 41; servindo na Segunda Guerra Mundial, 41, 44, 110, 236, 367, 371; sobre a loucura, 72; sobre circuncisão, 264; sobre Israel, 494; sobre o corpo, 84-5; sobre teatro clássico e dimensões trágicas da psiquiatria, 148; "sociogenia", 104, 107, 126; "socioterapia", 145, 173, 175, 196, 265; tentativa de assassinato contra, 367; tese de doutorado sobre a ataxia de Friedreich (1951), 79, 109; tomado por argelino e detido na Argélia, 62; universalismo humanista de Fanon, 39; violência e, 16, 399, 414, 419, 421-4, 458, 479, 503; *ver também* FLN (Front de Libération Nationale — Frente de Libertação Nacional); psiquiatria, trabalho de Fanon em

Fanon, Gabrielle (irmã de Frantz), 60, 68, 196-7

Fanon, Joby (irmão de Frantz), 26, 29-30, 34-5, 38-9, 41, 48-50, 68-70, 109, 138, 151, 155-6, 197, 264, 278, 331, 471, 484, 514-8, 524, 529, 533, 538, 550

Fanon, Marie-Josèphe Dublé ("Josie", esposa de Frantz), 70, 109, 114, 125, 139, 151, 155, 193, 197, 208, 235, 241-2, 254, 277-8, 306, 308, 309, 333, 350-1, 377, 379-80, 385, 391, 441-2, 445-7, 450, 463, 466-7, 473, 485-6, 550; suicídio de, 486

Fanon, Olivier (filho de Frantz), 155, 197, 235, 242, 306, 351, 441-2, 444, 446, 466-7, 528, 546

Fanon Mendès-France, Mireille (filha de Frantz), 70, 219, 287, 446, 454, 518, 546

fanonismo, 461, 477-8, 493, 495; clínico, 493; "crítico", 477

Farès, Nabile, 550

fascismo, 40, 44, 58, 87, 146, 192, 233, 398, 514

"fato social total" (conceito de Mauss), 78

Fédération de France (ala francesa da FLN), 232, 234, 237, 243, 250, 293, 333, 531

felás (camponeses da Argélia), 179

feminismo, 38, 278, 454, 534
fenomenologia, 135, 424, 495, 511
*Fenomenologia da percepção* (Merleau-Ponty), 83, 519
*Fenomenologia do espírito* (Hegel), 127-8, 422
Feraoun, Mouloud, 203-5, 222, 245, 254, 299, 335, 345, 443, 457, 529-32, 535, 539
Ferenczi, Sándor, 141, 196, 274
Ferradj, Abdelkader, 221
Festival Pan-Africano (Argel, 1969), 465-6, 492
Fields, Barbara, 121
*Figaro, Le* (jornal), 136
*Filho nativo* (Wright), 64, 105, 107, 340, 514
FIS (Front Islamique du Salut — Frente Islâmica de Salvação, Argélia), 486
FLN (Front de Libération Nationale — Frente de Libertação Nacional, Argélia), 11-2, 14, 165, 185-90, 193-6, 198-203, 205-7, 211-2, 217-25, 227-8, 232-4, 236-44, 246-7, 250-64, 267, 270-6, 281, 285, 287, 293-4, 296-303, 305-7, 309, 311-2, 315, 318-21, 323-4, 331-7, 343-4, 349-50, 352-3, 355-6, 360, 362, 364, 366, 372-5, 377, 380, 383-4, 389-90, 393-8, 400, 403, 409, 417, 419, 425, 439, 441, 443-4, 446, 466-8, 485-6, 492, 506, 527-8, 531-2, 535, 541, 543, 550-1; apoio de Jeanson à, 234; assassinato de Abane e a, 260-1, 303, 384; campanha de terrorismo urbano da, 222; Camus e, 343; combatentes angolanos, 331; Conferência de Soummam (1956), 217-9, 221, 258, 303; Fédération de France (ala francesa da FLN), 232, 234, 237, 243, 250, 293, 333, 531; fraternidade-terror (conceito de Sartre) e a, 390; Froger assassinado pela, 225; fundadores da, 188; GPRA (governo provisório da FLN) *ver* GPRA (Gouvernement Provisoire de la République Algérienne — Governo Provisório da República Argelina); insurreição de Philippeville (1955), 198-200, 202, 204, 206, 258, 334, 364, 413, 415, 503, 529; interior versus exterior e a, 228, 231; judeus argelinos na, 301; líderes da, 187, 198, 227-8, 237-8, 321, 417, 465, 527; Main Rouge, La (A Mão Vermelha, organização terrorista francesa) e a, 238; massacre de Melouza (1957) e a, 253; MNA (Mouvement National Algérien — Movimento Nacional Argelino) e, 188; mulheres na, 223-4; políticos argelinos e a, 202; *porteurs des valises* ("carregadores de malas") da, 234, 311, 393, 398, 493, 531; programa de rádio (*Voix de l'Algérie* — Voz da Argélia) da, 296-7; referendo de autodeterminação argelina (1961) e a, 383; "revolução diplomática" da, 251; simpatizantes estrangeiros, 321; UPA (União dos Povos de Angola) e, 323; voto francês

para "poderes especiais" contra
a, 212, 244; *Wilayas* ("zonas")
da, 194, 196, 198, 204, 218, 222,
228, 232, 240, 250, 253, 258-
9, 299, 303, 334; *ver também*
ALN (Armée de Libération
Nationale — Exército de
Libertação Nacional, ala
armada da FLN); Guerra da
Argélia (1954-1962)
Floyd, George, 479, 502
Foccart, Jacques, 355
Fonkoua, Romuald, 58, 516
*Força das coisas, A* (Beauvoir), 401,
517, 540, 542-, 545
Forças Francesas Livres (Segunda
Guerra Mundial), 38-9, 41, 44,
110, 188, 236, 244, 279, 367, 370
Forman, James, 471-2
Fort-de-France (Martinica), 25-
6, 28-9, 34-5, 37, 40-1, 51-
2, 138, 156, 212, 224, 261, 277,
312, 326, 332, 433, 480, 484;
Biblioteca Schœlcher em, 30,
33, 36; La Savane, 33-4, 37;
Lycée Schœlcher em, 51-3; *ver
também* Martinica
*Fortunate Man, A* (Berger), 168, 526
Foucault, Michel, 77, 173, 476-7,
518, 533
França, 12, 25-7, 34-5, 39, 43, 45-
7, 49-51, 54, 60-1, 65, 71-3, 75,
77, 87, 93, 95, 99, 112, 119, 122,
124-5, 129-30, 132, 134, 136-
40, 147, 150-2, 156-7, 160, 162-
3, 175, 185, 187-90, 197-8, 204-6,
210, 212, 215-6, 219, 227, 231-
7, 246, 248-51, 256, 259, 267,
276, 280-1, 284-5, 287, 290, 296,
300, 305, 313, 316-9, 321, 330-
1, 335, 342, 350-1, 360, 367,
369, 376, 383, 395, 398, 405,
421, 425, 444, 446, 449, 451,
464, 471, 488-92, 500, 518, 531,
539, 546, 550; Ancien Régime,
25, 234; anexação francesa da
Argélia (1848), 31-2, 45, 247;
Assembleia Nacional da, 119;
CGT (Confédération Générale
du Travail — Confederação
Geral do Trabalho, França),
171; Código Civil da, 161;
colonialismo francês, 11, 25, 32,
96, 149, 186, 200, 292, 313, 407,
457, 478, 540, 548; Comunidade
Francesa da África, 313, 315,
329, 369, 373, 540; conquista
francesa e "pacificação" da
Argélia (1830), 159-60; cultura
francesa, 114, 177, 247, 249, 338,
488; Declaração dos Direitos
do Homem e do Cidadão, 41;
Forças Francesas Livres, 38-
9, 41, 44, 110, 188, 236, 244, 279,
367, 370; França metropolitana,
26, 54, 119, 151, 189, 210, 220,
383, 395; governo de Vichy,
35-7, 39, 41, 57-8, 87, 110, 140,
156, 166, 248, 302, 514, 517,
545; Iluminismo francês, 33;
libertação de Paris (1944), 50;
muçulmanos franceses, 490;
ocupação alemã da, 43, 82,
140, 165, 279; pânico moral
na atualidade, 490; Partido
Comunista Francês, 82, 119, 136,
163, 171, 191, 212, 244, 351, 441;
Quarta República, 232, 254;
Resistance na, 49, 54, 78, 82-
3, 140, 145-6, 191, 199, 278, 345,
391, 542; Revolução Francesa
(1789), 12, 37, 41, 387-8; satélites

africanos da, 318; universalismo francês, 451, 491; "verdadeira", 41
France, Anatole, 160
Franco, Francisco, 110, 395
*Frantz Fanon: Black Skin, White Mask* (documentário de 1995), 475
"Frantz Fanon Memorial Day" (Washington, D.C., 8 de dezembro de 1997), 474
"fraternidade-terror" (conceito de Sartre), 261, 388-91, 547
*French Encounter with Africans, The* (Cohen), 31, 123, 523
Freud, Sigmund, 101-2, 106, 112, 116, 139, 141, 144, 171, 196, 274, 282-4, 521
Frobenius, Leo, 53, 56
Froger, Amédée, 225
fuzileiros senegaleses (*tirailleurs sénégalais*), 40, 45, 47-8, 54, 97, 99, 130, 312, 515

# G

Gallimard, Michel, 342
Gambs, Albert, 177, 527
Gana, 9-10, 318, 340, 351, 353, 371
Gandhi, Mahatma, 319, 469, 479
García Márquez, Gabriel, 231, 530
Garner, Eric, 479
Garvey, Marcus, 108
Gates Jr., Henry Louis, 477, 549
Gaza (Palestina), 462, 502-4, 541
Geismar, Peter, 472-3
Gellner, Ernest, 337, 451, 546
"Gênero da raça: Fanon, leitor de Beauvoir, O" (Renault), 118

Genet, Jean, 112, 235, 417, 522
"geopsiquiatria" / "geopsicanálise", 142, 265, 535
Geronimi, Charles, 169-70, 174, 196, 201, 225, 237, 241, 254, 263, 266, 280-1, 343, 350, 407, 530, 539
Gestapo (polícia secreta da Alemanha nazista), 206, 227-8, 391, 423, 529
Gilroy, Paul, 108, 475
Giordano, Cristiana, 496, 551
Glissant, Édouard, 28, 36, 42, 60, 151, 213, 332, 397, 448, 480-3, 514-5, 538, 546, 549-50
Gobineau, Arthur de, 167
Gordimer, Nadine, 460
GPRA (Gouvernement Provisoire de la République Algérienne — Governo Provisório da República Argelina), 252, 285, 305, 312, 317-8, 334, 338, 349-50, 352-3, 356-7, 362, 365, 367, 375, 379-80, 384, 392, 401-2, 443, 446, 536, 540, 542; Fanon como embaixador da, 349
Grã-Bretanha, 25, 38, 41, 232, 318, 323, 419, 460, 479
Gramsci, Antonio, 22, 513
Grande Migração de negros sulistas para as cidades do Norte dos EUA, 104, 342
*Grotte éclatée, La* (Méchakra), 426, 544
Guadalupe, 31, 51, 127, 150, 483-4, 550
Guatemala, 428
Guattari, Félix, 493, 551
Guberina, Petar, 55
Guelma, massacre de (Argélia, 1945), 164, 199, 272
Guérin, Daniel, 210

Guerra Civil Espanhola (1936-9), 142-3
Guerra da Argélia (1954-1962), 38, 200, 395-8, 468, 491, 504, 516, 527, 533; Batalha de Argel (1956-7), 227-8, 233, 238, 244, 247, 251, 258-9, 417, 443, 464-5; campos de reassentamento durante a, 255-6, 335, 532, 534; danos psicológicos da, 276, 425; *harkis* (muçulmanos argelinos que lutavam do lado da França) na, 188, 375, 417, 528; número de mortos na, 449; OAS (Organisation Armée Secrète — Organização Exército Secreto) na, 376, 395, 400, 443; *ver também* ALN (Armée de Libération Nationale — Exército de Libertação Nacional, ala armada da FLN); *An V de la révolution algérienne, L'* (Fanon); FLN (Front de Libération Nationale — Frente de Libertação Nacional)
Guerra Fria, 82, 358, 372, 379, 409, 441-2, 472
Guerras Napoleônicas (1803-15), 159
guerrilhas na América do Sul, 17, 442
Guevara, Che, 389, 450, 458
Guex, Germaine, 30, 125
Guiana Francesa, 40, 51, 53, 127
Guillet, Nicole, 71-2, 148, 517
Guiné, 9, 304, 316, 332, 349, 540
Guiné-Bissau, 325, 458
Gurnah, Abdulrazak, 461

# H

Hadj-Saïd, Chérif, 198
Haiti, 28, 304, 413; Revolução Haitiana (1791-1804), 13, 37, 56
Hall, Stuart, 103, 475, 521
Hamas, 502-3, 505-6
Hammarskjöld, Dag, 361, 540
Hamouda, Amar Ould, 218
Harbi, Mohammed, 158, 161, 165, 200, 218, 243, 250, 261, 263, 317, 325, 334, 337-8, 392, 402, 457, 510, 525, 529-32, 536-8, 540, 550
*harkis* (muçulmanos argelinos que lutavam do lado da França), 188, 375, 417, 528
Harlem (Nova York), 105-6, 108, 282, 326, 471, 521; Clínica de Saúde Mental Lafargue, 105-6, 521
"Harlem Is Nowhere" (Ellison), 106
Havana (Cuba), 389, 396, 466
Hegel, Georg Wilhelm Friedrich, 92, 127-8, 135, 386, 422, 439, 520, 544, 546
Henri, Joseph, 39, 51
Herzl, Theodor, 157
"hibernoterapia" (técnica terapêutica de Fanon), 271, 333, 384
Hikmet, Nâzim, 453
Hilliard, David, 470
Himes, Chester, 64, 83, 235, 268, 282, 467
hipernacionalismo, 502
*Hiroshima, meu amor* (filme), 308
*História da cultura africana, A* (Frobenius), 53, 56
*História da loucura na idade clássica* (Foucault), 173

Hitler, Adolf, 42, 117, 120, 233, 388
Ho Chi Minh, 132
Holmes, Stephen, 499, 552
Holocausto, 18, 86-7, 391, 457, 463
*Homem invisível* (Ellison), 107-8, 521
*Homem revoltado, O* (Camus), 82, 110
*Homme pareil aux autres, Un* (Maran), 125
homossexualidade, 103, 269
Hondo, Med, 464
Horkheimer, Max, 412
Horne, Alistair, 38, 525-7, 529-30
Hospital Charles Nicolle (Túnis), 237, 263, 286, 311, 349, 350, 378, 446
Hospital Mustapha Pacha (Argel), 167, 193
Hospital Psiquiátrico de Blida-Joinville (Hospital Frantz Fanon — Argélia), 12, 151, 156, 167, 177, 182, 190, 194, 196, 226, 235, 450, 489
Hospital Psiquiátrico de Manouba (Túnis), 237, 262-4, 426
Hospital Psiquiátrico de Saint-Alban (França), 72, 78
Hospital Saint-Ylié (Dôle, França), 95
Houphouët-Boigny, Félix, 314-6, 369
Hughes, Langston, 58
Hugo, Victor, 31, 514
*Humanité, L'* (jornal), 136
Humbert, Madeleine, 96
Hungria, 82, 279, 340, 499
Hussein Dey (governante otomano de Argel), 159
Husserl, Edmund, 53

# I

identitárias, políticas, 90, 454, 490
Iêmen, 501
Ighilahriz, Louisette, 299
Ighilahriz, Malika, 298-9
Igreja católica, 190-1, 326, 378; católicos, 95, 190
Iluminismo, 33, 117, 124, 337
imperialismo, 117, 120, 215, 234, 243, 249, 320, 325, 340-2, 367, 390, 428, 461, 465, 472, 477, 499, 519, 549; *ver também* colonialismo
imprensa/jornalismo, 136, 158, 237, 242, 254-5, 340, 355, 447, 532, 539; desdém de Fanon pelos jornalistas ocidentais, 242-3
Índia, 120, 319, 500
Indochina, 189, 227-8, 376, 546
Indonésia: Conferência de Bandungue (1955), 212-3, 340
Inglaterra, 168
Instituto Pere Mata (Reus, Espanha), 142
insulinoterapia (em psiquiatria), 149, 176
*Intimate Enemy: Loss and Recovery of Self Under Colonialism, The* (Nandy), 432, 545
Irã, 17, 293, 428, 462; Revolução Islâmica (1979), 293, 462
Irmandade Muçulmana, 506
Isaacs, Harold, 437, 545
Iselin, Oliver, 440-2, 447
islã, 187, 197, 200, 293-4, 300, 304, 321, 337, 416, 457, 485, 488; Alcorão, 181, 486; argelinos muçulmanos, 182, 192; FIS (Front Islamique du Salut — Frente Islâmica de

Salvação), 486; Irmandade Muçulmana, 506; islamistas radicais, 486, 490; islamização da Argélia, 550; lei islâmica, 248, 506; Maomé, profeta, 160; muçulmanos argelinos, 46, 111, 161, 167, 177-9, 184, 189-90, 192, 199, 249, 253, 300, 302, 337, 342, 344, 375, 394, 488; muçulmanos franceses, 490; mulheres muçulmanas, 162, 181, 217; patriarcado islâmico, 217, 296; populismo islâmico, 163; Ramadã (mês sagrado do islã), 174, 185, 384, 463; Revolução Islâmica (Irã, 1979), 293, 462; tradicionalistas islâmicos, 194
Israel, 157, 232, 263, 458-9, 463, 466, 476, 493-4, 502-4, 507, 540
Itália, 9, 160, 220, 237, 399, 495; *ver também* fascismo
Iugoslávia, 308, 333, 495
Iveton, Fernand, 403

# J

Jabr, Samah, 494, 497, 551
Jackson, Julian, 313, 377, 536, 541
jacobinismo, 163
*Jacobinos negros, Os* (James), 56
James, C. L. R., 56, 513
Jameson, Fredric, 15, 513
Jaurès, Jean, 233
jazz, 54, 307, 328-9, 466, 481
*Je suis martiniquaise* (Capécia), 38
Jeanson, Colette, 111, 234, 257
Jeanson, Francis, 110-3, 151-2, 181, 234-6, 304, 311, 393-5, 397-8, 402, 493, 521-3, 531, 551

*Jeune Afrique* (revista), 241, 448
Joans, Ted, 465-6
João XXIII, papa, 326
Jones, LeRoi (Amiri Baraka), 22, 329, 469
Jordânia, 459, 476
jornalistas *ver* imprensa/jornalismo
Joséphine, imperatriz consorte da França, 37, 483
Joxe, Louis, 184
Judar Paxá (líder militar espanhol marroquino), 371
*Judeu não judeu, O* (Deutscher), 509
judeus, 51, 70, 86-9, 92, 106, 140, 143, 166, 191, 220, 225, 241-5, 263, 278, 289, 301-3, 386, 393, 405, 445, 463, 477, 505, 517, 535, 540, 545, 550; argelinos, 220, 225, 301-2, 490; crianças judias, 87, 302; Holocausto, 18, 86-7, 391, 457, 463; sionismo e, 263, 302, 320, 457, 467, 477; *ver também* antissemitismo; Israel
Julien, Isaac, 475
Juminer, Bertène, 306
Juppé, Alain, 491

# K

Kaminsky, Adolfo, 235, 492, 531
Kant, Immanuel, 124
Karameh (Jordânia), 459, 476
Karenga, Maulana, 471
Kasavubu, Joseph, 356, 362-3
Kateb, Kamel, 449
Keïta, Fodéba, 317, 433
Keïta, Modibo, 315, 369, 373, 540

Kennedy, John F., 251-2, 271, 364, 440, 532
Kenyatta, Jomo, 308
Khalaf, Salah (Abu Iyad), 458
Khalfa, Jean, 424, 511, 522, 544
Khider, Mohamed, 250
Khruschóv, Nikita, 279
Kierkegaard, Søren, 53
Kincaid, Jamaica, 25, 514
King Jr., Martin Luther, 134, 318, 468
Klein, Elaine, 70, 351, 357, 440, 466, 510, 548
Kojève, Alexandre, 128, 422
Krastev, Ivan, 499, 552
Kwanzaa (celebração pan-africana), 471

# L

L'Ouverture, Toussaint, 13, 58, 129, 308, 513
La Marsa (Tunísia), 242, 310
La Pointe, Ali, 222, 417, 465
La Savane (Fort-de-France, Martinica), 33, 34, 37; Biblioteca Schœlcher em, 30, 33, 36
La Trinité (Martinica), 36
Lacan, Jacques, 79, 99, 104, 128, 142-3, 268, 477
Lacaton, Raymond, 182-3, 226
Lacheraf, Mostefa, 213
Lacoste, Robert, 211, 226, 228, 254
Lafargue, Paul, 105
Lagos (Nigéria), 25, 433
Laing, R. D., 21, 79, 267, 513
Lakhdari, Samia, 222
Lamamra, Ramtane, 474, 475

"Lamento do negro: A experiência vivida do negro, O" (Fanon), 94-5
Lamine-Guèye, Amadou, 525
Lamming, George, 213, 514
Lanzmann, Claude, 391-2, 396-400, 404, 407, 441, 444, 463-4, 533, 536, 542
Lazali, Karima, 488, 519, 525, 529, 532, 550
Le Pen, Marine, 484, 550
Le Vauclin (Martinica), 138
Leclerc de Hauteclocque, Philippe, 370, 371
Légitime Défense (círculo de revolucionários antilhanos), 126
Leiris, Michel, 117, 522-3
Lênin, Vladímir, 218, 420, 434
Lessing, Doris, 526
Lévi-Strauss, Claude, 117, 522
Lévy, Lucien, 302, 350
*Lézarde, La* (Glissant), 28, 332, 514
liberalismo, 89, 92, 114, 124, 337; neoliberalismo, 484, 499
Libéria, 9, 369
"Liberté" (Éluard), 146
Líbia, 9, 258, 318
Lindon, Jérôme, 397, 542
linguagem e racialização, 122
Linha Morice (cerca de arame farpado nas fronteiras da Argélia), 259, 286, 311, 367
Lorde, Audre, 454
Louanchi, Anne-Marie, 193, 237
Louanchi, Salah, 193, 237
loucura, 72-3, 78-9, 85, 140, 145, 156, 173, 178-9, 226, 417, 437, 494, 524, 527; Fanon e, 72, 73; Foucault e, 173; Lacan e, 79; "romantização" da, 268; *ver*

*também* doenças mentais; psiquiatria
Lucas, Philippe, 436, 545-6
Lukács, Georg, 542, 546
lumpemproletariado, 417, 428
Lumumba, Patrice, 318, 322-3, 353-8, 361-3, 367, 378-9, 383, 390, 402, 449, 537, 539, 541
luta de classes, 546
"Luto e melancolia" (Freud), 275
Lyautey, Hubert, 376
Lycée Schœlcher (Fort-de-France, Martinica), 51-3
Lyon (França), 13, 60-4, 67-73, 81-3, 85-6, 93-5, 97, 108, 124, 130, 141, 146-7, 151, 197, 243, 277, 287, 350, 392, 434, 551
Lyotard, Jean-François, 420-1, 458, 544

# M

Macey, David, 71, 509-10, 514-5, 518, 524, 530
MacMaster, Neil, 289, 336, 534-5
Macron, Emmanuel, 484, 530
Madagascar, 99, 376
Main Rouge, La (A Mão Vermelha, organização terrorista francesa), 238, 333
Makdisi, Saree, 502
Makeba, Miriam, 465
Malcolm X, 354, 424, 467, 469-70, 492, 539, 548
Malek, Redha, 486
"Mal-estar de uma civilização" (Suzanne Césaire), 58-9, 517
malgaxes (povo africano), 99-101, 103, 292, 325; idioma malgaxe, 89
Mali, 9, 11, 364, 366, 368-9, 371-3, 378, 390, 494, 500, 511, 540
Malm, Andreas, 479, 549
Malraux, André, 395
Malta, 160
Mammeri, Mouloud, 213
Mandouze, André, 190-3, 211, 221, 228, 463, 528, 530
*Manifesto Comunista* (Marx e Engels), 407
"Manifesto dos 121" (intelectuais pró-independência argelina, 1960), 397
Mannoni, Octave, 99-102, 115, 120, 122-3, 292, 520
Manuellan, Gilbert, 279, 307, 450
Manuellan, Marie-Jeanne, 242, 264, 277-80, 307-11, 350, 378, 380, 383, 405, 446, 450, 453-4, 510, 531, 534, 536, 539, 541, 545-6
Manville, Marcel, 42, 47, 49-50, 224, 235, 278, 306, 480, 516
Mao Tsé-Tung, 280, 335, 430, 450, 470
maoismo, 551
Maomé, profeta, 160
*Mãos paralelas* (peça teatral de Fanon), 69
*Mãos sujas, As* (Sartre), 434
*maquis* (movimento clandestino de resistência argelina), 11, 140, 145, 189, 218, 238, 244, 257-8, 270, 294, 298, 311, 336, 339, 426; mulheres no, 194
Maran, René, 125, 156, 524
Marcuse, Herbert, 475

Marrocos, 44, 157, 163, 210, 219, 238, 244, 258-9, 271-3, 303-4, 333, 367, 370, 405, 425, 440, 447, 546
Martinet, Gilles, 246
Martini, Michel, 263-5, 278, 349-50, 380, 384-5, 446-8, 510, 533, 539, 541, 545-6
Martinica, 9, 11-2, 25, 27-9, 31-2, 36, 38-9, 41, 51-2, 55, 57, 119, 136, 139, 196, 269, 306, 331, 428, 457, 474, 480, 482-4, 514, 527-8, 538; *békés* (antilhanos brancos), 26, 28, 36-7, 102, 119, 483-4; Comitê de Libertação Martinicano, 41; como uma das ilhas das Pequenas Antilhas, 25; consultório de Fanon na, 138; homossexualidade na, 103, 269; Partido Progressista da Martinica, 329; pesticida (clordecona) usado na, 483; plantações de banana da, 483; provincialismo da, 27; revoltas de escravizados na, 127; Tan Robé ("Tempo de Robert", regime de Robert na Martinica), 35-8, 40-1; violência doméstica na, 138; *ver também* Fort-de-France
Marton, Ruchama, 494, 551
Marx, Karl, 105, 112, 139, 141, 218, 407, 522
marxismo, 13, 15, 78, 126, 136, 142, 194, 212, 240, 323-4, 331, 337-8, 359, 386, 405, 411, 421, 454, 458-9, 464, 470, 472, 478, 515, 541, 546-7
Maryland (EUA), 11, 441-2, 444
Maspero, François, 69, 287-8, 304, 385, 388, 399, 405, 437, 450, 463, 466, 536, 541, 543

Massu, Jacques, 227-8, 259, 290
Mau-Mau, revolta dos (Quênia, 1952-1960), 419
Mauriac, François, 420
Mauss, Marcel, 78, 109
Mbembe, Achille, 328, 538
McKay, Claude, 58
Meaney, Thomas, 440, 442, 545
Méchakra, Yamina, 426, 544
Mechta Kasbah, povoado de (Argélia), 253
medicina: argelina, 180-1, 527; Fanon como médico, 9, 12, 14-6, 22, 45, 74-5, 79, 95, 109, 138, 168-9, 179, 189-90, 208, 238, 262, 264, 267, 272, 276, 306, 350, 424-5; ocidental, 179, 297, 496; *ver também* psiquiatria
Melouza, massacre de (Argélia, 1957), 253-7, 389, 532
"membro fantasma", 83-4, 184, 519
Memmi, Albert, 46, 246-9, 262, 301, 304, 339, 341, 408-9, 455-7, 459, 478, 512, 531, 536, 547
Mendès-France, Bernard, 546
Mendès-France, Pierre, 211, 219, 454, 518, 546
Mendjeli, Ali, 447
Ménil, René, 126, 523
Merleau-Ponty, Maurice, 83-6, 93, 118, 128, 174, 182, 295, 519
Merton, Thomas, 457
Messali Hadj (líder argelino), 111, 163, 187, 232, 253, 351, 389, 417
México, 31, 502
Michel, Louise, 256
Michel, Serge, 256, 301, 320, 336, 355, 357, 362, 449, 465, 532, 537-40
Mira y López, Emilio, 142
Mitterrand, François, 197

MNA (Mouvement National Algérien — Movimento Nacional Argelino), 188, 232, 253, 254, 334, 389
Mobutu, Joseph, 362-4, 429-30, 461
"mocamaus" (escravizados fugidos), 37
Moçambique, 458-9
Modi, Narendra, 500
Mohammed V, o rei do Marrocos, 210, 219, 260
Mokhtefi, Elaine *ver* Klein, Elaine
Mokhtefi, Mokhtar, 261, 548
Molière, 74, 176
Mollet, Guy, 210-2, 233
*Monde, Le* (jornal), 136, 243, 254, 397, 534, 550
Moneta, Jakob, 234
Monnerot, Guy, 186-7
Monróvia, 9, 369
Monte Pelée (vulcão na Martinica), 26, 41, 52
Montesquieu, 124
Moscou (Rússia), 142, 380, 383, 390, 440
Moses, Bob, 468
Mossadegh, Mohammad, 428
Mostefaï, Chawki, 318, 368
*Moudjahid, El* (jornal), 237, 242-3, 245, 250, 252, 257, 260, 301, 311, 313, 321-2, 339, 355, 377, 394, 396, 465, 486, 537
Moumié, Félix-Roland, 10, 318, 322, 367, 537
movimento negro, ativistas do, 468
MPLA (Movimento Popular de Libertação de Angola), 323-4, 331, 547
MTLD (Mouvement pour le Triomphe des Libertés Démocratique), 163, 165, 171, 187, 218
muçulmanos *ver* islã
Mugabe, Robert, 429
mulheres, 16, 22, 32, 36, 38, 70, 76, 97, 101, 108, 111, 118, 120, 128, 157, 162, 168, 173, 176, 180-1, 189, 194, 197, 206, 217, 220, 222-3, 241, 255-6, 269, 275, 278-81, 289-92, 294, 296, 298-301, 304, 336, 338-9, 353, 365, 373, 411, 427, 449, 454, 464-5, 472, 501, 506, 534; argelinas, 180, 222-3, 289-92, 294-5, 296, 298, 300, 464; feminismo, 38, 278, 454, 534; muçulmanas, 162, 181, 217; na FLN (Front de Libération Nationale — Frente de Libertação Nacional), 223-4; no *maquis* (movimento de resistência clandestino), 194; patriarcado e, 180, 217, 289, 296, 298-300, 500; véu usado por, 217, 534
Museu do Homem (Paris), 199
Museveni, Yoweri, 459
música, 96, 148, 181, 306-8, 329, 466, 550; blues, 268, 307; jazz, 54, 307, 328-9, 466, 481
*My Home, My Land* (Abu Iyad), 458
*Mythologies* (Barthes), 116

# N

nacionalismo: argelino, 11, 73, 162, 184, 191, 200, 212, 234, 252, 300, 335, 351, 451, 476; catalão, 141; hipernacionalismo atual, 502

Nações Unidas *ver* ONU
  (Organização das Nações
  Unidas)
Naipaul, V. S., 130, 430, 461, 498,
  545, 547
Namíbia, 325
Nandy, Ashis, 432, 499, 545, 552
napalm (bombas incendiárias), 206,
  256, 426
Napoleão I (Bonaparte), imperador
  da França, 36-7, 483; Guerras
  Napoleônicas (1803-15), 159
*Nascimento da clínica, O* (Foucault),
  77
*Nascimento da tragédia, O*
  (Nietzsche), 69
Nasser, Gamal Abdel, 232-3, 241,
  320
"natalidade" (conceito de Arendt),
  188
nazismo, 35, 39, 42, 54, 110, 117, 120-
  1, 140, 146, 164, 233, 408, 494,
  542, 545
*Nègres, Les* (Genet), 235, 522
*nègres/niggers*, uso da palavra, 40,
  55-6, 63, 66, 405, 500, 515
negritude: consciência negra, 94,
  131, 183, 515, 547; experiência
  vivida da, 214
Négritude (movimento), 27, 52, 54-
  8, 67, 81, 89-95, 108, 113-4, 127,
  131-2, 134-5, 177, 182-3, 215, 239,
  277, 293-4, 312, 316, 325, 329-
  30, 341, 386, 407, 416, 432, 456,
  482-3, 511, 515-6, 546; primeiro
  uso da palavra por Césaire
  (1939), 55
negros e negras, 32, 40, 61, 65,
  89, 96-7, 106, 112-3, 129, 133-
  4, 206, 268, 424, 489, 515;
  afro-americanos/ americanos
  negros, 10, 83, 106, 150, 217,
  268, 328, 329, 417, 442-4, 467-
  8; ativistas do movimento
  negro, 468; Grande Migração
  de negros sulistas para as
  cidades do Norte dos EUA, 104,
  342; mitos sobre a sexualidade
  masculina do negro, 88, 96-
  7; "olhar branco" sobre, 27, 85,
  91, 214; poetas negros, 89-90,
  341; temores e fantasias sobre,
  19, 96; visibilidade de, 88, 107;
  "zona do não ser" de, 22, 56
Nelson, Alondra, 471, 549
neocolonialismo, 52, 354, 373, 460,
  483, 493
neoliberalismo, 484, 499
neurose de guerra, 272, 468
*New York Review of Books, The*
  (revista), 461, 509, 525, 545, 548
*New York Times, The* (jornal), 243,
  509, 552
Newton, Huey P., 470
Ngũgĩ wa Thiong'o (romancista
  queniano), 460, 547
Nguyen Khac Vien (historiador
  vietnamita), 421, 544
Nietzsche, Friedrich, 69, 118
Nigéria, 9, 368
Nizan, Paul, 43, 388-9, 398, 437, 518
Nkrumah, Kwame, 318-9, 349, 354,
  357
Noui, Ahmed, 176
*Nour le voilé* (Michel), 256, 336, 532,
  539-40
Nouvelle Vague, 464
Nova York (NY), 46, 105, 251, 357,
  439, 443-4, 469; Harlem, 105-6,
  108, 282, 326, 471, 521

# O

"O que diz o crepúsculo" (Walcott), 113
OAS (Organisation Armée Secrète — Organização Exército Secreto), 376, 395, 400, 443
Obama, Barack, 457
Ocidente, 10, 15-7, 19, 82, 86, 90, 98, 117, 124, 236, 248, 340-2, 355, 357, 387, 399, 403, 408-9, 419, 428, 435, 439, 476, 478, 495, 498-502, 504, 519
olhar branco, 27, 85, 91, 214
*Olho se afoga, O* (peça teatral de Fanon), 69
OLP (Organização para a Libertação da Palestina), 17, 321, 458, 476, 541; *ver também* Palestina
ONU (Organização das Nações Unidas), 251, 316, 355-7, 361, 375, 379, 419, 440, 467, 540
Oppenheimer, J. Robert, 445
opressão racial, 15
Orã (Argélia), 45-6, 157, 161, 258, 335, 377, 487, 539
Oradour-sur-Glane (França), 256
Orbán, Viktor, 499
"Orfeu negro" (Sartre), 89-91, 93, 112, 386, 520
Organisation Spéciale (grupo armado argelino), 165
*Orientalismo: O Oriente como invenção do Ocidente* (Said), 215, 461
*Origens do totalitarismo* (Arendt), 120
Otan (Organização do Tratado do Atlântico Norte), 251, 331
Oussedik, Boualem, 349
Oussedik, Omar, 194, 240, 242, 334, 338, 349, 353, 356, 361-2, 446

# P

Paine, Thomas, 407
países subdesenvolvidos, 264, 419
"Palavra 'Nègre', A" (Senghor), 515
Palestina, 17, 320, 493-4, 503, 540-1; Gaza, 462, 502-4, 541; Hamas, 502-3, 505-6; "Inundação de Al-Aqsa" (2023), 503; OLP (Organização para a Libertação da Palestina), 17, 321, 458, 476, 541; palestinos, 453, 458-9, 463, 478, 493-4, 502-4, 507, 541, 549; resistência palestina, 458
pan-africanismo, 135, 212, 241, 318, 331, 356, 369, 459, 466, 492; Congresso dos Povos Africanos (Accra, 1958), 318; Festival Pan-Africano (Argel, 1969), 465-6, 492
Panteras Negras, 17, 417, 451, 465, 470-1, 473, 534
Papon, Maurice, 444, 545
paranoia, 79, 142, 176
Paris (França): libertação de (1944), 50; massacre de argelinos pela polícia de Paris (1961), 444; periferias de, 492; rio Sena em, 157, 444
*Paris Match* (revista), 420, 446
Parks, Rosa, 491
Partido Africano para a Independência da Guiné e Cabo Verde, 332
Partido Comunista da Argélia, 191

Partido Comunista Francês, 82, 119, 136, 163, 171, 191, 212, 244, 351, 441
Partido do Povo Argelino, 163
Partido Progressista da Martinica, 329
Partido Republicano (EUA), 499
*Passenger from the West, A* (Farès), 550
patriarcado islâmico, 217, 296
Patterson, Orlando, 17, 513
Péju, Marcel, 391, 397
*Pele negra, máscaras brancas* (Fanon), 15, 19, 32-3, 38, 48, 65, 84-5, 87, 92, 95, 97-100, 102-3, 105, 112-9, 121-2, 125, 134-7, 139, 147, 150-1, 156, 181, 183, 188, 193, 236, 247, 268-9, 277, 292, 298, 304, 312, 316, 338, 341, 365, 371, 379, 399, 409, 412, 419, 422, 474, 478, 481-2, 506-7, 509, 511, 513-24, 536, 541, 547-8, 552; "A experiência vivida do negro" (capítulo central), 65, 115, 419, 517; "A mulher de cor e o branco" (capítulo), 126; Bigger Thomas em, 64, 105; Capécia em, 38, 40, 126, 298; Hegel em, 127; homossexualidade em, 103, 269; incidente do trem em, 65; "O negro e a psicopatologia" (capítulo), 126; "O negro e Hegel" (capítulo), 127; publicação de, 137; relacionamentos inter-raciais em, 125, 247
Pelorson, Georges, 55, 517
Périn, Maryse, 358, 360-3
pessoas negras *ver* negritude; negros e negras
*Peste, A* (Camus), 45, 158

Pétain, Philippe, 35-7, 191
Peyrefitte, Alain, 376-7
Philippeville (Argélia), 161, 198; insurreição em (1955), 198-200, 202, 204, 206, 258, 334, 364, 413, 415, 503, 529
*Pigmentos* (Damas), 54
Plano Challe (para reconquistar o interior argelino), 311-2, 394
plantations, 26, 31-2, 37, 56-7, 124, 127
poetas negros, 89-90, 341
polícia e violência policial, 62, 67, 74, 195, 208, 222, 225, 227, 268-9, 305, 333, 374, 385, 396, 415, 431, 444-5, 462, 467, 469, 479, 490-2, 496, 501; assassinatos de negros nos EUA, 479, 501; brutalidade policial, 490
políticas identitárias, 90, 454, 490
Pontecorvo, Gillo, 465
populismo, 111, 163, 304, 499; islâmico, 163
*Por uma moral da ambiguidade* (Beauvoir), 119
Porot, Antoine, 167-8, 170, 175, 177, 182, 193, 209, 217, 262, 526
*porteurs des valises* ("carregadores de malas") da, 234, 311, 393, 398, 493, 531
Portugal: colonialismo português, 320, 323-4, 331-2, 364, 401, 458, 547; ditadura de Salazar, 332
POUM (Partido Obrero de Unificatión Marxista — Partido Operário de Unificação Marxista, Espanha), 142, 146, 196
Poussaint, Alvin, 470

*Présence Africaine* (revista), 67, 95, 101, 119, 150, 212-3, 222, 319, 325-6, 340
Primeira Guerra Mundial, 35, 71, 163, 211, 272, 515, 518
*Primeiro homem, O* (Camus), 336, 343, 346, 538-9
progressistas, 178, 194, 303-4, 320, 528; círculos negros progressistas, 467
psicanálise, 58, 79, 94, 104, 209, 281, 284, 308, 511; "geopsiquiatria"/"geopsicanálise", 142, 265, 535; "romance familiar" (na psicanálise freudiana), 493; "transferência", conceito de, 144-5, 281, 284, 444
*Psicologia da colonização* (Mannoni), 99, 292
psiquiatria/ psiquiatras: diagnósticos psiquiátricos, 496; neuropsiquiatria, 78-9, 350; psiquiatras israelenses, 494; psiquiatras marxistas, 78; *ver também* doenças mentais
psiquiatria, trabalho de Fanon em, 12-4, 68, 71, 83, 124, 207, 235, 262, 360, 386, 400, 425, 447, 504; CNPJ (Centre Neuropsychiatrique de Jour — Centro Diurno de Neuropsiquiatria, Túnis), 264, 266, 280, 282, 285, 350; consultório de Fanon na Martinica, 138; ECT (terapia eletroconvulsiva) defendida por, 149, 176, 266, 285, 424; éthos da prática de Fanon, 283; fanonismo clínico, 493-5; "geopsiquiatria"/"geopsicanálise", 142, 265, 535;

"hibernoterapia", 271, 333, 384; Hospital Psiquiátrico de Blida-Joinville (Hospital Frantz Fanon — Argélia), 12, 151, 156, 167, 177, 182, 190, 194, 196, 226, 235, 450, 489; Hospital Psiquiátrico de Saint-Alban (França), 72, 78; insulinoterapia, 149, 176; na Martinica, 138; "sociogenia", 104, 107, 126; "socioterapia", 145, 173, 175, 196, 265; tese de doutorado sobre a ataxia de Friedreich (1951), 79, 109
"Psychiatry Comes to Harlem" (Wright), 106
Putin, Vladimir, 499, 552

## Q

*Queda, A* (Camus), 343
Queneau, Raymond, 55
Quênia, 419, 460
*Questão judaica, A* (Sartre), 86-7, 92, 291
*Question, La* (Alleg), 393

## R

Rabemananjara, Jacques, 325-6
raça, 12, 66, 99, 123, 340, 492, 506; linguagem e, 122; para Fanon, 121; racialização, 64, 89, 115, 121, 432, 502
"Raça e cultura" (Leiris), 117
"Raça e história" (Lévi-Strauss), 117
*"racecraft"* (conceito de Fields), 121
Racine, Jean, 248

racionalização, 131, 343, 507
racismo: antinegro, 123, 135, 167, 263, 268, 332, 365; "consciência dual" criada pelo, 88, 340; danos psicológicos do, 135; em anúncios, 107; estrutural, 214; na prática médica, 471; opressão racial, 15; "racismo antirracista" (conceito de Sartre), 90, 92, 416; "racismo científico", 123, 124, 217; "racismo cultural" (conceito de Fanon), 215, 217, 377, 497; *ver também* antissemitismo
Ramadã (mês sagrado do islã), 174, 185, 384, 463
Ramdane, Hacène, 261
rappers de língua francesa, 288
Raptis, Michel, 258
"razão instrumental" (conceito de Adorno e Horkheimer), 412
refugiados argelinos, 273
relacionamentos inter-raciais, 125, 247
Renault, Matthieu, 118-9, 522
Resnais, Alain, 308, 397
*Retrato do colonizado precedido do retrato do colonizador* (Memmi), 304-1, 408, 536
Reunião, Ilha da, 67, 127
Reus (Espanha), 141, 142
Revolução Cubana (1959), 396
Revolução Francesa (1789), 12, 37, 41, 387-8
Revolução Haitiana (1791-1804), 13, 37, 56
Revolução Islâmica (Irã, 1979), 293, 462
Rhodes Must Fall (movimento sul-africano), 483
Rimbaud, Arthur, 79

*Ripening, The* (Glissant), 514
Rivers, W. H. R., 272
Robbe-Grillet, Alain, 397
Robert, Georges, 34-8, 40-1
Robert-Ageron, Charles, 449
Roberto, Holden, 323, 331, 363, 441, 537
Rocé (rapper francês), 492, 550
Rodney, Walter, 459, 547
Roger, Annette, 350
Roma, 10, 325, 328-33, 363, 367, 399-401, 403-4, 409, 432, 439, 491, 538, 543
"romance familiar" (na psicanálise freudiana), 493
Roumain, Jacques, 405-6, 543
Rousseau, Jean-Jacques, 33, 407, 434, 523
Ruanda, 419
Rússia, 111, 256, 499-500; *ver também* União Soviética

## S

Saadi, Yacef, 222-3, 228, 417, 465
Saara, deserto do, 9, 11, 157, 165, 220, 366, 368, 371-2
Sadok, Hadj, 186-7
Sahnoun, Mohamed, 352
Said, Edward, 22, 215, 339, 461, 476, 538, 541, 546, 549
Saïd, Mohammedi, 253, 255
Saint-Alban (França), 72, 78, 109, 139-41, 143, 146-8, 150, 156-7, 171, 175-6, 265-6, 283, 524, 546
Saint-Pierre (Martinica), 26, 41, 52
Sakiet Sidi Youssef (Tunísia), 271
Salan, Raoul, 48, 227, 290, 395
Salazar, António de Oliveira, 332

"Sales nègres" (Roumain), 405, 543
Sanchez, François, 178, 180, 226
*Sang des races, Le* (Bertrand), 157
Santa Lúcia (Antilhas), 27, 37-8
Sarraute, Nathalie, 397
Sartre, Jean-Paul, 16, 58, 62, 66, 81-4, 86-95, 101, 110-2, 114, 119, 128, 159, 235, 247, 260-1, 291, 305, 309-10, 322-3, 363, 386-404, 408, 411, 422, 434, 437-9, 446, 450, 452, 466, 469, 477, 491, 499, 502, 513, 519-21, 537, 542, 545; conceito de fraternidade-terror de, 261, 388-91, 547; *Os condenados da terra* (Fanon) prefaciado por, 16-7, 466-7; sobre "racismo antirracista", 90, 92, 416
Sassoon, Siegfried, 272
Sauvy, Alfred, 234
*Savage War of Peace, A* (Horne), 38, 525-7, 529-30
Sayad, Abdelmalek, 256
Schœlcher, Victor, 30-4, 51, 129, 314, 483
Scott, Julius S., 37, 514
Scott-Heron, Gil, 470
Séba, Kémi, 484
Sebag, Paul, 242, 246
Segunda Guerra Mundial, 10-1, 44, 188, 302, 314, 371, 405, 408, 433, 464, 474; Aliados, 35; Fanon servindo na, 41, 44, 110, 236, 367, 371; Forças Francesas Livres na, 38-9, 41, 44, 110, 188, 236, 244, 279, 367, 370; Holocausto, 18, 86-7, 391, 457, 463
*Segundo sexo, O* (Beauvoir), 118, 128, 522-3
Sembène, Ousmane, 464

Sena, rio (Paris), 157, 444
Senegal, 53-4, 150, 304, 316, 329, 369, 429, 464, 515, 525, 540; fuzileiros senegaleses (*tirailleurs sénégalais*), 40, 45, 47-8, 54, 97, 99, 130, 312, 515
Senghor, Lamine, 515
Senghor, Léopold Sédar, 53-4, 56-7, 68, 81, 89, 91, 93, 95, 113, 131, 150, 183, 212-3, 239, 314-6, 318, 322, 325, 329-32, 340, 481, 515-6, 525, 540
*Ser e o nada, O* (Sartre), 86, 386
Serge, Victor, 256-7
Servier, Jean, 335
Sétif, massacre de (Argélia, 1945), 163-5, 176, 198-9, 211, 224, 413, 433, 525
sexualidade, 96, 269, 472, 527; homossexualidade, 103, 269; instinto sexual, 124; mitos sobre a sexualidade masculina do negro, 88, 96-7
Shariati, Ali, 293, 462, 535
Shepp, Archie, 465
*Shoah* (documentário), 391, 463
Signoret, Simone, 397
Simmel, Georg, 13, 513
Simon, Hermann, 143-4
Simone, Nina, 465
"'Síndrome norte-africana', A" (Fanon), 95, 174, 496
sionismo, 263, 302, 320, 457, 467, 477; *ver também* Israel; judeus
Síria, 405, 458, 501
Sitbon, Guy, 243, 350, 510, 531, 539
Smith, William Gardner, 468, 548
SNCC (Student Nonviolent Coordinating Committee — Comitê de Coordenação

Estudantil Não Violenta), 468, 471
*Sobre a violência* (Arendt), 421
"Sobre a violência" (Fanon), 399, 414, 421-2, 424
socialismo, 29, 82, 92, 105, 163-4, 192, 210, 213, 233, 259, 278, 399, 441, 509, 525, 532
"sociogenia" (conceito de Fanon), 104, 107, 126
*Sociologie de l'Algérie* (Bourdieu), 180
"Socioterapia numa ala de homens muçulmanos, A" (Fanon e Azoulay), 175
"socioterapia" (conceito de Fanon), 145, 173, 175, 196, 265
Sorbonne (Universidade de Paris), 53, 130, 136, 212, 215, 249, 316, 467
*Soul of a Nation: Art in the Age of Black Power* (exposição da Tate Modern, Londres, 2017), 25
Soummam, Conferência de (Argélia, 1956), 217-9, 221, 258, 303
*Sous la Dictée de Fanon* (Marie-Jeanne Manuellan), 278, 534
Soustelle, Jacques, 198-201, 203, 210-1, 215, 254, 335
Soyinka, Wole, 56
Spears, Britney, 455
Spears, Jamie Lynn, 455
Spivak, Gayatri, 300, 535
Stálin, Ióssif, 279, 388
stalinismo, 111, 146, 344, 388, 396, 420
Stambouli, Frej, 270, 304, 533, 535
Stein, Gertrude, 67
Steinmetz, George, 428, 544
Stellio, Alexandre, 306
*Stone Face, The* (Smith), 468, 548
Stora, Benjamin, 489
Stovall, Tyler, 50
Suez, Guerra de (1956), 232-3, 340, 428, 504
Sul Global, países do, 234, 462, 493
supremacia branca, 45, 92-3, 167, 318, 341, 478, 497, 501-2
surrealismo, 53, 59, 72, 79, 89, 91, 113, 126, 140-1, 146
Szasz, Thomas, 267

# T

Taïeb, Roger, 242, 246, 310, 333, 445, 447
Taïeb, Yoyo, 242
*Tam-Tam* (revista de Fanon), 67
Tan Robé ("Tempo de Robert", regime de Robert na Martinica), 35-8, 40-1
*Tarzan* (filme), 40
Taylor, Breonna, 479
Tchékhov, Anton, 57, 275
*Teatro e seu duplo, O* (Artaud), 443
*Temps Modernes, Les* (revista), 64, 83, 110, 119, 247, 390-1, 399, 519
Terceiro Mundo, 13, 15-7, 19, 22, 234, 279, 325, 340, 387, 399, 405, 408-9, 419-20, 439, 442, 454, 456-8, 462, 466, 500; *tiers-monde*, 234
terrorismo, 17, 222, 247, 344, 443, 454, 490, 551; campanha de terrorismo urbano da FLN, 222
Thorez, Maurice, 191, 212
Tillion, Germaine, 179, 199, 527
*Time* (revista), 364
Timsit, Daniel, 223, 302

*tirailleurs sénégalais* (fuzileiros senegaleses), 40, 45, 47-8, 54, 97, 99, 130, 312, 515
Tito, Josip Broz, 308
Tocqueville, Alexis de, 31, 159-60
Togo, 313, 368
tortura, 14, 18, 22, 165, 206-9, 225, 227, 233, 242, 247, 275, 286, 301, 377-8, 393, 397-8, 420, 426, 444, 495, 517, 530, 535
Tosquelles, François, 141-50, 157, 171-2, 177, 196, 262, 265-6, 271, 281, 477, 524
Touré, Ahmed Sékou, 316-7, 325, 349, 357, 433-4, 474, 537
Tourtet, Henri, 41-2
*Tragédie algérienne, La* (Aron), 233, 376
*Trait d'Union* (revista literária), 148-9, 172
"transferência" (conceito psicanalítico), 144-5, 281, 284, 444
*Tropiques* (revista literária), 57-9, 126, 517, 523
Trump, Donald, 499, 501-2
Tshombe, Moïse, 358, 378, 540
Tucker, Melville, 472
Túnis (Tunísia), 9, 12, 218, 220, 228, 231, 236-8, 240-4, 246, 248, 250, 253-4, 256-63, 265, 267, 269, 277, 279, 287, 300, 306, 311, 321, 334, 349-51, 363, 377-8, 380, 383-4, 390-2, 400-1, 406, 425-6, 439, 443, 445-7, 486, 530, 536, 541, 550; Universidade de Túnis, 267, 269, 282
Tunísia, 9, 149, 157, 167, 219, 231, 241, 249, 259-60, 262, 271-3, 279-80, 284, 286, 303-4, 331, 336, 357, 367, 380, 400, 405, 425, 455, 511, 546
Turim (Itália), 495
Tzara, Tristan, 140

# U

Ucrânia, 498, 501, 504, 552
Uganda, 459
Unesco (Organização das Nações Unidas para a Educação, a Ciência e a Cultura), 117, 480
União Soviética, 82, 110, 213, 234, 279, 324, 340, 350, 355, 383, 440-2, 462; *ver também* Rússia
universalismo: francês, 451, 491; universalismo humanista de Fanon, 39
Universidade de Argel, 190, 196, 248
Universidade de Túnis, 267, 269, 282
UPA (União dos Povos de Angola), 323, 324, 363-4
*Ursprung der afrikanischen Kultur* [A história da cultura africana] (Frobenius), 53, 56
Us Organization (grupo afrocêntrico), 471

# V

"Valeur humaine de la folie, La" (Balvet), 72
Varnhagen, Rahel, 108
Vaticano, 326
Vautier, René, 244, 531
Vergès, Françoise, 537
Vergès, Paul, 67
Verhaegen, Benoît, 358-60

*Vérité-Liberté* (jornal), 397
Vichy, governo de (França), 35-7, 39, 41, 57-8, 87, 110, 140, 156, 166, 248, 302, 514, 517, 545
Vidal-Naquet, Pierre, 233, 393, 530
Vietnã, 132, 312, 320, 335, 413, 451, 469
violência: Arendt e, 421; colonial, 112, 120, 209, 426, 435; em *Os condenados da terra* (Fanon), 16, 399, 414, 421-2, 424, 479; Fanon e, 399, 414, 419, 421-4, 458, 479, 503; violência doméstica na Martinica, 138
*Voix de l'Algérie* (Voz da Argélia, programa de rádio da FLN), 296-7
*Volontés* (revista), 55
Voltaire, 33, 124

# W

Walcott, Derek, 27, 113, 514
Washington, D.C., 472, 474, 549
WAY (Assembleia Mundial da Juventude, na sigla em inglês), 351, 353
Weiss, Herbert, 357-61, 363, 510, 537, 540
Wertham, Fredric, 105-6
Weyer, Michèle, 70-1, 125, 518, 546
*White Lotus, The* (série de TV), 455
*White Man, Listen!* (Wright), 339-41
Wilde, Oscar, 166
Wilderson III, Frank B., 478, 549
Williams, Eric, 325
Wolfe, Bernard, 83
Wood, James, 461, 548
Woodfox, Albert, 457

*World and Africa, The* (Du Bois), 120
Worsley, Peter, 319, 537
Wright, Julia, 473
Wright, Richard, 15, 64, 83, 104-7, 150, 212, 235, 325, 339-42, 397, 467, 473, 513, 519, 521-2, 524, 538
Wynter, Sylvia, 104, 475

# X

X, Malcolm, 354, 424, 467, 469-70, 492, 539, 548

# Y

Yabrir, Miloud, 489
Yacine, Kateb, 162, 165, 426, 525, 544
Yazid, M'hammed, 251-2, 334, 353, 356-9, 361-2, 439-40
Young, Andrew, 293, 468
Young, Robert J. C., 511, 522
Yousfi, Youcef, 238-9, 271-2, 306, 321, 531, 533

# Z

Zabana, Ahmed, 221
Zaire, 430, 461
Zemmour, Éric, 454, 499, 552
Zerari, Rabah, 194
Zighoud, Youcef, 198
Zimbábue, 325
Zolberg, Aristide e Vera, 469, 548
"zona do não ser" de pessoas negras, 22, 56

*The Rebel's Clinic: The Revolutionary Lives of Frantz Fanon* © Adam Shatz, 2024.
Todos os direitos reservados.

Todos os direitos desta edição reservados à Todavia.

Grafia atualizada segundo o Acordo Ortográfico da Língua Portuguesa de 1990, que entrou em vigor no Brasil em 2009.

capa
Julia Custodio
foto de capa
[à esq.] Everett Collection/ Fotoarena; [à dir.] Ted Streshinsky Photographic Archive/ Getty Images
composição
Jussara Fino
preparação
Gabriela Marques Rocha
índice remissivo
Luciano Marchiori
revisão
Huendel Viana
Eloah Pina

Dados Internacionais de Catalogação na Publicação (CIP)

Shatz, Adam
 A clínica rebelde : Uma biografia de Frantz Fanon / Adam Shatz ; Tradução Érika Nogueira Vieira. — 1. ed. — São Paulo : Todavia, 2024.

 Título original: The Rebel's Clinic: The Revolutionary Lives of Frantz Fanon
 ISBN 978-65-5692-740-4

 1. Biografia. 2. Perfil biográfico. 3. Psiquiatria. 4. Violência. I. Vieira, Érika Nogueira. II. Título.

CDD 928

Índice para catálogo sistemático:
1. Biografia : Perfil biográfico 928

Bruna Heller — Bibliotecária — CRB 10/2348

**todavia**
Rua Luís Anhaia, 44
05433.020 São Paulo SP
T. 55 11. 3094 0500
www.todavialivros.com.br

fonte
Register*
papel
Pólen natural 80 g/m²
impressão
Ipsis